LEY Y REGLAMENTO NOTARIALES

Actualizado con el RD 45/2007,
de 19 de enero

LEY Y REGLAMENTO NOTARIALES

Actualizado con el RD 45/2007, de 19 de Enero

Edición a cargo de:
JOAQUÍN BORRELL GARCÍA

Texto comparativo realizado por:
ANTONIO JIMÉNEZ CLAR

tirant lo blanch
Valencia, 2007

© Edición a cargo de Joaquín Borrell
García. Texto comparativo realizado
por Antonio Jiménez Clar.

PRIMERA REIMPRESIÓN

© TIRANT LO BLANCH
EDITA: TIRANT LO BLANCH
C/ Artes Gráficas, 14 - 46010 - Valencia
TELFS.: 96/361 00 48 - 50
FAX: 96/369 41 51
Email:tlb@tirant.com
http://www.tirant.com
Librería virtual: http://www.tirant.es
DEPÓSITO LEGAL: V - 1252 - 2007
I.S.B.N.: 978 - 84 - 8456 - 822 - 3
IMPRIME: GUADA IMPRESORES, S.L. - PMc Media, S.L.

ÍNDICE

PRÓLOGO

"Lealtanza es una bondad que está bien en todo ome. E señalada-
mente en los escribanos que son puestos para fazer las cartas… ca en
ellas se fían también los señores como toda la gente del pueblo". Habla
la tercera partida de Alfonso X el Sabio, título XIX. Una generación
atrás el Notariado había sido la primera profesión civil que se ejerció en
la Valencia reconquistada, cuando los notarios de Jaime I, entrando por
el "trench" de la muralla, empezaron a entregar los títulos de propiedad
prometidos a las huestes, antes incluso de que cesara la resistencia militar. Por otro lado, los Corredores de Comercio, de cuyo Colegio somos
sucesores y de cuya tradición por tanto nos enorgullecemos, conservan
la memoria de su Síndico-Presidente desde comienzos del siglo XIV.

Significa que ésta es una función muy antigua. Sin embargo, antigüedad no es sinónimo de vejez. Contra la idea de decadencia implícita
en el último concepto, lo antiguo puede mantenerse en la modernidad
mediante la evolución. A lo largo de los siglos, esta capacidad evolutiva
ha sido una de las características del Notariado español. Sus integrantes
han sabido adaptarse a las mutaciones legales, a los cambios de idioma, a la intensificación del ritmo que les ha ido exigiendo la sociedad.
También a la evolución de los soportes y formatos; desde el pergamino
y la pluma de ganso pasando por el pliego de papel barba y la estilográ-
fica, después, en un proceso acelerado destinado a no acabar, al folio
timbrado, la máquina de escribir, la fotocopiadora, los tratamientos de
texto y el telefax.

Todas estas novedades fueron absorbidas sin mengua apreciable
para la esencia de la función. Desde hace aproximadamente una
década, las nuevas tecnologías y el acortamiento de las distancias al
que se llama globalización han planteado retos nuevos. De un lado,
imponen conjugar las inmensas ventajas implícitas en la posibilidad de
la conexión telemática con la seguridad exigida por la función. De otro
han acortado la frontera con los sistemas jurídicos anotariales, basados
en la libertad de forma con un doble contrapeso: un sistema judicial
fulminante —por su agilidad pero también por el escaso peso de las

garantías—, necesario para paliar el incremento de la litigiosidad, y un sistema de seguros compensatorios, mucho más caro que los regímenes europeos para el adquirente —además de que no garantiza la propiedad sino su valor— pero por tanto apetecible para el gran capital, que aumenta sus beneficios donde el Notariado, o cualquier otro servicio público, se debilita.

En la gran contienda, que ya hace muchos años que empezó a librarse, los llamados Notariados latino-germánicos, vigentes en el ochenta por ciento de la Europa comunitaria, están teniendo que someterse a un examen de eficacia. Lo están aprobando, como se deriva de la Resolución del Parlamento Europeo de 23 de marzo de 2006 —"la delegación de una parte de la autoridad del Estado constituye un elemento original inherente a la profesión de notario, que se ejerce de manera regular"—, así como del texto de la recién aprobada Directiva de Servicios; al menos donde los examinadores son objetivos.

El nuevo Reglamento Notarial es el resultado español de este examen. En rigor sólo es una reforma parcial, superpuesta a la de 1984 y a algún que otro parche posterior sobre el texto de 1944. Sin embargo, afecta a cuatro quintas partes; de modo que, con la reciente modificación profunda que la Ley 36/2006 ha operado en la venerable Ley del Notariado, nuestro país cuenta en estos momentos con la regulación notarial más moderna.

De los tres grandes bloques en los que se articula el texto, el primero hace referencia al estatuto del Notario con la conocida mención de su doble carácter, al tiempo participante de la función pública estatal y profesional del Derecho, considerada desde siempre connatural a nuestra actividad. En congruencia se mantiene la obligatoriedad de prestación de la función a requerimiento legítimo de cualquier interesado, sin que el Notario pueda negarla, y se refuerzan los mecanismos de libre elección inherentes al régimen de confianza que debe mediar entre el Notario y el usuario del servicio.

El tercero se dedica a la organización corporativa, en la que los Colegios Notariales actúan como terminales delegadas del Ministerio de Justicia. Según una de las reformas más profundas, el ámbito de sus territorios debe adaptarse a los de las Comunidades autónomas. A la vez el primer párrafo del texto afirma la unidad del Notariado. Y conviene resaltar este principio, como factor relevante para la cohesión estatal, en un sistema donde los regímenes civiles autonómicos son de índole personal y por tanto aplicables en cualquier punto.

Sin embargo es en el segundo bloque, el relativo al instrumento público, donde radica el verdadero interés para los usuarios. El legislador español (Leyes 24/2001, 24/2005, 36/2006, de las que este Reglamento es en buena parte desarrollo), ha atendido a que nuestro sistema dispone de una herramienta singularmente idónea para la seguridad del tráfico: la mediación de un agente estatal en el momento de la verdad del negocio jurídico, que es el de la consumación de las prestaciones.

Citar las características de este agente desde un cargo en la organización notarial puede parecer presuntuoso. Resulta factible, sin embargo, previa la confirmación que el tráfico nos muestra miles de veces cada día: el ciudadano español paga el precio de sus adquisiciones en las Notarías y sale de ellas confiado, en la inmensa mayoría de los casos sin llevarse un solo papel justificativo. Por tanto, parece que la descripción que sigue puede estimarse objetiva.

La realidad de la que parte el legislador es la de que España cuenta con un cuerpo dotado de fe pública, con fuerte arraigo social, cuya red territorial abarca el país entero; dotado de alta cualificación y sujeto a un fortísimo régimen de supervisión y responsabilidad; que, desde hace varios siglos, ejerce en nombre del Estado el control en la consumación de los principales negocios privados; que identifica a las partes, verifica su capacidad y la legitimidad de la representación que alegan; que asegura la lectura y la explicación personal del documento —con la extensión necesaria (nuevo artículo 193) para el cabal conocimiento de su alcance y efectos, atendidas las circunstancias de los comparecientes—, con refuerzo especial para la parte más débil, a fin de paliar la llamada asimetría informativa; que garantiza la libre prestación del consentimiento debidamente informado; que conserva para siempre el documento y procesa la información a disposición de la autoridad pública; todo ello por un precio único fijado por el Estado.

Parte de esta información será objeto de tratamiento posterior y publicidad en el Registro; y conviene retener las expresiones "parte" y "posterior". En efecto, son ajenas al Registro, a título de ejemplo, las obligaciones personales, los apoderamientos de particulares, el mundo del crédito no hipotecario o las transmisiones de participaciones societarias. Por último, "posterior" significa que cuando llegue ese momento de la calificación las prestaciones ya se habrán consumado, en muchas ocasiones con carácter irreversible.

Tal vez con este punto de partida, obvio pero muchas veces desatendido, se entienda la novedad fundamental por la que optan el Reglamento y sus leyes antecesoras: aplicar las posibilidades de la tecnología informática a la mejora de la información, tanto de entrada como de salida, para garantía del usuario.

Aún hay desarrollos pendientes para otros cuerpos, y quizá resistencias más o menos interesadas a la evolución; pero lo que el sistema exige, de acuerdo con la fuerza de los hechos, es que, en el aludido momento de la verdad del negocio jurídico, la telemática permita la información en tiempo real sobre titularidad, cargas y pagos preferentes. También que, acto seguido, mediante la remisión de copia electrónica, posibilite el traslado inmediato de lo firmado, prácticamente cuando las prestaciones están todavía sobre la mesa. Con el recurso a los archivos electrónicos complementarios que sean pertinentes —poderes revocados, Catastro, estado de pagos del I.B.I.— ningún otro sistema del mundo deparará una garantía más económica ni tan estrecha.

Por supuesto, lo tratado no es más que una pequeña parte del articulado; pero seguramente la de más calado y la que mejor debe contribuir a la competitividad del sistema español, en situación idónea frente a los equivalentes de otros países, porque es imposible improvisar un Notariado apto, como lo es restaurar en breve plazo el que se deteriora.

Los Notarios españoles debemos prepararnos para un trabajo más intenso, cuya seriedad deberemos hacer compatible con las prisas del tráfico; con una carga aguda de novedad, que requerirá nuevos medios auxiliares, humanos y técnicos, y un esfuerzo todavía mayor personalizado. Sin embargo, nos consideramos obligados a aceptar el desafío; e intentaremos, como tantas veces hicieron nuestros antecesores, que la institución siga siendo acreedora de la confianza de la sociedad, que es nuestro caudal verdadero.

JOAQUÍN BORRELL GARCÍA
Decano del Ilustre Colegio Notarial de Valencia

LEY DEL NOTARIADO

LEY DE 28 DE MAYO DE 1862 DEL NOTARIADO

TÍTULO I
DE LOS NOTARIOS

Artículo 1.– El Notario es el funcionario público autorizado para dar fe, conforme a las leyes, de los contratos y demás actos extrajudiciales.

Habrá en todo el Reino una sola clase de estos funcionarios.

Artículo 2.– El Notario que, requerido para dar fe de cualquier acto público o particular extrajudicial, negare sin justa causa la intervención de su oficio, incurrirá en la responsabilidad a que hubiere lugar con arreglo a las leyes.

Artículo 3.– Cada partido judicial constituye distrito de Notariado, dentro del cual se crearán tantas Notarías cuantas se estimen necesarias para el servicio público, tomando en cuenta la población, la frecuencia y facilidad de las transacciones, las circunstancias de localidad y la decorosa subsistencia de los Notarios.

Artículo 4.– Al tiempo de la creación de las Notarías, fijará el Gobierno el punto de residencia de cada uno de los Notarios, oyendo a la Audiencia del territorio, al Gobernador de la provincia y a la Diputación provincial, y no podrá hacer alteraciones en lo sucesivo sino oyendo a la misma Audiencia y al Consejo de Estado.

Artículo 5.– Cada Notario formará por sí protocolo.

Artículo 6.– En caso de muerte, enfermedad, ausencia, inhabilitación o cualquiera otro género de imposibilidad de un Notario, se encargará del protocolo y le sustituirá el que al tiempo de la creación de las Notarías haya sido designado para este objeto.

En los distritos judiciales cada uno de los Notarios sustituirá al otro en caso de muerte, ausencia o imposibilidad.

Cuando esto no fuere posible por cualquier causa, el Juez de Primera Instancia habilitará sustituto accidental de entre los Notarios más inmediatos hasta la resolución del Gobierno, al cual dará parte por medio del Regente de la Audiencia. Este, a su vez, dictará las disposiciones convenientes para asegurar el servicio público hasta la resolución del Gobierno.

El sustituto cesará en el desempeño de su cargo tan luego como tome posesión el nuevamente electo, o deje de existir la imposibilidad del Notario a quien sustituya.

Artículo 7.– La residencia habitual de los Notarios ha de ser el punto designado en la creación de su respectivo oficio.

Artículo 8.– Los Notarios podrán ejercer indistintamente dentro del partido judicial en que se halle su Notaría.

Las poblaciones en que hubiere más de un Juzgado de Primera Instancia se reputarán, para el efecto de este artículo, como un solo partido judicial.

Artículo 9.– El Ministro de Gracia y Justicia es el Notario mayor del Reino, con las atribuciones que hasta hoy ha ejercido.

TÍTULO II
REQUISITOS PARA OBTENER Y EJERCER LA FE PÚBLICA

Artículo 10.– Los que aspiren a realizar las pruebas selectivas para el ingreso en el Notariado, deben reunir, en la fecha en que termine el plazo de presentación de las instancias, las condiciones siguientes:

1. Ser español u ostentar la nacionalidad de cualquier país miembro de la Unión Europea.

2. Ser mayor de edad.

3. No encontrarse comprendido en ninguno de los casos que inca-pacitan o imposibilitan para el ejercicio del cargo de Notario.

4. Ser Doctor o Licenciado en Derecho o haber concluido los estudios de esta Licenciatura.

Si el título procediera de un Estado miembro de la Unión Europea, deberá presentarse el certificado acreditativo del reconocimiento u homologación del título equivalente, conforme a la Directiva 89/48, de 21 de diciembre de 1988, al Real Decreto 1665/1991, de 24 de octubre y demás normas de transposición y desarrollo.

> Artículo redactado por Ley 24/2001, de 27 de diciembre, de Medidas Fiscales, Administrativas y del Orden Social.

Artículo 11.– Los Notarios serán de nombramiento Real.

Artículo 12.– Las Notarías se proveerán por oposición ante las Audiencias, que propondrán al Gobierno a los tres opositores que crean más beneméritos.

Artículo 13.– Quedan abolidas las prestaciones de Fiat, media annata y otras de esta clase para obtener título de ejercicio.

Los Notarios pagarán por ejercer su cargo el impuesto a que están sujetas las demás profesiones análogas.

Artículo 14.– El Notario, para tomar posesión de su oficio, consti-tuirá en las Cajas del Estado, en calidad de fianza y como garantía para el ejercicio de su cargo, un depósito en títulos de la Deuda pública que produzca una renta anual según las condiciones de cada localidad, o acreditará que la disfruta en fincas propias, rústicas o urbanas, y quedará suspenso cuando falten estas garantías hasta que las reponga.

Artículo 15.– Los Notarios, para entrar en el ejercicio de su cargo, jurarán ante la Audiencia del territorio obediencia y fidelidad al Rey, guardar la Constitución y las leyes, y cumplir bien y lealmente su cargo.

Artículo 16.– El ejercicio del Notario es incompatible con todo cargo que lleve aneja jurisdicción, con cualquier empleo público que devengue sueldo o gratificación de los presupuestos generales, provinciales o municipales, y con los cargos que le obliguen a residir fuera de su domicilio.

Sin embargo, en los pueblos que pasen de 20.000 almas podrán admitir, aun fuera de su domicilio, los cargos de Diputados a Cortes o Diputados provinciales.

TÍTULO III
DEL PROTOCOLO Y COPIAS DEL MISMO QUE CONSTITUYEN INSTRUMENTO PUBLICO

Artículo 17.– 1. El Notario redactará escrituras matrices, intervendrá pólizas, extenderá y autorizará actas, expedirá copias, testimonios, legitimaciones y legalizaciones y formará protocolos y Libros-Registros de operaciones.

Las escrituras públicas tienen como contenido propio las declaraciones de voluntad, los actos jurídicos que impliquen prestación de consentimiento, los contratos y los negocios jurídicos de todas clases.

Es escritura matriz la original que el Notario ha de redactar sobre el contrato o acto sometido a su autorización, firmada por los otorgantes, por los testigos instrumentales, o de conocimiento en su caso, y firmada y signada por el mismo Notario.

Es primera copia el traslado de la escritura matriz que tiene derecho a obtener por primera vez cada uno de los otorgantes. A los efectos del artículo 517.2.4.º de la Ley 1/2000, de 7 de enero, de Enjuiciamiento civil, se considerará título ejecutivo aquella copia que el interesado solicite que se expida con tal carácter. Expedida dicha copia el Notario insertará mediante nota en la matriz su fecha de expedición e interesado que la solicitó.

Las pólizas intervenidas tienen como contenido exclusivo los actos y contratos de carácter mercantil y financiero que sean propios del tráfico habitual y ordinario de al menos uno de sus otorgantes, quedando excluidos de su ámbito los demás actos y negocios jurídicos, especialmente los inmobiliarios.

El Notario conservará en su Libro-Registro o en su protocolo ordinario el original de la póliza, en los términos que reglamentariamente se disponga.

A los efectos de lo dispuesto en el artículo 517.2.5.º de la Ley 1/2000, de 7 de enero, de Enjuiciamiento civil, se considerará título ejecutivo el testimonio expedido por el Notario del original de la póliza debidamente conservada en su Libro-Registro o la copia autorizada de la misma, acompañada de la certificación a que se refiere el artículo 572.2 de la citada Ley.

Las actas notariales tienen como contenido la constatación de hechos o la percepción que de los mismos tenga el Notario, siempre que por su índole no puedan calificarse de actos y contratos, así como sus juicios o calificaciones.

Se entiende por protocolo la colección ordenada de las escrituras matrices autorizadas durante un año, y se formalizará en uno o más tomos encuadernados, foliados en letra y con los demás requisitos que se determinen en las instrucciones del caso. En el Libro-Registro figurarán por su orden, separada y diariamente, todas las operaciones en que hubiesen intervenido.

2. A los efectos de la debida colaboración del Notario y de su organización corporativa con las Administraciones públicas, los notarios estarán obligados a llevar índices informatizados y, en su caso, en soporte papel de los documentos protocolizados e intervenidos. El Notario deberá velar por la más estricta veracidad de dichos índices, así como por su correspondencia con los documentos públicos autorizados e intervenidos, y será responsable de cualquier discrepancia que exista entre aquellos y estos, así como del incumplimiento de sus plazos de remisión. Reglamentariamente se determinará el contenido de tales índices, pudiéndose delegar en el Consejo General del Notariado la adición de nuevos datos, así como la concreción de sus características técnicas de elaboración, remisión y conservación.

El Consejo General del Notariado formará un índice único informatizado con la agregación de los índices informatizados que los notarios deben remitir a los Colegios Notariales. A estos efectos, con la periodicidad y en los plazos reglamentariamente establecidos, los notarios remitirán los índices telemáticamente a través de su red corporativa y con las garantías debidas de confidencialidad a los Colegios Notariales, que los remitirán, por idéntico medio, al Consejo General del Notariado.

3. Corresponderá al Consejo General del Notariado proporcionar información estadística en el ámbito de su competencia, así como sumi-

nistrar cuanta información del índice sea precisa a las Administraciones públicas que, conforme a la Ley, puedan acceder a su contenido, a cuyo efecto podrá crear una unidad especializada.

En particular, y sin perjuicio de otras formas de colaboración que puedan resultar procedentes, el Consejo General del Notariado suministrará a las Administraciones tributarias la información contenida en el índice único informatizado con trascendencia tributaria que precisen para el cumplimiento de sus funciones estando a lo dispuesto en el artículo 94.5 de la Ley 58/2003, de 17 de diciembre, General Tributaria, permitirá el acceso telemático directo de las Administraciones tributarias al índice y recabará del Notario para su posterior remisión la copia del instrumento público a que se refiera la solicitud de información cuando ésta se efectúe a través de dicho Consejo.

Artículo 17 Bis.– 1. Los instrumentos públicos a que se refiere el artículo 17 de esta Ley, no perderán dicho carácter por el sólo hecho de estar redactados en soporte electrónico con la firma electrónica avanzada del notario y, en su caso, de los otorgantes o intervinientes, obtenida la de aquel de conformidad con la Ley reguladora del uso de firma electrónica por parte de notarios y demás normas complementarias.

2. Reglamentariamente se regularán los requisitos indispensables para la autorización o intervención y conservación del instrumento público electrónico en lo no previsto en este artículo.

En todo caso, la autorización o intervención notarial del documento público electrónico ha de estar sujeta a las mismas garantías y requisitos que la de todo documento público notarial y producirá los mismos efectos. En consecuencia:

a) Con independencia del soporte electrónico, informático o digital en que se contenga el documento público notarial, el notario deberá dar fe de la identidad de los otorgantes, de que a su juicio tienen capacidad y legitimación, de que el consentimiento ha sido libremente prestado y de que el otorgamiento se adecua a la legalidad y a la voluntad debidamente informada de los otorgantes o intervinientes.

b) Los documentos públicos autorizados por Notario en soporte electrónico, al igual que los autorizados sobre papel, gozan de fe pública y su contenido se presume veraz e íntegro de acuerdo con lo dispuesto en esta u otras leyes.

3. Las copias autorizadas de las matrices podrán expedirse y remitirse electrónicamente, con firma electrónica avanzada, por el notario autorizante de la matriz o por quien le sustituya legalmente. Dichas copias sólo podrán expedirse para su remisión a otro notario o a un registrador o a cualquier órgano de las Administraciones públicas o jurisdiccional, siempre en el ámbito de su respectiva competencia y por razón de su oficio. Las copias simples electrónicas podrán remitirse a cualquier interesado cuando su identidad e interés legítimo le consten fehacientemente al notario.

4. Si las copias autorizadas, expedidas electrónicamente, se trasladan a papel, para que conserven la autenticidad y garantía notarial, dicho traslado deberá hacerlo el notario al que se le hubiesen remitido.

5. Las copias electrónicas se entenderán siempre expedidas por el notario autorizante del documento matriz y no perderán su carácter, valor y efectos por el hecho de que su traslado a papel lo realice el notario al que se le hubiese enviado, el cual signará, firmará y rubricará el documento haciendo constar su carácter y procedencia.

6. También podrán los registradores de la propiedad y mercantiles, así como los órganos de las Administraciones públicas y jurisdiccionales, trasladar a soporte papel las copias autorizadas electrónicas que hubiesen recibido, a los únicos y exclusivos efectos de incorporarlas a los expedientes o archivos que correspondan por razón de su oficio en el ámbito de su respectiva competencia.

7. Las copias electrónicas sólo serán válidas para la concreta finalidad para la que fueron solicitadas, lo que deberá hacerse constar expresamente en cada copia indicando dicha finalidad.

8. En lo no previsto en esta norma, la expedición de copia electrónica queda sujeta a lo previsto para las copias autorizadas en la Ley notarial y en su Reglamento.

Artículo adicionado por la Ley 24/2001, de 27 de diciembre, de Medidas Fiscales, Administrativas y del Orden Social.

Artículo 18.– No podrán expedirse segundas o posteriores copias de la escritura matriz sino en virtud de mandato judicial, y con citación de los interesados o del Promotor fiscal cuando se ignoren éstos o estén ausentes del pueblo en que esté la Notaría.

Será innecesaria dicha citación en los actos unilaterales, y aun en los demás cuando pidan la copia todos los interesados.

Artículo 19.– Los Notarios autorizarán todos los instrumentos públicos con su firma, y con la rúbrica y signo que propongan y se les dé al expedirles los títulos de ejercicio.

No podrán variar en lo sucesivo, sin Real autorización, la rúbrica ni el signo.

En cada Audiencia habrá un libro en que los Notarios pongan su firma, rúbrica y signo después de haber jurado su plaza.

Artículo 20.– No podrán autorizar los Notarios ningún instrumento público inter vivos sin la presencia al menos de dos testigos.

Artículo 21.– No podrán ser testigos en los instrumentos públicos los parientes, escribientes o criados del Notario autorizante.

Tampoco podrán serlo los parientes de las partes interesadas en los instrumentos, ni los del Notario, unos y otros dentro del cuarto grado de consanguinidad o segundo de afinidad.

Artículo 22.– Ningún Notario podrá autorizar contratos que contengan disposición en su favor, o en que alguno de los otorgantes sea pariente suyo dentro del cuarto grado civil o segundo de afinidad.

Artículo 23.– Los notarios darán fe en las escrituras públicas y en aquellas actas que por su índole especial lo requieran de que conocen a las partes o de haberse asegurado de su identidad por los medios supletorios establecidos en las leyes y reglamentos.

Serán medios supletorios de identificación, en defecto del conocimiento personal del Notario, los siguientes:

a) La afirmación de dos personas, con capacidad civil, que conozcan al otorgante y sean conocidas del Notario, siendo aquéllos responsables de la identificación.

b) La identificación de una de las partes contratantes por la otra, siempre que de esta última dé fe de conocimiento el Notario.

c) La referencia a carnets o documentos de identidad con retrato y firma expedidos por las autoridades públicas, cuyo objeto sea identificar a las personas.

El Notario en este caso responderá de la concordancia de los datos personales, fotografía y firma estampados en el documento de identidad exhibido, con las del compareciente.

d) El cotejo de firma con la indubitada de un instrumento público anterior en que se hubiere dado por el Notario fe de conocimiento del firmante.

El Notario que diere fe de conocimiento de alguno de los otorgantes, inducido a error sobre la personalidad de estos por la actuación maliciosa de ellos mismos o de otras personas, no incurrirá en responsabilidad criminal, la cual será exigida únicamente cuando proceda con dolo. En tal supuesto el Notario, sin perjuicio de lo anterior, será inmediatamente sometido a expediente de corrección disciplinaria con la obligación de indemnizar los daños y perjuicios que se hayan producido por tal error a terceros interesados.

Si se trata de escrituras públicas relativas a actos o contratos por los que se adquieran, declaren, constituyan, transmitan, graven, modifiquen o extingan el dominio y los demás derechos reales sobre bienes inmuebles, o a cualesquiera otros con trascendencia tributaria, los comparecientes acreditarán ante el Notario autorizante sus números de identificación fiscal y los de las personas o entidades en cuya representación actúen, de los que quedará constancia en la escritura.

Artículo 24.– En todo instrumento público consignará el Notario su nombre y vecindad, los nombres y vecindad de los testigos, y el lugar, año y día del otorgamiento.

Los notarios en su consideración de funcionarios públicos deberán velar por la regularidad no sólo formal sino material de los actos o negocios jurídicos que autorice o intervenga, por lo que están sujetos a un deber especial de colaboración con las autoridades judiciales y administrativas.

En consecuencia, este deber especial exige del Notario el cumplimiento de aquellas obligaciones que en el ámbito de su competencia establezcan dichas autoridades.

En las escrituras relativas a actos o contratos por los que se declaren, transmitan, graven, modifiquen o extingan a título oneroso el dominio y los demás derechos reales sobre bienes inmuebles se identificarán, cuando la contraprestación consistiere en todo o en parte en dinero o signo que lo represente, los medios de pago empleados por las partes. A tal fin, y sin perjuicio de su ulterior desarrollo reglamentario, deberá identificarse si el precio se recibió con anterioridad o en el momento del otorgamiento de la escritura, su cuantía, así como si se efectuó en metálico, cheque, bancario o no, y, en su caso, nominativo o al portador, otro instrumento de giro o bien mediante transferencia bancaria.

Igualmente, en las escrituras públicas citadas el Notario deberá incorporar la declaración previa del movimiento de los medios de pago aportadas por los comparecientes cuando proceda presentar ésta en los términos previstos en la legislación de prevención del blanqueo de capitales. Si no se aportase dicha declaración por el obligado a ello, el Notario hará constar esta circunstancia en la escritura y lo comunicará al órgano correspondiente del Consejo General del Notariado.

En las escrituras públicas a las que se refieren este artículo y el artículo 23 de esta Ley, el Consejo General del Notariado suministrará a la Administración tributaria, de acuerdo con lo dispuesto en el artículo 17 de esta Ley, la información relativa a las operaciones en las que se hubiera incumplido la obligación de comunicar al Notario el número de identificación fiscal para su constancia en la escritura, así como los medios de pago empleados y, en su caso, la negativa a identificar los medios de pago. Estos datos deberán constar en los índices informatizados.

Artículo 25.– Los instrumentos públicos se redactarán en lengua castellana, y se escribirán con letra clara, sin abreviaturas y sin blancos.

Tampoco podrán usarse en ellos guarismos en la expresión de fechas o cantidades.

Los Notarios darán fe de haber leído a las partes y a los testigos instrumentales la escritura íntegra, o de haberles permitido que la lean, a su elección, antes de que la firmen, y a los de conocimiento lo que a ellos se refiera, y de haber advertido a unos y a otros que tienen el derecho de leerla por sí.

Artículo 26.– Serán nulas las adiciones, apostillas, entrerrenglonaduras, raspaduras y testados en las escrituras matrices, siempre que no se salven al fin de éstas con aprobación expresa de las partes y firmas de los que deban suscribir el instrumento.

Artículo 27.– Serán nulos los instrumentos públicos:

1.° Que contengan alguna disposición a favor del Notario que los autorice.

2.° En que sean testigos los parientes de las partes en ellos interesadas en el grado de que queda hecho mérito, o los parientes, escribientes o criados del mismo Notario.

3.° Aquellos en que el Notario no dé fe del conocimiento de los otorgantes, o no supla esta diligencia en la forma establecida en el artículo 23 de esta Ley, o en que no aparezcan las firmas de las partes y testigos cuando deban hacerlo, y la firma, rúbrica y signo del Notario.

Artículo 28.– No producirán efecto las disposiciones a favor de parientes, dentro del grado anteriormente prohibido, del que autorizó el instrumento en que se hicieron.

Artículo 29.– Lo dispuesto en los artículos que preceden, relativamente a la forma de los instrumentos y al número y cualidades de los testigos, y a la capacidad de adquirir lo dejado o mandado por el testador, no es aplicable a los testamentos, y demás disposiciones mortis causa, en las cuales regirá la Ley o leyes especiales del caso.

Artículo 30.– Derogado.

Artículo 31.– Sólo el Notario a cuyo cargo esté legalmente el protocolo podrá dar copias de él.

Artículo 32.– Ni la escritura matriz ni el libro protocolo podrán ser extraídos del edificio en que se custodien, ni aun por Decreto judicial u orden superior, salva para su traslación al archivo correspondiente y en los casos de fuerza mayor.

Podrá, sin embargo, ser desglosada del protocolo la escritura matriz contra la cual aparezcan indicios o méritos bastantes para considerarla cuerpo de un delito, precediendo al efecto providencia del juzgado que conozca de él, y dejando en todo caso testimonio literal de aquélla, con intervención del Ministerio Fiscal.

Los Notarios no permitirán tampoco sacar de su archivo ningún documento que se halle bajo su custodia por razón de su oficio, ni dejarán examinarlo en todo ni en parte, como ni tampoco el protocolo, no precediendo Decreto judicial, sino a las partes interesadas con derecho adquirido, sus herederos o causahabientes. En los casos, sin embargo, determinados por las leyes, y en virtud de mandamiento judicial, pondrán de manifiesto en sus archivos el protocolo o protocolos a fin de extender en su virtud las diligencias que se hallen acordadas.

Artículo 33.– Los Notarios remitirán por conducto del Juez de Primera Instancia del partido al Regente de la Audiencia, en los ocho primeros días de cada mes, índices de las escrituras matrices otorgadas en el anterior, expresando los números ordinales de éstas en el protocolo.

En los índices se expresará, respecto de cada instrumento, el nombre de los otorgantes, el de los testigos instrumentales, el de los testigos de conocimiento en su caso, la fecha del otorgamiento y el objeto del acto o contrato.

Artículo 34.– Los Notarios llevarán un libro reservado, en que insertarán, con la numeración correspondiente, copia de la carpeta de los testamentos y codicilos cerrados, cuyo otorgamiento hubieren autorizado, y los protocolos de los testamentos y codicilos abiertos cuando los testadores lo solicitaren, y remitirán un índice reservado también al Regente de la Audiencia por conducto del Juez de primera instancia, en los términos establecidos en el artículo anterior. No es necesario que haya un libro para cada año.

Artículo 35.– Salvo que otra cosa dispongan los Convenios Internacionales, las Comisiones rogatorias extrajudiciales, de carácter civil o mercantil, que tengan por objeto la notificación o entrega de documentos, podrán practicarse notarialmente en los términos que reglamentariamente se establezcan.

TÍTULO IV
DE LA PROPIEDAD Y CUSTODIA DE LOS PROTOCOLOS E INSPECCIÓN DE LAS NOTARIAS

Artículo 36.– Los protocolos pertenecen al Estado. Los Notarios los conservarán, con arreglo a las leyes, como archiveros de los mismos y bajo su responsabilidad.

Artículo 37.– Habrá en cada Audiencia, y bajo su inspección, un archivo general de escrituras públicas.

Estos archivos se formarán con los protocolos de las Notarías comprendidas en el territorio respectivo de cada Audiencia que cuenten más de veinticinco años de fecha. Los veinticinco protocolos más modernos formarán el archivo del Notario a cuyo cargo esté la Notaría, que remitirá anualmente, en fin de Diciembre, con seguridad, al regente de la Audiencia, el protocolo que debe ser depositado en el archivo general.

El libro y protocolo reservados a que se refieren los artículos 34 y 35 de esta Ley se remitirán en igual forma a los veinticinco años de haberse abierto.

Artículo 38.– En los casos de vacante de una Notaría, y de inhabilitación o incapacidad de un Notario, el que con arreglo al artículo 6 de esta Ley deba encargarse de la Notaría recibirá bajo inventario los protocolos y demás documentos para entregarlos con igual formalidad al mismo notario, si se habilitase, o en otro caso a su sucesor en el oficio.

El Juez de primera instancia en las cabezas de partido, y el de paz en los demás pueblos, intervendrán en el inventario y en la entrega.

Artículo 39.– En el caso de inutilizarse el todo o parte de un protocolo, el Notario dará cuenta al Juez y al Promotor fiscal del partido, y éstos respectivamente al Regente y Fiscal de la Audiencia, para que instruido con citación de partes el oportuno expediente, cotejados los índices y libros, y examinados los Registros de Hipotecas, se repongan en la parte posible los protocolos y los libros.

Artículo 40.– Los Jueces de Primera Instancia visitarán cuando lo estimen conveniente las Notarías comprendidas en su partido.

El Gobierno y el Regente de la Audiencia podrán decretar visitas extraordinarias, para las que sólo nombrarán Magistrados, Jueces o individuos del Ministerio Fiscal.

TÍTULO V
DEL GOBIERNO Y DISCIPLINA DE LOS NOTARIOS

Artículo 41.– Habrá Colegios de Notarios en los puntos que el Gobierno designe.

A cada Colegio pertenecerán todos los Notarios del territorio señalado al mismo.

Artículo 42.– Los Colegios serán dirigidos por Juntas, y en ellas tendrán la Autoridad judicial, y el Ministerio Fiscal la intervención que se establezca en los reglamentos.

Artículo 43.– Por faltas de disciplina y otras que puedan afectar al decoro de la profesión, podrán las Juntas directivas de los Colegios amonestar a los Notarios, reprenderlos por escrito y multarlos gubernativamente hasta en cantidad de 25 duros. En caso de reincidencia, darán parte a las Audiencias, las cuales podrán multar hasta en 100 duros, dando conocimiento además al Ministerio de Gracia y Justicia para que se ponga nota en los respectivos expedientes de los Notarios, todo sin perjuicio de lo demás que procediere en justicia, y salvas también cualesquiera otras atribuciones disciplinarias de los jueces y Audiencias.

Artículo 44.– Los Notarios no podrán ser suspensos ni privados de oficio gubernativamente, exceptuando, en cuanto a la suspensión, el caso prevenido en el artículo 14.

TÍTULO VI
DERECHOS Y PREMIOS DE LOS NOTARIOS

Artículo 45.– El Gobierno, oídas las Audiencias, presentará a las Cortes el correspondiente proyecto de Ley para establecer el arancel que fije los derechos notariales.

Artículo 46.– El Notario que se inutilizare para el ejercicio de su profesión por librar los protocolos de inundación, incendio u otra fuerza mayor, tendrá derecho a una pensión.

Si muriese por la misma causa, su viuda e hijos menores tendrán igual derecho.

DISPOSICIONES GENERALES

Artículo 47.– El Gobierno dictará las instrucciones y reglamentos que sean necesarios para el cumplimiento de esta Ley.

Artículo 48.– Se declaran derogadas las leyes, disposiciones y costumbres generales o locales contrarias a su tenor.

DISPOSICIONES TRANSITORIAS

Primera.– N o obstante la incompatibilidad establecida en el artículo 16 de esta Ley, los Escribanos y Notarios que actualmente, además de sus Escribanías, intervienen en los actos judiciales, continuarán desempeñando uno y otro cargo mientras no vacaren natural o legalmente.

Segunda.– Los depósitos de escrituras públicas que hoy existieren en poder de particulares pasarán al archivo de las Notarías que el Gobierno designe, previas las formalidades del caso y las indemnizaciones que procedan.

Tercera.– Se reincorporarán al Estado desde luego, previa indemnización, todos los oficios de fe pública enajenados vacantes en la actualidad, y los que no lo estuvieren a medida que fueren vacando.

Cuarta.– Los dueños de los oficios de la fe pública enajenados o confirmados con la cláusula de reversión a la Corona por el precio de egresión u otra cantidad determinada, serán indemnizados con arreglo a dicha cláusula.

Los demás dueños de oficios enajenados recibirán por indemnización: primero, el importe de la egresión y confirmación; segundo, la cantidad que conste satisfecha por suplemento.

Las corporaciones poseedoras de tales oficios, cuyos gastos no se satisfagan por los presupuestos del Estado, se considerarán comprendidas en el párrafo anterior si no han sido indemnizadas con la creación de otros oficios análogos.

En casos de duda, el Gobierno decidirá, oyendo al Consejo de estado o a alguna de sus Secciones, y dejando a los interesados los recursos de derecho para ante el propio Consejo.

Quinta.– El derecho a la indemnización se declarará por el Ministerio de Gracia y Justicia. Las indemnizaciones se abonarán por el Ministerio de Hacienda.

Sexta.– Los dueños de oficios enajenados que renuncien en debida forma la indemnización de que tratan las disposiciones anteriores tendrán el derecho de presentar para sí, o de presentar por una sola vez en las Notarías que en los mismos pueblos o distrito reemplacen a los oficios suprimidos, a persona que reúna todos los requisitos prescritos en el artículo 10 de esta Ley. En este caso, los dueños o los así presentados no entrarán por oposición, pero sufrirán un examen riguroso en la forma que el Gobierno determine por regla general. Si el dueño o propuesto no reúne las circunstancias requeridas, o no obtuviese aprobación en el examen, podrá hacerse nueva presentación.

Séptima.– Los nombramientos para Notarías vacantes, hechos con anterioridad a la publicación de esta Ley por las corporaciones o particulares que tenían este derecho, surtirán su efecto sin embargo de lo dispuesto en los artículos 7 y 3, quedando sujetos los nombrados a las demás prescripciones de la misma Ley.

Las Notarías a que se refieran estos nombramientos no estarán en el caso de reincorporarse al Estado hasta nueva vacante.

Octava.– Los Notarios nombrados con arreglo a esta Ley podrán ser autorizados por el Gobierno para servir en comisión las Escribanías de los Juzgados de primera instancia en los partidos en que la necesidad lo exija hasta que se publique la Ley de organización judicial, o se disponga lo conveniente sobre Escribanos actuarios.

Novena.– Quedan dispensados de los ejercicios de oposición que establece el artícu lo 12 de esta Ley los pasantes o aspirantes matriculados en los antiguos Colegios de Notarios antes del 18 de Octubre de 1838 que tienen derechos adquiridos a las plazas que resulten vacantes en sus respectivos Colegios, a quienes se declara con preferencia para obtener dichas plazas a medida que vacaren y por el orden de antigüedad en los aspirantes matriculados, que deberán probar su aptitud, sujetándose a un riguroso examen en la forma que dispondrá el Gobierno, a no haber sido ya examinados y aprobados por las Audiencias al tiempo de publicarse esta Ley.

Décima.– El Gobierno queda autorizado para resolver las dudas que ocurran, previa audiencia del Consejo de Estado o de alguna de sus secciones.

Undécima.– Hasta que los avances tecnológicos hagan posible que la matriz u original del documento notarial se autorice o intervenga y se conserve en soporte electrónico, la regulación del documento público electrónico contenida en este artículo se entenderá aplicable exclusivamente a las copias de las matrices de escrituras y actas así como, en su caso, a la reproducción de las pólizas intervenidas.

Disposición añadida por Ley 24/2001, de 27 de diciembre, de Medidas Fiscales, Administrativas y del Orden Social.

Observaciones de vigencia de la Ley del Notariado:

Modificaciones de la Ley del Notariado

* SE MODIFICAN los artículos 17, 23 y 24 por la Ley 36/2006, de 29 de noviembre, de medidas para la prevención del fraude fiscal.

* Ley 24/2001, de 27 de diciembre, de Medidas Fiscales, Administrativas y del Orden Social.
  Añade el Artículo 17 bis y la Disposición Transitoira Undécima y modifica el Artículo 10.

* Ley de 18 de diciembre de 1946 modifico el artículo 23.

* Ley 43/1985, de 19 de diciembre, por la que se suprime la exigencia de legalización de firma de los Notarios en escrituras que hayan de surtir efecto fuera del ámbito territorial del Colegio Notarial al que pertenecen.
  Deroga el Artículo 30 .

* Ley 18/1990, de 17 de diciembre, sobre Reforma del Código civil en materia de nacionalidad.
  Da nueva redacción al Artículo 35.

REGLAMENTO NOTARIAL
RD 45/2007, de 19 de enero

TEXTO CONSOLIDADO

TEXTO CONSOLIDADO

TÍTULO PRELIMINAR
PRINCIPIOS FUNDAMENTALES

Artículo 1.– El Notariado está integrado por todos los notarios de España, con idénticas funciones y los derechos y obligaciones que las leyes y reglamentos determinan.

Los notarios son a la vez funcionarios públicos y profesionales del Derecho, correspondiendo a este doble carácter la organización del Notariado. Como funcionarios ejercen la fe pública notarial, que tiene y ampara un doble contenido:

a) En la esfera de los hechos, la exactitud de los que el notario ve, oye o percibe por sus sentidos.

b) Y en la esfera del Derecho, la autenticidad y fuerza probatoria de las declaraciones de voluntad de las partes en el instrumento público redactado conforme a las leyes.

Como profesionales del Derecho tienen la misión de asesorar a quienes reclaman su ministerio y aconsejarles los medios jurídicos más adecuados para el logro de los fines lícitos que aquéllos se proponen alcanzar.

El Notariado disfrutará de plena autonomía e independencia en su función, y en su organización jerárquica depende directamente del Ministerio de Justicia y de la Dirección General de los Registros y del Notariado. Sin perjuicio de esta dependencia, el régimen del Notariado se estimará descentralizado a base de Colegios Notariales, regidos por Juntas Directivas con jurisdicción sobre los notarios de su respectivo territorio.

En ningún caso el notario, ni en el ejercicio de su función pública, ni como profesional del derecho, podrá estar sujeto a dependencia jerárquica o económica de otro notario.

El ámbito territorial de los Colegios Notariales deberá corresponderse con el de las Comunidades Autónomas, de conformidad con lo previsto en el anexo V de este Reglamento.

Las provincias integradas en cada Colegio Notarial se dividirán en Distritos, cuya extensión y límites determinará la Demarcación Notarial.

Artículo 2.- Al Notariado corresponde íntegra y plenamente el ejercicio de la fe pública, en cuantas relaciones de Derecho privado traten de establecerse o declararse sin contienda judicial.

Artículo 3.- El Notariado, como órgano de jurisdicción voluntaria, no podrá actuar nunca sin previa rogación de sujeto interesado, excepto en casos especiales legalmente fijados.

Los particulares tienen el derecho de libre elección de notario sin más limitaciones que las previstas en el ordenamiento jurídico. La condición de funcionario público del notario impide que las Administraciones Públicas o los organismos o entidades que de ellos dependan puedan elegir notario, rigiendo para ellos lo dispuesto en el artículo 127 de este Reglamento.

La prestación del ministerio notarial tiene carácter obligatorio siempre que no exista causa legal o imposibilidad física que lo impida.

La jurisdicción notarial, fuera de los casos de habilitación, se extiende exclusivamente al Distrito Notarial en que está demarcada la Notaría.

Artículo 4.- La demarcación notarial determinará el número y la residencia de los Notarios.

También podrá establecer respecto de alguna o algunas de las Notarías de una población, de nueva creación, o ya existentes, para cuando queden vacantes, que los Notarios a quienes corresponda tengan instalado su despacho u oficina en barrios o distritos concretos de la misma, sin que esto altere su competencia territorial ni la de los restantes Notarios de la población.

La demarcación notarial deberá ser revisada en su totalidad transcurridos diez años desde la anterior revisión total. También podrá serlo, transcurridos solamente cinco años, cuando las necesidades del servicio lo exijan conforme al artículo 3 de la Ley.

Podrán realizarse revisiones parciales cuando lo exijan necesidades del servicio inherentes al nacimiento o a la expansión acelerada de núcleos de población, a la variación considerable de la contratación o a otras circunstancias semejantes, para demarcar alguna Notaría en población donde antes no la hubiere, trasladar la existente a otra población o aumentar o reducir el número de Notarías demarcadas en alguna. Para estas revisiones bastará que hayan transcurrido dos años desde la última revisión total, o tres desde la anterior parcial que les afecte.

TÍTULO I
DE LOS NOTARIOS

CAPÍTULO I
DEL INGRESO EN EL NOTARIADO

SECCIÓN PRIMERA
Condiciones personales de los aspirantes

Artículo 5.– El ingreso en el Notariado tendrá lugar mediante oposición para obtener el Título de Notario. La convocatoria de la oposición se publicará en el "Boletín Oficial del Estado" y deberá expresar:

a) El número de plazas que se convocan.

b) El lugar donde vaya a celebrarse la oposición.

c) Las condiciones o requisitos que deben reunir los aspirantes, la composición del tribunal o tribunales, en su caso, los ejercicios que han de celebrarse y el sistema o forma de la calificación, todo lo cual podrá expresarse por referencia a este reglamento.

d) Una referencia al programa que ha de regir los dos primeros ejercicios de la oposición.

e) La cuantía de los derechos de examen.

f) La posibilidad de que en la misma oposición se constituyan simultáneamente varios tribunales distintos, identificados bajo números correlativos si lo considera conveniente la Dirección General a la vista del número de aspirantes admitidos, y de que alguno o algunos de dichos tribunales actúen en lugares distintos.

g) El número de plazas que se reservan para personas que tengan la condición legal de personas con discapacidad con arreglo a lo dispuesto en la Ley 53/2003, de 10 de diciembre, sobre Empleo Público de Discapacitados y según el Real Decreto 1557/1995, de 21 de septiembre, sobre Acceso de Minusválidos a las oposiciones al título de notario.

Artículo 6.– Los que aspiren a realizar las pruebas selectivas para el ingreso en el Notariado deben reunir, en la fecha que termine el plazo de presentación de las instancias, las condiciones siguientes:

a) Ser español u ostentar la nacionalidad de cualquier país miembro de la Unión Europea, o estar incurso en las situaciones previstas en el artículo 1 de la Ley 17/1993, de 23 de diciembre, de acceso a determinados sectores de la función pública de los nacionales de los Estados miembros de la Unión Europea.

b) Ser mayor de edad.

c) No encontrarse comprendido en ninguno de los casos que incapacitan o imposibilitan para el ejercicio del cargo de notario.

d) Ser Doctor o Licenciado en Derecho o haber concluido los estudios de esta licenciatura, en los términos previstos en el segundo párrafo del apartado 2 del artículo 21 de este reglamento.Si el título procediera de un Estado miembro de la Unión Europea, deberá acreditar el reconocimiento u homologación del título equivalente, conforme a la Directiva 89/48/CEE, de 21 de diciembre de 1988, al Real Decreto 1665/1991, de 24 de octubre, y demás normas de transposición y desarrollo.

Artículo 7.– Carecen de aptitud para ingresar en el Notariado:

1. Los impedidos física o psíquicamente para desempeñar el cargo.

2. Los que estuvieren inhabilitados para el ejercicio de funciones públicas, como consecuencia de sentencia firme.

3. Los que se hallaren declarados en situación de prodigalidad, los quebrados no rehabilitados y los concursados no declarados inculpables.

4. Los que como consecuencia de expediente disciplinario hubieran sido separados del servicio de cualquiera de las Administraciones Públicas, por resolución firme.

SECCIÓN SEGUNDA
Requisitos para el ingreso

Artículo 8.- Las solicitudes para tomar parte en las oposiciones libres de ingreso en el Notariado deberán dirigirse a la Dirección General de los Registros y del Notariado. El plazo para presentar aquéllas será el de treinta días hábiles, contados desde el día siguiente al de la inserción de la convocatoria en el «Boletín Oficial del Estado».

Para ser admitidos y, en su caso, tomar parte en la práctica de los ejercicios correspondientes, bastará con que los aspirantes manifiesten en sus instancias que reúnen todas y cada una de las condiciones exigidas y que se comprometen a prestar acatamiento a la Constitución Española.

Con la instancia podrán los aspirantes presentar los documentos que acrediten títulos o servicios académicos, científicos, culturales o administrativos.

Al presentar la instancia, los solicitantes entregarán en la Dirección General de los Registros y del Notariado, en concepto de derechos de examen, la cantidad que en cada convocatoria se señale, de conformidad con la legislación vigente, al tiempo de su publicación. Si el solicitante desistiese de tomar parte en los ejercicios de oposición, no por ello tendrá derecho alguno a que le sea devuelta la cantidad ingresada.

La presentación de instancias y el pago de derechos de examen podrán realizarse en la forma prevista en la Ley de Procedimiento Administrativo.

Si alguna de las instancias adoleciese de algún defecto, se requerirá al interesado para que, en un plazo de diez días, subsane la falta, con apercibimiento de que si así no lo hiciere se le relacionará entre los excluidos.

Expirado el plazo de presentación de instancias, la Dirección General aprobará con carácter provisional la lista de admitidos y excluidos, la cual se hará pública en el «Boletín Oficial del Estado», concediéndose un plazo de quince días para formular reclamaciones. Estas serán aceptadas o rechazadas en la resolución por la que se apruebe la lista definitiva, que, asimismo, se publicará en el «Boletín Oficial del Estado», fijándose, además, en lugar visible de la Dirección General.

Artículo 9.– Publicada la lista definitiva de aspirantes admitidos y excluidos, se hará el nombramiento del Tribunal o Tribunales por Orden Ministerial, dictada a propuesta de la Dirección General, que se hará pública en el «Boletín Oficial del Estado».

SECCIÓN TERCERA
Del Tribunal de las oposiciones libres y celebración de las mismas

Artículo 10.– El tribunal o cada uno de los tribunales calificadores de la oposición estará compuesto por un presidente y seis vocales.

Será presidente el Director General de los Registros y del Notariado o la persona en quien delegue, que podrá ser: uno de los subdirectores generales, si reúne la condición de notario o registrador; un notario o registrador de la propiedad o mercantil adscrito a la Dirección General de los Registros y del Notariado; el decano u otro miembro de la Junta Directiva del colegio notarial donde se celebren las oposiciones, o un notario con más de 10 años de antigüedad en la carrera.

Los vocales serán: dos notarios, uno de ellos perteneciente necesariamente al colegio donde se celebren las oposiciones; un catedrático o profesor titular de universidad, en activo o excedente, de Derecho Civil, Mercantil, Financiero y Tributario, Romano, Internacional Privado, Procesal o Administrativo; un miembro de la carrera judicial con categoría de magistrado; un registrador de la propiedad o mercantil y un abogado del Estado, o un abogado ejerciente, con más de 15 años de ejercicio profesional especializado en asuntos civiles o mercantiles.

Si presidiera el decano, otro miembro de la Junta Directiva o un notario, podrá ser vocal, en lugar de uno de los vocales notarios, un abogado del Estado o un registrador de la propiedad o mercantil.

Ejercerá de secretario el vocal notario más moderno.

En ausencia del presidente o del secretario, hará sus veces el vocal notario. Si el tribunal se hubiera constituido con varios notarios, la ausencia del presidente se cubrirá por el secretario, y la de éste, por un vocal registrador.

El cargo de vocal es irrenunciable, salvo justa causa debidamente acreditada.

La designación de los miembros de tribunales suplentes se realizará, en su caso, conforme a los mismos criterios señalados en los párrafos ante riores para el nombramiento de presidente, secretario y vocales de los tribunales titulares.

Artículo 11.– No podrán ser miembros del Tribunal quienes sean, entre sí o respecto de alguno de los opositores, cónyuges o parientes dentro del cuarto grado de consaguinidad o segundo de afinidad. Si, no obstante, fueren nombrados, incurrirán en causa de incompatibilidad, y se nombrará a los que hayan de sustituirles.

Artículo 12.– En caso de pluralidad de tribunales, cada uno de ellos proveerá el mismo número de plazas convocadas; si hubiera exceso, la plaza o plazas en exceso se asignarán sucesivamente a los diversos tribunales.

En el caso anterior, actuarán ante cada tribunal un número de opositores proporcional al número de plazas que deba proveer, haciéndose, en su caso, el redondeo oportuno.

Publicado el nombramiento del tribunal o tribunales, la Dirección General citará a los nombrados para su constitución y, simultáneamente, señalará el local, día y hora en el que se celebrará, en su caso, el sorteo para determinar el tribunal ante el que ha de actuar cada opositor y su orden respectivo de actuación, así como el local o locales, en su caso, donde se celebrará la oposición, con expresión del día y hora de comienzo de los ejercicios, y hará públicos estos acuerdos en el "Boletín Oficial del Estado".

El acto del sorteo será presidido por el Director General, o quien reglamentariamente le sustituya, y por dos miembros del tribunal o tribunales actuantes.

Entre el sorteo y el comienzo del primer ejercicio deberá mediar, al menos, un plazo de 30 días; y no podrá exceder de ocho meses el tiempo comprendido entre la publicación de la convocatoria y el comienzo de los ejercicios. Artículo 16.

Los ejercicios de la oposición serán cuatro: los dos primeros, orales, y el tercero y el cuarto, escritos. Tanto los dos primeros como la lectura del tercero y de la primera parte del cuarto serán públicos.

El primer ejercicio consistirá en contestar verbalmente, en el plazo máximo de 60 minutos, a cuatro temas, los tres primeros, de Derecho Civil Español, Común y Foral, y el cuarto, de legislación fiscal. Los temas de Derecho Civil corresponderán, respectivamente, uno a las materias de parte general o introducción, propiedad y derechos reales; otro, a obligaciones y contratos, y otro, a Derecho de Familia y sucesiones.

El segundo ejercicio consistirá, a su vez, en contestar asimismo verbalmente, en el tiempo máximo de 60 minutos, y por el siguiente orden, a seis temas: dos de Derecho Mercantil, dos de Derecho Hipotecario, uno de Derecho Notarial y otro de Derecho Procesal o Administrativo. Los dos temas de Derecho Mercantil y de Derecho Hipotecario serán uno de cada parte en que se hallen divididas estas materias.

En ambos ejercicios orales los temas serán sacados a la suerte de los comprendidos en el programa que deberá estar publicado en el "Boletín Oficial del Estado" un año antes de la convocatoria de la oposición. El opositor dispondrá de cinco minutos, como máximo, antes de comenzar la exposición, para reflexionar y tomar notas por escrito, si lo desea.

El programa comprenderá una exposición del derecho positivo vigente en España en cada una de las materias que en él se incluyen, destacando, tanto en el Derecho Común como en el Foral, aquellas que el notario debe profesionalmente conocer y aplicar y cuyo conocimiento le dote de una auténtica especialización en aquéllas.

En la parte del Derecho Civil se incluirán los principios fundamentales de Derecho Internacional Privado.

La legislación fiscal comprenderá aquellos impuestos que más puedan interesar al notario como asesor de los particulares.

El indicado programa se revisará por la Dirección General cuando lo estime necesario, o a propuesta del Consejo General del Notariado, y siempre con informe preceptivo de éste.

El tribunal no hará advertencia ni pregunta alguna a los opositores sobre las materias del ejercicio.

Al presidente corresponde fijar la hora del comienzo y fin del ejercicio y advertirá al opositor, por una sola vez, con diez minutos de antelación, la hora en que debe acabar. Podrá también exigir que los opositores se atengan a la cuestión y eviten divagaciones inoportunas, y dar cumplimiento a las prescripciones de este reglamento relacionadas con la práctica de estos ejercicios.

En el primer ejercicio se podrá excluir al opositor, al concluir su exposición del segundo tema de Derecho Civil, si el tribunal, por unanimidad, acuerda que los ha desarrollado con manifiesta insuficiencia para obtener la aprobación. Igual medida podrá ser aplicada en el segundo ejercicio al término de la exposición del primer tema de Derecho Hipotecario.

El tercer ejercicio consistirá en redactar, en el tiempo máximo de seis horas, un dictamen sobre un tema de Derecho Civil Español, Común y Foral, Derecho Mercantil, Derecho Hipotecario o Notarial, de entre los formulados por el tribunal reservadamente. Las cuestiones que se propongan en este ejercicio versarán sobre casos de derecho positivo.

El cuarto ejercicio, que tendrá una duración máxima de seis horas, se dividirá en dos partes, cada una de ellas con la duración que fije el tribunal:

Primera: redactar una escritura o documento notarial, debiendo el opositor justificar en pliego aparte los problemas jurídicos que plantee o resuelva en su trabajo, realizando la liquidación del impuesto que en su caso corresponda a la escritura redactada.

Segunda: resolver un supuesto de contabilidad y matemática financiera que recaerá sobre las materias contenidas en el anexo del programa de la oposición.

Los ejercicios escritos se realizarán el día que fije el tribunal respectivo sobre cuestiones que serán secretas y se redactará en el mismo día designado para la realización del respectivo ejercicio por el tribunal, o, en su caso, tribunales conjunta o separadamente.

Los opositores estarán totalmente aislados, y no podrán consultar sino los textos legales que el tribunal les permita, y que por sí mismos se proporcionen, sin notas de jurisprudencia ni comentarios.

Así mismo podrán utilizar calculadora.

Concluidos los ejercicios, los opositores los firmarán y entregarán al miembro del tribunal que estuviera presente, quien los cerrará en sobre firmado por el opositor.

Los opositores deberán leer personalmente el tercer ejercicio y la primera parte del cuarto. La incomparecencia del opositor determinará el decaimiento de sus derechos y su consideración como retirado, salvo que concurran causas de fuerza mayor, debidamente justificadas y libremente apreciadas por el tribunal; en estos casos, el tribunal podrá optar por fijar otra fecha para la lectura o, con el consentimiento del opositor, permitir la lectura del ejercicio por un miembro del propio tribunal.

Artículo 13.– Al tiempo de constituirse el Tribunal, todos sus miembros deberán prestar declaración de no estar comprendidos en ninguna de las causas de incompatibilidad previstas en el artículo 11. El cumplimiento de este requisito se hará constar en el acta correspondiente.

Constituido el Tribunal, le serán remitidos por la Junta directiva del Colegio Notarial la lista de opositores admitidos y excluidos y sus expedientes personales.

Artículo 14.– En la fecha señalada por la Dirección General, conforme a lo previsto en el artículo 12 para la realización del sorteo, se celebrará sesión pública y, en ella, el Director general o quien reglamentariamente le sustituya, ordenará a quien desempeñe las funciones de Secretario del Tribunal o Tribunales actuantes, que dé lectura de la convocatoria y de la Orden nombrando los miembros del Tribunal o Tribunales y, en su caso, las delegaciones y designaciones reglamentarias.

Realizado el sorteo se formará, por el número correlativo obtenido, la lista o listas de opositores que, autorizadas por el Presidente, se publicarán en el tablón de anuncios de la Dirección General y en el del local o locales de celebración de las oposiciones.

Artículo 15.– El Tribunal designará, con veinticuatro horas de antelación, por lo menos, y por orden riguroso de la lista de sorteo, los opositores, que podrán ser llamados para actuar en cada día.

Artículo 16.– Los ejercicios de la oposición serán cuatro: los dos primeros, orales, y el tercero y el cuarto, escritos. Tanto los dos primeros como la lectura del tercero y de la primera parte del cuarto serán públicos.

El primer ejercicio consistirá en contestar verbalmente, en el plazo máximo de 60 minutos, a cuatro temas, los tres primeros, de Derecho Civil Español, Común y Foral, y el cuarto, de legislación fiscal. Los temas de Derecho Civil corresponderán, respectivamente, uno a las materias de parte general o introducción, propiedad y derechos reales; otro, a obligaciones y contratos, y otro, a Derecho de Familia y sucesiones.

El segundo ejercicio consistirá, a su vez, en contestar asimismo verbalmente, en el tiempo máximo de 60 minutos, y por el siguiente orden, a seis temas: dos de Derecho Mercantil, dos de Derecho Hipotecario, uno de Derecho Notarial y otro de Derecho Procesal o Administrativo. Los dos temas de Derecho Mercantil y de Derecho Hipotecario serán uno de cada parte en que se hallen divididas estas materias.

En ambos ejercicios orales los temas serán sacados a la suerte de los comprendidos en el programa que deberá estar publicado en el "Boletín Oficial del Estado" un año antes de la convocatoria de la oposición. El opositor dispondrá de cinco minutos, como máximo, antes de comenzar la exposición, para reflexionar y tomar notas por escrito, si lo desea.

El programa comprenderá una exposición del derecho positivo vigente en España en cada una de las materias que en él se incluyen, destacando, tanto en el Derecho Común como en el Foral, aquellas que el notario debe profesionalmente conocer y aplicar y cuyo conocimiento le dote de una auténtica especialización en aquéllas.

En la parte del Derecho Civil se incluirán los principios fundamentales de Derecho Internacional Privado.

La legislación fiscal comprenderá aquellos impuestos que más puedan interesar al notario como asesor de los particulares.

El indicado programa se revisará por la Dirección General cuando lo estime necesario, o a propuesta del Consejo General del Notariado, y siempre con informe preceptivo de éste.

El tribunal no hará advertencia ni pregunta alguna a los opositores sobre las materias del ejercicio.

Al presidente corresponde fijar la hora del comienzo y fin del ejercicio y advertirá al opositor, por una sola vez, con diez minutos de antelación, la hora en que debe acabar. Podrá también exigir que los opositores se atengan a la cuestión y eviten divagaciones inoportunas, y dar cumplimiento a las prescripciones de este reglamento relacionadas con la práctica de estos ejercicios.

En el primer ejercicio se podrá excluir al opositor, al concluir su exposición del segundo tema de Derecho Civil, si el tribunal, por unanimidad, acuerda que los ha desarrollado con manifiesta insuficiencia para obtener la aprobación. Igual medida podrá ser aplicada en el segundo ejercicio al término de la exposición del primer tema de Derecho Hipotecario.

El tercer ejercicio consistirá en redactar, en el tiempo máximo de seis horas, un dictamen sobre un tema de Derecho Civil Español, Común y Foral, Derecho Mercantil, Derecho Hipotecario o Notarial, de entre los formulados por el tribunal reservadamente. Las cuestiones que se propongan en este ejercicio versarán sobre casos de derecho positivo.

El cuarto ejercicio, que tendrá una duración máxima de seis horas, se dividirá en dos partes, cada una de ellas con la duración que fije el tribunal:

Primera: redactar una escritura o documento notarial, debiendo el opositor justificar en pliego aparte los problemas jurídicos que plantee o resuelva en su trabajo, realizando la liquidación del impuesto que en su caso corresponda a la escritura redactada.

Segunda: resolver un supuesto de contabilidad y matemática financiera que recaerá sobre las materias contenidas en el anexo del programa de la oposición.

Los ejercicios escritos se realizarán el día que fije el tribunal respectivo sobre cuestiones que serán secretas y se redactará en el mismo día designado para la realización del respectivo ejercicio por el tribunal, o, en su caso, tribunales conjunta o separadamente.

Los opositores estarán totalmente aislados, y no podrán consultar sino los textos legales que el tribunal les permita, y que por sí mismos se proporcionen, sin notas de jurisprudencia ni comentarios.

Así mismo podrán utilizar calculadora.

Concluidos los ejercicios, los opositores los firmarán y entregarán al miembro del tribunal que estuviera presente, quien los cerrará en sobre firmado por el opositor.

Los opositores deberán leer personalmente el tercer ejercicio y la primera parte del cuarto. La incomparecencia del opositor determinará el decaimiento de sus derechos y su consideración como retirado, salvo que concurran causas de fuerza mayor, debidamente justificadas y libremente apreciadas por el tribunal; en estos casos, el tribunal podrá optar por fijar otra fecha para la lectura o, con el consentimiento del opositor, permitir la lectura del ejercicio por un miembro del propio tribunal.

Artículo 17.– En los dos primeros ejercicios, los opositores que no concurrieren a practicarlos en primer llamamiento, actuarán después de terminado éste, en un segundo turno y con el mismo número que les hubiere correspondido en el sorteo. Si llamados en el segundo turno no comparecieren, se les tendrá por desistidos de la oposición, sin admitirse excusa alguna. En los ejercicios tercero y cuarto sólo habrá un llamamiento.

Artículo 18.– Todos los ejercicios de la oposición son eliminatorios.

La calificación de los opositores tendrá lugar en la forma siguiente:

Para obtener la declaración de aptitud en cada ejercicio se requiere alcanzar mayoría de votos del Tribunal en sentido favorable. En caso de empate, decidirá el Presidente.

Obtenida la mayoría, se fijará la calificación dividiendo el total de puntos que alcance el opositor por el número de miembros del Tribunal.

En los dos primeros ejercicios, cada uno de los miembros del Tribunal podrá conceder de uno a diez puntos, y de uno a veinte en el tercero y en el cuarto. En ningún caso al opositor que haya obtenido la declaración de aptitud en un ejercicio podrá asignársele una calificación inferior a cinco puntos. Las calificaciones se harán, en los dos primeros ejercicios, al término de cada sesión, y en el tercero y en el cuarto ejercicios, el mismo día o el siguiente en que concluya la lectura por el último opositor. Las calificaciones se expondrán seguidamente al público, expresándose el número de puntos alcanzados por cada opositor, sin hacer mención de los opositores que no hubiesen sido declarados aptos en los ejercicios.

Artículo 19.– El tribunal no podrá constituirse ni actuar sin la asistencia de cinco de sus miembros.

Los ejercicios no podrán suspenderse, una vez comenzados, por un plazo mayor de 15 días naturales sino por causa justificada, aprobada por la Dirección General.

Entre la conclusión del primer ejercicio y el comienzo del segundo deberá mediar un plazo mínimo de 30 días naturales. Entre la conclusión del segundo y el comienzo del tercero y entre la conclusión del tercero y el comienzo del cuarto, deberá mediar un plazo mínimo de 20 días naturales.

Todas las dudas y cuestiones que se presenten durante la práctica de los ejercicios de oposición serán resueltas por el tribunal. Si no hubiera unanimidad, prevalecerá el criterio de la mayoría, y, en caso de empate, decidirá el voto del presidente.

Los actos del tribunal podrán ser impugnados por los interesados en los casos y en la forma previstos en la Ley de Régimen Jurídico de las Administraciones Públicas y del Procedimiento Administrativo Común.

Artículo 20.– Concluido el último ejercicio, el tribunal o, en su caso, cada tribunal formará, en el mismo día o en el siguiente, la lista de opositores aprobados por orden de calificación, teniendo en cuenta el número de puntos obtenidos por cada opositor en los cuatro ejercicios. Si la calificación fuera idéntica, el empate se resolverá por votación del tribunal, con el voto decisorio del presidente, en su caso, en consideración al juicio total que de los opositores hayan formado por la actuación de aquéllos.

Un ejemplar de dicha lista autorizado por el secretario del tribunal o, en su caso, de los respectivos tribunales, y con el visto bueno de su presidente, expresiva de la suma total de puntos de cada opositor aprobado, se expondrá al público en el local o locales donde se celebren las oposiciones, remitiéndose otro idéntico a la Dirección General dentro del plazo de tres días, en unión de los ejercicios y expedientes de los opositores que hayan obtenido la aprobación.

El número de opositores aprobados no podrá exceder, en ningún caso, del de plazas convocadas.

Por tanto, solamente se incluirán en la lista de aprobados los que de acuerdo con las reglas anteriores resulten mejor clasificados y estén dentro del límite de plazas expresado. Si fueren varios los tribunales calificadores, el número de opositores aprobados por cada uno de ellos no podrá exceder del número de plazas a cada uno asignadas.

Igualmente, en caso de pluralidad de tribunales, una vez recibida por la Dirección General la documentación a que se refiere el párrafo segundo de este artículo, procederá a ordenar a los opositores en función de las puntuaciones obtenidas. En caso de igualdad de puntuaciones, se establecerá el orden según la puntuación obtenida en el primer ejercicio o siguientes si persistiera la igualdad. En caso de igualdad en todos los ejercicios, se dará prioridad al opositor de mayor edad.La relación de opositores aprobados, ordenada conforme a los criterios recogidos en este artículo, se publicará de acuerdo con lo dispuesto en el último párrafo del artículo 21 de este reglamento.

Artículo 21.– Dentro de los treinta días siguientes a la terminación del último ejercicio los opositores aprobados deberán presentar en la Dirección General de los Registros y del Notariado, si no los tuvieren ya presentados, los siguientes documentos:

Primero. Certificación de nacimiento acreditativa de que el opositor tenía cumplida la edad de veintitrés años el día de terminación del plazo de presentación de instancias.

Segundo. Título de Licenciado o Doctor en Derecho, o bien certificación académica que acredite la terminación de los estudios de la licenciatura en Derecho, acompañada de certificación de haber hecho el depósito para obtener alguno de dichos títulos. Todos estos documentos podrán presentarse originales o por testimonio notarial.

Cuando el opositor ejerza o haya ejercido algún cargo público que exija título de Licenciado en Derecho será suficiente que presente el título o nombramiento para dicho cargo, original o mediante testimonio notarial.

Tercero. Certificación del Registro Central de Penados y Rebeldes que acredite no estar condenado a pena que inhabilite para el ejercicio de funciones públicas.

Cuarto. Certificación médica de no tener impedimento físico o psíquico habitual para ejercer el cargo de Notario. Quinto. Declaración de no hallarse comprendido en los números tercero y cuarto del artículo 7. La inexactitud en esta declaración dará lugar a la exclusión de las oposiciones, en cualquier momento que se descubra, o a la expulsión del Cuerpo si se tuviere conocimiento de ello después de haber terminado los ejercicios.

Los documentos que acrediten los extremos comprendidos bajo los números tercero, cuarto y quinto no surtirán efecto si su fecha es anterior en más de tres meses en relación a la de la publicación de la convocatoria. Los opositores que dejaren de presentar dentro de plazo los documentos antes reseñados, quedarán decaídos de todos los derechos que hubiesen adquirido por virtud de la oposición.

Si después de practicada la oposición resultare que alguno de los opositores carecía de la aptitud necesaria para el ingreso en el Notariado perderá los derechos adquiridos en aquélla. La Dirección General examinará a la mayor brevedad la documentación presentada y publicará en el Boletín Oficial el Estado la lista de opositores aprobados que habiendo completado la documentación requerida tienen derecho a la expedición del título y la de aquellos otros que, no habiéndola completado, han decaído en su derechos y comunicará estos hechos a los respectivos interesados.

CAPÍTULO II
De la investidura notarial

SECCIÓN PRIMERA
Del título

Artículo 22.– El título de Notario se expide, al ingresar en el Cuerpo, por el Ministro de Justicia en nombre del Rey, y habilita para ejercer la función notarial en cualquiera de las Notarias demarcadas en el territorio español para las que el titular reciba el adecuado nombramiento. Dicho título no necesitará ser renovado cualquiera que sea la clase o sección de las Notarias para cuyo desempeño sea nombrado ulteriormente el Notario.

Los sucesivos cambios de Notaría se harán constar al tiempo de la toma de posesión en el propio título por medio de diligencia extendida por el Decano del Colegio con referencia expresa a la orden de nombramiento.

El nombre y el título de Notario solo podrá usarse por los que integran el Cuerpo notarial, sin que pueda ser utilizado por otras personas, aunque la legislación vigente dé a su actuación carácter notarial.

Publicada la lista a que se refiere el párrafo último del artículo anterior, se expedirá el título de Notario a favor de cada uno de los opositores aprobados, quienes tendrán la obligación de participar en todos los concursos convocados desde aquella publicación y solicitar todas las vacantes hasta obtener una. Quien incumpliera dicha obligación será considerado como renunciante al título y dado de baja en el escalafón.

SECCIÓN SEGUNDA
Del nombramiento

Artículo 23.– Salvo en los casos a que se refiere el párrafo siguiente, el nombramiento de los Notarios se hará por Orden ministerial, de la que se dará traslado al interesado y al Decano del Colegio Notarial al que pertenezca la Notaría. Si el nombrado desempeñare otra de distinto Colegio se dará también traslado al Decano de éste.

Cuando el nombramiento de los Notarios del territorio de una Comunidad Autónoma esté atribuido a ésta, la Dirección General le remitirá la resolución recaída en relación con el concurso y, recibida ésta, el órgano competente de la Comunidad efectuará los nombramientos correspondientes y, además de practicar los traslados previstos en el párrafo anterior, comunicará los nombramientos, a la mayor brevedad posible, a la propia Dirección General, la cual proveerá a la necesaria coordinación entre los distintos Colegios notariales y a su adecuado reflejo en los escalafones del Cuerpo notarial.A tales efectos y, además, al objeto de respetar el orden de la lista definitiva de opositores aprobados en cada oposición de ingreso, para el cómputo de la antigüedad en dichos escalafones, se tomará como fecha inicial la de la citada resolución de la Dirección General.

Los nombramientos se publicarán, según corresponda, en el Boletín Oficial del Estado o en el periódico oficial de las respectivas Comunidades Autónomas, sin orden de preferencia entre unos u otros.

SECCIÓN TERCERA
De las fianzas

Artículo 24.– El notario electo deberá obligatoriamente acreditar la contratación de un seguro de responsabilidad civil a que se refiere el artículo siguiente y constituir la fianza, en cumplimiento de lo preceptuado por el artículo 14 de la Ley Orgánica del Notariado, presentando en la Dirección General de los Registros y del Notariado los documentos justificativos de todo ello. Dicha obligación deberá cumplirse dentro del plazo de treinta días naturales, contados desde la publicación del nombramiento para una Notaría determinada en virtud de concurso ordinario en el Boletín Oficial del Estado o, en su caso, en el Boletín o Diario oficial de la Comunidad Autónoma correspondiente.

Artículo 25.– El seguro de responsabilidad civil tendrá por objeto cubrir las responsabilidades de dicha índole en que pudiera incurrir el notario en el ejercicio de su cargo.

La Dirección General de los Registros y del Notariado previa audiencia del Consejo General del Notariado fijará las condiciones mínimas del seguro de responsabilidad civil. No obstante, el Consejo General del Notariado podrá solicitar justificadamente a la Dirección General de los Registros y del Notariado que se modifiquen dichas condiciones. El centro directivo deberá pronunciarse expresamente en el plazo máximo de un mes sobre tal solicitud de modificación.

Artículo 26.– La fianza que deberá prestar el notario tendrá una cuantía de 1.500 euros, salvo que se trate de poblaciones de más de un millón de habitantes, en cuyo caso se elevará a 3.000 euros, cuya cuantía podrá ser actualizada por la Dirección General de los Registros y del Notariado previa audiencia del Consejo General del Notariado.

La fianza podrá constituirse en títulos de la Deuda pública o con garantía de fincas rústicas o urbanas por el propio Notario o por un tercero, pero en este caso no podrá retirarse sino avisando al Notario con seis meses de anticipación, por medio de requerimiento en forma legal, para que durante este término la reponga, entendiéndose que si no lo hiciese así, se entregará la fianza a su dueño, previa liquidación de responsabilidad y en la forma determinada en este Reglamento, quedando en suspenso el Notario mientras no la complete en el plazo reglamentario.

Artículo 27.– La fianza en títulos o efectos públicos se constituirá en la Caja General de Depósitos o en establecimientos legalmente autorizados al efecto, en calidad de depósito necesario, a disposición de la Dirección General de los Registros y del Notariado.

El Notario presentará en este Centro el resguardo original definitivo del depósito y copia simple del mismo; ambos documentos con instancia solicitando la aprobación de la fianza.

Dicho resguardo, después de cotejado y conforme con la copia presentada, será devuelto, bajo recibo, al interesado o su legal representante.

Iguales formalidades se cumplirán en el caso de renovación del resguardo.

La fianza con garantía de fincas se constituirá en escritura pública de hipoteca que otorgará el que fuere dueño del inmueble, por cantidad bastante a producir la renta señalada para cada caso, capitalizada ésta al cinco por ciento, expresándose que queda a disposición de la Dirección General para responder del desempeño del cargo por el Notario.

Otorgada la escritura se inscribirá en el Registro de la Propiedad correspondiente.

El Notario solicitará de la Dirección General la aprobación de la fianza por medio de instancia, a la que acompañará: 1.º La escritura de constitución de hipoteca, debidamente inscrita; 2.º Certificación, en relación, de cargas de las fincas hipotecadas, librada con fecha posterior a la de la inscripción de la escritura de la hipoteca; y 3.º Otra certificación expedida por la Oficina catastral, por la del Registro Fiscal de Edificios y Solares o por la Secretaría municipal correspondiente, a falta de algunas de las expresadas, haciendo constar el líquido imponible con que en el último quinquenio aparezcan los inmuebles hipotecados.

Si dicho líquido imponible no fuese igual o superior a la renta expresada en el párrafo primero de este artículo, no podrá aprobarse la fianza, salvo que la diferencia se haya constituido en títulos de la Deuda pública.

Iguales formalidades se cumplirán en el caso de renovación o modificación de la fianza.

Artículo 28.– El notario suspenso en el ejercicio de su cargo por falta de fianza, según lo prevenido en el artículo 14 de la Ley del Notariado, estará obligado a reponerla en el término de un mes, a contar desde el día en que se le hubiere notificado haber sido declarado suspenso, sin perjuicio de sus responsabilidades disciplinarias.

Artículo 29.– El plazo señalado para constitución de la fianza sólo podrá prorrogarse por otro que no exceda de un mes. Si se tratara de Notarios nombrados para Baleares o Canarias, la prórroga podrá ser de dos meses.

Dicha prórroga se concederá por la Dirección General de los Registros y del Notariado.

Los Notarios electos que no constituyan o amplíen su fianza en los plazos legales sin acreditar justa causa o haber obtenido prórroga serán considerados como renunciantes, anunciándose nuevamente la vacante de la Notaría para su provisión en el turno que corresponda.

El interesado podrá recurrir en alzada el acuerdo de la Dirección General ante el Ministro de Justicia.

Artículo 30.– La fianza que están obligados a constituir los Notarios como garantía para el ejercicio de su cargo, así como los intereses o productos de la misma, estarán afectos a las responsabilidades contraídas en el desempeño de aquél y preferentemente a las cantidades que dejare de abonar el notario en concepto de multas, encuadernación de protocolos, desorganización y deterioro de éstos por su negligencia, primas del seguro de responsabilidad civil y de las aportaciones, cotizaciones y, en general cualquier pago, que deba realizar al Colegio Notarial, o que tenga su origen en causa corporativa.

Para hacer efectivas estas obligaciones, la Dirección General de los Registros y del Notariado ordenará al notario deudor el pago de lo adeudado, apercibiéndole de la ejecución forzosa de la fianza. Notificada la orden de pago, el deudor dispondrá de un plazo de un mes para abonar su importe.

Transcurrido el plazo a que se refiere el párrafo anterior, sin que el deudor hubiese satisfecho la deuda reclamada, la Dirección General de los Registros y del Notariado ordenará la traba y ejecución de la fianza. Si la misma fuese suficiente para solventar con cargo a ella la cantidad total reclamada por principal, recargos e intereses, la Dirección General dispondrá lo necesario para ejecutarla, comunicándolo al notario deudor a fin de que reponga la fianza con apercibimiento de que, de no hacerlo, quedará suspendido en sus funciones conforme al artículo 14 de la Ley del Notariado. Si la fianza fuere insuficiente para satisfacer todo lo adeudado, la Dirección General declarará la falta de fianza y la suspensión del notario en su cargo, con nota en el protocolo. Dicha suspensión no se alzará hasta que haya sido íntegramente satisfecha la deuda reclamada y haya sido repuesta la fianza.

En lo relativo a la suspensión de la ejecución de la fianza se estará a lo dispuesto en el artículo 111 de la Ley 30/1992, de 26 de noviembre, de Régimen Jurídico de las Administraciones Públicas y del Procedimiento Administrativo Común.

Artículo 31.– Las fianzas podrán ser sustituidas en todo tiempo, solicitándolo al efecto de la Dirección General, quien no expedirá la orden de devolución o de cancelación, en su caso, sin que previamente haya aprobado la constitución de la nueva fianza, con arreglo a lo prevenido en este Reglamento.

Artículo 32.– La fianza constituida para una Notaría servirá por todo el valor reconocido al prestarla para cualquiera otra que obtenga el interesado, sin perjuicio del necesario aumento si la Notaría que pasara a desempeñar tuviese asignada mayor fianza, quedando afecta la totalidad de la garantía a las responsabilidades contraídas desde su ingreso en el Notariado.

Artículo 33.– Para la devolución o cancelación de una fianza deberá el Notario interesado o quien la haya constituido, sus herederos o la Autoridad judicial, en su caso, a instancia de parte interesada, dirigirse al Decano del Colegio a que pertenezca la última Notaría servida, para que se anuncie en el Boletín Oficial del Estado y en el de la provincia donde se halle enclavada aquella en que ha cesado dicho Notario en el ejercicio de su cargo. En el anuncio se harán constar las Notarías que aquél hubiera anteriormente desempeñado y se fijará el plazo de un mes, contado desde el día de dichas publicaciones oficiales, para que se puedan formular las oportunas reclamaciones ante la Junta directiva del Colegio. Los gastos de los anuncios correrán a cargo de quien solicite la devolución o cancelación de la fianza.

La misma Junta directiva unirá al expediente una certificación negativa o afirmativa, según proceda, de las infracciones reglamentarias, faltas o defectos que se observen en los protocolos del Notario de que se trate y de hallarse o no comprendido en alguno de los casos determinados en el artículo 30, a los efectos de la responsabilidad de la fianza.

La propia Junta, cuando se trate de Notarías pertenecientes a otro Colegio, recabará de las Juntas respectivas las certificaciones a que se refiere el párrafo anterior, que unirá también al expediente.

Este será elevado, con informe de la Junta, a la Dirección General, una vez transcurrido el plazo fijado en el párrafo primero, para que dicho Centro, en virtud de orden motivada, resuelva lo que fuese procedente. El mismo procedimiento se seguirá cuando, por haber pasado el interesado de Notaría de mayor fianza a otra que la tuviese asignada menor, se pretendiese la devolución o cancelación de la diferencia resultante entre ambas fianzas.

En todo caso, procederá la devolución de la fianza notarial una vez transcurrido el plazo de quince años, a contar del cese del Notario en el ejercicio del cargo, sin que contra ella se haya formulado reclamación. En la hipótesis de que se formulare reclamación, dicho plazo se contará desde la última reclamación formulada contra la fianza.

Artículo 34.– Acordada la devolución de la fianza, la Dirección General de los Registros y del Notariado entregará al interesado escrito justificativo de tal acuerdo para su presentación en las Entidades en que hubiera quedado depositada o constituida.

SECCIÓN CUARTA
De la toma de posesión

Artículo 35.– El título de Notario, cuya expedición se comunicará al interesado, será remitido por la Dirección General a la Junta Directiva del Colegio al que corresponda la primera Notaría para la que haya sido nombrado el Notario electo, la cual, dentro de los quince días siguientes al último día de plazo para constituir la fianza según lo previsto en el artículo 24, le dará posesión en sesión pública, procurando que ésta sea solemne y además conjunta para todos los que hayan sido aprobados en la misma oposición si son varios.

En los nombramientos ulteriores el expresado término posesorio de quince días empezará a contarse desde el siguiente a la publicación del nuevo nombramiento en el Boletín Oficial del Estado o, en su caso, en el periódico oficial de la Comunidad Autónoma, o desde que se apruebe la fianza, en el supuesto de que haya de aumentarse la constituida.

El plazo señalado a los Notarios para tomar posesión de las Notarías no podrá prorrogarse por más de un mes. Este plazo podrá ser de dos meses si se tratase de Notarías en Baleares o Canarias.

El Notario que no se posesionare de su cargo en los plazos legales, sin mediar justa causa debidamente acreditada o sin haber obtenido prórroga, será considerado como renunciante, y la Notaría será anunciada y provista en el turno que corresponda.

No podrán obtener la posesión los notarios electos que desempeñen los cargos incompatibles determinados en el artículo 16 de la Ley del Notariado, sin haber acreditado previamente la cesación en aquéllos. En caso de ejercer cargo incompatible en la Administración Pública deberán acreditar la excedencia en el Cuerpo de origen, con carácter previo. Si, esto no obstante, se posesionaren de la Notaría, serán declarados renunciantes y dados de baja en el escalafón del Cuerpo tan pronto como se tenga noticia de que existe dicha incompatibilidad.

Si, esto no obstante, se posesionaren de la Notaría, serán declarados renunciantes y dados de baja en el escalafón del Cuerpo tan pronto como se tenga noticia de que existe dicha incompatibilidad.

El Decano exigirá al Notario electo una declaración firmada, asegurando, bajo su responsabilidad, que no desempeña dichos cargos incompatibles.

No obstante lo dispuesto en los dos párrafos anteriores, los Notarios que se hallen en la situación de suspensos en el ejercicio del cargo por desempeñar alguno de los incompatibles determinados en el artículo 115, podrán posesionarse de la Notaría que hubiesen obtenido por concurso u oposición, pero no desempeñar las funciones notariales. Esta misma disposición se aplicará a quienes hallándose en el desempeño de dichos cargos incompatibles, hubiesen de tomar posesión de su primera Notaría.

Artículo 36.– La presentación del Notario electo a la Junta directiva el día de la posesión la hará uno de los Notarios colegiados a quien aquél elija.

El nuevo Notario prometerá fidelidad a la Constitución y cumplir todas las obligaciones que las leyes y demás disposiciones emanadas del Poder público le impongan.

El Decano le impondrá la medalla y placa que pueden usar los Notarios como distintivo oficial. Se dará por terminado el acto, consignándose la toma de posesión del nuevo Notario.

Los Secretarios de las Juntas directivas llevarán un libro de actas en que consten las posesiones, y otro libro en el que los Notarios estamparán el signo, firma y rúbrica que adopten.

Artículo 37.– Al tomar posesión de su primera Notaría, los Notarios electos recibirán su título que les entregará el Decano, quien expedirá un testimonio literal e íntegro de aquél. En ambos casos se extenderá la diligencia de toma de posesión, quedando así colegiado el nuevo Notario.

En las ulteriores tomas de posesión, el Notario, aunque lo fuere ya del mismo Colegio, deberá presentar su título al Decano y esté expendirá el testimonio antes mencionado con inclusión de cuantas diligencias figuren en aquél, extendiendo en los dos diligencia de la nueva posesión. El testimonio del título a que se refieren los dos párrafos anteriores se unirá al expediente que para cada Notario se formará en el Colegio.

Si el título hubiera sufrido deterioro, pérdida o extravío, deberá el Notario solicitar y obtener de la Dirección General, a modo de duplicado, una certificación literal de la copia obrante en su expediente personal y, asimismo, deberá solicitar y obtener de los distintos Colegios Notariales donde hubiese ejercido la reproducción en dicha certificación, por orden cronológico, de las sucesivas diligencias de posesión. No obstante, para la toma de posesión, bastará acreditar documentalmente haber solicitado de la Dirección General la certificación antedicha y presentar un testimonio del que, a su vez, obra en el Colegio donde hubiera tomado la posesión precedente.

El Decano del Colegio comunicará a la Dirección General y, en su caso, a los órganos competentes de la Comunidad Autónoma, así como al Delegado de la Junta, la posesión del nuevo Notario.

Artículo 38.– Conferida la posesión, el notario, desde su residencia, dirigirá oficios a los Alcaldes, Jueces de Primera Instancia y demás autoridades de los pueblos comprendidos en el Distrito notarial, notificándoles, para su conocimiento y el del público, hallarse en disposición de ejercer el cargo.

Artículo 39.– El nuevo Notario comunicará a la Junta directiva del Colegio Notarial la fecha de la nota que al comenzar a ejercer su cargo, y dentro de los tres días siguientes al de la posesión, deberá consignar en el protocolo a continuación de la última escritura.

También dará conocimiento a los demás Notarios del mismo distrito del signo firma y rúbrica que haya adoptado.

Artículo 40.– Dentro de los treinta días siguientes a la fecha de la posesión, el notario informará a la Junta del Colegio Notarial a que pertenezca del estado general en que se encuentran el protocolo y el Libro-Registro de la Notaría de que se ha posesionado, haciendo constar si los instrumentos que los forman reúnen los requisitos externos prevenidos por las disposiciones vigentes. Será personalmente responsable de las deficiencias que en su día pudieran aparecer, de no haberlas hecho constar en su informe.

Mientras no cumplan la expresada obligación, los notarios no podrán ausentarse de sus Notarías ni pedir licencia.

El notario deberá entregar a su sucesor en el protocolo el Libro Indicador y los soportes informáticos en los que se encuentren los ficheros de titularidad pública a que se refiere la Orden JUS/484/2003, de 19 de febrero y los que, con idéntico carácter sustituyan o se añadan a éstos. En el informe a que se refiere el párrafo primero deberá hacerse constar el cumplimiento de esta obligación, incluyendo la relación de los ficheros informáticos recibidos.

SECCIÓN QUINTA
Del cese

Artículo 41.– Los Notarios cesarán en el cargo dentro de los quince días siguientes a la publicación de la orden de jubilación, de excedencia o de nombramiento para otra Notaría en el Boletín Oficial del Estado o, en este último caso, si correspondiere a determinada Comunidad Autónoma, en el periódico oficial de ésta.

En los casos de traslado a otra Notaría para la que se requiera ampliación de fianza, el plazo anteriormente indicado comenzará a contarse desde la fecha de la aprobación de la fianza. La nota a que se refiere el artículo 277 de este Reglamento se extenderá en todo caso dentro del plazo señalado en este precepto.

La concesión de prórroga de plazo posesorio no implicará prórroga del plazo para cesar establecido en este artículo.

SECCIÓN SEXTA
De la residencia y de los despachos u oficinas notariales

Artículo 42.– El Notario deberá residir en el lugar en que esté demarcada su Notaría.

Los Notarios deberán tener su despacho u oficina en el punto de su residencia, en condiciones adecuadas y decorosas para el ejercicio de su Ministerio, teniendo allí centralizada la documentación general y particular que se les confíe.

Se prohíbe a los Notarios tener más de un despacho u oficina en la población de residencia ni en otra de su distrito; no obstante, la Junta Directiva podrá autorizar algún despacho auxiliar en población distinta de aquella en que estuviere demarcada la Notaría, si lo aconsejan las necesidades del servicio.

No podrá haber más de un despacho notarial en un mismo edificio, salvo autorización de la Junta Directiva del Colegio, oídos los Notarios que con anterioridad tengan establecido su despacho en aquél. También se exigirá autorización de la Junta para que un Notario establezca su despacho u oficina en el mismo edificio en que haya tenido instalado su despacho otro Notario, a menos de haber transcurrido tres años o tratarse de población donde exista demarcada una sola Notaría.

Para que un mismo local actúe más de un Notario se requerirá, inexcusablemente, autorización de Junta Directiva, que solo podrá concederla si se dan las condiciones necesarias para asegurar el respeto al principio de libre elección de Notario por el público, atendidas las circunstancias de la población y el número de Notarios existentes en la misma. En todo caso, no podrá concederse esta autorización en los distritos que cuenten con menos de cinco plazas de notarios. En los distritos que cuenten con más de cinco plazas de notarios, el número de notarías abiertas no podrá ser inferior a los dos tercios de las plazas demarcadas.

Las autorizaciones que se concedan deberán expresar, como mínimo, las condiciones relativas a la utilización del local único y a la instalación de los respectivos despachos, así como a las consecuencias de su incumplimiento y las previsiones relativas al cese, por cualquier causa, de alguno de los Notarios autorizados. La autorización por si sola no afectará a los contratos de trabajo de cada Notario con sus empleados.

En ningún caso podrán las Juntas Directivas conceder autorización para que dos o más Notarios tengan su despacho, separadamente, en un mismo edificio o para poder actuar en un mismo local, cuando lo pretendan todos los Notarios de la población.

Las Juntas Directivas podrán modificar e incluso revocar las autorizaciones concedidas en los casos de alteración de las circunstancias tenidas en cuenta al concederlas y en los de incumplimiento de las condiciones establecidas, así como dirimir, de conformidad con lo dispuesto en los artículos 314 y 327 de este Reglamento, las cuestiones que se susciten entre los Notarios interesados.

Las decisiones de las Juntas Directivas concediendo, denegando, modificando o revocando las autorizaciones a que este artículo se refiere y resolviendo las dudas o las quejas que en esta materia se produzcan serán inmediatamente ejecutivas, sin perjuicio de que contra ellas puedan interponerse los recursos procedentes conforme al artículo 334 de este Reglamento.

CAPÍTULO III
De los derechos de los Notarios

SECCIÓN PRIMERA
De las ausencias y de las licencias

Artículo 43.– No se considerarán como casos de ausencia notarial los siguientes:

1.º Las salidas que, por razón de su cargo, hagan los notarios a otros pueblos de su distrito.

2.º Las que realicen en casos de habilitación reglamentaria mientras dure la habilitación.

3.º Las de asistencia a sesiones de órganos y actos de carácter corporativo.

4.º Las que efectúen para tomar parte en oposiciones entre notarios.

En este caso, deberán ponerlo en conocimiento del Decano respectivo, contándose el término desde cuatro días antes del señalado para el sorteo de los opositores y expirando al cuarto día siguiente al de la última actuación del opositor.

5.º Las que impliquen asistencia a Cámaras legislativas.

6.º Las de asistencia a sesiones de organismos jurídicos o comisiones asesoras dependientes o relacionadas con cualquier Administración, siempre que previamente la Dirección General de los Registros y del Notariado lo haya así declarado al tiempo de su aceptación.

Artículo 44.– Los Notarios, no teniendo reclamado su ministerio, podrán ausentarse de su Notaría o distrito notarial por los plazos y con las condiciones siguientes:

a) Por cinco días si la Notaría está demarcada en población donde haya un solo Notario.

b) Por diez días si en la residencia hubiere dos Notarios en servicio efectivo.

c) Y por quince días en las Notarías donde residan y presten servicio efectivo más de dos Notarios.

Al hacer uso de este derecho, los Notarios deberán dar conocimiento a la Junta directiva y a la Dirección General de las fechas en que se ausenten y vuelvan a hacerse cargo de su Notaría. De las mencionadas ausencias no podrá usarse por cada Notario más de seis veces al año, ni las ausencias podrán ser sucesivas, debiendo mediar entre una y otra un mes, por lo menos, de intervalo.

Artículo 45.– Independientemente del derecho anterior, los Notarios podrán obtener licencias ordinarias o extraordinarias, que serán concedidas por las Juntas directivas de los respectivos Colegios y por la Dirección General. Las Juntas directivas podrán conceder licencias ordinarias, que no excederán del plazo de un mes en cada año. La Dirección General podrá conceder licencias ordinarias, que no excederán del plazo de dos meses en cada año.

Las licencias extraordinarias sólo se podrán conceder por la Dirección General en casos excepcionales, mediante justa causa y por plazo máximo de un año.

Las licencias se concederán en virtud de solicitud del Notario interesado dirigida al Decano de la Junta directiva, y por conducto de ésta y con su informe, a la Dirección General, cuando a ella corresponda su concesión.

Artículo 46.– Ni las Juntas directivas ni la Dirección General podrán conceder licencias simultáneas a todos los Notarios de un mismo distrito, salvo en casos de Notaría única.

Si el Notario dejare de dar un aviso al Decanato y a la Dirección del día en que se ausentare de su residencia y el en que vuelva a hacerse cargo de su Notaría, perderá el derecho a la congrua durante el año en curso.

Artículo 47.– Toda licencia concedida por la Dirección General o por las Juntas directivas de los Colegios Notariales se entenderá caducada si el Notario que la haya obtenido no empieza a disfrutarla dentro de los quince días siguientes a la fecha de su concesión.

Si concluido el término de la licencia concedida no se hubiere presentado el Notario a desempeñar de nuevo su cargo, ni alegare justa causa que lo haya impedido, se procederá en la forma prevenida en el artículo 84 de este Reglamento.

Artículo 48.– El Notario podrá interrumpir el uso de licencia, reintegrándose al ejercicio del cargo, y proseguir después el disfrute de aquélla por el tiempo que restare, con tal que la interrupción no exceda de la mitad del plazo concedido, comunicando a la Junta directiva y a la Dirección General los días en que interrumpa el uso de la licencia y en que la reanude.

SECCIÓN SEGUNDA
De las sustituciones

Artículo 49.– Los notarios, en los casos de ausencia, licencia, incluidas las de maternidad o paternidad, durante el tiempo en que hagan uso de este derecho y por el plazo máximo previsto por la normativa aplicable para la baja por tal concepto, enfermedad temporal o cualquier otro supuesto similar, serán sustituidos por el que designe el titular entre los del mismo distrito o de otro colindante, previo acuerdo en este último supuesto de la Junta Directiva. No mediando estas designaciones, por el que corresponda según el cuadro de sustituciones del Colegio, y, en su defecto, por el que designe la Junta Directiva del Colegio Notarial. No obstante, la Junta Directiva podrá encomendar la sustitución a varios notarios, de forma alternativa o sucesiva, en ningún caso simultánea, fijando su régimen de actuación.

Si la duración de la enfermedad que motivase la sustitución excediere de un año y el notario o en su nombre quien le represente no pidiere la excedencia voluntaria, la Dirección General instruirá expediente de incapacidad permanente, previo agotamiento de los plazos de ausencias y licencias reglamentarias.

No obstante lo anterior, si la enfermedad no fuese irreversible, el notario podrá optar por la situación de excedencia en cualquier momento de la instrucción del expediente de incapacidad permanente.

Artículo 50.– Cuando una Notaría esté vacante o en suspenso su titular, se encargará de la misma, en concepto de sustituto, aquel a quien corresponda conforme al Cuadro de sustituciones del respectivo Colegio Notarial, y si no lo hubiere, el que designe la Junta directiva, dando cuenta a la Dirección General.

Artículo 51.– La Dirección General de los Registros y del Notariado podrá nombrar en comisión de servicios a los notarios en activo, por todo el tiempo que proceda según la naturaleza del trabajo encomendado:

a) Para desempeñar las comisiones que se les encomienden en relación con los servicios propios de dicho Centro Directivo.

b) Para prestar algún trabajo determinado en algún Ministerio u Organismo Público.

c) Para realizar estudios o proyectos de especialización a instancia del Consejo General del Notariado.

Los miembros del Consejo General del Notariado, los Decanos y Vicedecanos de los Colegios Notariales, los Secretarios, Vicesecretarios y los encargados de Sección del citado Consejo General del Notariado, se considerarán en comisión de servicio durante todo el tiempo de su mandato.

Los notarios que ocupen cargo público que fuese compatible con su condición de tales con arreglo a las leyes, podrán solicitar de la Dirección General la asimilación de su situación a la de notario en comisión de servicio.

Los notarios que tengan encomendada por la Dirección General de los Registros y del Notariado comisión de servicios o con autorización de ésta acepten cargo público compatible con su condición de tales con arreglo a las leyes, los miembros del Consejo General del Notariado, los Decanos y Vicedecanos de los Colegios Notariales, los Secretarios, Vicesecretarios y los encargados de Sección del Consejo General del Notariado, podrán designar para que les sustituyan en todas sus funciones notariales, durante el desempeño de sus citados cargos o comisión, a otro notario en activo, bien con carácter ocasional o bien con carácter permanente, con su conformidad, poniéndolo en conocimiento del Colegio Notarial que corresponda a la mayor brevedad.

En defecto de designación será nombrado por la Junta Directiva del Colegio Notarial correspondiente, según el cuadro de sustituciones, o fuera del mismo, de acuerdo con lo previsto en este Reglamento.

En los casos en que proceda, el sustituto se entenderá investido de habilitación especial a los fines previstos en los artículos 3, último párrafo, y 116 de este Reglamento.

El sustituto permanente, antes de comenzar la sustitución y al finalizarla, pondrá nota en la última matriz del protocolo del notario sustituido, comunicándoselo seguidamente al Colegio Notarial. Si el sustituto no perteneciese al mismo Colegio Notarial que el sustituido, o lo solicitare a la vista de las características de su despacho, se estimará a los efectos reglamentarios que se halla en uso de licencia por ausencia mientras desempeña la sustitución, y su situación se regulará por lo establecido en el párrafo primero del artículo 49 y el párrafo primero del artículo 54 de este Reglamento.

Las condiciones económicas de la sustitución serán libremente convenidas entre los interesados. A falta de convenio, se aplicará lo que dispone el párrafo segundo del artículo 55 de este Reglamento.

El notario sustituido podrá, si las funciones que tiene encomendadas lo permiten, y siempre con subordinación al trabajo que pueda tener encomendado, actuar y autorizar documentos en su notaría en cualquier momento, sin necesidad de poner nota alguna en el Protocolo ni de comunicarlo al Colegio.

En los supuestos de sustitución previstos en este artículo, la designación puede recaer en uno o en varios notarios siempre que, en este último caso, el ejercicio de las funciones notariales por parte de los nombrados sea alternativo o sucesivo, no simultáneo.

Las disposiciones del presente artículo serán de aplicación a los notarios adscritos a la Dirección General de los Registros y del Notariado en todo lo que no se halle regulado en su normativa específica.

Artículo 52.– Los notarios que acepten los cargos a que se refiere el artículo 115 de este Reglamento pueden designar para que les sustituyan en todas sus funciones notariales, mientras desempeñen aquéllos, a cualquier notario en activo.

Si el sustituto perteneciese a distinto distrito notarial que el sustituido, se estimará, a los efectos reglamentarios, que se halla en uso de licencia por ausencia mientras desempeña la sustitución, y su situación se regulará por lo establecido en el párrafo primero del artículo 49 y en el párrafo primero del artículo 54 de este Reglamento.

El sustituido, a la mayor brevedad posible, deberá poner en conocimiento de la Dirección General de los Registros y del Notariado, del Decano del Colegio Notarial de su residencia y del de la residencia del sustituto, si éste pertenece a distinto Colegio, la circunstancia de haber hecho uso de este derecho, y la Dirección General de los Registros y del Notariado autorizará al sustituto para que ejerza sus funciones como tal, poniéndolo en conocimiento del Decano o Decanos correspondientes.

Artículo 53.– Los documentos autorizados por el Notario sustituto se incorporarán al Protocolo o Libro-Registro del Notario sustituido, excepto en los casos de vacante y de la habilitación prevista por el artículo 121 de este Reglamento, en los términos que resultan del mismo.

El protocolo y el Libro-Registro del Notario sustituido no se trasladarán a la Notaría del sustituto, salvo que éste residiere en distinta población, en cuyo supuesto podrá trasladarlos al domicilio de su Notaría, para su mejor custodia, previa autorización de la Junta Directiva del respectivo Colegio.

Tratándose de sustitución por Notaría vacante, si el sustituto residiere en la misma población, deberá conservar el Protocolo y el Libro-Registro del sustituido, en su propia Notaría o en otro lugar adecuado, cuando así lo autorice con carácter previo la Junta Directiva. Si residiere en población distinta, el Protocolo y el Libro Registro deberán permanecer en lugar adecuado de la población en que estuviere demarcada, sin perjuicio de poder trasladarlos a su Notaría o a otro lugar adecuado, con la finalidad y previa la autorización a que se refiere el párrafo anterior.

Artículo 54.- Cuando un sustituto deba encargarse de un protocolo por causa de licencia o de incompatibilidad para desempeñar el cargo mencionado, el sustituido pondrá, a continuación o al margen de la última escritura matriz de su protocolo de instrumentos públicos, nota fechada y firmada del día en que ausente, haciendo mención de la causa de la sustitución. A su regreso pondrá nota en el último instrumento del mismo protocolo de haber vuelto a encargarse de la Notaría.

En el caso de enfermedad temporal, la primera nota será puesta por el sustituto y la segunda por el sustituido.

Artículo 55.- El Notario sustituto tendrá derecho en todo caso a percibir íntegramente los honorarios que devengue en los documentos que autorice por el sustituido.

Las Juntas directivas, en los casos de sustitución por enfermedad temporal u otros similares, podrán determinar la parte de honorarios que el Notario sustituido podrá percibir del sustituto.

Artículo 56.- Cada cuatro años, en la primera quincena del mes de diciembre, o cuando las necesidades del servicio lo aconsejen, las Juntas Directivas de los Colegios Notariales formarán el cuadro de sustituciones, que remitirán a la Dirección para su aprobación.

El cuadro de sustituciones, una vez aprobado, se remitirá a todos los notarios del Colegio.

SECCIÓN TERCERA
De las jubilaciones

Artículo 57.- Los notarios se jubilarán forzosamente al cumplir la edad de 70 años o voluntariamente a partir de los 65, sin perjuicio de lo que establezca en su momento la legislación aplicable.

Los notarios que hubiesen sido declarados en situación de incapacidad permanente conforme a lo previsto en el segundo párrafo del artículo 49, podrán obtener, previo expediente análogo al previsto en el citado artículo, su reincorporación al Cuerpo, si acreditasen haber desaparecido la causa que motivó la incapacidad, considerándose que hasta la fecha han estado en situación de excedencia. Estos notarios tendrán derecho a reingresar en el servicio por la misma población donde residieran en la fecha en que se declare su incapacidad. No será precisa la reserva expresa de este derecho al tiempo de la declaración de su incapacidad, pudiendo renunciar en cualquier momento mediante escrito elevado a la Dirección General de los Registros y del Notariado, y cuyo ejercicio se regirá por lo dispuesto en el artículo 109 de este Reglamento.

Tomada posesión de su plaza por el notario que se hubiera reincorporado, solicitará su alta en el Régimen Especial de los Trabajadores por Cuenta Propia o Autónomos, con indicación de la base de cotización por la que opta, en los términos y condiciones establecidos en la regulación de dicho Régimen, de conformidad con lo previsto en el artículo 2 del Real Decreto 1505/2003, de 28 de noviembre, por el que se establece la inclusión de los miembros del Cuerpo Único de Notarios en ese Régimen Especial de la Seguridad Social.

Artículo 58.– La jubilación implica el cese de la relación funcionarial y la pérdida de la condición de funcionario a los efectos del ejercicio de la función pública notarial y de la posibilidad de ser elector o elegible para órganos colegiados de la organización corporativa notarial.

Artículo 59.– El Notario jubilado forzosamente por edad cesará en el ejercicio del cargo dentro del plazo señalado en el párrafo primero del artículo 41 de este Reglamento.

SECCIÓN CUARTA
De las prerrogativas y honores de los Notarios

Artículo 60.– El Notario, una vez que obtenga el título y tome posesión de su Notaría, tendrá en el distrito a que corresponda la demarcación de la misma el carácter de funcionario público y autoridad en todo cuanto afecte al servicio de la función notarial, con los derechos y prerrogativas que conceden a tales efectos las leyes fundamentales tanto de carácter civil como administrativo y penal.

La presentación de la medalla o de la tarjeta de identidad será bastante para el efecto de acreditar al Notario en el ejercicio de las funciones notariales, y asimismo para que las autoridades y sus delegados o dependientes le auxilien cuando lo solicitare en el cumplimiento de las obligaciones de su cargo.

El Notario que haya de ejercer su ministerio en actos presididos por Autoridad, ocupará lugar preferente en la presidencia.

Artículo 61.– El notario requerido para ejercer su ministerio, a quien se impida o dificulte el libre ejercicio de sus funciones con injurias, amenazas o cualquier forma de coacción, lo hará constar, a los efectos de lo dispuesto en los artículos 550, 551.1, 552, 553, 555 y 556 del Código Penal, por medio de acta, que firmarán él mismo y los testigos concurrentes y, en su caso, la persona o personas que se presten a suscribirla, de cuyo documento se sacarán tres copias que, dentro de las veinticuatro horas siguientes, serán remitidas al Juez de Instrucción, al Presidente del Tribunal Superior de Justicia y a la Junta Directiva del Colegio Notarial. Esta tendrá legitimación para ejercitar las acciones civiles y criminales que estime convenientes, incluso para interponer la querella en nombre propio y en el del notario.

De igual modo se procederá, a tenor de lo dispuesto en el artículo 634 del Código Penal, cuando, sin incurrir en delito, se faltare al respeto y consideración debida al notario. Además, el notario podrá reclamar directamente, y bajo su responsabilidad, la asistencia de agentes de la autoridad, los cuales vendrán obligados a prestarla, con arreglo a sus respectivos reglamentos.

Artículo 62.– El Notario contra quien se tramite un sumario, solo quedará en suspenso para el ejercicio del cargo por resolución judicial que lleve consigo auto de prisión consentido o firme. La Junta directiva del Colegio Notarial tendrá derecho a mostrarse parte en la causa, en cualquier momento procesal de la misma.

Artículo 63.– La retribución de los Notarios estará a cargo de quienes requieran sus servicios y se regulará por el Arancel notarial, sin que en ningún caso la percepción difiera del coste medio ponderado del documento incrementado con los derechos que correspondan según el Arancel. La determinación de dichos costes corresponderá a la Dirección General de los Registros y del Notariado a propuesta fundada de la Junta de Decanos, y será vinculante para todos los Notarios.

El arancel notarial se aprobará por el Gobierno mediante Decreto, a propuesta del Ministro de Justicia, previo informe de la Junta de Decanos de los Colegios Notariales y con audiencia de la Comisión permanente del Consejo de Estado.

Su revisión y actualización se llevará a cabo cada diez años o antes si las circunstancias lo aconsejan.

Los honorarios y derechos y las cantidades suplidas por el Notario con relación a los impuestos generales sobre las sucesiones y sobre Transmisiones Patrimoniales y Actos Jurídicos Documentados, plusvalía o inscripciones o certificaciones del Registro de la Propiedad podrán hacerse efectivas por el procedimiento de apremio que la legislación hipotecaria establece o establezca en lo sucesivo a favor de los Registradores de la Propiedad.

Se regulará asimismo por la legislación hipotecaria la fijación de las bases sobre las que haya de aplicarse el arancel.

El Notario podrá dispensar totalmente los derechos devengados en cualquier documento, pero no tendrá la facultad de hacer dispensa parcial que se reputará ilícita.

Artículo 64.– Los Decanos de los Colegios Notariales tendrán tratamiento y consideraciones de Jefes Superiores de Administración; los Notarios de capital de Colegio, los de Jefe de Administración de primera clase; los de capital de provincia y los que desempeñen Notarías de primera clase no comprendidas en las anteriores, los de Jefe de Administración de segunda; los Notarios de segunda, los de Jefes de Administración de tercera clase, y los Notarios de tercera, los de Jefes de Negociado de primera, segunda y tercera clase según que lleven más de treinta años de antigüedad en el escalafón, de veinte a treinta años, o menos de veinte.

Artículo 65.– Todos los Notarios colegiados estarán autorizados para usar, como distintivo oficial de su cargo, una medalla de oro ovalada, de diecinueve milímetros de diámetro en su mayor extensión, y quince de anchura, con un filete blanco en su contorno, conteniendo en el anverso un libro protocolo cerrado y orlado con dos ramas de olivo, con la inscripción alrededor "Nihil prius fide", y en el reverso la fecha de la Ley del Notariado. Esta medalla se usará pendiente, en el lado izquierdo del pecho, de cinta blanca en el centro y encarnada en los costados ajustándose en todo al modelo oficial.

Los individuos de las Juntas directivas, en los actos de oficio a que concurran como tales, podrán usar dicho distintivo, pero de dimensiones proporcionalmente aumentadas, pendiente al cuello con una cinta de iguales colores.

Los Notarios usarán, además, una placa de plata rafagada en oro, de setenta y ocho milímetros de diámetro, en forma de estrella de ocho puntas, con una corona en la parte superior y en el centro un escudo esmaltado en oro con las armas de España, partiendo de la parte inferior del escudo dos cintas con la inscripción "Fe pública notarial", debajo del enlace de las mismas un libro en forma de protocolo, con el lema "Nihil prius fide". Los Decanos podrán usar la placa dorada o de oro.

Artículo 66.– El sello notarial tendrá en lo sucesivo carácter obligatorio y llevará en el centro un libro en forma de protocolo con el lema "Nihil prius fide", orlado con el nombre y apellido del Notario y la designación de su residencia.

Artículo 67.– Los notarios podrán celebrar congresos, asambleas o reuniones generales.

El Consejo General del Notariado, y las Juntas Directivas de los Colegios Notariales, en sus respectivos ámbitos, promoverán y organizarán la celebración de los que estimen convenientes para el cumplimiento de los fines corporativos.

Artículo 68.– La Junta Directiva, respecto del notario que se inutilizare en el ejercicio del cargo para el desempeño de la función, o que se jubilare o renunciare al mismo, llevando, en estos dos últimos casos, treinta y cinco años de servicios efectivos, podrá solicitar y obtener de la Dirección General, el título de notario honorario, pudiendo asistir con voz pero sin voto a las Juntas Generales.

Artículo 69.– El estudio del notario tendrá la categoría y consideración de "oficina pública". En consecuencia, la oficina pública notarial deberá reunir las condiciones adecuadas para la debida prestación de la función pública notarial, debiendo estar constituida por un conjunto de medios personales y materiales ordenados para el cumplimiento de dicha finalidad.

Artículo 70.– Las Juntas Directivas por propia iniciativa o a solicitud fundada de un notario podrán consultar a la Dirección General las dudas que tengan sobre la aplicación de la Ley del Notariado y el Reglamento Notarial o sus disposiciones complementarias. En las consultas se consignará, razonándola, la opinión del consultante.

Artículo 71.– Como consecuencia del carácter de funcionario público del notario y de la naturaleza de la función pública notarial, la publicidad de la oficina pública notarial y de su titular deberá realizarse preferentemente a través de los sitios web de los Colegios Notariales y del Consejo General del Notariado.

A tal fin, los Colegios Notariales mantendrán una lista actualizada de los notarios que estuvieran colegiados en su ámbito territorial accesible al público en su sitio web. En dichos sitios web, y a los efectos de la identificación del notario y localización de la oficina pública notarial, se incluirá el nombre y apellidos del notario, su fotografía si éste lo solicitara, y la dirección, correo electrónico y números de teléfono y fax de la oficina pública notarial.

En modo alguno los notarios podrán anunciarse directa o indirectamente a título de sucesores de un titular de la misma Notaría.

Igualmente, el local de la oficina pública notarial podrá anunciarse mediante una placa, respecto de las que las Juntas Directivas podrán adoptar medidas sobre la forma y dimensiones.

TÍTULO II
DE LAS NOTARIAS

CAPÍTULO I
DE LA DEMARCACIÓN JUDICIAL

Artículo 72.– La revisión de la demarcación notarial en todos los supuestos del artículo 4. de este Reglamento se llevará a efecto por el Ministro de Justicia, a propuesta de la Dirección General, y se aprobará por Real Decreto.

A tal fin, se recabarán informes a la Junta de Decanos a las Juntas directivas de los Colegios Notariales, que oirán a las generales, Registradores de la Propiedad y Salas de Gobierno de las Audiencias afectadas y cuantos otros se consideren oportunos, todos los cuales se solicitarán dentro de los quince días siguientes al inicio del expediente y deberán ser remitidos en el plazo máximo de tres meses, contados desde la remisión de la solicitud. El Ministro de Justicia, oída la Comisión Permanente del Consejo de Estado, resolverá lo que proceda. En las Comunidades Autónomas, además de lo dispuesto en los párrafos anteriores, se tendrá en cuenta lo que, en su caso, dispongan sus respectivos Estatutos.

Como complemento de la demarcación notarial, la Dirección General, previa audiencia de los Colegios y de acuerdo con la Mutualidad Notarial, hará una relación revisable cada dos años de las Notarías enclavadas en zonas rurales que, aun sin producir lo necesario para la decorosa subsistencia de un Notario, se consideran imprescindibles para el buen servicio público. Estas Notarías independientemente de la congrua normal que les corresponda por razón de folios, disfrutarán por razón de residencia de una subvención anual cuyo percibo estará condicionado a que el Notario atienda con notorio celo a su Notaría, y visite periódicamente los pueblos de su distrito que determina la Junta directiva.

La revisión no perjudicará los derechos adquiridos por los titulares de Notarías que pierdan la consideración de subvencionadas en virtud de dicha revisión.

Artículo 73.– La demarcación notarial tendrá en cuenta lo preceptuado por el artículo 3 de la Ley y se adaptará a la delimitación territorial de las provincias o los entes territoriales previstos en la legislación aplicable y municipios con arreglo a los planos del Instituto Geográfico Catastral y de Estadística, sin que las alteraciones en la demarcación judicial puedan influir en la notarial, salvo en el caso de que, como consecuencia de aquélla, se modifique también la demarcación notarial.

El Real Decreto en que se apruebe la demarcación deberá hacer constar los distritos notariales, indicando los términos municipales comprendidos dentro de los mismos, todo ello sin perjuicio de las competencias asumidas por las Comunidades Autónomas en sus respectivos Estatutos.

Artículo 74.– El Real Decreto ordenando la demarcación expresará los turnos o forma en que deban preverse las Notarías de nueva creación, y en su caso, aquellas en que los Notarios a quienes correspondan hayan de instalar su despacho u oficina en barrios o distritos concretos de la población. También establecerá la manera de amortizar las que se supriman.

En todo caso, las vacantes que fueren suprimidas por una demarcación y no hubieren sido anunciadas para su provisión en el Boletín Oficial del Estado, quedarán amortizadas, cualquiera que sea el turno a que hubieren correspondido.

Las que estuvieren servidas y deban suprimirse serán amortizadas cuando reglamentariamente vaquen, y sus titulares continuarán desempeñándolas, siendo considerados como Notarios excedentes de demarcación para todos los efectos legales mientras no dejen de servir la Notaría suprimida o no transcurra el plazo reglamentario para ejercitar los derechos de excedencia.

Artículo 75.– Las suprimidas en demarcaciones anteriores que no hayan sido amortizadas y que se restablezcan por nueva demarcación continuarán desempeñadas por los Notarios que las sirvan, quienes ya no tendrán el carácter y derechos del excedente de demarcación.

Artículo 76.– Cuando en una localidad deba suprimirse en virtud de demarcación más de una Notaría, la amortización se hará paulatinamente suprimiéndose la primera vacante que ocurra y proveyéndose la segunda en el turno que corresponda.

La declaración de Notaría se hará por la Dirección General, y mientras no lo verifique ésta, el archivo de la vacante estará a cargo del Notario sustituto a quien corresponda encargarse de la mencionada Notaría.

CAPÍTULO II
De la clasificación de las Notarías

Artículo 77.– Todos los Notarios de España tienen idénticas funciones. No obstante a los meros efectos orgánicos y corporativos y en atención a criterios básicamente demográficos, las Notarías se agrupan en las siguientes clases o secciones:

De capitales de provincia, sean o no capitales de Colegio Notarial, Ceuta, Melilla, y todas las poblaciones mayores de setenta y cinco mil habitantes en su término municipal, según el último censo de población publicado por el Instituto Nacional de Estadística (sección primera). De poblaciones que, no estando comprendidas en el párrafo anterior, excedan de dieciocho mil habitantes según dicho Censo (sección segunda). Y de todas las demás poblaciones (sección tercera).

Para fijar la población de los términos municipales a efecto de los párrafos precedentes, se tendrá en cuenta la de hecho que resulte en el último Censo publicado por el mencionado Instituto.

Artículo 78.– La clasificación de Notarías con las rectificaciones que imponga el Censo de población, se expresará de un modo concreto en la demarcación notarial.

Artículo 79.– Los notarios tendrán, para todos los efectos legales, la categoría que se fije en la clasificación a la Notaría que estuvieren desempeñando, con las siguientes excepciones:

a) El notario que desempeñe Notaría que en virtud de nueva clasificación aumente o disminuya de clase o sección, conservará, mientras la sirva, la que hubiere tenido hasta entonces.

b) Para que el notario pueda obtener la clase de la notaría que haya obtenido por concurso será preciso que tenga una antigüedad en la carrera de cinco años, si la notaría es de plaza clasificada de segunda, y de nueve si es de plaza clasificada de primera. Si tuviera menos antigüedad en la carrera, adquirirá la clase correspondiente a su notaría cuando haya transcurrido el plazo indicado, sumando a tal efecto la antigüedad en carrera que tuviere a la que pueda obtener en la plaza obtenida por concurso.

CAPÍTULO III
De las vacantes de Notarías

SECCIÓN PRIMERA
De las causas y efectos de las vacantes

Artículo 80.– Las Notarías quedan vacantes:

1.º Por muerte.

2.º Por sentencia firme que condene a la inhabilitación absoluta, o especial para el cargo de notario.

3.º Por renuncia.

4.º Por abandono del cargo.

5.º Por traslación.

6.º Por excedencia, salvo lo prevenido en el artículo 109 de este Reglamento.

7.º Por jubilación o incapacidad permanente.

8.º Cuando por sentencia firme en que no medie inhabilitación, la pena impuesta impida al notario durante más de un año el ejercicio de su cargo.

Artículo 81.– Los Tribunales que impusieren a un notario pena que lleve consigo inhabilitación, absoluta o especial para el cargo de notario, lo comunicarán a la Dirección General, remitiéndole copia de la sentencia una vez que ésta sea firme.

Tendrán la misma obligación en los casos en que la sentencia condene a una pena que, sin llevar consigo inhabilitación, impida al notario el ejercicio de su cargo.

Artículo 82.– Los Jueces de instrucción, al dictar auto de procesamiento contra un Notario, cuando el procesamiento lleva consigo la suspensión del cargo, por haberse dictado auto de prisión consentido o firme, deberán ponerlo en conocimiento de la Dirección General de los Registros y del Notariado y del Decano del Colegio Notarial del territorio donde sirva el Notario, a los efectos procedentes.

Artículo 83.– Las Notarías quedarán vacantes por renuncia:

1. Cuando expresamente lo manifieste el Notario interesado.

2. Cuando dentro de los plazos legales no constituyere fianza para desempeñar el cargo, o no la repusiere cuando proceda, en los términos prevenidos en este Reglamento, en cuyo caso se estará a lo previsto en el artículo 28 del mismo.

3. Cuando no se posesionare de la Notaría en el plazo reglamentario o al concluir la licencia que se le hubiere concedido y cuando no hubiere obtenido prórroga, si procediere, hallándose en situación de excedencia, a no ser por motivo justificado, o se ausentare del distrito notarial sin estar autorizado para ello.

4. Cuando expresamente se declare en este Reglamento.

Los derechos y obligaciones del Notario renunciante no cesarán mientras no le haya sido admitida o declarada la renuncia, según los casos. El Notario declarado renunciante será dado de baja en el Escalafón del Cuerpo.

Artículo 84.– Se considerará que hay abandono del cargo por parte del notario en cualquiera de los casos comprendidos en el apartado 3.º del artículo anterior.

Comprobado el hecho de la ausencia, el Notario ausente será llamado por edicto publicado en el Boletín Oficial del Estado, y si dentro del plazo de veinte días a contar desde el de la publicación no compareciese, se declarará la vacante de la Notaría y el Notario será dado de baja en el Escalafón. Cuando comparezca dentro del plazo señalado en el párrafo anterior, se seguirá el expediente con audiencia del interesado y se resolverá lo que proceda.

Este expediente será resuelto por la Dirección General, y en última por el Ministro.

No obstante, el Notario separado podrá solicitar la revisión del expediente si justificare que la ausencia o abandono obedecieron a causas no imputables a su voluntad.

Artículo 85.– Los Decanos de los Colegios Notariales, los Delegados y Subdelegados de las Juntas Directivas y los Jueces de primera instancia, manifestarán a la Dirección General la fecha en que ocurriere una vacante, dentro de los tres días siguientes a la misma. Dicha Dirección general lo comunicará a la respectiva Comunidad Autónoma para el ejercicio de las competencias que tuviera asumidas estatutariamente.

Artículo 86.– La Dirección General de los Registros y del Notariado llevará los libros necesarios para determinar con toda exactitud el turno a que corresponda cada vacante y la turnará por el orden riguroso en el artículo 88 y con estricta sujeción a la fecha en que ocurra o sea declarada la vacante, y de no ser esto posible, por la en que se haya dado conocimiento de ella.

La Dirección podrá fijar libremente el turno cuando, por simultaneidad de las vacantes, sea imposible determinarlo según las anteriores reglas. Por excepción, las vacantes producidas por jubilación se turnarán automáticamente, antes que toda otra vacante de las que se produzcan en el mismo día por cualquier otra causa.

Artículo 87.– Se tendrá por fecha de la vacante para todos los efectos reglamentarios, la del nombramiento para otra Notaría del titular que la servía, la de su fallecimiento, la del día en que cumpla la edad reglamentaria para su jubilación forzosa y la del en que se acuerde su jubilación por imposibilidad física o voluntaria, excedencia, renuncia o traslación forzosa, o se declare desierta una Notaría.

SECCIÓN SEGUNDA
De los turnos para la provisión de vacantes

Artículo 88.– El concurso constituye el único modo de cubrir las Notarías vacantes, sin otras excepciones que la traslación forzosa y la vuelta al servicio activo del excedente con reserva de vacante para la misma población.

Las vacantes que se produzcan relativas a notarías de la misma población, se asignarán, las dos primeras al turno primero y la tercera al turno segundo y así sucesivamente. El orden de los turnos especificados será rotatorio, teniendo en cuenta los turnos que hubiesen correspondido en notarías vacantes de la misma población en los anteriores concursos. La vacante que en el concurso no resulte cubierta por el turno de clase según lo establecido en el artículo 92, se adjudicará en el mismo concurso por el turno de antigüedad en la carrera.

Si en virtud del artículo 57 de este Reglamento existiera algún notario con derecho de reingreso preferente a la plaza que ocupara al tiempo de la declaración de su incapacidad permanente, dicho notario antes de la asignación de turnos para cada plaza deberá comunicar el ejercicio de su derecho a la Dirección General de los Registros y del Notariado. Ejercido su derecho esta plaza se excluirá del concurso atribuyéndosele en la resolución de dicho concurso.

Artículo 89.– No consumirán turno las vacantes que correspondan a excedentes voluntarios al volver al servicio activo después de terminada la excedencia si tuvieran reservado el derecho a ser nombrados para vacantes de la misma población. Ninguno de ellos podrá ser nombrado para las vacantes que hayan de amortizarse por efecto de la demarcación notarial.

Tampoco consumirán turno las que se destinen a los Notarios a quienes se impusiere la corrección disciplinaria de traslación forzosa.

Artículo 90.– Si una vacante no fuese cubierta en un concurso se anunciará en los siguientes hasta que sea cubierta.

Artículo 91.– En el turno primero, de antigüedad en la carrera, será nombrado el Notario solicitante de mayor antigüedad en el Cuerpo.

La antigüedad se determinará por el número que tenga el Notario en el Escalafón, sin deducción alguna por el tiempo de excedencia voluntaria o forzosa, anterior o posterior a este Reglamento. En el caso de suspensión en el cargo decretada por los Tribunales de Justicia, se deducirá la mitad del tiempo de aquélla, salvo el caso de que el Notario sometido al procedimiento fuese absuelto. No se descontará el tiempo de las licencias.

Artículo 92.– En el turno segundo de antigüedad en la clase o sección será nombrado el notario solicitante más antiguo en la clase igual a la de la vacante, cuando se trate de notarios de primera o segunda clase; en defecto de solicitantes de la misma clase, el más antiguo en la inmediatamente inferior, y en defecto de éstos, el más antiguo de la restante clase.

La antigüedad en este turno se contará desde la fecha de la adquisición de la clase o sección conforme a lo previsto en el artículo 23 de este Reglamento, teniéndose en cuenta además las siguientes reglas:

a) Se computará todo el tiempo servido en Notarías de igual clase, así como, en su caso, el tiempo de antigüedad en clase abonado por la oposición entre notarios, conforme al sistema vigente al tiempo de la celebración de ésta.

b) En los casos previstos en el artículo 79 se computará, además, todo el tiempo servido por el notario con su categoría personal en la Notaría de clase diferente a que dicho artículo se refiere en cada uno de sus dos supuestos.

Si aplicando las reglas anteriores la antigüedad en la clase fuere igual, será nombrado el notario que tenga el número más bajo en el Escalafón del Cuerpo.

Para las vacantes de tercera clase anunciadas en este turno será nombrado el notario de dicha categoría que tenga el número más bajo en el escalafón y, en su defecto, el más antiguo en la carrera.

Artículo 93.– La provisión de Notarías en los turnos precedentes se verificará por concurso, incluyéndose en cada uno de ellos las vacantes que resulten del anterior y las que hayan ocurrido hasta el día precedente a la fecha del anuncio del concurso de que se trate, siempre que de ella se tenga conocimiento en la Dirección General.

Artículo 94.– El anuncio del concurso se publicará en el Boletín Oficial del Estado y en él se convocará a los Notarios que quisieren aspirar a las vacantes incluidas en el mismo, para que las soliciten con sujeción a las reglas siguientes:

1. Presentar en la Dirección General una instancia firmada de su puño y letra, dentro de los quince días naturales siguientes a la publicación del anuncio, debiendo ingresar las instancias en el referido Centro directivo antes de las dos de la tarde del día en que finalice el plazo, quedando sin efecto las que ingresen después de dicha hora, cualquiera que sea la causa. Si el último día del plazo fuera inhábil, se entenderá automáticamente prorrogado hasta el primero hábil, a la hora indicada.

El Registro de entrada expedirá recibo de las instancias presentadas a los interesados que lo reclamen, siendo este recibo el único documento admisible para formular y reconocer reclamación alguna sobre tal hecho.

2. Solicitar en una sola instancia todas las Notarías que se pretendan, aunque correspondan a turno diferente.

3. Expresar sin salvedad ni condición alguna la Notaría o Notarías que se piden, indicando en la instancia, si fueran varias las Notarías pedidas, el orden en que se prefieran.

4. Indicar la fecha de su ingreso en la carrera, si es o no excedente de demarcación la Notaría que el solicitante sirve y su categoría, expresando el tiempo de servicios en ésta si entre las vacantes que solicita hay alguna del turno segundo o de antigüedad en la clase.

5. Consignar, bajo su responsabilidad en la solicitud, que por el hecho de obtener la Notaría que pretende no incurre en la incompatibilidad a que se refiere el artículo 138 de este Reglamento.

La instancia que no contenga los requisitos exigidos en las reglas cuarta y quinta, o los exprese inexactamente, se tendrá por no presentada, sin perjuicio de las facultades disciplinarias concedidas a la Dirección en este Reglamento, si ésta estimase que se había cometido la inexactitud deliberadamente.

Los titulares de Notarías que radiquen fuera de la Península podrán tomar parte en los concursos mediante telegrama, que tendrá el mismo valor y habrá de contener las mismas indicaciones que una instancia, y deberá ingresar en la Dirección General dentro del plazo señalado para las solicitudes, sometiéndose los pretendientes a la interpretación que el Centro directivo dé a posibles errores de los telegramas.

El mismo día en que se remita al Boletín Oficial del Estado el anuncio de las Notarías vacantes, será telegrafiado a los Decanos de Baleares y Las Palmas, a fin de que éstos o hagan llegar a conocimiento de todos los Notarios de su territorio por el medio más rápido posible. Ningún concursante podrá anular, ampliar, disminuir o modificar su solicitud después de presentada ésta.

Artículo 95.– Para concursar Notarías en los turnos establecidos, excepto el destinado a excedentes de demarcación, será necesario que haya transcurrido el plazo de un año a contar desde la fecha de la posesión de la Notaría que sirva el solicitante.

Artículo 96.– Los Notarios residentes en una localidad no podrán solicitar las vacantes que en ella se produzcan, salvo en el caso de cambio de su clasificación notarial. Podrán concursar dentro de la población el Notario obligado a tener su despacho u oficina en distrito urbano o barrio, conforme al artículo 4., siempre que hayan transcurrido tres años desde la fecha de posesión.

No podrán concursar los Notarios que tengan suspendido este derecho mientras dure la sanción y durante dos años los que hubiesen sido trasladados forzosamente, no pudiendo estos últimos volver a Notarías del mismo distrito notarial ni de lo colindantes, a no ser que hayan transcurrido diez años y durante este tiempo no hayan vuelto a ser corregidos con igual sanción.

SECCIÓN TERCERA
De la oposición entre Notarios

Artículo 97.– La promoción en el Notariado, además de la que puede obtenerse por la antigüedad efectiva de cada notario, en la carrera o en la clase, tiene lugar por la oposición entre notarios, que mediante la selección de los concurrentes más aptos, confiere un abono de antigüedad en la carrera en los términos que se prevén en esta sección.

Artículo 98.– Las oposiciones entre Notarios serán convocadas por la Dirección General cuando lo aconsejen las necesidades del servicio y, en todo caso, antes de que transcurran dos años desde el término de los ejercicios de las oposiciones últimamente celebradas, anunciándose la convocatoria en el Boletín Oficial del Estado.

Artículo 99.– La convocatoria comprenderá un número de plazas que represente el 1,5 % de todas las Notarías demarcadas en España, con desprecio de los decimales.

En ningún caso podrán resultar aprobados más opositores que el número de plazas convocadas.

Artículo 100.– El abono de la antigüedad en la carrera se realizará en los siguientes términos:

a) A los tres primeros de la lista de aprobados que hayan obtenido un mínimo de 60 puntos, veinte años.

b) A quienes hayan obtenido un mínimo de 50 puntos y no rebasen un sexto, calculado por defecto, de las plazas convocadas, quince años.

c) A quienes hayan obtenido un mínimo de 45 puntos y no rebasen un tercio, calculado por defecto, de las plazas convocadas, diez años.

d) A quienes hayan obtenido un mínimo de 40 puntos y no rebasen dos tercios, calculados por defecto, de las plazas convocadas, cinco años.

El abono de antigüedad obtenido se adicionará a la que a cada opositor ya le corresponda a los efectos de poder aplicarla en cualquier concurso que se convoque en los cinco años siguientes a la publicación en el Boletín Oficial Estado de la lista de aprobados. Transcurrido el término de cinco años, quedará sin efecto el abono obtenido, salvo que no se haya publicado ningún concurso durante tal plazo, en cuyo caso el abono se prorrogará hasta que éste se produzca. Ejercitado el abono y obtenida la plaza, el notario figurará en el escalafón exclusivamente con la antigüedad que originariamente le corresponda, quedando consumido el abonado por la oposición regulada en esta Sección.

Artículo 101.– El Tribunal estará compuesto por un Presidente y seis Vocales.

Será Presidente el Director General de los Registros y del Notariado o uno de los Subdirectores del mismo Centro. En su defecto, el Presidente del Consejo General del Notariado o su Vicepresidente y, a falta de ambos, el Decano que el propio Consejo General designe.

Serán Vocales: el Decano que designe el Consejo General del Notariado, en el caso de que presida el Director general o uno de los Subdirectores generales del Centro directivo, y, en otro caso, un Abogado del Estado o Letrado Adscrito a la Dirección General; dos notarios con más de veinte años de antigüedad en la carrera o que hubieran aprobado anteriores oposiciones entre notarios; un Registrador de la Propiedad o Mercantil, con más de veinte años de antigüedad en la carrera; un Catedrático de Universidad, en activo o excedente, de alguna de las siguientes áreas de conocimiento: Derecho Romano, Civil, Mercantil, Internacional Privado, Procesal o Financiero y Tributario, y un Abogado del Estado.

Hará las veces de Secretario el Vocal notario más moderno.

En ausencia del Presidente hará sus veces el primero de los Vocales; si el ausente fuere el Secretario, le sustituirá en sus funciones el otro Vocal notario.

El nombramiento del Tribunal se hará, después de publicada la lista definitiva de aspirantes admitidos y excluidos, por Orden, a propuesta de la Dirección General de los Registros y del Notariado, que se insertará en el Boletín Oficial del Estado.

Dentro de los ocho días siguientes a la publicación del nombramiento del Tribunal, la Dirección General citará a éste para su constitución, que deberá tener lugar en el plazo máximo de quince días, contados desde la citación.

Artículo 102.– Podrán tomar parte en estas oposiciones los notarios en activo que cuenten con más de un año de servicios efectivos, debiendo solicitarlo a la Dirección General mediante instancia presentada dentro del plazo de treinta días hábiles, contados desde el siguiente al de la publicación de la convocatoria en el Boletín Oficial del Estado.

Con la instancia no será necesario que se acompañe documento alguno, pero sí se podrán presentar los que acrediten la publicación de estudios sobre cualquier disciplina jurídica, a cuyo fin deberán acompañar original o testimonio notarial de su trabajo.

Al presentar la instancia los solicitantes entregarán, o acreditarán haber entregado, en el lugar que fije la convocatoria, la cantidad establecida en concepto de derechos de examen, que se señale conforme a las disposiciones vigentes al tiempo de publicarse aquélla.

Si alguna de las instancias adoleciese de algún defecto se procederá en la forma prevista en el artículo 8, párrafo sexto, de este Reglamento.

Artículo 103.– Dentro de los ocho días hábiles siguientes al de conclusión del plazo de presentación de instancias, la Dirección General resolverá sobre la admisión de los opositores, formará la lista de los admitidos y excluidos y remitirá un ejemplar para su publicación en el Boletín Oficial del Estado, concediéndose un plazo de quince días para formular reclamaciones.

Estas serán aceptadas o rechazadas en la resolución por la que se apruebe la lista definitiva, que, asimismo, se publicará en el Boletín Oficial del Estado y se fijará en el tablón de anuncios del Centro directivo.

Artículo 104.– Publicada la lista definitiva, así como el nombramiento del Tribunal, la Dirección General señalará, en la forma y plazos previstos en el artículo 12, las circunstancias del sorteo y del comienzo de los ejercicios. En la fecha prevista para la celebración del sorteo, el Tribunal se reunirá y dará cumplimiento a lo que, respecto a las oposiciones libres, ordena el artículo 14.

Artículo 105.– Los ejercicios serán tres: uno oral, y dos escritos; todos públicos.

El primero consistirá en redactar por escrito un dictamen sobre una consulta de trascendencia jurídica, de entre los casos formulados reservadamente por el Tribunal, que versarán sobre Derecho civil español, común y foral, Derecho mercantil y Legislación Hipotecaria.

El segundo consistirá en el desarrollo oral de tres temas, que versarán: uno, sobre Derecho civil, común y foral; otro, sobre Derecho mercantil; y el tercero, sobre Legislación Hipotecaria o Notarial, sacados a la suerte de los contenidos en el Cuestionario que redactará la Dirección General de los Registros y del Notariado y publicará oportunamente en el Boletín Oficial del Estado. En este ejercicio podrá invertir el opositor hora y media como máximo.

El tercero consistirá en la redacción de un instrumento público de reconocida dificultad, debiendo el opositor razonar en pliego aparte la aplicación de los principios legales que se hayan tenido en cuenta para su redacción y resolución de los problemas planteados.

Los ejercicios primero y tercero se podrán practicar en grupos, compuesto cada uno de ellos, si fueren varios, del número de opositores que determine el Tribunal. Cada grupo actuará el día que se le designe.

Uno de los opositores del grupo sacará a la suerte el tema sobre el cual haya de versar el ejercicio correspondiente, el mismo para todos los individuos que lo formen, y durante ocho horas, como máximo, habrá de escribir cada opositor su trabajo.

Una vez terminado, lo autorizará y encerrará en un sobre, del modo prevenido en el artículo 16.

En estos ejercicios sólo podrá el opositor consultar textos legales.

Los temas sacados a la suerte en los ejercicios primero y tercero no volverán a ser insaculados.

Artículo 106.– En los ejercicios primero y tercero, cada uno de los miembros del Tribunal podrá conceder 20 puntos como máximo a cada opositor.

En el segundo ejercicio, cada uno de los miembros del Tribunal podrá conceder de uno a diez puntos como máximo por cada uno de los temas a que el opositor hubiere contestado.

No podrá votarse en blanco, y el escrutinio se verificará en la forma prevenida en los párrafos segundo y tercero del artículo 18 de este Reglamento.

Artículo 107.– Serán aplicables a las oposiciones entre Notarios, en todo lo que no esté previsto para las mismas, lo dispuesto en este Reglamento para la oposición libre.

Artículo 108.– El cuestionario del segundo ejercicio será el que haya redactado la Dirección General de los Registros y del Notariado en el momento de publicar la convocatoria y deberá constar, al menos, con un año de antelación al día en que se inicie el citado ejercicio. Dicho cuestionario no podrá contener más de veinticinco temas de Derecho Civil, quince de Derecho Mercantil, diez de Derecho Notarial y diez de Derecho Hipotecario.

SECCIÓN CUARTA
De la excedencia

Artículo 109.– El Notario que lleve un año de servicios efectivos en su carrera podrá ser declarado, a su instancia, en situación de excedencia voluntaria. Y el que sin llevar un año de servicios efectivos tome posesión, en virtud de oposición o concurso, de otro cargo investido de funciones públicas, será considerado como renunciante y dado de baja en el escalafón del Cuerpo de Notarios.

Las solicitudes de excedencia se presentarán a la Dirección General, expresando en ellas el domicilio que el interesado fije para las notificaciones que hayan de dirigírsele.

Pasado el plazo de un año, el Notario podrá reingresar en el servicio activo por los turnos ordinarios y sin preferencia alguna por su carácter de excedente. Esta limitación no afectará a quien hallándose en la situación de excedencia apruebe una oposición entre Notarios.

Excepcionalmente, el Notario que solicite la excedencia tendrá derecho, si se lo reserva al pedirla, a reingresar en el servicio por la misma población donde residiera al serle concedida aquélla, en cuyo caso, después de terminar el plazo por el que fuese concedida, y no antes, será nombrado para servir la primera vacante que se produzca en dicha población.

Este derecho se podrá renunciar en todo tiempo mediante escrito que el Notario excedente elevará a la Dirección General de los Registros y del Notariado, y una vez hecha la expresada renuncia, podrá solicitar vacantes en los turnos ordinarios, al tiempo y en la forma dichos.

Si hubiere más de un Notario que tenga reservado el derecho de reingreso por la misma población, será nombrado preferentemente aquel con relación al cual haga más tiempo que terminó el plazo de excedencia, y si en la misma población ocurrieren en el mismo día dos o más vacantes a que tengan derecho más de un Notario excedente, podrán elegir los Notarios por orden de antigüedad en el escalafón.

El tiempo de excedencia voluntaria, sea anterior o posterior a este Reglamento, no será deducible para la determinación de la antigüedad de los Notarios en ninguno de los turnos de provisión de vacantes.

Artículo 110.– Si se reserva el reingreso por la misma población, con sujeción a lo dispuesto en el artículo anterior, la excedencia será obligatoria durante el plazo por que fuese concedida, pudiendo prorrogarse siempre que se solicite antes de extinguirse éste.

La situación de excedencia voluntaria y sus prórrogas serán por anualidades completas.

Artículo 111.– La situación de excedencia voluntaria no podrá solicitarse por notarios que se hallen sometidos a expediente de corrección disciplinaria.

Artículo 112.– Los excedentes que deban reingresar solicitando las vacantes en concurso, lo harán llenado idénticos requisitos que los funcionarios en activo, y continuarán en situación de excedencia hasta que obtengan Notaría, considerándose prorrogado indefinidamente el plazo de excedencia mientras esto no suceda.

Artículo 113.– Los Notarios que hubieren disfrutado de excedencia no podrán obtenerla de nuevo hasta transcurrido un año de su vuelta al servicio activo.

Artículo 114.– La situación especial de los excedentes por demarcación será regulada en el Decreto en que aquélla se ordene, sin que en ningún caso puedan ascender de clase, estimándose como tal para estos efectos la que el Reglamento establece en el artículo 77.

Artículo 115.– Los Notarios que acepten los cargos de Ministro, Subsecretario, Director general y otros que lleven aneja la categoría de Jefe Superior de Administración civil; los de Gobernador civil, Presidente de Diputación Provincial, Consejero de Estado, del Consejo Superior del Ejército, Magistrado del Tribunal Supremo, los de miembro de Cámaras Legislativas; Altos organismos o Tribunales de Justicia o de la Administración Central, cuando estos cargos o representaciones sean incompatibles, quedarán en suspenso mientras desempeñen aquel cargo y serán sustituidos conforme a lo determinado en el artículo 52 de este Reglamento. Dentro de los treinta días siguientes al cese en los cargos mencionados deberán posesionarse de la Notaría. Cuando no lo hicieren, quedarán en situación de excedencia voluntaria por el plazo de un año, si al concurrir en la incompatibilidad tuvieren, por lo menos, otro de servicio en el Cuerpo. Si no lo llevaren, se les considerará como renunciantes y causarán baja definitiva en el Escalafón. Terminado el año de excedencia podrán solicitar Notarías por los turnos ordinarios en igual forma y con idénticos requisitos que los excedentes voluntarios, o reingresar en su residencia conforme a lo establecido en el artículo 109.

TÍTULO III
DE LA FUNCIÓN NOTARIAL

CAPÍTULO I
DE LA JURISDICCIÓN NOTARIAL

Artículo 116.– Los Notarios carecen de fe pública fuera de su respectivo distrito notarial, salvo en los casos de habilitación especial. Tendrá su residencia en la población designada en su nombramiento.

Artículo 117.– Los notarios residentes en una misma localidad podrán ejercer su ministerio, indistintamente, dentro de su término municipal.

También podrán ejercerlo en los términos municipales de los demás pueblos del mismo distrito notarial con arreglo al artículo 8 de la Ley en los que no exista notaría demarcada; pero, salvo los casos de sustitución y habilitación, sólo podrán autorizar instrumentos públicos en el término municipal correspondiente al domicilio de otro u otros notarios, cuando éstos sean incompatibles o haya otra causa que imposibilite su intervención y siempre que, en ambos supuestos concurra además alguna de las circunstancias siguientes:

1.º Imposibilidad física permanente de alguno de los otorgantes o requirentes.

2.º Imposibilidad accidental de los otorgantes, cuando se trate de escrituras de testamento, reconocimiento de hijos no matrimoniales, capitulaciones matrimoniales o actas notariales.

3.º Cuando exista un caso de verdadera importancia por vencimiento del plazo legal o contractual.

Artículo 118.– Sin perjuicio de los supuestos de habilitación reglamentaria, los notarios de cualquier residencia podrán actuar en los términos municipales contiguos al suyo y pertenecientes a otro Distrito notarial, cualquiera que sea el Colegio a que correspondan, para el solo caso de autorizar el testamento del que se halle gravemente enfermo, protestos o documentos de plazo perentorio, siempre que en tal término no resida notario o el notario único o todos los notarios residentes en el lugar sean incompatibles o haya otra causa que imposibilite su intervención.

Artículo 119.– En todo caso, además de hacerlo constar en el respectivo documento, el notario comunicará a la Junta Directiva en los dos días hábiles siguientes, la práctica de cualquier actuación prevista en los dos artículos anteriores

Artículo 120.– Además de los casos de habilitación especial previstos en este Reglamento, cuando un distrito quede sin notario en servicio activo por muerte, jubilación, traslado del titular, ausencia o cualquier otra causa que lo haga necesario para la mejor prestación del servicio público y no estuviese previsto el caso en el Cuadro de sustituciones, el Decano del Colegio Notarial habilitará a otro de distrito colindante, dando cuenta a la Dirección General, que podrá ratificar o modificar la habilitación a favor de otro, atendiendo siempre al servicio público.

Artículo 121.– Cuando la atención al servicio público lo requiera, las Juntas Directivas podrán habilitar excepcionalmente a uno o varios notarios para poder actuar en términos municipales distintos de aquellos donde esté demarcada su notaría, aunque exista otro notario. En todo caso, las Juntas Directivas adoptarán las medidas que procedan previo informe del notario o notarios afectados.

Los documentos públicos autorizados o intervenidos por el notario habilitado quedarán incorporados a su protocolo o libro-registro, salvo que la Junta Directiva al acordar la habilitación determine lo contrario.

Estas habilitaciones especiales serán inmediatamente ejecutivas sin perjuicio de ser recurribles ante la Dirección General de los Registros y del Notariado, que resolverá previo informe de la Junta Directiva.

Artículo 122.– Las habilitaciones a que se refiere el artículo anterior subsistirán mientras que la Junta Directiva no acuerde lo contrario o las modifique.

Artículo 123.– El notario que actúe en la residencia de otro hará suyos los honorarios devengados.

Artículo 124.– En los supuestos de habilitación especial, se estará a lo que establezca la Junta Directiva en cada caso.

Artículo 125.– La infracción del régimen mencionado, actuando indebidamente en la residencia de otro notario, además de la corrección disciplinaria que proceda, motivará la pérdida total de honorarios, que experimentará el notario infractor en beneficio del titular o titulares de la residencia no respetada.

CAPÍTULO II
Reparto de documentos

SECCIÓN PRIMERA
Del derecho a la libre elección de Notario

Artículo 126.– Todo aquél que solicite el ejercicio de la función pública notarial tiene derecho a elegir al notario que se la preste, sin más limitaciones que las previstas en el ordenamiento jurídico, constituyéndose dicho derecho en elemento esencial de una adecuada concurrencia entre aquellos.

En las transmisiones onerosas de bienes o derechos realizadas por personas, físicas o jurídicas, que se dediquen a ello habitualmente, o bajo condiciones generales de contratación, así como en los supuestos de contratación bancaria, el derecho de elección corresponderá al adquirente o cliente de aquellas, quien sin embargo, no podrá imponer notario que carezca de conexión razonable con algunos de los elementos personales o reales del negocio.

A salvo de lo dispuesto en el párrafo anterior, se estará a lo dispuesto en la normativa específica. En defecto de tal, a lo que las partes hubieran pactado y, en último caso, el derecho de elección corresponderá al obligado al pago de la mayor parte de los aranceles.

Los notarios tienen el deber de respetar la libre elección de notario que hagan los interesados y se abstendrán de toda práctica que limite la libertad de elección de una de las partes con abuso derecho o infringiendo las exigencias de la buena fe contractual.

SECCIÓN SEGUNDA
Del turno de documentos

Artículo 127.– No obstante lo previsto en el artículo anterior, cuando el otorgante, transmitente o adquirente de los bienes o derechos, fuere el Estado, las Comunidades Autónomas, Diputaciones, Ayuntamientos, o los organismos o sociedades dependientes de ellos, participados en más de un cincuenta por ciento, o en los que aquellas Administraciones Públicas ostenten facultades de decisión, los documentos se turnarán entre los notarios con competencia en el lugar del otorgamiento.

Dichos documentos deberán otorgarse en población en que la entidad, organismos o empresa tengan su domicilio social, o delegación u oficina o, en su caso, donde radique el inmueble objeto del contrato.

Para los documentos en que, por su cuantía, esté permitido que el notario perciba la cantidad que acuerde libremente con las partes, las Administraciones Públicas y Entes a que se refiere el párrafo primero de este artículo podrán elegir notario sin sujeción al turno, atendiendo a los principios de concurrencia y eficiencia en el uso de recursos públicos.

Cuando el adquirente fuere un particular, éste podrá solicitar del Colegio Notarial la intervención de notario de su libre elección, que deberá ser atendida.

Artículo 128.– Cuando por consecuencia de actos, diligencias, procedimientos judiciales o resoluciones administrativas haya de extenderse escritura matriz o protocolizarse mediante acta, diligencias o documentos de cualquier clase, la escritura o acta será extendida, autorizada y protocolada por el Notario, si fuere único residente en el punto donde se halle establecido el Juzgado o Tribunal, o tenga su asiento la autoridad administrativa que hubiere dictado la resolución.

Si fuesen varios los Notarios que tengan su residencia donde radique el Juzgado, Tribunal o autoridad administrativa, la elección corresponderá a los interesados si la designación fuese unánime; de no haber conformidad en la elección, el Juzgado, Tribunal o autoridad administrativa nombrará al Notario a quien corresponda, con arreglo a un turno establecido entre los Notarios que residan en la capitalidad del Juzgado, Tribunal o residencia de la autoridad administrativa.

Las particiones que hayan sido aprobadas judicialmente, así como las actuaciones o diligencias judiciales que no dieren lugar a la extensión de escritura matriz, se protocolizarán por el Notario que, residiendo dentro del partido judicial, fuere designado unánimemente por los interesados.

A falta de acuerdo entre éstos, el Juez o Tribunal designará el Notario a quien corresponda, con arreglo a un turno establecido entre los Notarios del distrito notarial.

Artículo 129.– Cuando en las actuaciones judiciales o administrativas a que hacen referencia los artículos anteriores, por rebeldía o por cualquiera otra causa, no compareciese una de las partes interesadas, se entenderá que no hay unanimidad y procederá a la designación de Notario con arreglo al turno correspondiente.

El Juzgado o Tribunal facilitará al Notario nombrado los autos originales, los testimonios y los antecedentes necesarios para el desempeño de su cometido. Si los datos recibidos no fueren bastantes, aquél podrá reclamar a las partes o al Juzgado o Tribunal directamente, lo que le falte para completar la documentación.

Artículo 130.– Serán objeto de turno especial de oficio, de carácter gratuito para el interesado:

a) Los poderes para pleitos, copias y testimonios otorgados o instados por personas físicas que hayan obtenido el beneficio de pobreza o, al menos, solicitado su concesión, conforme a las leyes procesales, siempre que tengan relación directa con el procedimiento a que tal beneficio se refiera.

b) Los poderes para pleitos cuyo exclusivo objeto sea solicitar el referido beneficio de pobreza.

c) Los instrumentos, copias y testimonios relativos al estado civil de las personas cuando los interesados aleguen, bajo sanción de falsedad, carecer de medios económicos.

d) Las actas y sus copias, autorizadas a requerimiento de Asociaciones de Beneficencia Pública o de la Cruz Roja.

Los respectivos instrumentos, en que se harán constar las circunstancias anteriores, quedarán exentos de cualquier aportación colegial o mutualista.

Las actuaciones en este turno de oficio, aunque sólo existiere una Notaría demarcada en la localidad, eximen al beneficiario de la obligación de satisfacer honorarios al Notario, salvo en los supuestos autorizados por las leyes procesales.

Los interesados, cuando en la población haya demarcada más de una Notaría, solicitarán de los Colegios Notariales y, en su defecto, de los Delegados y Subdelegados, la designación de un Notario que haya de actuar, a cuyo efecto tales órganos llevarán un turno especial.

Artículo 131.– Se distribuirán también por igual entre los Notarios de una población los protestos de letras de cambio y documentos mercantiles, a no ser que el voto directo, no delegado ni delegable, de las tres cuartas partes de los Notarios de la localidad a que afecten acuerde lo contrario.

Si hubiere tres Notarios, prevalecerá lo que acuerde la mayoría. Si solamente hubiere dos, el reparto de los protestos será siempre obligatorio, a no ser que, por acuerdo de ambos, se establezca el criterio de libertad.

Artículo 132.– La oposición al reparto de protestos y demás documentos mercantiles deberá hacerse por escrito dirigido a la Junta directiva en el mes de noviembre. La Junta acordará, en la primera quincena de diciembre, la continuación o supresión del reparto en la localidad de que se trate, según el número de votos favorables o adversos. Los Notarios interesados podrán recurrir en alzada ante la Dirección General, en el plazo de diez días.

Artículo 133.– Los Notarios no podrán renunciar los turnos sino en favor de todos los Notarios de la localidad.

Tan sólo se permitirá la cesión individual de un asunto determinado mediante justa causa.

El reparto forzoso de protestos será renunciable siempre que, a juicio de la Junta directiva o de la Dirección General, quede el servicio público suficientemente atendido, y sin que esta renuncia pueda hacerse a favor de determinado Notario, sino de todos los que estén afectos al reparto.

Artículo 134.– Las Juntas Directivas determinarán las bases, manera o forma de llevar los turnos de documentos sujetos contemplados en los artículos anteriores, dando cuenta para la aprobación del sistema que implanten a la Dirección General.

En aras del mantenimiento de la imparcialidad del notario, de la libre concurrencia entre estos, así como de la efectiva elección del particular y de una mejor prestación del servicio público, los Colegios Notariales podrán establecer turnos desiguales entre los notarios de una misma plaza y, en su caso, si las circunstancias así lo justificaren, excluirán del turno a aquellos notarios cuyo volumen de trabajo no les permita atender debidamente el mismo.

En todo caso, la prestación de su ministerio es obligatoria para los notarios en caso de documentos sujetos a turno, debiendo las Juntas Directivas velar por la corrección de la prestación de la función pública notarial.

La aplicación de los sistemas de turno de documentos en ningún caso alterará el régimen arancelario aplicable al instrumento público de cuya autorización o intervención se trate.

Artículo 135.– Los Notarios deben cumplir estrictamente estas bases acordadas en orden al reparto de documentos, y tendrán derecho a reclamar de los Centros correspondientes los antecedentes o documentos que sean necesarios para la redacción de las escrituras y actas sujetas a reparto.

El incumplimiento de las obligaciones mencionadas, o la infracción de las bases que condicionan los turnos de reparto o la falta de diligencia en la autorización de los documentos con ellos relacionados, motivarán la suspensión en el turno durante el plazo que la Junta directiva acuerde, y cuyo plazo no podrá exceder de seis meses y, en su caso, además de reembolso al fondo común de reparto de las cantidades indebidamente percibidas por el infractor, la aplicación de las correcciones disciplinarias que sean procedentes conforme al título 6. de este Reglamento.

Artículo 136.– Cuando no exista en la localidad Notario a quien por razón de residencia debiera corresponder la autorización de documentos notariales sujetos a reparto, se turnarán éstos entre todos los del distrito, a no ser que sólo hubiere uno en la demarcación del mismo, en cuyo caso a él corresponderá la autorización del documento.

Artículo 137.– Se prohíbe a los Notarios estipular entre sí convenios de ninguna especie que tengan por objeto el reparto de documentos, sin perjuicio de lo establecido en los artículos anteriores.

CAPÍTULO III
De las incompatibilidades

Artículo 138.– En una misma localidad no podrá haber a la vez dos notarios unidos en matrimonio o en situación de convivencia análoga o parientes dentro del cuarto grado civil de consanguinidad o segundo de afinidad a no ser que en la misma haya, al menos, una notaría servida por notarios no parientes de aquellos.

Tampoco será compatible en un mismo distrito notarial el cargo de Notario con el de Juez de primera instancia o Registrador de la Propiedad, cuando sean desempeñados por parientes de aquél dentro del segundo grado de consanguinidad o afinidad, a no ser que concurra la excepción mencionada en el párrafo anterior.

Cuando la incompatibilidad por parentesco sea sobrevenida por causa de una nueva demarcación no será de aplicación lo establecido en los párrafos anteriores. En caso de que sea sobrevenida por cualquier otra causa, la Junta Directiva, previo expediente en que se dará audiencia a los notarios afectados y al resto de los de la plaza, resolverá atendiendo a las circunstancias de la misma.

.– Los Notarios no podrán autorizar escrituras en que se consignen derechos a su favor, pero si las en que sólo contraigan obligaciones o extingan o pospongan aquellos derechos, con la antefirma "por mí y ante Los notarios no podrán autorizar escrituras en que se consignen derechos a su favor, pero sí las que en sólo contraigan obligaciones o extingan o pospongan aquellos derechos, con la antefirma "por mí y ante mí".

En tal sentido, los Notarios podrán autorizar su propio testamento, poderes de todas clases, cancelación y extinción de obligaciones. De igual modo podrán autorizar o intervenir en los actos o contratos en que sea parte su cónyuge o persona con análoga relación de afectividad o parientes hasta el cuarto grado de consanguinidad y segundo de afinidad, siempre que reúnan idénticas circunstancias.

No podrán, en cambio, autorizar actos jurídicos de ninguna clase que contengan disposiciones a su favor o de su cónyuge o persona con análoga relación de afectividad o parientes de los grados mencionados, aun cuando tales parientes o el propio Notario intervengan en el concepto de representantes legales o voluntarios de un tercero.

Exceptúase el caso de autorización de testamentos en que se les nombre albaceas o contadores-partidores y los poderes para pleitos a favor de los mencionados parientes.

El notario no podrá autorizar o intervenir instrumentos públicos respecto de personas físicas o jurídicas con las que mantenga una relación de servicios profesionales.

Artículo 140.– Los Notarios no podrán tampoco constituirse en fiadores de los contratos que autoricen, ni tomar parte en aquellos en que intervenga por razón de su cargo, ni intervenir en empresas de arriendo de rentas públicas. Por el contrario podrán formar parte de toda clase de Sociedades, incluso como Consejeros, que no tengan por objeto el arriendo de rentas publicas, siempre que no autoricen las escrituras que a las mismas afecten a partir del ingreso como socio o de la designación como Consejero.

Artículo 141.– El cargo de notario es incompatible con los que determina el artículo 16 de la Ley del Notariado, especialmente con los de Juez y Fiscal, y aquellos otros que determine el ordenamiento jurídico. A los efectos del citado artículo, las poblaciones en que haya demarcadas dos o más Notarías, se equiparan a las que tengan más de veinte mil habitantes.

La incompatibilidad de los notarios que acepten los cargos de Ministro, Subsecretario, Director General y el resto de los citados en el artículo 115 de este Reglamento, se regularán por lo dispuesto en los artículos 52 y 115 de este Reglamento.

Articulo 141 bis.– *Derogado.*

El Notario que admita cualquiera de los cargos a que se refiere el párrafo primero del artículo anterior, lo pondrá en conocimiento por escrito e inmediatamente, de la Dirección General de los Registros, y cesará en el ejercicio de las funciones notariales mientras desempeñe aquéllos.

La omisión del escrito equivaldrá a opción por el cargo incompatible.

Si habiendo dado el conocimiento, la cesación pasara de tres meses, deberá optar, igualmente, por uno u otro cargo.

Si no lo hiciese se entenderá que acepta el cargo incompatible, la vacante se proveerá también en el turno que proceda y el Notario será declarado en situación de excedencia voluntaria si llevare un año, por lo menos de servicios en el Cuerpo o la incompatibilidad fuese por nombramiento definitivo en cargo activo y permanente, no accidental o de suplencia; y renunciante y baja en el Escalafón, si el cargo incompatible fuese de otra clase y no llevase el año de servicios efectivos.

CAPÍTULO IV
Del derecho a la elección de Notario

Artículo 142.– El notario que admita cualquiera de los cargos a que se refiere el párrafo primero del artículo anterior, lo pondrá en conocimiento, por escrito e inmediatamente, de la Dirección General de los Registros y del Notariado, y cesará en el ejercicio de las funciones notariales mientras desempeñe aquellos.

La omisión del escrito equivaldrá a opción por el cargo incompatible.

Si habiendo dado el conocimiento, la cesación pasara de tres meses, deberá optar, igualmente, por uno u otro cargo.

Si no lo hiciese, se entenderá que acepta el cargo incompatible, la vacante se proveerá también en el turno que proceda y el notario será declarado en situación de excedencia voluntaria si llevare un año, por lo menos, de servicios en el Cuerpo o la incompatibilidad fuese por nombramiento definitivo en cargo activo y permanente, no accidental o de suplencia; y renunciante y baja en el Escalafón, si el cargo incompatible fuese de otra clase y no llevase el año de servicios efectivos.

TÍTULO IV
DEL INSTRUMENTO PUBLICO

CAPÍTULO I
De la naturaleza y efectos del instrumento público

Artículo 143.– A los efectos del artículo 1217 del Código Civil, los documentos notariales se regirán por los preceptos contenidos en el presente Título.

Los testamentos y actos de última voluntad se regirán, en cuanto a su forma y requisitos o solemnidades, por los preceptos de la legislación civil, acoplándose a los mismos la notarial, teniendo ésta el carácter de norma supletoria de aquélla.

Los documentos públicos autorizados o intervenidos por notario gozan de fe pública, presumiéndose su contenido veraz e íntegro de acuerdo con lo dispuesto en la Ley.

Los efectos que el ordenamiento jurídico atribuye a la fe pública notarial sólo podrán ser negados o desvirtuados por los Jueces y Tribunales y por las administraciones y funcionarios públicos en el ejercicio de sus competencias.

Artículo 144.– Conforme al artículo 17 de la Ley del Notariado son instrumentos públicos las escrituras públicas, las pólizas intervenidas, las actas, y, en general, todo documento que autorice el notario, bien sea original, en certificado, copia o testimonio.

Las escrituras públicas tienen como contenido propio las declaraciones de voluntad, los actos jurídicos que impliquen prestación de consentimiento, los contratos y los negocios jurídicos de todas clases.

Las pólizas intervenidas tienen como contenido exclusivo los actos y contratos de carácter mercantil y financiero que sean propios del tráfico habitual y ordinario de al menos uno de sus otorgantes, quedando excluidos de su ámbito los demás actos y negocios jurídicos, y en cualquier caso todos los que tengan objeto inmobiliario; todo ello sin perjuicio, desde luego, de aquellos casos en que la Ley establezca esta forma documental.

Las actas notariales tienen como contenido la constatación de hechos o la percepción que de los mismos tenga el notario, siempre que por su índole no puedan calificarse de actos y contratos, así como sus juicios o calificaciones.

Los testimonios, certificaciones, legalizaciones y demás documentos notariales que no reciban la denominación de escrituras públicas pólizas intervenidas o actas, tienen como delimitación, en orden al contenido, la que este Reglamento les asigna.

Artículo 145.– La autorización o intervención del instrumento público implica el deber del notario de dar fe de la identidad de los otorgantes, de que a su juicio tienen capacidad y legitimación, de que el consentimiento ha sido libremente prestado y de que el otorgamiento se adecua a la legalidad y a la voluntad debidamente informada de los otorgantes e intervinientes.

Dicha autorización e intervención tiene carácter obligatorio para el notario con competencia territorial a quien se sometan las partes o corresponda en virtud de los preceptos de la legislación notarial, una vez que los interesados le hayan proporcionado los antecedentes, datos, documentos, certificaciones, autorizaciones y títulos necesarios para ello.

Esto no obstante, el notario, en su función de control de la legalidad, no sólo deberá excusar su ministerio, sino negar la autorización o intervención notarial cuando a su juicio:

1.º La autorización o intervención notarial suponga la infracción de una norma legal, o no se hubiere acreditado al notario el cumplimiento de los requisitos legalmente exigidos como previos.

2.º Todos o alguno de los otorgantes carezcan de la capacidad legal necesaria para el otorgamiento que pretendan.

3.º La representación del que comparezca en nombre de tercera persona natural o jurídica no esté suficientemente acreditada, o no le corresponda por las leyes. No obstante, si el acto documentado fuera susceptible de posterior ratificación o sanación el notario podrá autorizar el instrumento haciendo la advertencia pertinente conforme artículo 164.3 de este Reglamento, siempre que se den las dos circunstancias siguientes:

a) Que la falta de acreditación sea expresamente asumida por la parte a la que pueda perjudicar.

b) Que todos los comparecientes lo soliciten.

4.º En los contratos de obras, servicios, adquisición y transmisión de bienes del Estado, la Comunidad Autónoma, la Provincia o el Municipio, las resoluciones o expedientes bases del contrato no se hayan dictado o tramitado con arreglo a las leyes, reglamentos u ordenanzas.

5.º El acto o el contrato en todo o en parte sean contrarios a las leyes o al orden público o se prescinda por los interesados de los requisitos necesarios para su plena validez o para su eficacia.

6.º Las partes pretendan formalizar un acto o contrato bajo una forma documental que no se corresponda con su contenido conforme a lo dispuesto en el artículo 144 de este Reglamento.

Cuando por consecuencia de resoluciones o expedientes de la Administración central, autonómica, provincial o local, deba extenderse instrumento público, el notario requerido para autorizarlo o intervenirlo tendrá derecho a examinar, sin entrar en el fondo de ella, si la resolución se ha dictado y el expediente se ha tramitado con arreglo a las leyes, reglamentos u ordenanzas que rijan en la materia, y que la persona que intervenga en nombre de la Administración es aquella a quien las leyes atribuyen la representación de la misma.

En el caso de resoluciones judiciales que den lugar al otorgamiento ante Notario de un instrumento público, de apreciarse la falta de competencia, procedimiento, documentación o trámites necesarios para el mismo, el Notario se dirigirá con carácter previo al Juzgado o Tribunal poniendo de manifiesto dicha circunstancia. Una vez recibida la resolución del órgano jurisdiccional, el Notario procederá al otorgamiento en los términos indicados por el Juzgado o Tribunal, sin perjuicio de formular en el momento del otorgamiento las salvedades que correspondan, a fin de excluir su responsabilidad.

La negativa de los notarios a intervenir o autorizar un instrumento público podrá ser revocada por la Dirección General de los Registros y del Notariado en virtud de recurso de cualesquiera de los interesados, la cual, previo informe del notario y de la Junta Directiva del Colegio Notarial respectivo, dictará en cada caso la resolución que proceda. Si ésta ordenara la redacción y autorización del instrumento público, el notario podrá consignar al principio del mismo que lo efectúa como consecuencia de la resolución de la Dirección General a fin de salvar su responsabilidad.

Artículo 146.– El Notario responderá civilmente de los daños y perjuicios ocasionados con su actuación cuando sean debidos a dolo, culpa o ignorancia inexcusable. Si pudieren repararse, en todo o en parte, autorizando una nueva escritura el Notario lo hará a su costa, y no vendrá éste obligado a indemnizar sino los demás daños y perjuicios ocasionados.

A tales efectos, quien se crea perjudicado podrá dirigirse por escrito a la Junta Directiva del Colegio Notarial, la cual, si considera evidentes los daños y perjuicios hará a las partes una propuesta sobre la cantidad de la indemnización por si estiman procedente aceptarla como resolución del conflicto.

CAPÍTULO II
DEL INSTRUMENTO PÚBLICO

SECCIÓN PRIMERA
Requisitos generales

Artículo 147.– El notario redactará el instrumento público conforme a la voluntad común de los otorgantes, la cual deberá indagar, interpretar y adecuar al ordenamiento jurídico, e informará a aquéllos del valor y alcance de su redacción, de conformidad con el artículo 17 bis de la Ley del Notariado.

Lo dispuesto en el párrafo anterior se aplicará incluso en los casos en que se pretenda un otorgamiento según minuta o la elevación a escritura pública de un documento privado.

En el texto del documento, el notario consignará, en su caso, que aquél ha sido redactado conforme a minuta y si le constare, la parte de quien procede ésta y si la misma obedece a condiciones generales de su contratación.

Asimismo, el notario intervendrá las pólizas presentadas por las entidades que se dedican habitualmente a la contratación en masa, siempre que su contenido no vulnere el ordenamiento jurídico y sean conformes a la voluntad de las partes.

Sin mengua de su imparcialidad, el notario insistirá en informar a una de las partes respecto de las cláusulas de las escrituras y de las pólizas propuestas por la otra, comprobará que no contienen condiciones generales declaradas nulas por sentencia firme e inscrita en el Registro de Condiciones generales y prestará asistencia especial al otorgante necesitado de ella. También asesorará con imparcialidad a las partes y velará por el respeto de los derechos básicos de los consumidores y usuarios.

Artículo 148.– Los instrumentos públicos deberán redactarse empleando en ellos estilo claro, puro, preciso, sin frases ni término alguno oscuros ni ambiguos, y observando, de acuerdo con la Ley, como reglas imprescindibles, la verdad en el concepto, la propiedad en el lenguaje y la severidad en la forma.

Artículo 149.– Los instrumentos públicos se redactarán en el idioma oficial del lugar del otorgamiento que los otorgantes hayan convenido. En caso de discrepancia entre los otorgantes respecto de la utilización de una sola de las lenguas oficiales el instrumento público deberá redactarse en las lenguas oficiales existentes. Las copias se expedirán en el idioma oficial del lugar pedido por el solicitante.

Artículo 150.– Cuando se trate de extranjeros que no entiendan el idioma español, el Notario autorizará el instrumento público si conoce el de aquéllos, haciendo constar que les ha traducido verbalmente su contenido y que su voluntad queda reflejada fielmente en el instrumento público.

También podrá en este caso autorizar el documento a doble columna en ambos idiomas, si así lo solicitare el otorgante extranjero, que podrá hacer uso de este derecho aun en la hipótesis de que conozca perfectamente el idioma español. Podrá sustituirse la utilización de la doble columna por la incorporación de la traducción en idioma oficial al instrumento público.

Los notarios podrán intervenir pólizas redactadas en lengua o idioma extranjero a requerimiento de las partes, si todas ellas y el notario conocen dicho idioma. En estos casos, la diligencia de intervención y las restantes manifestaciones del notario se redactarán en el idioma oficial del lugar del otorgamiento.

Cuando los otorgantes, o alguno de ellos, no conocieren suficientemente el idioma en que se haya redactado el instrumento público, y el Notario no pudiere por sí comunicar su contenido, se precisará la intervención, en calidad de intérprete, de una persona designada al efecto por el otorgante que no conozca el idioma, extremo que se expresará en la comparecencia y la autorización del documento, que hará las traducciones necesarias, declarando la conformidad del original con la traducción y que suscribirá, asimismo, el instrumento público.

De acuerdo con lo que antecede, el Notario que conozca un idioma extranjero podrá traducir los documentos escritos en el mencionado idioma, que precise insertar o relacionar en el instrumento público.

Cuando en un instrumento público hubiere que insertar documento, párrafo, frase o palabra de otro idioma o dialecto, se extenderá inmediatamente su traducción o se explicará lo que el otorgante entienda por la frase, palabra o nombre exótico. Están fuera de esta prescripción las palabras latinas que tanto en el foro como en el lenguaje común son usuales y de conocida significación.

Artículo 151.– Las abreviaturas y blancos de que trata el artículo 25 de la Ley no se refieren a las iniciales, abreviaturas y frases reconocidas comúnmente por tratamiento, títulos de honor, expresiones de cortesía, de respeto o de buena memoria, ni se reputarán blancos los espacios que resulten al final de una línea cuando la siguiente empiece formando cláusula distinta; pero en este último caso deberá cubrirse el blanco con una línea de tinta.

En los instrumentos públicos no podrán usarse guarismos en ningún caso y concepto sin que previamente hubieren sido puestos en letra. Exceptúanse aquellos que impliquen expresión de cantidades que no afecten al valor o precio del contrato, o que constituyan referencia numérica de las fechas y datos de otros documentos o notas de inscripción en los Registros o del pago del impuesto.

En las actas notariales y en las pólizas intervenidas podrán usarse guarismos para la expresión de cantidades y de fechas, si bien el notario, a su solo juicio, podrá ponerlos en letra incluso mediante diligencia extendida por sí, bajo su responsabilidad. En caso de discrepancia entre la expresión en letra y en guarismos prevalecerá la expresión en letra.

Artículo 152.– Los instrumentos públicos deberán extenderse con caracteres perfectamente legibles, pudiendo escribirse a mano, a máquina o por cualquier otro medio de reproducción, cuidando de que los tipos resulten marcados en el papel en forma indeleble.

En todo caso, los espacios en blanco deberán quedar cubiertos con escritura o, en su defecto, con una línea.

Las adiciones, apostillas, entrerrenglonaduras, raspaduras y testados existentes en un instrumento público se salvarán, al final de éste, antes de la firma de los que lo suscriban.

Los interlineados se podrán hacer, bien en el mismo texto, bien al final del instrumento haciendo en este último caso una llamada en el lugar que corresponda, y en cuanto afecten a las matrices deberán hacerse o salvarse siempre a mano, por el propio Notario.

La Dirección General de los Registros y del Notariado, por sí, o por medio de los Colegios Notariales, vigilará el cumplimiento de lo establecido en este precepto, practicando las visitas de inspección que estime oportunas y, en general, adoptando las medidas necesarias para uniformar la práctica y asegurar la buena conservación y legibilidad del texto.

Artículo 153.– Los errores materiales, las omisiones y los defectos de forma padecidos en los documentos notariales intervivos podrán ser subsanados por el Notario autorizante, su sustituto o sucesor en el protocolo, por propia iniciativa o a instancia de la parte que los hubiera originado o sufrido. Sólo el Notario autorizante podrá subsanar la falta de expresión en el documento de sus juicios de identidad o de capacidad o de otros aspectos de su propia actividad en la autorización.

Para realizar la subsanación se atenderá al contexto del documento autorizado y a los inmediatamente anteriores y siguientes, a las escrituras y otros documentos públicos que se tuvieron en cuenta para la autorización y a los que prueben fehacientemente hechos o actos consignados en el documento defectuoso. El Notario autorizante podrá tener en cuenta, además, los juicios por él formulados y los hechos por él percibidos en el acto del otorgamiento.

La subsanación podrá hacerse por diligencia en la propia escritura matriz o por medio de acta notarial en las que se hará constar el error, la omisión, o el defecto de forma, su causa y la declaración que lo subsane. La diligencia subsanatoria extendida antes de la expedición de ninguna copia no precisará ser trasladada en éstas, bastando trascribir la matriz conforme a su redacción rectificada. En caso de hacerse por acta se dejará constancia de ésta en la escritura subsanada en todo caso y en las copias anteriores que se exhiban al Notario.

Cuando sea imposible realizar la subsanación en la forma anteriormente prevista, ser requerirá para efectuarla el consentimiento de los otorgantes o una resolución judicial.

Artículo 154.– Los instrumentos públicos, a excepción de las pólizas, se extenderán en el papel timbrado correspondiente, comenzando cada uno en hoja o pliego distinto, según se emplee una u otra clase de papel y, en todo caso, en la primera plana de aquéllos. Al final del instrumento, expresará el notario la numeración de todas las hojas o pliegos empleados que deberá ser estrictamente correlativa, salvo que con carácter excepcional y por causa justificada que el notario expresará no pudiere hacerse así. Las firmas de los otorgantes deberán figurar a continuación del texto del acto o negocio jurídico que se autoriza o interviene, sin perjuicio de que cuando el número de otorgantes así lo exigiere se utilice uno o más folios adicionales, cuya numeración deberá ser igualmente relacionada por el notario.

Cuando por tratarse de provincia exceptuada del uso de papel sellado o cuando por alguna circunstancia excepcional se emplee papel común sin señal o numeración que lo identifique suficientemente, los otorgantes y testigos, en su caso, deberán firmar en todas las hojas o pliegos.

No será necesaria la firma de otorgantes y testigos en las particiones y demás documentos que se protocolicen, aun cuando se hallen extendidos en papel común, debidamente reintegrado, si el instrumento público mediante el cual se protocolicen, lo está en papel timbrado o que reúna las condiciones expresadas.

Además deberán llevar numeración correlativa todas las hojas, incluso las en blanco, que constituyen el protocolo anual.

Artículo 155.– Las planas primera y tercera de cada pliego, en las escrituras y actas matrices, tendrán al lado izquierdo del que escribe un margen blanco de la cuarta parte de la anchura de la plana, y al lado derecho un pequeño margen para que no lleguen las letras al canto del papel.

Las planas segunda y cuarta tendrán también al lado izquierdo un margen de la cuarta parte del ancho del papel y al lado derecho el necesario para la encuadernación de los protocolos.

En ninguna plana los márgenes en blanco excederán del tercio de la anchura del papel.

El número de líneas deberá ser el de veinte en la plana del sello y veinticuatro en las demás, a base de quince sílabas por línea aproximadamente.

SECCIÓN SEGUNDA
De las escrituras matrices

a) Comparecencia y capacidad de los otorgantes

Artículo 156.– La comparecencia de toda escritura indicará:

1.º El número de protocolo, la población en que se otorga, y, si es fuera de ella, la aldea, caserío o paraje, con expresión del término municipal. En caso de autorización fuera del despacho notarial se indicará el lugar de otorgamiento.

2.º El día, mes y año, siendo facultativo agregar otros datos cronológicos, además de la hora en los casos en que por disposición legal deba consignarse.

3.º El nombre, apellidos, residencia y Colegio del notario autorizante, con las oportunas indicaciones de sustitución, habilitación, requerimiento especial exigido en ciertos casos y designación en turno oficial.

4.º El nombre, apellidos, edad, estado civil y domicilio de los otorgantes, salvo si se tratare de funcionarios públicos que intervengan en el ejercicio de sus cargos, en cuyo caso bastará con la indicación de éste y el nombre y apellidos.

Se expresará la vecindad civil de las partes cuando lo pidan los otorgantes o cuando afecte a la validez o eficacia del acto o contrato que se formaliza, así como en el supuesto del artículo 161.

En la comparecencia de los representantes podrá indicarse como domicilio el del representado o el de la sucursal, agencia o delegación que constituya su centro de trabajo, y en la comparecencia de profesionales colegiados, que intervengan por razón de su profesión, podrá indicarse como domicilio el de su despacho o estudio.

5.º La indicación de los documentos de identificación de los comparecientes, a salvo lo dispuesto en el artículo 163. Igualmente deberá hacerse constar el número de identificación fiscal cuando así lo disponga la normativa tributaria.

6.º Las mencionadas circunstancias respecto a las personas individuales o las que identifiquen a las sociales en cuya representación comparezca algún otorgante, si no constan de los documentos que se incorporen o testimonien, o si se ha operado en ellas alguna variación.

7.º La fe de conocimiento por el notario o medios sustitutivos utilizados, si no se estima conveniente consignarla al final.

8.º La afirmación de que los otorgantes, a juicio del notario, tienen la capacidad legal o civil necesaria para otorgar el acto o contrato a que la escritura se refiera, en la forma establecida en este Reglamento, así como, en su caso, el juicio expreso de suficiencia de las facultades de representación.

9.º La calificación de dicho acto o contrato con el nombre conocido que en derecho tenga, salvo que no lo tuviere especial.

10.º La profesión o cualquier otro dato personal, cuando lo solicite el otorgante, el Notario lo juzgue conveniente por resultar significativa su constancia para una adecuada identificación, o su inclusión sea exigida por leyes o reglamentos.

Artículo 157.– Las circunstancias identificativas de los otorgantes o comparecientes se harán constar por lo que resulte de los documentos de identidad aportados y en su caso de sus manifestaciones.

Cuando el otorgante fuere conocido con un segundo nombre unido al primero, o con un nombre distinto, se expresará también esta circunstancia. Si se conociere un solo apellido, se hará constar así, no siendo necesario expresar el segundo cuando por los otros datos resultare perfectamente identificado. En caso de duda, podrá agregarse su filiación.

Artículo 158.– La edad de los menores se expresará por indicación de la fecha de nacimiento.

Tratándose de mayores de edad, bastará consignar esta expresión, salvo cuando la indicación del número de años de edad cumplidos fuere indispensable para el acto o contrato de que se trate, lo exija alguna disposición legal o reglamentaria, o el Notario lo juzgue conveniente.

Los datos relativos a la edad se harán constar por lo que figure en el documento de identificación del compareciente, del que resulte la representación, o tratándose de menores de edad por lo que resulte de las declaraciones de los comparecientes, acreditándose esta circunstancia, si hubiere duda sobre ello, con su documento de identificación, con certificación del Registro civil o con el Libro de Familia.

Artículo 159.– Las circunstancias relativas al estado de cada compareciente se expresarán diciendo si es soltero, casado, separado judicialmente, viudo o divorciado.

También podrá hacerse constar a instancia de los interesados su situación de unión o separación de hecho.

Si el otorgante fuere casado, separado judicialmente o divorciado, y el acto o contrato afectase o pudiese afectar en el futuro a las consecuencias patrimoniales de su matrimonio actual, o en su caso, anterior, se hará constar el nombre y apellidos del cónyuge a quien afectase o pudiese afectar, así como el régimen económico matrimonial.

Las circunstancias a que se refiere este artículo se harán constar por el notario por lo que resulte de las manifestaciones de los comparecientes.

Se expresará, en todo caso, el régimen económico de los casados no separados judicialmente. Si fuere el legal bastará la declaración del otorgante. Si fuese el establecido en capitulaciones matrimoniales será suficiente, a todos los efectos legales, que se le acredite al notario su otorgamiento en forma auténtica. El notario identificará la escritura de capitulaciones y en su caso, su constancia registral, y testimoniará, brevemente, el régimen acreditado, salvo que fuere alguno de los regulados en la ley, en que bastará con hacer constar cuál de ellos es.

En las escrituras de capitulaciones matrimoniales el notario hará constar que las modificaciones del régimen económico matrimonial realizadas durante el matrimonio no perjudicarán en ningún caso los derechos ya adquiridos por terceros.

Artículo 160.– Las circunstancias de profesión y vecindad se expresarán por lo que conste al al Notario o resulte de las declaraciones de los otorgantes y de sus documentos de identidad.

Artículo 161.– Respecto de españoles la nacionalidad y su identidad se acreditarán por el pasaporte o el documento nacional de identidad y la vecindad por el lugar de otorgamiento, salvo que manifieste el interesado otra cosa. Respecto de extranjeros residentes en territorio nacional, su nacionalidad e identidad se acreditará mediante pasaporte o permiso de residencia expedido por autoridad española. Por último, respecto de extranjeros no residentes su nacionalidad e identidad se acreditará mediante pasaporte o mediante cualquier otro documento oficial expedido por autoridad competente de su país de origen que sirva a efectos de identificación, lo que se certificará en caso de duda por la autoridad consular correspondiente.

En todo caso, el documento utilizado deberá contener fotografía y firma del otorgante.

Artículo 162.– Los que tengan su vecindad en un punto y su residencia o domicilio en otro deberán consignar expresamente uno de ellos para las notificaciones y diligencias a que pueda dar lugar el cumplimiento del negocio o acto documentado.

Artículo 163.– La indicación de los documentos de identidad será obligatoria para la redacción de las escrituras cuando lo exija expresamente la ley.

Se exceptúan los casos de testamentos y aquellos en los cuales no pueda diferirse, a juicio del notario, la autorización del instrumento.

No será preciso aportar documentos de identidad cuando el compareciente manifieste carecer de ellos y la finalidad del documento otorgado sea exclusiva y precisamente la de hacer manifestaciones u otorgar poderes en relación con un expediente administrativo o judicial de asilo, acogida de refugiados, repatriación u otro similar, siempre que quede constancia de la huella digital y de fotografía del compareciente.

Tampoco se necesitará la indicación del documento de identidad cuando se trate de funcionarios públicos que intervengan por razón de su cargo.

Artículo 164.– La intervención de las otorgantes se expresará diciendo si lo hacen por su propio nombre o en representación de otro, reseñándose en este caso los datos identificativos del documento del cual surge la representación, salvo cuando emane de la ley, en cuyo caso se expresará esta circunstancia, no siendo preciso que la representación legal se justifique si consta por notoriedad al autorizante.

Si el otorgante actúa en representación voluntaria de otra persona física o jurídica, el notario, antes de la autorización del acto o negocio jurídico de que se trate consultará el Archivo de Revocación de Poderes o el que le sustituya del Consejo General del Notariado, a los efectos de comprobar que no consta la revocación salvo que, bajo su responsabilidad, no estime necesario realizar la consulta.

Si la representación no resultare suficientemente acreditada a juicio del notario autorizante y todos los comparecientes hicieren constar expresamente su solicitud de que se autorice el instrumento con tal salvedad, el notario reseñará dichos extremos y los medios necesarios para la perfección del juicio de suficiencia. En tal caso, cuando le sean debidamente acreditados, el notario autorizante o su sucesor en el protocolo así lo harán constar por diligencia, expresando en ella su juicio positivo de suficiencia de las facultades expresadas. En todas las copias que se expidan con anterioridad a dicha diligencia el notario hará constar claramente que la representación no ha quedado suficientemente acreditada.

También se hará constar el carácter con que intervienen los otorgantes que sólo comparezcan al efecto de completar la capacidad o de dar su autorización o consentimiento para el contrato.

Artículo 165.– Cuando alguno de los otorgantes concurra al acto en nombre de una Sociedad, establecimiento público, Corporación u otra persona social, se expresará esta circunstancia, designando, además de las relativas a la personalidad del representante, el nombre de dicha entidad y su domicilio, datos de inscripción y número de identificación fiscal en su caso, e indicando los datos del título del cual resulte la expresada representación. El representante suscribirá el documento con su propia firma, sin que sea necesario que anteponga el nombre ni use la firma o razón social de la entidad que represente.

Artículo 166.– En los casos en que así proceda, de conformidad con el artículo 164, el notario reseñará en el cuerpo de la escritura que autorice los datos identificativos del documento auténtico que se le haya aportado para acreditar la representación alegada y expresará obligatoriamente que, a su juicio, son suficientes las facultades representativas acreditadas para el acto o contrato a que el instrumento se refiera. La reseña por el notario de los datos identificativos del documento auténtico y su valoración de la suficiencia de las facultades representativas harán fe suficiente, por sí solas, de la representación acreditada, bajo la responsabilidad del notario. En consecuencia, el notario no deberá

insertar ni transcribir, como medio de juicio de suficiencia o en sustitución de éste, facultad alguna del documento auténtico del que nace
la representación.

En los supuestos en que el documento del que resulte la representación figure en protocolo legalmente a cargo del notario autorizante, la
exhibición de la copia auténtica podrá quedar suplida por la constancia
expresa de que el apoderado se halla facultado para obtener copia del
mismo y que no consta nota de su revocación.

Deberán ser unidos a la matriz, original o por testimonio, los documentos complementarios de la representación cuando así lo exija la ley
y podrán serlo aquéllos que el notario autorizante juzgue conveniente.
En los casos de unión, incorporación o testimonio parcial, el notario
dará fe de que en lo omitido no hay nada que restrinja ni, en forma
alguna, modifique o condicione la parte transcrita.

Artículo 167.– El Notario, en vista de la naturaleza del acto o
contrato y de las prescripciones del Derecho sustantivo en orden a la
capacidad de las personas, hará constar que, a su juicio, los otorgantes,
en el concepto con que intervienen, tienen capacidad civil suficiente
para otorgar el acto o contrato de que se trate.

Artículo 168.– Constituyen reglas especiales en orden a la comparecencia a las escrituras públicas las siguientes:

Primera. Cuando se trate de ausentes deberá comparecer en representación de los mismos la persona a quien corresponda, de acuerdo
con lo preceptuado en el Código Civil.

Segunda. Los menores de edad podrán comparecer por sí mismos,
esto es, por su propio derecho, cuando de acuerdo con lo preceptos
del Derecho Civil puedan realizar por sí solos el acto de que se trate
o hayan de consentir el que verifique su representación legal; también
podrán comparecer al efecto de ser oídos.

Tercera. Las autoridades y funcionarios públicos no precisarán
presentar ante el Notario documentos que justifiquen su cargo cuando
al Notario le conste por notoriedad.

De igual modo podrá éste hacer constar la intervención por parentesco o por otro motivo al efecto de completar la capacidad.

Cuarta. La capacidad legal de los extranjeros que otorguen documentos ante el Notario español, si éste no la conociere, se acreditará por certificación del Cónsul general o, en su defecto, del representante diplomático de su país en España. Cuando se den los supuestos del número 8 del artículo 10 del Código Civil la capacidad de los extranjeros se verificará por el Notario con arreglo a la Ley española. Si en el Estado del que el extranjero otorgante fuese ciudadano no usare más que el nombre y el primer apellido, el Notario se abstendrá de exigirle la declaración del segundo, aunque se trate de documentos inscribibles en el Registro de la Propiedad.

Cuando en la redacción de alguna escritura el notario tenga que calificar la legalidad de documentos otorgados en territorio extranjero, podrá exigir a su satisfacción que se le acredite la capacidad legal de los otorgantes y la observancia de las formas y solemnidades establecidas en el país de que se trate. En otro caso, el notario deberá denegar su función conforme al artículo 145 de este Reglamento.

Artículo 169.– Cuando para la plena eficacia del acto o negocio jurídico que se pretenda formalizar, sea precisa la concurrencia del consentimiento del cónyuge o conviviente no intervinientes, el notario podrá autorizar el documento siempre que, haciendo la oportuna advertencia a las partes, éstas insistieren en ello y prestaren su conformidad, todo lo cual se consignará expresamente conforme al artículo 164.

b) Exposición

Artículo 170.– En los documentos sujetos a registro, el notario hará la descripción de los bienes que constituyan su objeto expresando con la mayor exactitud posible aquellas circunstancias que sean imprescindibles para realizar la inscripción.

A requerimiento de los otorgantes o cuando el notario lo juzgue conveniente, podrá añadirse cualesquiera otras circunstancias descriptivas no exigidas por la legislación registral, que faciliten una mejor determinación del objeto del negocio jurídico formalizado.

Tratándose de bienes inmuebles, la descripción incluirá la referencia catastral que les corresponda, así como la certificación catastral descriptiva y gráfica, en los términos establecidos en la normativa catastral.

Artículo 171.– En la descripción de los inmuebles, los notarios rectificarán los datos equivocados de acuerdo con lo que resulte de la certificación catastral descriptiva y gráfica que refleje su realidad material.

Al realizar la rectificación se consignarán con los datos nuevos los que aparezcan en el título para la debida identificación de la finca con los asientos del Registro; y en los documentos posteriores sólo será preciso consignar la descripción actualizada, rectificándola de nuevo si fuere preciso.

Artículo 172.– Cuando en los actos o contratos sujetos a registro, los interesados no presenten los documentos de los que hayan de tomarse las circunstancias necesarias para su inscripción, el Notario los requerirá para que verbalmente las manifiesten, y si así no lo hicieren, lo autorizará salvando su responsabilidad con la correspondiente advertencia, excepto el caso de que la inscripción y, por lo tanto, las circunstancias para obtenerla, sea forzosa, según la naturaleza del contrato, para que éste tenga validez, en el cual caso se negará a autorizarla.

La falsedad o inexactitud de las manifestaciones verbales de los interesados serán de la responsabilidad de los que las formulasen, y nunca del Notario autorizante.

Artículo 173.– En todo caso el Notario cuidará de que el documento inscribible en el Registro de la Propiedad inmueble, intelectual, industrial, mercantil, de aguas o de cualquier otro que exista ahora o en lo sucesivo, se consignen todas las circunstancias necesarias para su inscripción, según la respectiva disposición aplicable a cada caso, cuidando además que tal circunstancia no se exprese con inexactitud que dé lugar a error o perjuicio para tercero.

Artículo 174.– La relación de los títulos de adquisición del que transmita, modifique, grave o libere un inmueble o derecho real, se hará con arreglo a lo que resulte de los títulos presentados, y a falta de esta presentación, por lo que, bajo su responsabilidad, afirmen los interesados, consignándose, siempre que sea posible, los datos del Registro, folio, tomo, libro y número de la finca y de la inscripción.

En los títulos o documentos presentados o exhibidos al Notario con aquel objeto, y al margen de la descripción de la finca o fincas o derechos objeto del contrato, se pondrá nota expresiva de la transmisión o acto realizado, con la fecha y firma del Notario autorizante. Cuando fueren varios los bienes o derechos, se pondrá una sola nota al pie del documento.

Artículo 175.– 1. A los efectos de informar debidamente a las partes acerca del acto o negocio jurídico, el notario, antes de autorizar el otorgamiento de una escritura de adquisición de bienes inmuebles o constitución de derecho real sobre ellos, deberá comprobar la titularidad y el estado de cargas de aquellos.

2. El conocimiento de la titularidad y estado de cargas del inmueble se efectuará por medios telemáticos en los términos previstos en la Ley Hipotecaria. Excepcionalmente, en supuestos de imposibilidad técnica, podrá efectuarse mediante un escrito con su sello que podrá remitirse por cualquier procedimiento, incluso telefax, en cuyo caso se estará a lo dispuesto en el apartado cuarto de este artículo.

3. Sin perjuicio de que como medio de preparación para la redacción de la escritura se acceda a los Libros del Registro de la Propiedad, el notario deberá efectuarlo también en el momento inmediato más próximo a la autorización de la escritura pública bajo su responsabilidad. En cualquier caso, el acceso se realizará sin intermediación del registrador mediante el empleo de la firma electrónica reconocida del notario y en los términos previstos en el artículo 222.10 de la Ley Hipotecaria.

Dicho acceso sólo podrá efectuarse en el cumplimiento estricto de las funciones que la legislación vigente atribuye al notario.

El notario testimoniará e incorporará a la matriz el contenido del acceso telemático, indicando el día y la hora de éste.

4. Si se empleara telefax o cualquier otro medio escrito el otorgamiento de la escritura deberá realizarse dentro de los diez días naturales siguientes a la recepción por el notario de la información registral, si bien que en tal caso el notario advertirá a las partes de la posible existencia de discordancia entre la información registral y los Libros del Registro, al no producirse el acceso telemático a estos en el momento de la autorización.

La solicitud de información, que podrá referirse a una o varias fincas, contendrá, además del nombre del notario, su domicilio y número de telefax, la descripción de la finca o fincas con sus datos registrales y situación conocida de cargas, o bien solamente reseña identificadora en la que se haga constar su naturaleza, término municipal de su situación, extensión y linderos, con expresión, según los casos, del sitio o lugar en que se hallare si es rústica, nombre de la localidad, calle, plaza o barrio, el número, si lo tuviere, y el piso o local, si es urbana, y si fuesen conocidos, los datos registrales de ellas y los del titular registral o al menos los del transmitente.

La información podrá ser solicitada sin expresión de plazo o para un día determinado dentro de los quince naturales siguientes al de la petición.

5. Se exceptúan del deber a que se refiere los apartados anteriores, los siguientes supuestos:

a) Cuando se trate de actos de liberalidad.

b) Cuando el adquirente del bien o beneficiario del derecho se declare satisfecho de la información resultante del título, de las afirmaciones del transmitente y por lo pactado entre ellos siempre que, además, haga constar la urgencia de la formalización del acto en la escritura que autorice y todo ello sin perjuicio de que el notario podrá denegar su actuación si no considera suficientemente justificada la urgencia alegada o si alberga dudas sobre la exactitud de la información que posee el adquirente.

c) Estipulación

Artículo 176.– La parte contractual se redactará de acuerdo con la declaración de voluntad de los otorgantes o con los pactos o convenios entre las partes que intervengan en la escritura cuidando el Notario de reflejar con la debida claridad y separadamente los que se refieran a cada uno de los derechos creados, transmitidos, modificados o extinguidos, como asimismo el alcance de las facultades, determinaciones y obligaciones de cada uno de los otorgantes o terceros a quienes pueda afectar el documento, las reservas y limitaciones, las condiciones, modalidades, plazos y pactos o compromisos anteriores.

La aceptación de la oferta a que se refiere el artículo 1.262 y de la estipulación a favor de tercero del artículo 1.257, la ratificación del párrafo segundo del artículo 1.259, todos del Código Civil y, en general, la adhesión a todo negocio jurídico, cuando en las escrituras matrices no aparezca la nota que las revoque o desvirtúe y la Ley no exigiere expresamente el requisito de la unidad de acto, podrán formalizarse mediante diligencia de adhesión en dichas matrices, autorizada dentro de los sesenta días naturales a contar desde la fecha de su otorgamiento, o en escritura independiente, sin sujeción a plazo.

Artículo 177.– El precio o valor de los derechos se determinará en efectivo, con arreglo al sistema monetario oficial de España, pudiendo también expresarse las cantidades en moneda o valores extranjeros, pero reduciéndolos simultáneamente a moneda española. De igual modo, los valores públicos o industriales se estimarán en efectivo metálico, con arreglo a los tipos oficiales o contractuales.

Los notarios deberán identificar en las escrituras relativas a actos o contratos por los que se constituyan, declaren, transmitan, graven, modifiquen o extingan a TÍTULO oneroso el dominio y los demás derechos reales sobre bienes inmuebles el precio, haciendo constar si éste se recibió con anterioridad o en el momento del otorgamiento de la escritura, cuantía, así como el medio o medios de pago empleados y el importe de cada uno de ellos.

Respecto del momento del pago, el notario hará constar, si se produjo con anterioridad, la fecha o fechas en que se realizó y el medio de pago empleado en cada una de ellas.

Igualmente, si el otorgante se niega a identificar el medio de pago, en todo o en parte, el notario deberá hacer constar tal circunstancia en la escritura pública.

El notario deberá testimoniar en la escritura pública los cheques, instrumentos de giro o documentos justificativos de los medios de pago empleados, que se le exhiban por los otorgantes.

Si los otorgantes no pudieran acompañar, en todo o en parte del precio, los documentos acreditativos del medio de pago empleado, el notario deberá no sólo preguntar las causas por las que no se aportan los documentos justificativos de pago, sino también las fechas y los medios de pago empleados, haciendo constar en la escritura, bajo la responsabilidad en los términos que procedan de los otorgantes, sus manifestaciones al respecto.

Si el otorgante se negara a identificar en la escritura pública, en todo o en parte el medio de pago empleado, el notario le advertirá, haciéndolo constar en la escritura pública, que suministrará a la Administración Tributaria, de acuerdo con lo dispuesto en el artículo 17 de la Ley del Notariado y a través del Consejo General del Notariado, la información relativa a dicha escritura.

Artículo 178.– Se hará constar al final o al margen de la escritura matriz, por medio de nota, que deberá ser transcrita en cuantas copias de cualquier clase sean libradas en lo sucesivo:

1.º La escritura o escrituras por las cuales se cancelen, rescindan, modifiquen, revoquen, anulen o queden sin efecto otras anteriores, de conformidad con lo dispuesto en el artículo 1.219 del Código Civil.

2.º Las de cesión de derechos o subrogación de obligaciones.

3.º Las de adhesión a que se refiere el párrafo 2.º del artículo 176 anterior, cuando aquélla conste en escritura independiente.

4.º Los endosos que constan en la primera copia del instrumento público de actos o contratos no inscribibles en el Registro de la Propiedad.

El notario que autorice alguna de las escrituras comprendidas en los tres primeros números anteriores lo comunicará telemáticamente al notario en cuyo protocolo se hallen las matrices que contengan los negocios a que la nueva escritura afecte mediante el sistema de información Central del Consejo General del Notariado. El notario que reciba la comunicación lo hará constar al margen por nota indicativa de la fecha de la segunda escritura y el nombre y residencia del notario autorizante. Si la primitiva matriz obrase en el mismo protocolo del notario autorizante del último documento, él mismo pondrá la nota.

Cuando al notario que custodie el protocolo en el que obre la escritura matriz objeto de cualquiera de las notas previstas en los números primero al cuarto de este artículo se le presente una copia auténtica de dicha escritura y se le requiera para ello por persona interesada, se transcribirá por él, al final de dicha copia, la nota correspondiente.

Tratándose de una escritura de revocación de poder el notario autorizante de la revocación comunicará telemáticamente la misma mediante el sistema de información Central del Consejo General del Notariado al Archivo de Revocación de Poderes del Consejo General del Notariado. Dicha comunicación deberá efectuarse en el mismo día o hábil siguiente al de autorización de dicha escritura. Asimismo, el notario comunicará telemáticamente y a través del mismo sistema de información al Consejo General y para dicho Archivo cualquier supuesto de extinción de poderes que le conste fehacientemente.

Artículo 179.– Los notarios que autoricen o eleven a escritura pública testamentos en los cuales conste alguna disposición de carácter benéfico o benéfico-docente, o que tenga por objeto fines de interés general, como los de asistencia social, cívicos, educativos, culturales, científicos, deportivos, sanitarios, de cooperación para el desarrollo, de defensa del medio ambiente o de fomento de la economía o de la investigación, de promoción del voluntariado, o cualesquiera otros de naturaleza análoga, remitirán a los órganos administrativos competentes que ejerzan el protectorado sobre las fundaciones creadas para el cumplimiento de dichos fines, una copia simple de la cláusula o cláusulas testamentarias correspondientes, tan luego como llegue a su conocimiento el fallecimiento del testador.

De igual modo los notarios que autoricen o eleven a escritura pública particiones o manifestaciones de herencia fundadas en testamentos que contengan alguna disposición de las expresadas en el párrafo anterior, notificarán mediante acta, a los órganos administrativos competentes a que se refiere el apartado anterior, el texto íntegro del testamento, con cargo a la herencia, siendo responsables, si no lo hicieren, de los perjuicios que puedan ocasionar con su negligencia. No se admitirán en ningún Registro u oficina dichas particiones si no aparecen otorgadas precisamente en escritura pública, y en ésta no consta el cumplimiento de lo dispuesto anteriormente.

d) Testigos

Artículo 180.– En la autorización de las escrituras públicas no será necesaria la intervención de testigos instrumentales, salvo que la reclamen el Notario autorizante o cualquiera de las partes, o cuando alguno de los otorgantes no sepa o no pueda leer ni escribir. Esta disposición se aplicará a los protestos sin perjuicio de las normas que sobre esta materia se dicten en lo sucesivo. Se exceptúan de esta disposición los testamentos, que se regirán por lo establecido en la legislación civil.

Son testigos instrumentales los que presencien el acto de lectura, consentimiento, firma y autorización de una escritura pública.

Los testigos instrumentales pueden ser a la vez, incluso en los testamentos, testigos de conocimiento.

No será necesario en los testamentos que los testigos tengan vecindad o domicilio en el lugar del otorgamiento cuando aseguren que conocen al testador, y el Notario conozca a éste y a aquéllos.

Artículo 181.– Para ser testigo instrumental en los documentos intervivos se requiere ser español, hombre o mujer, mayor de edad o emancipado o habilitado legalmente y no estar comprendido en los casos de incapacidad que establece el artículo siguiente.

Las personas sujetas a régimen foral podrán ser testigos, si son mayores de edad, por su legislación.

También podrán ser testigos los extranjeros domiciliados en España que comprendan y hablen suficientemente el idioma español.

Artículo 182.– Son incapaces o inhábiles para intervenir como testigos en la escritura:

1.º Las personas con discapacidad psíquica, los invidentes, los sordos y los mudos.

2.º El cónyuge o persona con análoga relación de afectividad y los parientes dentro del cuarto grado de consanguinidad o segundo de afinidad, del Notario autorizante o del Notario autorizado para actuar en su mismo despacho de conformidad con el artículo 42 de este Reglamento.

3.º Los empleados del notario autorizante o del autorizado para actuar en su mismo despacho de conformidad con el artículo 42 de este Reglamento.

4.º Los cónyuges y los parientes de los otorgantes, dentro del cuarto grado de consanguinidad o segundo de afinidad.

5.º Los que hayan sido condenados por falsedad en documento público o mercantil o por falso testimonio.

Artículo 183.– Los testigos instrumentales serán designados por los otorgantes o, si éstos no lo hiciesen, por el notario; pero tanto éste, en el primer caso, como aquéllos, en el segundo, podrán oponerse a que lo sean determinadas personas, salvo los casos en que por mandato judicial o por disposiciones especiales se establezca lo contrario.

Artículo 184.– Los testigos llamados de conocimiento sólo tienen como misión identificar a los otorgantes a quienes no conozca directamente el Notario, y sólo les afectan las incapacidades a que se refieren los números 1. y 5. del artículo 182.

Los testigos de conocimiento sólo podrán ser a la vez instrumentales cuando reúnan los requisitos de capacidad antes expresados.

Artículo 185.– Cuando los testigos instrumentales conozcan al otorgante u otorgantes que no conociese el Notario, podrán, a la vez, ser testigos de conocimiento, en cuyo caso uno, cuando menos, deberá saber firmar y firmará. El Notario deberá dar fe de que conoce a los testigos de conocimiento.

Artículo 186.– Por regla general, todos los testigos deberán firmar el instrumento. Si alguno de los testigos instrumentales no supiere o no pudiere, firmará el otro por sí y a nombre del que por tal causa no lo hiciese; y si, por último, ninguno de estos testigos supiere o pudiere firmar, bastará la firma de los otorgantes y la autorización del Notario, expresando éste que los testigos no firman por no poder o no saber hacerlo.

Cuando concurriesen, además, testigos de conocimiento, con arreglo al artículo 23 de la Ley, uno cuando menos deberá saber firmar, y firmará por sí y por el que no sepa, expresándose en ambos casos las circunstancias que prescribe el artículo 24 de la Ley respecto de los testigos.

En ningún caso será preciso que el testigo que firme escriba de propio puño la antefirma; la cualidad con que lo haga la expresará claramente el Notario en el instrumento mismo.

e) Fe de conocimiento

Artículo 187.– La identidad de las personas podrá constar al Notario directamente o acreditarse por cualquiera de los medios supletorios previstos en el artículo 23 de la Ley.

Cuando la identificación se haga con referencia a carnets o documentos de identidad con fotografía, pero sin firma, en los que conste la huella digital, el Notario exigirá que ésta se imponga en el instrumento.

La fe de conocimiento afecta a la identidad del otorgante, pero no garantiza sus circunstancias de edad, profesión o vecindad, que consignará el Notario por lo que resulte de la declaración del propio interesado o por referencia de sus documentos de identidad, sin perjuicio de que, en caso de duda, pueda exigir las certificaciones del Registro del estado civil y cuantos documentos estime necesarios o convenientes.

Artículo 188.– No es preciso que el Notario dé fe en cada cláusula de las estipulaciones o circunstancias que, según las leyes, necesiten este requisito. Bastará que consigne al final de la escritura la siguiente o parecida fórmula: «Y yo, el Notario, doy fe de conocer a los otorgantes (o a los testigos de conocimiento, en su caso, etcétera) y de todo lo contenido en este instrumento público». Con ésta o parecida fórmula final se entenderá dada fe en el instrumento de todas las cláusulas, condiciones, estipulaciones y demás circunstancias que exijan este requisito según las leyes.

Artículo 189.– Para los efectos del artículo anterior, bastará que el Notario dé fe de todo lo contenido en el documento para entender que la da expresa del conocimiento de los otorgantes cuando en el curso del documento haya asegurado que los conoce.

Si no hubiera dado fe del conocimiento de los otorgantes en las formas prevenidas, podrá, no tratándose de testamentos, subsanar la falta por medio de acta, en la que el mismo Notario que autorizó la escritura dé fe de que los conocía al tiempo de su otorgamiento.

Artículo 190.– En los casos del párrafo tercero del artículo 23 de la Ley, cuando a un Notario le sea imposible dar fe de conocimiento de los otorgantes por no conocerlos, ni puedan éstos presentar testigos de conocimiento, lo expresará así en la escritura, y en ella reseñará los documentos que le presenten para identificar su persona.

Tendrán entre éstos preferencia los carnets y demás documentos de identidad que estén expedidos por el Estado.

También podrá el Notario pedir la fotografía del interesado, incorporándola al protocolo.

Artículo 191.– Siempre que el Notario no conozca a cualquiera de los otorgantes y cuando, aun conociéndolos, éstos no sepan o no puedan firmar, podrá exigir que pongan en el documento la impresión digital, preferentemente de uno o de los dos índices, antes de la firma de los testigos, haciendo constar el Notario en el mismo documento las circunstancias del caso.

Artículo 192.– No será necesario que el Notario dé fe de conocimiento de las personas con quienes efectúe los protestos de letras de cambio, ni, en general, de aquellas a quienes haga alguna notificación o requerimiento, salvo los casos en que la naturaleza de la notificación o requerimiento exijan la identificación del notificado o requerido.

f) Otorgamiento y autorización

Artículo 193.– Los notarios darán fe de haber leído a las partes y a los testigos instrumentales la escritura íntegra o de haberles permitido que la lean, a su elección, antes de que la firmen, y a los de conocimiento lo que a ellos se refiera, y de haber advertido a unos y a otros que tienen el derecho de leerla por sí.

A los efectos del artículo 25 de la Ley del Notariado, y con independencia del procedimiento de lectura, se entenderá que ésta es íntegra cuando el notario hubiera comunicado el contenido del instrumento con la extensión necesaria para el cabal conocimiento de su alcance y efectos, atendidas las circunstancias de los comparecientes.

Igualmente darán fe de que después de la lectura los comparecientes han hecho constar haber quedado debidamente informados del contenido del instrumento y haber prestado a éste su libre consentimiento.

Si alguno de los otorgantes fuese completamente sordo o sordomudo, deberá leerla por sí; si no pudiere o supiere hacerlo será precisa la intervención de un intérprete designado al efecto por el otorgante conocedor del lenguaje de signos, cuya identidad deberá consignar el notario y que suscribirá, asimismo, el documento; si fuese ciego, será suficiente que preste su conformidad a la lectura hecha por el notario.

Artículo 194.– Los Notarios harán de palabra, en el acto del otorgamiento de los instrumentos que autoricen, las reservas y advertencias legales establecidas en los Códigos Civil y de Comercio, Ley Hipotecaria y su Reglamento y en otras leyes especiales, haciéndolo constar en esta o parecida forma: «Se hicieron a los comparecientes las reservas y advertencias legales».

Esto no obstante, se consignarán en el documento aquellas advertencias que requieran una contestación inmediata de uno de los comparecientes y aquellas otras en que por su importancia deban, a juicio del Notario, detallarse expresamente, bien para mayor y más permanente instrucción de las partes, bien para salvaguardia de la responsabilidad del propio Notario.

Artículo 195.– Se firmarán las escrituras matrices con arreglo al párrafo segundo del artículo 17 de la Ley, pero si los otorgantes o alguno de ellos no supiese o no pudiere firmar, lo expresará así el notario y firmará por el que no lo haga la persona que él designe para ello o un testigo, sin necesidad de que escriba en la antefirma que lo hace por sí y como testigo, o por el otorgante u otorgantes que no sepan o no puedan verificarlo, siendo el notario quien cuidará de expresar estos conceptos en el mismo instrumento.

Los que suscriban un instrumento público, en cualquier concepto, lo harán firmando en la forma que habitualmente empleen.

El notario, a continuación de las firmas de otorgantes y testigos, autorizará la escritura y en general los instrumentos públicos, signando, firmando y rubricando. Deberá estampar al lado del signo el sello oficial de su Notaría.

A ningún notario se concederá autorización ni para signar, ni firmar con estampilla.

Artículo 196.– Salvo indicación expresa en contrario de los interesados, los documentos susceptibles de inscripción en los Registros de la Propiedad, Mercantiles o de Bienes muebles podrán ser presentados en éstos por vía telemática y con firma electrónica reconocida del notario autorizante, interviniente o responsable del protocolo. El notario deberá inexcusablemente remitir tal documento a través del Sistema de Información central del Consejo General del Notariado debidamente conectado con el Sistema de Información corporativo del Colegio de Registradores de la Propiedad y Mercantiles de España.

El notario deberá dejar constancia de ello en la matriz así como, en su caso, de la correspondiente comunicación del registro destinatario.

Esta regla será de aplicación respecto de los documentos susceptibles de inscripción en otros Registros Públicos con efectos jurídicos cuando sus Sistemas de Información estén debidamente conectados con el del Consejo General del Notariado.

SECCIÓN TERCERA
De las pólizas

Artículo 197.– Podrán ser intervenidas las pólizas que documenten los actos y contratos a que se refiere el artículo 144 de este Reglamento, y reúnan los requisitos y consignen las circunstancias legalmente exigidas, en general o para el contrato que contengan.

El notario sólo intervendrá el original de la póliza que conservará en el Libro Registro de Operaciones y, en su caso, en el protocolo ordinario. Se prohibe que el notario se desprenda del original de la póliza, salvo los supuestos legalmente previstos.

Salvo en los casos de sustitución reglamentaria, respecto de la intervención del mismo supuesto negocial ante distintos notarios, podrá utilizarse el sistema de póliza desdoblada consistente en extender tantas pólizas completas como notarios competentes existan. Cada notario conservará la póliza que haya intervenido en su Libro Registro y, en su caso, en el protocolo ordinario.

La póliza para ser intervenida deberá expresar, al menos, los siguientes extremos:

a) El lugar y fecha de la misma, salvo que tales circunstancias figuren ya en el texto de la póliza.

b) El nombre, apellidos, residencia y Colegio del notario autorizante, con las oportunas indicaciones de sustitución, habilitación, requerimiento especial exigido en ciertos casos y designación en turno oficial, así como el nombre y apellidos del notario a quien, en su caso, sustituya y a cuyo Libro-Registro o protocolo se incorporará la póliza intervenida.

c) El nombre y apellidos o la denominación de los contratantes o intervinientes, y su domicilio, y cuantos otros datos exija la ley en orden a la identificación de aquellos. En el supuesto de representación o de apoderamiento se indicará el nombre y apellidos de las personas físicas intervinientes. La reseña identificativa del documento auténtico que se haya aportado para acreditar la representación y el juicio de suficiencia de las facultades representativas, en su caso, regulado por el artículo 166 de este Reglamento. El notario podrá hacer constar cuantos otros datos considere oportunos.

d) La calificación del acto o contrato con el nombre conocido que tenga en derecho o le atribuyan los usos mercantiles, salvo que no tuviera denominación especial.

e) El contenido del acto o negocio jurídico de que se trate según las manifestaciones y acuerdos de los otorgantes.

f) La conformidad y aprobación de los otorgantes al contenido de la póliza tal como aparece redactada, y sus firmas. Los otorgantes suscribirán la póliza con su propia firma, sin que sea necesario que el representante anteponga el nombre, ni use la firma o razón social de la entidad que represente. Tampoco será necesario que firme más de una vez el otorgante que intervenga en la póliza en varios conceptos.

g) Si constare de varias hojas, y también salvo que tales circunstancias figuren ya en el texto de la póliza, el número total de hojas, incluidos los anexos, que componen el texto contractual, incluyendo los documentos unidos, en su caso, que numerará, rubricará y sellará.

En lo relativo a la consulta al Archivo de Revocación de Poderes se estará a lo dispuesto en el artículo 164 del presente Reglamento.

Si la póliza presentada al notario para su intervención no consignara alguno de los requisitos cuya constancia en la misma sea exigida por la Ley o por este Reglamento, los hará constar el notario antes de la diligencia de intervención.

Las pólizas deberán extenderse con caracteres perfectamente legibles de manera que los tipos resulten marcados en el papel de forma indeleble. A los efectos de los márgenes de los lados izquierdo y derecho, necesarios para su encuadernación y posterior reproducción, serán aplicables a las mismas las normas contenidas en los tres primeros párrafos del artículo 155 de este Reglamento. Igualmente deberá dejarse un espacio en blanco de, al menos, 10 centímetros al principio de la primera hoja de la póliza a los efectos de escribir en el mismo las determinaciones que sean procedentes y, especialmente y de manera visible, el número del asiento.

El notario podrá redactar las circunstancias relativas al otorgamiento de la póliza por las partes y a la intervención notarial.

La intervención de la póliza se verificará por diligencia, mediante la fórmula "Con mi intervención", que el notario autorizará con su signo, firma, rúbrica, estampando su sello. Dicha diligencia podrá incorporar de modo sucinto los extremos previstos en las letras a) a g) precedentes.

El notario, podrá anexar a la póliza folios de uso exclusivo notarial de papel de uso exclusivo para documentos notariales, identificándose en los mismos la póliza a la que se anexan.

Si la póliza constase de varias hojas bastará con que los otorgantes firmen al final del texto contractual. El notario deberá expresar en la diligencia de intervención el número total de hojas que componen el texto contractual y en su caso los documentos unidos, debiendo numerar todas ellas, que el notario rubricará y sellará.

Sin perjuicio de lo dispuesto en los artículos 272 y 283 de este Reglamento, la póliza se incorporará al protocolo o al libro registro indicando en la cabecera de la misma el número de protocolo o de libro registro. También se podrá incorporar mediante diligencia extendida en folio anexado donde constará el número de protocolo o de libro registro y además incluirá una exposición sucinta de la póliza que se incorpora al mismo.

Intervenida e incorporada la póliza al protocolo o al libro registro de operaciones, el notario podrá expedir traslados de la misma con solos efectos informativos, con sujeción a lo dispuesto en el artículo 224 de este Reglamento respecto de las copias simples.

Artículo 197 bis.– Las pólizas objeto de intervención deberán suscribirse en presencia del notario.

No obstante, en los contratos realizados por representantes de entidades financieras, en lo que atañe exclusivamente a los otorgamientos por dichas entidades de operaciones propias de su tráfico ordinario referidas en el párrafo tercero del ar-tículo 144 de este Reglamento, bastará con que el notario, si no concurren personalmente, se asegure, previamente a la intervención, de la legitimidad de las firmas, y de la suficiencia de los poderes de tales representantes, dejando constancia en la póliza de estas circunstancias.

Mientras no se haga constar otra cosa, se entenderá que la firma ha sido puesta en presencia del notario, en el mismo lugar y en la misma fecha de la intervención.

Artículo 197 ter.– En las pólizas objeto de intervención no se requerirá la concurrencia simultánea ante el notario de los distintos otorgantes, pudiendo, tener lugar en momentos diferentes, salvo que una disposición legal o reglamentaria, o el notario o cualquiera de los interesados la exija.

En el caso de otorgamientos sucesivos, en cada uno de ellos el notario bajo la rúbrica "con mi intervención" indicará el nombre del otorgante, fecha del otorgamiento y cualquier otra circunstancia que considere necesario y signará, firmará y sellará. La incorporación al protocolo o al libro registro se produce con la primera intervención del notario.

Entre la fecha del primer otorgamiento y la del último, no podrá mediar nunca un plazo superior a dos meses. Transcurrido dicho plazo sin concurrir las circunstancias precisas para formalizar e intervenir la operación, no podrá el notario intervenirla, debiendo en su caso, volverse a otorgar y firmar por los interesados un nuevo documento.

Artículo 197 quater.– Como consecuencia del artículo 17 bis de la Ley del Notariado, la expresión "Con mi intervención" implica el control de legalidad por el notario y, en particular:

a) La identificación por el notario de los contratantes por sus documentos de identidad reseñados, salvo que se consigne otro medio de identificación de los establecidos en el artículo 23 de la Ley del Notariado.

b) La reseña de las circunstancias de los otorgantes conforme a lo prevenido en el artículo 197 bis, párrafo segundo, de este Reglamento.

c) El juicio de capacidad de los otorgantes para el acto o contrato intervenido y, en su caso, que los poderes relacionados son suficientes para el acto o contrato intervenido. Será de aplicación lo previsto en el segundo párrafo del artículo 164 de este Reglamento.

d) Que la calificación del acto o contrato es la que figura en el mismo, con el nombre conocido que tenga en derecho o le atribuyan los usos mercantiles, salvo que no tuviera denominación especial.

e) Que el contenido del negocio jurídico de que se trate se realiza de acuerdo con las declaraciones de voluntad de los intervinientes.

f) Haber hecho a los otorgantes las reservas y advertencias legales en la forma exigida por las leyes o por este Reglamento. No obstante el notario podrá incluir las reservas y advertencias legales que juzgue oportunas.

g) La conformidad y aprobación del contenido de la póliza tal como aparece redactada, por los otorgantes, y de haber estampado los mismos o los testigos instrumentales, en su caso, la firma ante el notario, o juicio de legitimidad de la misma tratándose de representantes de entidades financieras, cuando legalmente se halle permitido.

Si fuera requerida la actuación de un notario y éste se negara motivadamente a intervenir, los interesados si consideran injustificada la negativa, podrán ponerlo en conocimiento de la Dirección General de los Registros y del Notariado, la cual, oído el notario, resolverá en el plazo de quince días. La resolución será susceptible de recurso de alzada ante el Ministro de Justicia.

Artículo 197 quinquies.– Serán aplicables a las pólizas intervenidas las disposiciones de la Sección 1.ª y 2.ª anteriores sobre el instrumento público, a salvo lo establecido en el artículo 152, párrafo segundo de este Reglamento y las especialidades contenidas en esta Sección y las derivadas de su respectiva naturaleza.

Se faculta a la Dirección General de los Registros y del Notariado para que, mediante Instrucción, pueda establecer o modificar las determinaciones físicas que en cuanto a papel, numeración o forma de redacción, confección y configuración formal, deban tener las pólizas a los efectos del mejor funcionamiento de protocolos y Libros-Registros o para la expedición de copias, testimonios o traslados de las mismas con solos efectos informativos.

Artículo 197 sexiens.– Los notarios podrán intervenir o autorizar las distintas declaraciones cambiarias, asegurándose de la identidad, capacidad y declaración de voluntad de los otorgantes, así como de sus facultades si actuasen en representación de otras personas, y velarán por que se extiendan, en su caso, en el modelo oficial y con el timbre correspondiente.

La diligencia de intervención será del siguiente o parecido tenor: "con mi intervención respecto del... (libramiento, aceptación, endoso, aval) de don/ doña... lugar, fecha, signo, firma y rúbrica del notario y sello de su notaría".

SECCIÓN CUARTA
Actas notariales

Artículo 198.– 1. Los notarios, previa instancia de parte en todo caso, extenderán y autorizarán actas en que se consignen los hechos y circunstancias que presencien o les consten, y que por su naturaleza no sean materia de contrato.

Serán aplicables a las actas notariales los preceptos de la sección segunda, relativos a las escrituras matrices, con las modificaciones siguientes:

1.º En la comparecencia no se necesitará afirmar la capacidad de los requirentes, ni se precisará otro requisito para requerir al notario al efecto, que el interés legítimo de la parte requirente y la licitud de la actuación notarial, salvo que por tratarse del ejercicio de un derecho el notario deba hacer constar de modo expreso la capacidad y legitimación del requirente a los efectos de su control de legalidad.

2.º No exigen tampoco la dación de fe de conocimiento, con las excepciones previstas en el párrafo anterior, y salvo el caso de que la identidad de las personas fuere requisito indispensable en consideración a su contenido.

3.º No requieren unidad de acto ni de contexto, pudiendo ser extendidas en el momento del acto o posteriormente. En este caso se distinguirá cada parte del acta como diligencia diferente, con expresión de la hora y sitio, y con cláusula de suscripción especial y separada.

4.º Las diligencias, salvo que, habiendo medios para ello, la persona con quien se entiendan pida que se redacten en el lugar, las podrá extender el notario en su estudio con referencia a las notas tomadas sobre el terreno, haciéndolo constar así, y podrá aquella persona comparecer en la Notaría para enterarse del contenido de la diligencia. Cuando se extienda la diligencia en el lugar donde se practique, invitará el notario a que la suscriban los que en ella tengan interés, así como a cualquier otra persona que esté presente en el acto.

5.º Las manifestaciones contenidas en una notificación o requerimiento y en su contestación tendrán el valor que proceda conforme a la legislación civil o procesal, pero el acta que las recoja no adquirirá en ningún caso la naturaleza ni los efectos de la escritura pública. No será necesario que el notario dé fe de conocimiento de las personas con quienes entienda la diligencia ni de su identificación, salvo en los casos en que la naturaleza del acta exija la identificación del notificado o requerido.

6.º En todo caso y cualquiera que sea el tipo de acta, el notario deberá comprobar que el contenido de la misma y de los documentos a que haga referencia, con independencia del soporte utilizado, no es contrario a la ley o al orden público.

7.º Las manifestaciones verbales percibidas por el notario durante la realización de un acta sólo podrán ser recogidas en ésta previa advertencia por el Notario al autor de la existencia y finalidad del acta, del carácter potestativo de la manifestación y de la posibilidad de diferirla a la comparecencia en la notaría en los dos días hábiles siguientes a la entrega de la cédula o copia del acta que las insta. El requerimiento para levantar el acta no podrá referirse en ningún caso a conversaciones telefónicas, ni comprender la realización de preguntas por parte del notario.

Cuando el acta deba ser realizada en el interior de un establecimiento el notario deberá advertir a la persona responsable, o que juzgue más idónea, de su condición y del objeto del acta y no consignará hecho alguno sino los que compruebe una vez autorizada su actuación. Si le fuere negada se limitará a hacerlo constar así.

8.º Las actas notariales se firmarán por los requirentes y se signarán y rubricarán por el notario, salvo que alguno de aquéllos no pudiere o no supiere firmar, en cuyo caso se hará constar así. Quedarán a salvo aquellos supuestos de urgencia libremente apreciados por el notario.

9.º Los notarios se abstendrán de dar fe de incidencias ocurridas en actos públicos sin ponerlo en conocimiento de la persona que los presida, pero ésta no podrá oponerse a que aquellos, después de cumplido este requisito, ejerzan las funciones propias de su ministerio; si ésta se opusiere, se limitará a hacerlo constar así.

2. Cuando un notario sea requerido para dejar constancia de cualquier hecho relacionado con un archivo informático, no será necesaria la transcripción del contenido de éste en soporte papel, bastando con que en el acta se indique el nombre del archivo y la identificación del

mismo con arreglo a las normas técnicas dictadas por el Ministerio de Justicia. Las copias que se expidan del acta deberán reproducir únicamente la parte escrita de la matriz, adjuntándose una copia en soporte informático no alterable según los medios tecnológicos adecuados del archivo relacionado. La Dirección General de los Registros y del Notariado, de conformidad con el artículo 113.2 de la Ley 24/2001, de 27 de diciembre, determinará los soportes en que deba realizarse el almacenamiento, y la periodicidad con la que su contenido debe ser trasladado a un soporte nuevo, tecnológicamente adecuado, que garantice en todo momento su conservación y lectura.

SUBSECCIÓN 1.ª
Actas de presencia

Artículo 199.– Las actas notariales de presencia acreditan la realidad o verdad del hecho que motiva su autorización.

El notario redactará el concepto general en uno o varios actos, según lo que presencie o perciba por sus propios sentidos, en los detalles que interesen al requirente, si bien no podrá extenderse a hechos cuya constancia requieran conocimientos periciales.

En la autorización de actas de presencia que consten hechos susceptibles de publicidad comercial, el notario, al expresar el alcance concreto de la fe pública notarial, hará constar que ésta no puede extenderse a cosas o hechos distintos de los que han sido objeto de su percepción personal.

Se prohíbe el uso publicitario de toda acta que no se haya instado expresamente con la finalidad de tal uso y, en su caso, será necesaria la aprobación previa, por parte del notario autorizante, de los textos e imágenes en que la publicidad se concrete. El nombre del notario no deberá aparecer en publicación autorizada de dichos textos e imágenes. Deberá el notario, igualmente, denegar la autorización cuando pueda inducir a confusión a los consumidores y usuarios sobre el alcance de la intervención notarial. El Consejo General del Notariado creará un archivo telemático de libre consulta por los notarios y los usuarios en que conste la intervención notarial y las bases de los concursos para los que se requiera aquélla. El notario requerido advertirá al requirente de la incorporación de ese acta al archivo telemático indicado a los efectos del ejercicio de los derechos a que se refiere la Ley Orgánica 15/1999, de 13 de diciembre, de protección de datos de carácter personal. Si se negare, no podrá hacer constar la intervención notarial en dicho archivo.

Artículo 200.– Serán también materia de las actas de presencia:

1.º La entrega de documentos, efectos, dinero u otras cosas, así como los ofrecimientos de pago. El texto de estas actas comprenderá, en lo pertinente, la trascripción del documento entregado, la descripción completa de la cosa, la naturaleza, características y notas individuales de los efectos.

2.º El hecho de la existencia de una persona, previa su identificación por el notario.

3.º La exhibición al notario de documentos o de cosas con el fin de que, examinados, los describa en el acta tal y como resulten de su percepción.

4.º Conforme a lo establecido en el artícu-lo 114.2 de la Ley 24/2001, de 27 de diciembre, los notarios deberán dejar constancia en acta, a solicitud de los interesados, tanto de las comunicaciones electrónicas recibidas de éstos como de las que, a requerimiento de los mismos, envíen los Notarios a terceros. La Dirección General de los Registros y del Notariado queda habilitada para regular mediante Instrucción la forma en que el notario debe almacenar en su archivo electrónico el contenido de las actas a que se refiere este párrafo, determinando los soportes en que debe realizarse el almacenamiento y la periodicidad con que su contenido debe ser trasladado a un soporte nuevo, tecnológicamente adecuado, que garantice en todo momento su conservación y lectura.

a) Actas de remisión de documentos por correo

Artículo 201.– El simple hecho del envío de cartas u otros documentos por correo ordinario, procedimiento telemático, telefax o cualquier otro medio idóneo podrá hacerse constar mediante acta, que acreditará el contenido de la carta o documento, y según el medio utilizado la fecha de su entrega, o su remisión por procedimiento técnico adecuado y, en su caso, la expedición del correspondiente resguardo de imposición como certificado, entrega o remisión, así como la recepción por el notario del aviso de recibo, o del documento o comunicación de recepción.

En la carta o documentos remitidos quedará siempre constancia de la intervención notarial.

Las sucesivas actuaciones notariales a que se refiere este artículo se harán constar por diligencias.

Las actas de remisión de documentos no confieren derecho a contestar en la misma acta y a costa del requirente.

El notario no admitirá requerimientos para envío de sobres cerrados cuyo contenido no aparezca reproducido en el acta.

b) Actas de notificación y requerimiento

Artículo 202.– Las actas de notificación tienen por objeto transmitir a una persona una información o una decisión del que solicita la intervención notarial, y las de requerimiento, además, intimar al requerido para que adopte una determinada conducta.

El notario, discrecionalmente, y siempre que de una norma legal no resulte lo contrario, podrá efectuar las notificaciones y los requerimientos enviando al destinatario la cédula, copia o carta por correo certificado con aviso de recibo.

Siempre que no se utilice el procedimiento a que hace referencia el párrafo anterior, el notario se personará en el domicilio o lugar en que la notificación o el requerimiento deban practicarse, según la designación efectuada por el requirente, dando a conocer su condición de notario y el objeto de su presencia. De no hallarse presente el requerido, podrá hacerse cargo de la cédula cualquier persona que se encuentre en el lugar designado y haga constar su identidad. Si nadie se hiciere cargo de la notificación, se hará constar esta circunstancia. Cuando el edificio tenga portero podrá entenderse la diligencia con el mismo.

La diligencia se cumplimentará mediante entrega de cédula que, suscrita por el notario con media firma al menos, contendrá el texto literal de la notificación o el requerimiento y expresará el derecho de contestación del destinatario y su plazo, conforme al artículo 204. Si la diligencia se entendiera con persona distinta de éste, la cédula deberá entregarse en sobre cerrado en el que se hará constar la identidad del notario y el domicilio de la Notaría. El notario advertirá, en todo caso, al receptor de la obligación de hacer llegar a poder del destinatario el documento que le entrega, consignando en la diligencia este hecho, la advertencia y la respuesta que recibiere.

La cédula podrá ir extendida en papel común y no será necesario dejar en la matriz nota de su expedición; bastará indicar el carácter con que se expide y la fecha de su entrega.

El notario siempre que no pueda hacer entrega de la cédula deberá enviar la misma por correo certificado con acuse de recibo, tal y como establece el Real Decreto 1829/1999, de 3 de diciembre, o por cualquier otro procedimiento que permita dejar constancia fehaciente de la entrega.

La diligencia podrá practicarse en cualquier lugar distinto del designado, siempre que el destinatario se preste a ello y sea identificado por el notario.

Si se hubiere conseguido cumplimentar el acta, se hará constar así, la manera en que se haya producido la notificación y la identidad de la persona con la que se haya entendido la diligencia; si ésta se negare a manifestar su identidad o su relación con el destinatario o a hacerse cargo de la cédula, se hará igualmente constar. Si se hubiere utilizado el correo, o cualquier otro medio de envío de los previstos en este artículo, se consignarán sucesivamente las diligencias correspondientes.

La notificación o el requerimiento quedarán igualmente cumplimentados y se tendrán por hechos en cualquiera de las formas expresadas en este artículo.

Artículo 203.– Cuando el interesado, su representante o persona con quien se haya entendido la diligencia se negare a recoger la cédula o prestase resistencia activa o pasiva a su recepción, se hará constar así, y se tendrá por realizada la notificación. Igualmente se hará constar cualquier circunstancia que haga imposible al notario la entrega de la cédula; en este caso se procederá en la forma prevista en el párrafo sexto del artículo 202.

Artículo 204.– El requerido o notificado tiene derecho a contestar ante el notario dentro de la misma acta, pero sin introducir en su contestación otros requerimientos o notificaciones que deban ser objeto de acta separada.

La contestación deberá hacerse de una sola vez, bajo la firma del que contesta, y en el plazo improrrogable de los dos días hábiles siguientes a aquel en que se haya practicado la diligencia o recibido el envío postal. No se consignará en el acta ninguna contestación que diere el destinatario antes de haber sido advertido por el notario de su derecho a contestar y del plazo reglamentario para ello.

A estos efectos no se considerarán días laborables los sábados.

Los derechos y gastos notariales de la contestación serán de cargo del requirente, pero si su extensión excediera del doble del requerimiento o notificación iniciales, el exceso será de cargo del que contesta.

El notario no podrá librar copia de un acta de notificación o requerimiento sin hacer constar en aquélla la contestación, si la hubiere. Tampoco podrá expedir, antes de caducar el plazo, copia del acta pendiente de contestación, salvo que lo solicite, bajo su responsabilidad, quien tenga interés legítimo para ejercitar desde luego cualquier acción o derecho, todo lo cual se hará constar en la cláusula de suscripción de la copia y en la nota de expedición que ha de consignarse en la matriz, entendiéndose reservado el derecho a contestar mientras no caduque el plazo.

Artículo 205.– En caso de tratarse de requerimientos o notificaciones de carácter urgente, por referirse a plazos próximos a terminar, revocación de poderes u otros de carácter perentorio, el Notario, si fuere requerido por medio de carta cuya firma le sea conocida o aparezca legitimada, podrá prestar su intervención.

Si la aceptare, levantará el acta correspondiente, uniendo la carta recibida a la matriz, actuando en los términos que resulten de su texto, pero sin responsabilidad alguna por lo que se refiere a la identidad del firmante de la carta y a su capacidad.

Artículo 206.– Las notificaciones o requerimientos previstos por las Leyes o Reglamentos sin especificar sus requisitos o trámites se practicarán en la forma que determinan los artículos precedentes. Pero cuando aquellas normas establezcan una regulación específica o señalen requisitos o trámites distintos en cuanto a domicilio, lugar, personas con quienes deban entenderse las diligencias, o cualesquiera otros, se estará a lo especialmente dispuesto en tales normas, sin que sean aplicables las reglas del artículo 202 y concordantes de este Reglamento.

Los notarios, salvo en los casos taxativamente previstos en la ley, no aceptarán requerimientos dirigidos a Autoridades Públicas, Judiciales, Administrativas y funcionarios, sin perjuicio de que puedan dejar constancia en acta notarial de presencia de la realización por los particulares de acciones o actuaciones que les competan conforme a las normas administrativas.

c) Actas de exhibición de cosas o documentos

Artículo 207.– En las actas de exhibición de cosas, el Notario describirá o relacionará las circunstancias que las identifiquen, diferenciando lo que resulte de su percepción de lo que manifiesten peritos y otras personas presentes en el acto, y podrá completar la descripción mediante planos, diseños, certificaciones, fotografías o fotocopias que incorporará a la matriz. En las actas de exhibición de documentos, además, transcribirá o relacionará aquéllos o concretará su narración a determinados extremos de los mismos, indicados por el requirente, observando en este caso, si a su parecer procede, lo dispuesto en el párrafo último del artículo 237.

Este tipo de acta será utilizable, entre otros supuestos:

1. Para dejar constancia en el protocolo de la existencia de cosas o documentos en poder de una persona o en un determinado lugar.

2. Para hacer constar la existencia de un documento no notarial cuyas firmas legitime el propio Notario autorizante, que vaya a surtir efectos solamente fuera de España en país que prevea o exija dicha forma documental.

En estas actas, el Notario identificará a los interesados, quienes comparecerán ante él, y en el mismo acto firmarán el documento no notarial o declararán que las firmas estampadas son las suyas, y, en todo caso, que conocen el contenido del documento y que, libre y voluntariamente, quieren que produzca los efectos que le sean aplicables conforme a lo previsto por las leyes extranjeras. El Notario, además, deberá emitir en cuanto le sea posible el juicio de capacidad legal o civil a que se refiere el artículo 156, 8., de este Reglamento, y cumplir lo dispuesto en el mismo respecto de la intervención y representación de los otorgantes.

El documento, o un ejemplar del mismo, original o por fotocopia, quedará incorporado a la matriz del acta en la que se expresará, literalmente o en relación, el texto del testimonio de legitimación.

En dicho texto, a continuación de las firmas legitimadas, se consignarán, abreviadamente, los particulares contenidos en el acta que sean pertinentes.

3. Para efectuar, conforme al artículo 262 de este Reglamento, el reconocimiento de la propia firma puesta con anterioridad en un documento que, a juicio del Notario, quedará suficientemente reseñado en el acta, o unido a ésta, original o por fotocopia.

4. Para fijar el saldo líquido exigible en los préstamos o créditos en cuenta corriente concedidos por entidades de crédito, ahorro o financiación siempre que tales operaciones y esta modalidad de fijación hayan sido pactadas en escritura pública. En virtud de la documentación exhibida por la entidad acreedora y de su concordancia con certificación de ésta, que se unirá a la matriz, el Notario levantará el acta en la que quede determina el saldo de la cuenta.

SUBSECCIÓN 2.ª
Actas de referencia

Artículo 208.– En las actas de referencia se observarán iguales requisitos que en las de presencia, pero el texto será redactado por el Notario de la manera más apropiada a las declaraciones de los que en ellas intervengan, usando las mismas palabras, en cuanto fuere posible, una vez advertido el declarante por el Notario del valor jurídico de las mismas en los casos en que fuese necesario.

SUBSECCIÓN 3.ª
Actas de notoriedad

Artículo 209.– Las actas de notoriedad tienen por objeto la comprobación y fijación de hechos notorios sobre los cuales puedan ser fundados y declarados derechos y legitimadas situaciones personales o patrimoniales, con trascendencia jurídica.

En las actas de notoriedad se observarán los requisitos siguientes:

Primero. El requerimiento para instrucción del acta será hecho al Notario por persona que demuestre interés en el hecho cuya notoriedad se pretende establecer, la cual deberá aseverar, bajo su responsabilidad, la certeza del mismo, bajo pena de falsedad en documento público.

Segundo. El Notario practicará, para comprobación de la notoriedad pretendida, cuantas pruebas estime necesarias, sean o no propuestas por el requirente. Y deberá hacer requerimientos y notificaciones personales o por edictos cuando el requirente lo pida o él lo juzgue necesario.

En el caso de que fuera presumible, a juicio del Notario, perjuicio para terceros, conocidos o ignorados, se notificará la iniciación del acta por cédula o edictos, a fin de que en el plazo de veinte días puedan alegar lo que estimen oportuno en defensa de sus derechos, debiendo el Notario interrumpir la instrucción del acta, cuando así proceda, por aplicación del número quinto de este artículo.

Tercero. Constarán necesariamente en las actas de notoriedad todas las pruebas practicadas y requerimientos hechos con sus contestaciones; los justificantes de citaciones y llamamientos; la indicación de las reclamaciones presentadas por cualquier interesado, y la reserva de los derechos correspondientes al mismo ante los Tribunales de Justicia.

Cuarto. El Notario, si del examen y calificación de las pruebas y del resultado de las diligencias estimare justificada la notoriedad pretendida, lo expresará así, con lo cual quedará conclusa el acta.

Cuando además de comprobar la notoriedad se pretenda el reconocimiento de derechos o la legitimación de situaciones personales o patrimoniales, se pedirá así en el requerimiento inicial, y el Notario emitirá juicio sobre los mismos, declarándolos formalmente, si resultaren evidentes por aplicación directa de los preceptos legales atinentes al caso.

Quinto. La instrucción del acta se interrumpirá si se acreditare al Notario haberse entablado demanda en juicio declarativo, con respecto al hecho cuya notoriedad se pretenda establecer. La interrupción se levantará, y el acta será terminada a petición del requirente, cuando la demanda haya sido expresamente desistida, cuando no se haya dado lugar a ella por sentencia firme o cuando se haya declarado caducada la instancia del actor.

Por acta de notoriedad podrán legitimarse hechos y situaciones de todo orden, cuya justificación, sin oposición de parte interesada, pueda realizarse por medio de cualquier otro procedimiento no litigioso. La declaración que ponga fin al acta de notoriedad será firme y eficaz, por sí sola, e inscribible donde corresponda, sin ningún trámite o aprobación posterior. El requerimiento a que se refiere el requisito primero se formalizará mediante acta con la fecha y número de protocolo del día del requerimiento. Concluida la tramitación del acta se incorporará al protocolo como instrumento independiente en la fecha y bajo el número que corresponda en el momento de su terminación, dejando constancia de la misma en el acta que recoja el requerimiento.

Artículo 209 bis.– En la tramitación de las actas de notoriedad a que se refiere el artículo 979 de la Ley de Enjuiciamiento Civil se observarán las siguientes reglas:

1. Será Notario hábil para autorizarlas cualquiera que sea competente para actuar en la población donde el causante hubiera tenido su último domicilio en España. A tal efecto, dicho domicilio se acreditará preferentemente, y sin perjuicio de otros medios de prueba, mediante el Documento Nacional de Identidad del causante.

De no haber tenido nunca domicilio en España, será competente el Notario correspondiente al lugar de su fallecimiento y, si hubiere fallecido fuera de España, al lugar donde estuviere parte considerable de los bienes o de las cuentas bancarias.

2. Está legitimada para formular el requerimiento inicial del acta cualquier persona con interés legítimo.

3. Requerido uno de los Notarios competentes, quedará excluida la competencia de los demás. El Notario requerido habrá de poner en conocimiento del Decanato del respectivo Colegio Notarial, en el mismo día que hubiese admitido el requerimiento, la iniciación de la tramitación del acta, especificando el nombre del causante y demás datos de identificación consignados en el artículo 4. del anexo segundo del Reglamento Notarial, a fin de que de tal iniciación quede constancia en el Registro Particular del Decanato y en el General de Actos de Ultima Voluntad, conforme a lo previsto en los artículos 12 y 13 del anexo segundo.

Si, recibida una comunicación, se recibieren posteriormente otras relativas a la sucesión del mismo causante, el Decano, o el Jefe del Registro si los Notarios pertenecieren a distinto Colegio, lo comunicará inmediatamente a los Notarios que hubiesen indicado el acta en segundo o posterior lugar para que suspendan la tramitación de la misma.

Hasta que hayan transcurrido veinte días hábiles desde la comunicación al Decanato, el Notario no podrá expedir ningún tipo de copias del acta.

4. El interesado habrá de aseverar la certeza de los hechos positivos y negativos en que se deba fundar el acta, y acreditar documentalmente:

a) La apertura de la sucesión intestada mediante la presentación de las certificaciones de fallecimiento y del Registro General de Actos de Ultima Voluntad del causante y, en su caso, el documento auténtico del que resulte indubitadamente que, a pesar del testamento o del contrato sucesorio, procede la sucesión «abintestato» o la sentencia firme que declare la invalidez de las instituciones de herederos.

b) La relación de parentesco de las personas que el requirente designe como herederos del causante.

Habrá que presentar el libro de familia del causante o las certificaciones correspondientes del Registro Civil acreditativas del matrimonio y filiaciones. Los documentos presentados o testimonio de los mismos quedarán incorporados al acta.

5.ª En el acta habrá de constar necesariamente, al menos, la declaración de dos testigos que aseveren que de ciencia propia o por notoriedad les constan los hechos positivos y negativos cuya declaración de notoriedad se pretende. Dichos testigos podrán ser, en su caso, parientes del fallecido, sea por consanguinidad o afinidad, cuando no tengan interés directo en la declaración. Se practicarán, también, las pruebas propuestas por el requirente así como las que se estimen oportunas, en especial las dirigidas a acreditar la nacionalidad y vecindad civil y, en su caso, la ley extranjera aplicable.

6.ª Ultimadas las anteriores diligencias, y transcurrido el plazo previsto en la regla 3.ª, hará constar el notario su juicio de conjunto sobre si quedan acreditados por notoriedad los hechos en que se funda la declaración de herederos.

En caso afirmativo declarará qu é parientes del causante son los herederos "abintestato", siempre que todos ellos sean de aquellos en que la declaración corresponde al notario. En la declaración se expresarán las circunstancias de identidad de cada uno y los derechos que por Ley le corresponden en la herencia.

Artículo 210.– En la tramitación de las actas de notoriedad complementarias del título público conforme a los artículos 205 de la Ley Hipotecaria y 298 de su Reglamento se observarán los siguientes requisitos:

1.º Con carácter previo, el notario requerido deberá obtener del Colegio Notarial o Consejo General del Notariado documento acreditativo de haberse autorizado o no otra acta de notoriedad complementaria de título público de adquisición, relativa a la misma finca. Dicho documento podrá obtenerse en soporte papel o electrónica mediante la correspondiente aplicación telemática. En caso de ser positiva la información, el notario deberá abstenerse de aceptar él, haciendo saber al interesado la causa de la denegación.

2.º El acta tendrá por objeto comprobar y declarar la notoriedad de que el transmitente o causante de las fincas que se pretenden inmatricular es tenido como dueño de ellas en el término municipal donde radiquen las mismas.

3.º Será notario hábil para cumplimentarla cualquiera que sea competente para actuar en la población en cuyo término municipal se halle la finca objeto de inmatriculación, y en caso de pertenecer a más de uno, a cualquiera de los Notarios con competencia en alguno de ellos, indistintamente.

4.º El requerimiento para la instrucción del acta será hecho al notario por persona que demuestre interés legítimo en acreditar los hechos que constituyen su objeto.

5.º El notario practicará, para comprobación de la notoriedad pretendida, cuantas pruebas estime necesarias, sean o no propuestas por el requirente, y especialmente las siguientes:

a) Documental. El interesado deberá presentar al notario:

1.º El título público de adquisición que el acta ha de complementar.

2.º Los documentos que posea relativos a la titularidad de la finca por el transmitente o causante, tales como certificaciones catastrales, recibos, acreditación del pago del impuesto de bienes inmuebles, documentos privados, y otros, de cualquier naturaleza.

3.º Cuando fuere exigible, la certificación catastral descriptiva y gráfica de las fincas, en términos totalmente coincidentes con la descripción de éstas en el título público que ha de complementarse, y de las que resulte además que la finca está catastrada a favor del transmitente o adquirente.

4.º Certificación o nota simple informativa del Registro de la Propiedad acreditativa de que la finca cuya inmatriculación se pretende no se halla inscrita en el Registro de la Propiedad.

b) Testifical. Asimismo, en el acta habrá de constar necesariamente, al menos, la declaración de dos testigos, vecinos del lugar, que aseveren que de ciencia propia o por notoriedad les consta que el transmitente o causante es tenido como dueño en el término municipal en que radica la finca.

c) Edictos. Se publicarán edictos comunicando la tramitación del acta, su objeto y la finca o fincas a que la misma se refiere, con el fin de que cualquier interesado en el plazo de veinte días naturales pueda alegar lo que estime oportuno en defensa de sus derechos, debiendo el notario interrumpir la instrucción del acta, cuando así proceda, por aplicación del número quinto del artículo 209 del Reglamento Notarial.

Los edictos se fijarán en el tablón de anuncios del Ayuntamiento de la población a que corresponda la finca.

6.º El notario autorizante del acta de notoriedad a que se refiere el presente artículo deberá poner en conocimiento del respectivo Colegio Notarial o Consejo General del Notariado, en el mismo día en que hubiese admitido el requerimiento, la iniciación de la tramitación del acta, mediante comunicación, en soporte papel o electrónico, en el que se indicará:

a) Fecha del requerimiento.

b) Datos personales del transmitente o causante que supuestamente es tenido como dueño.

c) Descripción de la finca a que se refiere el acta.

Asimismo y del mismo modo, deberá el notario autorizante comunicar al Colegio Notarial o al Consejo General del Notariado la conclusión del acta, con expresión de su resultado.

En los Colegios Notariales o en el Consejo General del Notariado, se llevará un fichero o archivo informatizado de las actas de notoriedad complementarias de título público de adquisición, integrado por las comunicaciones remitidas por los notarios.

SUBSECCIÓN 4.ª
Actas de protocolización

Artículo 211.– Las actas de protocolización tendrán las características generales de las de presencia, pero el texto hará relación al hecho de haber sido examinado por el Notario el documento que deba ser protocolado, a la declaración de la voluntad del requirente para la protocolización o cumplimiento de la providencia que la ordene, al de quedar unido el expediente al protocolo, expresando el número de folios que contenga y los reintegros que lleve unidos.

Artículo 212.– Los documentos públicos autorizados en el extranjero, una vez legalizados en forma, podrán ser protocolados en España mediante acta que suscribirá el interesado, si se hallare presente.

En otro caso, bastará la afirmación del Notario de haberle sido entregado el documento a tales efectos.

Artículo 213.– La protocolización de los expedientes judiciales se efectuará por medio de un acta extendida y suscrita por el Notario a requerimiento de cualquier persona que entregue el expediente con el auto judicial en que se ordene la protocolización.

Artículo 214.– También pueden ser protocolizados mediante acta los documentos públicos de todas clases, los impresos, planos, fotograbados, fotografías o cualesquiera gráficos cuya medida y naturaleza lo consienta, al efecto de asegurar su respectiva identidad y su existencia respecto de tercero en la fecha de la protocolización.

Artículo 215.– Los documentos privados cuyo contenido sea materia de contrato podrán protocolizarse por medio de acta cuando alguno de los contratantes desee evitar su extravío y dar autenticidad a su fecha, expresándose en tal caso que tal protocolización se efectúa sin ninguno de los efectos de la escritura pública y sólo a los efectos del artículo 1.227 del Código Civil.

Cuando no sean materia de acto o contrato se podrán protocolizar mediante acta a los efectos que manifiesten los interesados.

Los documentos privados sujetos al Impuesto de Transmisiones Patrimoniales y Actos Jurídicos Documentados, y al Impuesto de Sucesiones y Donaciones, no podrán ser objeto de acta de protocolización si no consta en ellos la nota que corresponda de la Oficina liquidadora o entidad bancaria colaboradora.

SUBSECCIÓN 5ª
Actas de depósito ante Notario

Artículo 216.– Los notarios pueden recibir en depósito los objetos, valores, documentos y cantidades que se les confíen, bien como prenda de contratos, bien para su custodia.

La admisión de depósitos es voluntaria por parte del notario, quien podrá imponer condiciones al depositante, salvo que el depósito notarial se halle establecido en alguna ley, en cuyo caso se estará a lo que en ella se disponga.

El depósito notarial de documentos que estén extendidos en soporte informático se regirá además por las siguientes normas:

1.º El soporte digital que contenga un documento electrónico se entregará en depósito al notario, por el plazo y condiciones que convenga éste con el requirente o requirentes; en el acta de depósito, o en el documento en que deba quedar unido, bastará con hacer referencia depósito con reseña de las características del documento electrónico y de su soporte, tales como su fecha, formato y su extensión, si las tiene, la unidad de medida, en su caso, así como las demás características técnicas que permitan identificarlos.

2.º La Dirección General de los Registros y del Notariado en los términos previstos en el artículo 113.3 de la Ley 24/2001, de 27 de diciembre, podrá acordar, cuando innovaciones técnicas lo hagan aconsejable, el traslado sistemático del contenido de documentos informáticos depositados a un nuevo soporte, más adecuado para su conservación, lectura o reproducción, dictando las normas que garanticen la fiabilidad de las copias. En todo caso, deberá citarse a los interesados, quienes podrán oponerse retirando el documento.

También podrá realizarse, con la misma finalidad, el traslado a un nuevo soporte a instancia de la persona que depositó el documento o sus causahabientes. El traslado del contenido del documento deberá hacerse por medios técnicos adecuados que aseguren la fiabilidad de la copia.

Cuando proceda la devolución de un depósito se extenderá en la misma acta nota expresiva de haberlo efectuado, firmada por la persona que haya impuesto el depósito o por quien traiga de ella su derecho u ostente su representación legal o voluntaria.

Cuando el depósito estuviese constituido bajo alguna condición convenida con un tercero, el notario no efectuará la devolución mientras no se le acredite suficientemente el cumplimiento de la condición estipulada.

Para la devolución del depósito el solicitante tendrá que acreditar al notario el derecho que le asiste.

El notario rechazará todo depósito que pretenda constituirse en garantía de un acto o contrato contrario a las leyes o al orden público.

Si el objeto depositado fuera un programa informático cuyo contenido no pueda ser razonablemente conocido por el notario, éste sólo admitirá el depósito si el requirente depositante manifiesta que el contenido de aquel programa no es contrario a la ley o al orden público.

Artículo 217.– Cuando los notarios aceptaren los depósitos en metálico, valores, efectos y documentos a los que se refiere el artículo anterior, se extenderá un acta que habrán de firmar el depositante o persona a su ruego, si no supiera o no pudiera firmar, y el notario. En dicha acta se consignarán las condiciones propuestas por el notario y aceptadas por el depositante para la constitución y devolución del depósito, así como también todo cuanto fuere preciso para la identificación del mismo.

Los depósitos de los objetos en que fuese necesaria su identificación se entregarán al notario, cerrándolos y sellándolos a su presencia en forma que ofrezca garantía de no ser abiertos. Respecto de los depósitos en efectivo a que se refiere este artícu-lo, el notario no podrá obtener para sí, el depositante o tercero rendimiento de las cantidades depositadas. A tal fin, deberá abrir una cuenta específica no remunerada, sin que el notario pueda desempeñar funciones de gestión respecto de dicho efectivo, cheque o fondos.

Siempre que el notario lo considere conveniente para su seguridad, podrá conservar los depósitos que se le confíen en un Banco, y en caja de alquiler arrendada a su nombre como tal notario, advirtiéndolo así al depositante y consignándolo en el acta. Dicha caja sólo podrá ser abierta por el notario o su sustituto legal, o mediante orden escrita de la Junta Directiva del Colegio Notarial respectivo o de la Dirección General, en su caso. Queda a salvo lo anteriormente previsto.

SUBSECCIÓN 6.ª
Documento fehaciente de liquidación

Artículo 218.– Cuando para despachar ejecución por el importe del saldo resultante de las operaciones derivadas de contratos formalizados en escritura pública o en póliza intervenida, conforme al artículo 572.2 de la Ley de Enjuiciamiento Civil, sea necesario acompañar a la demanda ejecutiva, además del título ejecutivo el documento fehaciente que acredite haberse practicado la liquidación en la forma pactada por las partes en dicho título, tal como establece el artícu-lo 573.1.2.ª de la Ley de Enjuiciamiento Civil, el notario lo hará constar mediante documento fehaciente en el que se exprese la liquidación, que se regirá por las normas generales y especialmente, por las siguientes:

1.º Junto con el requerimiento, que podrá efectuarse mediante carta dirigida al notario quien legitimará la firma del remitente e incorporará al acta, la entidad acreedora entregará o remitirá al notario el título con efectos ejecutivos de la escritura pública o de la póliza intervenida que haya de servir de TÍTULO para la ejecución o, en su caso, testimonio notarial de dichos documentos, salvo que el contenido del título ejecutivo resulte de su protocolo o libro registro, así como una certificación por ella expedida, en la que se especifique el saldo exigible al deudor, además de los extractos contables correspondientes, debidamente firmados, que permitan al notario efectuar las verificaciones técnicas oportunas. Quedará incorporada al documento fehaciente la certificación del saldo y se insertará o unirá testimonio literal o en relación de los documentos contables que han servido para su determinación.

2.º Si en el contrato no se hubieren reflejado, de forma explícita, los tipos de interés o comisiones aplicables, la entidad requirente deberá acreditar al notario cuáles han sido estos, haciéndose constar todo ello en el acta de liquidación.

3.º El notario deberá comprobar, y expresar en el documento fehaciente, que en el título ejecutivo las partes acordaron emplear el procedimiento establecido en el artículo 572.2 de la Ley de Enjuiciamiento Civil para fijar la cuantía líquida de la deuda.

4.º Con los documentos contables presentados el notario comprobará si la liquidación se ha practicado, a su juicio, en la forma pactada por las partes en el título ejecutivo.

Si el saldo fuere correcto, el notario hará constar por diligencia el resultado de su comprobación, expresando:

a) Los datos y referencias que permitan identificar a las personas interesadas, al título ejecutivo y a la documentación examinada por el notario.

b) Que, a su juicio, la liquidación se ha efectuado conforme a lo pactado por las partes en el título ejecutivo. Asimismo podrá hacer constar cualquier precisión de carácter jurídico, contable o financiero que el notario estime oportuno.

c) Que el saldo especificado en la certificación expedida por la entidad acreedora, que se incorporará al acta de liquidación, coincide con el que aparece en la cuenta abierta al deudor.

d) Que el documento fehaciente comprensivo de la liquidación se extiende a los efectos previstos en los artículos 572.2 y 573.1.2.º de la Ley de Enjuiciamiento Civil.

Artículo 219.– Los notarios, a requerimiento de parte interesada, podrán autorizar actas de liquidación relativas a cualesquiera cuentas o contratos no comprendidos en el artículo anterior. Esta clase de actas, según el alcance del requerimiento, deberán contener los apuntes contables y el saldo final, así como la expresión de las condiciones en que se ha practicado la liquidación.

Estas actas de liquidación se acomodarán a los requisitos formales, materiales y de registro, establecidos en el artículo anterior, con las especialidades derivadas del requerimiento.

SUBSECCIÓN 7.ª
Actas de subastas

Artículo 220.– 1. Las actas notariales de subasta se regirán por las normas generales y por las siguientes reglas:

1.ª El requerimiento al notario se hará por el propietario del bien o derecho a subastar, por persona legitimada para disponer de ella, o por el representante de aquél o de éste.

El requirente presentará al notario el pliego de condiciones a que haya de sujetarse la subasta, que se unirá al acta, y en el que necesariamente se consignarán: la descripción de la cosa a subastar y su estado de cargas y de arrendamientos; el tipo de subasta; el depósito que sea necesario para tomar parte en la misma; el procedimiento de subasta; el plazo para presentar los sobres cerrados; el lugar, día y hora de celebración de la subasta; la posibilidad de celebrar, en su caso, una segunda y una tercera subasta, sus tipos, lugar y fechas; los lugares o periódicos en que haya de anunciarse la subasta, y su duración o antelación; si se admiten posturas a calidad de ceder a un tercero; el plazo en el que haya de completarse el pago del precio; y cuantas condiciones u otros extremos lícitos se estimen oportunos. El pliego de condiciones deberá respetar las mínimas establecidas en el presente artículo.

El requirente aseverará bajo su responsabilidad, y acreditará al notario, la propiedad de la cosa a subastar o su legitimación para disponer de ella; su libertad o estado de cargas; situación arrendaticia y posesoria; estado físico en que se encuentra; obligaciones pendientes; y cuantas circunstancias tengan influencia en el valor de la misma; así como, en su caso, la representación, voluntaria, orgánica o legal con que el requirente actúe. Para todo ello, y para su constancia en el acta, el notario aplicará las normas que contiene este Reglamento para los instrumentos públicos.

El notario no aceptará el requerimiento hasta que, estudiada la documentación presentada, y subsanada o completada en su caso, haya identificado al requirente, apreciado su capacidad legal para el requerimiento que efectúa, comprobado la concurrencia de las autorizaciones, consentimientos o requisitos necesarios y estimado, conforme al artículo 145 de este Reglamento, que no concurre ninguna otra causa de denegación de funciones.

2.ª La subasta deberá ser anunciada con diez días de antelación como mínimo respecto del señalado para su celebración y, en su caso, para la presentación de los pliegos conteniendo las posturas.

El anuncio se llevará a cabo como mínimo en la forma siguiente, según la cuantía del tipo de la primera subasta:

a) Hasta 6.000 euros en el tablón de anuncios del Ayuntamiento en que se encuentren situados todos o la mayoría de los bienes.

b) Hasta 60.000 euros en uno de los periódicos de mayor circulación de la respectiva localidad, y en su defecto, de la provincia.

c) Hasta 120.000 euros en el Boletín Oficial de la provincia o, en su defecto, de la Comunidad Autónoma respectiva.

d) Y de más de 120.000 euros en el Boletín Oficial del Estado.

El anuncio contendrá, cuanto menos, la expresión sucinta del objeto de la subasta; local, día, hora y notario autorizante de la subasta; tipo de licitación; local en que están de manifiesto al público la documentación y el pliego de condiciones, y aquel en que, en su caso, podrá ser visitada la cosa subastada. Podrán añadirse la indicación del local, día y hora en que tendría lugar la segunda y la tercera subasta, si fueren procedentes, y sus tipos.

Iniciada la publicación de la subasta, no podrá el requirente desistir de su rogación.

3.ª Siempre que el requirente de la subasta no fuera el propietario de la cosa a subastar o su representante, el requerimiento deberá ser efectuado a notario competente territorialmente por razón del domicilio de dicho propietario o de la situación del bien o de la mayor parte de los bienes objeto de la subasta.

El tipo de la licitación en la primera subasta que no estuviere contractualmente establecido, será fijado en este caso por perito oficial designado por el requirente; en su defecto, se tomará como tipo el mayor valor de los dictaminados por dos peritos prácticos, igualmente designados por el requirente. En todo caso los peritos deberán comparecer ante el notario para entregar sus dictámenes y ratificarse en ellos, así como para acreditar, en su caso, su titulación. El tipo de la segunda subasta será el setenta y cinco por ciento del tipo de la primera; la tercera subasta, cuando proceda, se efectuará sin sujeción a tipo.

El notario notificará al propietario del bien, salvo que sea el propio requirente, la tramitación de la subasta y todo el contenido que, conforme a la regla anterior, debe tener el anuncio, así como el procedimiento seguido para la fijación del tipo de subasta; y le requerirá para que comparezca en el acta en defensa de sus intereses. La diligencia se practicará conforme al artículo 202 de este Reglamento, en el domicilio fijado contractualmente o, en su defecto, en el habitual del notificado, y si no fuere conocido, en el que resulte de documento o registro público.

4.ª Si el propietario de la cosa o un tercero que se considerara con derecho a ello, comparecieran oponiéndose a la celebración de la subasta, el notario hará constar sucintamente en la correspondiente diligencia su petición y las razones y documentos que para ello aduzcan y les reservará sus posibles derechos para que los ejerciten judicialmente.

5.ª La subasta se celebrará por el procedimiento de sobres cerrados, que deberán ser entregados al notario con tres días laborables de antelación al señalado para el acto de subasta, junto con el depósito necesario para tomar parte en ella o resguardo de haberlo consignado en una Entidad de Crédito.

Este depósito ascenderá al diez por ciento del tipo de licitación que no exceda de tres mil euros, más el cinco por ciento del exceso en su caso.

6.ª La subasta se celebrará ante el notario en el lugar, día y hora, y por el procedimiento anunciado, con estricta sujeción al pliego de condiciones.

El notario extenderá la correspondiente diligencia, en la que sintéticamente se recogerán los aspectos de trascendencia jurídica; las reclamaciones que se hayan presentado y la reserva de los derechos correspondientes ante los Tribunales de Justicia; la persona del mejor postor y el precio ofrecido por ella; el juicio del notario de que en la subasta se han observado las normas legales que la regulan y el pliego de condiciones bajo el que ha sido convocada; y la adjudicación de la cosa subastada por el requirente o por la Mesa.

Si éstos no concurrieren, bastará el juicio del notario para que la subasta quede concluida, y la cosa adjudicada.

El adjudicatario firmará la diligencia, después de que el notario le haya identificado y apreciado su capacidad conforme a la legislación notarial.

7.ª La tramitación y el acto de subasta sólo podrán ser interrumpidos por mandato judicial.

8.ª En diligencias sucesivas, y dentro de los plazos señalados en el pliego de condiciones, se harán constar la devolución de los depósitos hechos para tomar parte en la subasta por personas que no hayan resultado adjudicatarias; la cesión del remate a un tercero, en su caso; el pago del resto del precio por el adjudicatario; y la entrega por el notario al requirente de las cantidades que hubiere percibido del adjudicatario.

9.ª Si la cosa subastada fuera inmueble, el requirente, conforme a lo dispuesto en el artículo 1280.1.º del Código Civil, otorgará ante el notario escritura pública de venta a favor del adjudicatario al tiempo de completar éste el pago del precio. Lo mismo se hará en los demás casos en los que la Ley exige documento público como requisito de validez o eficacia de la transmisión, así como en cualquier otro caso en que el adjudicatario lo solicite. En los demás supuestos, la copia autorizada del acta servirá de título al rematante.

2. Las subastas voluntarias podrán convocarse con la reserva del derecho del requirente a aprobar el remate a su libre arbitrio, o bajo otras condiciones especiales, debiendo consignarse todo ello en los anuncios.

El requirente, en el pliego de condiciones, podrá incrementar o disminuir los anuncios de la subasta o su antelación; fijar libremente el tipo de subasta; aumentar, disminuir o suprimir el depósito previo; ordenar un procedimiento distinto de subasta; reducir a una sola, o a dos, el número de subastas; y tomar cualesquiera otras determinaciones análogas a las expresadas.

En todo lo demás, se aplicarán a las subastas voluntarias las reglas generales establecidas para las subastas notariales en el número anterior de este artículo.

3. Las subastas que se hicieren en cumplimiento de una disposición legal, de una resolución judicial o administrativa, o de cláusula contractual o testamentaria, se regirán en primer lugar por las normas que respectivamente establezcan, y en su defecto por las del presente artículo.

4. Las subastas podrán encomendarse a los Colegios Notariales, en cuyo caso éstos designarán, por turno, a los notarios que deban llevarlas a cabo, pudiendo celebrarse en los locales habilitados al efecto por dichos Colegios Notariales.

SECCIÓN QUINTA
De las copias

Artículo 221.– Se consideran escrituras públicas, además de la matriz, las copias de esta misma expedidas con las formalidades de derecho. Igualmente, tendrán el mismo valor las copias de pólizas incorporadas al protocolo. Las copias deberán reproducir o trasladar fielmente el contenido de la matriz o póliza. Los documentos incorporados a la matriz podrán hacerse constar en la copia por relación o transcripción.

Las copias autorizadas pueden ser totales o parciales, pudiendo constar en soporte papel o electrónico. Las copias autorizadas en soporte papel deberán estar signadas y firmadas por el notario que las expide; si estuvieran en soporte electrónico, deberán estar autorizadas con la firma electrónica reconocida del notario que la expide.

Artículo 222.– Sólo el notario en cuyo poder se halle legalmente el protocolo, estará facultado para expedir copias u otros traslados o exhibirlo a los interesados.

Ni de oficio ni a instancia de parte interesada decretarán los Tribunales que los Secretarios judiciales extiendan, por diligencia o testimonio, copias de actas, escrituras matrices y pólizas, sino que bajo su responsabilidad las exigirán del notario que deba darlas, con arreglo a la Ley del Notariado y el presente Reglamento, es decir, justificando ante el notario, y a juicio de éste con la documentación necesaria, el derecho de los interesados a obtenerlas, y siempre que la finalidad de la petición sea la prescrita en el artículo 256 de la Ley de Enjuiciamiento Civil. Para los cotejos o reconocimientos de estas copias se observará lo dispuesto en el párrafo tercero del artículo 32 de la Ley.

Artículo 223.– Para expedir primeras o posteriores copias, con arreglo al artículo 31 de la Ley, se entiende que el protocolo está legalmente en poder del titular de la Notaría, de su sustituto o del Archivero de protocolos, en su caso.

Artículo 224.– 1. Además de cada uno de los otorgantes, según el artículo 17 de la Ley, tienen derecho a obtener copia, en cualquier tiempo, todas las personas a cuyo favor resulte de la escritura o póliza incorporada al protocolo algún derecho, ya sea directamente, ya adquirido por acto distinto de ella, y quienes acrediten, a juicio del notario, tener interés legítimo en el documento.

2. Los notarios darán también copias simples sin efectos de copia autorizada, pero solamente a petición de parte con derecho a ésta. En ningún caso podrá hacerse constar en la copia simple la firma de los otorgantes. Se habilita al Consejo General del Notariado para que establezca las características del papel para copia simple que deberá ser utilizado en su expedición, teniendo carácter de ingreso corporativo las cantidades que dicho Consejo obtenga por su utilización. A tal fin, el Consejo por sí o a través de los Colegios Notariales deberá proveer a los notarios de dicho papel.

El Consejo comunicará a la Dirección General de los Registros y del Notariado las características de dicho papel, así como de sus modificaciones, que se entenderán admitidas si la Dirección no resuelve lo contrario en el plazo de quince días computados desde esa comunicación.

3. Igualmente darán lectura del contenido de documentos de su Protocolo a quienes demuestren, a su juicio, interés legítimo.

4. Las copias electrónicas, autorizadas y simples, se entenderán siempre expedidas a todos los efectos incluso el arancelario por el notario titular del protocolo del que formen parte las correspondientes matrices y no perderán su carácter, valor y efectos por el hecho de que su traslado a papel lo realice el notario al que se le hubiese enviado. Dichas copias sólo podrán expedirse para su remisión a otro notario o a un registrador o a cualquier órgano judicial o de las Administraciones Públicas, siempre en el ámbito de su respectiva competencia y por razón de su oficio. El notario que expida la copia autorizada electrónica será el mismo que la remita.

En la expedición de las copias autorizadas electrónicas se hará constar expresamente la finalidad para la que se expide, siendo sólo válidas para dicha finalidad, y su destinatario, debiendo dejarse constancia de estas circunstancias por nota en la matriz

Las copias autorizadas electrónicas una vez expedidas tendrán un plazo de validez de sesenta días a contar desde la fecha de su expedición. Transcurrido este plazo podrá expedirse nueva copia electrónica con igual finalidad que la caducada. La expedición de esta nueva copia autorizada electrónica con idéntico destinatario y finalidad no devengará arancel alguno.

El traslado a papel de las copias autorizadas expedidas electrónicamente, cuando así se requiera, sólo podrá hacerlo el notario al que se le hubiesen remitido, para que conserven la autenticidad y la garantía notarial. Dicho traslado se extenderá en folios timbrados de papel de uso exclusivo notarial, con expresión de su nombre, apellidos y residencia, notario que expide la copia, fecha de su expedición y de traslado a papel y números de los folios que comprende, bajo su firma, sello y rúbrica.

El notario destinatario de una copia autorizada electrónica podrá, según su finalidad:

1.º Incorporar a la matriz por él autorizada el traslado a papel de aquélla, haciéndolo constar en el cuerpo de la escritura o acta o en diligencia correspondiente.

2.º Trasladarla a soporte papel en los términos indicados, dejando constancia en el Libro Indicador, mediante nota expresiva del nombre, apellidos y residencia del notario autorizante de la copia electrónica, su fecha y número de protocolo, así como los folios en que se extiende el traslado y su fecha.

3.º Reseñar su contenido en lo legalmente procedente en la escritura o acta matriz o póliza intervenida.

Una vez realizado el traslado a papel, el notario remitirá telemáticamente al que hubiese expedido la copia electrónica, el traslado a papel, para que aquel lo haga constar por nota en la matriz.

La coincidencia de la copia autorizada expedida electrónicamente, con el original matriz, será responsabilidad del notario que la expide electrónicamente, titular del protocolo del que forma parte la correspondiente matriz. La responsabilidad de la coincidencia de la copia autorizada electrónica con la trasladada al papel será responsabilidad del notario que ha realizado dicho traslado.

De conformidad con el artículo 17 bis de la Ley del Notariado, los registradores, así como los funcionarios competentes de los órganos jurisdiccionales y administrativos, destinatarios de las copias autorizadas electrónicas notariales podrán trasladarlas a soporte papel dentro de su plazo de vigencia, a los únicos y exclusivos efectos de incorporarlas a los expedientes o archivos que correspondan por razón de su oficio en el ámbito de su respectiva competencia. Al pie del traslado a papel, dichos funcionarios deberán indicar su nombre y apellidos, cargo, fecha del traslado, número de folios que lo integran y su limitado efecto a la citada incorporación al expediente o archivo.

La Dirección General de los Registros y del Notariado podrá determinar el formato telemático en que deba expedirse la copia autorizada electrónica, utilizando para ello criterios de seguridad.

En lo relativo a las copias simples electrónicas, éstas podrán remitirse a cualquier interesado cuando su identidad e interés legítimo le consten fehacientemente al notario, utilizando para su envío un procedimiento tecnológico adecuado que garantice su confidencialidad hasta el destinatario.

Artículo 225.– Las copias de testamentos solicitadas por las Administraciones públicas, con ocasión de expedientes o informes sobre solvencia o en procedimientos de apremio sobre bienes de determinadas personas a las que el testamento reconozca derechos hereditarios, se expedirán sólo parcialmente, limitadas a las cláusulas patrimoniales en las que aquellas sean beneficiarias, y previa justificación fehaciente del fallecimiento del testador y de la existencia de los citados expedientes y procedimientos.

Las notificaciones previstas en el artículo 223 del Código Civil se efectuarán mediante testimonio en relación relativo a la designación de tutores.

Artículo 226.– En vida del otorgante, sólo éste o su apoderado especial podrán obtener copia del testamento.

Fallecido el testador, tendrán derecho a copia:

a) Los herederos instituidos, los legatarios, albaceas, contadores partidores, administradores y demás personas a quienes en el testamento se reconozca algún derecho o facultad.

b) Las personas que, de no existir el testamento o ser nulo, serían llamados en todo o en parte en la herencia del causante en virtud de un testamento anterior o de las reglas de la sucesión intestada, incluidos, en su caso, el Estado o la Comunidad Autónoma con derecho a suceder.

c) Los legitimarios.

Las copias de testamentos revocados sólo podrán ser expedidas a los efectos limitados de acreditar su contenido, dejando constancia expresa de su falta de vigor.

Artículo 227.– El mandatario solo podrá obtener copias del poder si del mismo o de otro documento resulta autorizado para ello; y también de la escritura en que aparezca la revocación, omitiéndose por el Notario cuanto sea ajeno a ella.

Lo dispuesto en el párrafo anterior aplicable a los consentimientos, generales o especiales, prestados por un cónyuge al otro, y a su revocación.

El cónyuge autorizado para obtener copias del poder o del consentimiento que le hubiere conferido el otro, hará constar, bajo su responsabilidad, en cualquier solicitud de aquéllas, que no media entre los cónyuges separación legal, aunque solo sea en virtud de medidas provisionales, ni tampoco separación de hecho.

De los poderes o consentimientos recíprocos entre dos o más personas sólo se podrán expedir copias cuando lo soliciten, actuando de consuno, todos los otorgantes, salvo que en el propio documento o en otro posterior esté autorizado alguno de ellos para obtenerlas.

Artículo 228.– Cuando se trate de copias de testamentos autorizados por los Párrocos de Cataluña, no se librarán las copias, aunque se trate de segundas o ulteriores, sin la previa protocolización de la matriz con arreglo a la legislación civil que corresponde.

Artículo 229.– Todo el que solicite copia de algún acta o escritura a nombre de quien pueda legalmente obtenerla, acreditará ante el Notario que haya de expedirla el derecho o la representación legal o voluntaria que para ello ostente.

Artículo 230.– Podrá pedirse copia por carta u otra comunicación dirigida al notario, y si a éste consta la autenticidad de la solicitud o aparece la firma legitimada y, en su caso, legalizada, expedirá la copia para entregarla a la persona designada o remitirla por correo y certificada al solicitante, sin responsabilidad por la remisión.

Artículo 231.– Contra la negativa del Notario a expedir una copia, se dará recurso de queja ante la Dirección General, la cual, oyendo al propio Notario y a la Junta directiva del Colegio respectivo, dictará la resolución que proceda.

Si la resolución fuese ordenando la expedición de la copia, el Notario lo hará constar en las notas de expedición y suscripción de la misma copia.

Artículo 232.– Cuando por algún Juez o Tribunal se ordenare al Notario la expedición de una copia que éste no pueda librar con arreglo a las leyes y Reglamentos, lo hará saber, con exposición de la razón legal que para ello tenga, a la Autoridad judicial de quien emane el mandamiento, y lo pondrá en conocimiento de la Dirección General.

Artículo 233.– A los efectos del artículo 517.2.4.º de la Ley 1/2000, de 7 de enero, de Enjuiciamiento Civil, se considera título ejecutivo aquella copia que el interesado solicite que se le expida con tal carácter. Expedida dicha copia el notario insertará mediante nota en la matriz su fecha de expedición e interesado que la pidió. En todo caso, en la copia de toda escritura que contenga obligación exigible en juicio, deberá hacerse constar si se expide o no con eficacia ejecutiva y, en su caso y de tener este carácter, que con anterioridad no se le ha expedido copia con eficacia ejecutiva.

Expedida una copia con eficacia ejecutiva sólo podrá obtener nueva copia con tal eficacia el mismo interesado con sujeción a lo dispuesto en el artículo 517.2.4.º de la Ley de Enjuiciamiento Civil.

Si se expidiere sin tal requisito segunda o posterior copia de escritura que contuviere tal obligación, se hará constar en la suscripción que la copia carece de efectos ejecutivos.

Con excepción del juicio ejecutivo y de la regulación del Timbre, todas las copias expedidas por Notario competente se considerarán con igual valor, sin más valor, sin más limitación que la derivada del artículo 1.220 del Código Civil cuando fueren impugnadas en el juicio declarativo correspondiente, por los trámites de los artículos 597 y 599 de la Ley de Enjuiciamiento Civil.

Artículo 234.– Cuando los otorgantes de una escritura en cuya virtud pueda exigirse de ellos ejecutivamente el cumplimiento de una obligación o sus sucesores estén conformes con la expedición de segundas o posteriores copias, comparecerán ante el Notario que legalmente tenga en su poder el protocolo, el cual extenderá en la matriz de que se trate una nota suscrita por dichos otorgantes, sus sucesores o quienes los representen y por el propio Notario, en la que se haga constar dicha conformidad.

La conformidad puede mostrarse también en otro documento auténtico o en la forma prevenida en el artículo 230, haciéndose de ello referencia en la nota.

La nota se insertará en la copia que se expida.

Cuando todos o algunos de los interesados no sean conocidos del Notario, se procederá a su identificación en la forma prevenida en el mismo artículo 230.

Artículo 235.– Para la obtención de segundas o posteriores copias, cuando sea necesario mandamiento judicial, el interesado deberá solicitarla del Juez de primera instancia del distrito donde radique el protocolo, o del Juez que en su caso conozca de los autos a que la copia debe aportarse. En este último caso se procederá según lo dispuesto en la ley procesal correspondiente.

Cuando la copia no se solicite del Juez que actúe en pleito o causa, el interesado que la reclame deberá presentar un escrito, sin necesidad de Letrado ni Procurador, expresando el documento de que se trata, la razón de pedirla, y el protocolo donde se encuentre. El Juez, dentro de una audiencia, dará traslado al Ministerio fiscal cuando no deban ser citados los demás interesados en el documento, por ignorarse su paradero o por estar ausentes del pueblo donde radique la Notaría o Archivo de protocolos correspondientes. Cuando los interesados deban ser citados, lo serán dentro de los tres días siguientes a la presentación del escrito incoando el procedimiento.

Transcurridos otros tres días con o sin impugnación del Fiscal o de los interesados citados, el Juez resolverá, expidiendo en su caso, dentro del tercer día, el oportuno mandamiento al Notario o Archivero.

Artículo 236.– Las copias se encabezarán con el número que en el protocolo tenga la matriz, y han de ser literalmente reproducción de ella tal como aparezca después de las correcciones hechas, sin que haya de consignarse el particular referente a la salvadura de las mismas.

Si el documento fuere defectuoso por carecer de firma o tener lagunas el texto, se hará constar en caracteres destacados por el subrayado o diverso color o tipo de letra.

Cuando existan en la matriz como documentos complementarios de una escritura o acta los documentos a que se refiere el artículo 214, en la copia hará constar simplemente el Notario que la expida, que hay un plano, fotografía, dibujo, etcétera, como documento complementario o unido, con el número que le corresponda. Si el interesado en la expedición de la copia o en el ejercicio de los derechos que de ella deriven presenta una reproducción del documento de que se trate, el Notario, previo cotejo y caso de coincidencia, hará constar en dicha reproducción por diligencia que corresponde al documento de que se trate y sus circunstancias en el protocolo.

Artículo 237.– Es copia parcial la que expide el notario a instancia de parte legitimada para solicitarla reproduciendo o trasladando parte de la matriz, atendido su contenido, el requerimiento y el interés del solicitante.

Se omitirá cuanto no interese al peticionario, en las copias extendidas para el legatario o la persona a cuyo favor haya alguna disposición, no siendo albacea o contador; y en los testamentos mancomunados cuanto sea disposición especial del otorgante que sobreviva.

En toda copia parcial se hará constar, bajo la responsabilidad del Notario, que en lo omitido no hay nada que amplíe, restrinja, modifique o condicione lo inserto, sin perjuicio de que también pueda hacerse extracto o relación breve de aquello.

Artículo 238.– Las primeras copias se expedirán siempre expresando el carácter de tales, y lo mismo se hará con las segundas o posteriores.

Cada vez que se expidan segundas o posteriores copias se anotarán éstas del mismo modo prescrito para las primeras, y se insertarán antes de la suscripción todas las notas que aparezcan en la escritura matriz.

También se mencionará el mandamiento judicial en cuya virtud se expidiesen las segundas o posteriores copias.

Artículo 239.– Cuando se expidan segundas o posteriores copias, la numeración ordenada se hará por el Notario con relación a las obtenidas por cada interesado.

Artículo 240.– El Notario podrá no expresar el carácter o numeración de las copias:

a) En las de los poderes y testamentos.

b) En las de las transmisiones de dominio si no hubiere precios o sumas aplazados.

c) En la de los negocios jurídicos que no contengan obligación exigible en juicio ejecutivo.

De las actas notariales, se expedirán a los interesados, signadas, firmadas y rubricadas, cuantas copias pidiesen, sin determinar su calidad de primeras, segundas, etcétera, y en la clase de papel sellado que corresponda, sin perjuicio de los requisitos exigidos para determinadas clases de actas.

Artículo 241.– En el pie o suscripción de la copia se hará constar, además de las circunstancias expresadas en los artículos 233, 238 y 244, su correspondencia con el protocolo, el concepto en que la tiene quien la expide, si no es el mismo autorizante; la persona a cuya instancia se libra y, en su caso, el fundamento de su interés legítimo, el número de pliegos, o folios, clase, serie y numeración, lugar y fecha, e irán autorizadas con el signo, firma, rúbrica y sello del notario, que rubricará todas las hojas, en las que constará su sello.

Igualmente se reseñarán, rubricarán y sellarán el folio o pliego que se agregue a la copia para la consignación de notas por los Registros y oficinas públicas.

En las copias de testamento no pedidas por el otorgante o apoderado especial se hará mención de haberse acreditado al notario o constarle de ciencia propia el fallecimiento del testador y, en su caso, el parentesco de los peticionarios o su derecho a obtenerlas, caso de que no resulte justificado en el testamento.

Cuando se trate de copias autorizadas de pólizas expedidas al efecto de su ejecución, además de las menciones previstas en el primer párrafo de este artículo, se hará constar al pie que las mismas coinciden exactamente con el original, entendiéndose así cumplido el requisito de conformidad de la póliza a que hace referencia el artículo 517.2.5.º de la Ley de Enjuiciamiento Civil, todo ello sin perjuicio de acompañar, si así se hubiera pactado, la certificación a que se refiere el artículo 572.2 de la Ley de Enjuiciamiento Civil.

Tanto en el pie de copia de escrituras y actas como en los testimonios, además de su sello, el notario impondrá el sello de seguridad creado a tal efecto por el Consejo General del Notariado.

Artículo 242.– Las copias que se expidan de los poderes para cobrar haberes pasivos llevarán después del signo y firma del Notario, la del otorgante, legitimada por el propio Notario autorizante o su sustituto o sucesor.

Artículo 243.– Las copias en soporte papel no podrán contener interpolaciones, tachaduras, raspaduras o enmiendas, ni siquiera en su pie o suscripción. Cuando fueran advertidos errores u omisiones, se subsanarán mediante diligencia posterior autorizada de igual modo que la copia haciendo constar, además, por nota al margen de ésta, la rectificación.

Artículo 244.– Al pie o margen de la matriz o en la siguiente si no quedase espacio, se anotará la expedición de la copia, haciendo constar su clase, carácter, persona para quien se ha expedido, fecha y número de los pliegos o folios, autorizándose la nota con media firma del notario.

Se harán constar por nota en matriz, a solicitud de los interesados o cuando al notario le conste, las circunstancias de haberse pagado los impuestos y los datos de inscripción en el registro correspondiente.

Artículo 245.– Cuando en la misma fecha se expidieran varias copias primeras, segundas o posteriores del mismo documento, se registrará la expedición de todas en una sola nota.

Artículo 246.– Asimismo, podrán los Notarios librar testimonios a instancia de los que tuvieren derecho a copia, de determinados particulares de las matrices, ya literales, en relación o mixtos, conforme al señalamiento hecho por los legítimos interesados, haciendo constar el Notario que la parte no testimoniada no altera, desvirtúa o de algún modo modifica o condiciona la que sea objeto de testimonio; y de existir o no determinados instrumentos en la fecha que se indique y de que aquéllos pudieran pedir copia, haciendo constar en el pie del testimonio el carácter con que se expida.

Artículo 247.– Las copias y testimonios deberán extenderse en caracteres perfectamente legibles, pudiendo escribirse a mano, a máquina o por cualquier medio de reproducción, sin otra limitación que la impuesta por la facilidad de su lectura, el decoro de su aspecto y su buena conservación.

En su expedición se observarán las disposiciones relativas a líneas y sílabas que para las matrices contiene el artículo 155 de este Reglamento.

Artículo 248.– Los notarios están obligados a expedir las copias que soliciten los que sean parte legítima para ello, aun cuando no les hayan sido satisfechos los honorarios devengados por la matriz, sin perjuicio de que para hacer efectivos estos honorarios utilicen la acción que les corresponda con arreglo a las leyes.

Artículo 249.– 1. Las copias deberán ser libradas por los notarios en el plazo más breve posible, dando preferencia a las más urgentes. En todo caso, deberá expedirse en los cinco días hábiles posteriores a la autorización.

2. Tratándose de copias autorizadas que contengan actos susceptibles de inscripción en el Registro de la Propiedad o en el Registro Mercantil, de conformidad con el artículo 112 de la Ley 24/2001, de 27 de diciembre, a salvo de que el interesado manifieste lo contrario deberán presentarse telemáticamente.

En consecuencia, el notario deberá expedir y remitir la copia autorizada electrónica en el plazo más breve posible y, en todo caso, en el mismo día de autorización de la matriz o, en su defecto, en el día hábil siguiente. Se exceptúa el supuesto de imposibilidad técnica del que deberá quedar constancia en la copia que se expida en soporte papel de la causa o causas que justifican esa imposibilidad, en cuyo caso podrá presentarse mediante telefax en los términos previstos en el apartado siguiente. El notario deberá hacer constar en la matriz mediante diligencia la fecha y hora del acuse de recibo digital del Registro correspondiente, sin perjuicio de hacer constar tales extremos, en su caso, en el Libro Indicador.

El notario será responsable de los daños y perjuicios que se cause al interesado como consecuencia del retraso en la expedición de copia electrónica y su presentación telemática, excepto en los supuestos de imposibilidad técnica.

3. A salvo de lo dispuesto en el apartado precedente, el notario podrá remitir por telefax el mismo día del otorgamiento al Registro de la Propiedad competente comunicación sellada y suscrita, en su caso, de haber autorizado escritura susceptible de ser inscrita por la que se adquieran bienes inmuebles o se constituya un derecho real sobre ellos, y en los demás casos en que lo solicite algún otorgante, o lo considere conveniente el notario. En su caso, el notario será responsable de los daños y perjuicios que se causen como consecuencia de la presentación telemática de cualquier título relativo al mismo bien y derecho con anterioridad a la presentación por telefax de la comunicación, a salvo de que se hubiera utilizado esta vía por imposibilidad técnica o como consecuencia de que así lo hubiera solicitado el interesado. Dicha comunicación dará lugar al correspondiente asiento de presentación y en ella constarán testimoniados en relación, al menos, los siguientes datos:

a) La fecha de la escritura matriz y su número de protocolo.

b) La identidad de los otorgantes y el concepto en el que intervienen.

c) El derecho a que se refiera el título que se pretende inscribir.

d) La reseña identificadora del inmueble haciendo constar su naturaleza y el término municipal de su situación, con expresión de su referencia catastral y, según los casos, del sitio o lugar en que se hallare si es rústica, nombre de la localidad, calle, plaza o barrio, el número si lo tuviere, y el piso o local, si es urbana, y, salvo en los supuestos de inmatriculación, los datos registrales.

El notario hará constar en la escritura matriz, o en la copia si ya estuviese expedida ésta, la confirmación de la recepción por el Registrador y su decisión de practicar o no el asiento de presentación, que éste deberá enviar el mismo día o en el siguiente hábil.

SECCIÓN SEXTA
Testimonios del Libro-Registro

Artículo 250.– A los efectos de lo dispuesto en el artículo 517.2.5.º de la Ley 1/2000, de 7 de enero, de Enjuiciamiento Civil, se considera título ejecutivo el testimonio expedido por el notario del original de la póliza debidamente conservada en su Libro Registro acompañada, si así se hubiera pactado, de la certificación a que se refiere el artículo 572.2 de dicha Ley de Enjuiciamiento Civil.

Los testimonios del Libro Registro se expedirán previa petición de persona con derecho a solicitarla y en un plazo no superior a diez días hábiles. Tienen derecho a ellas los contratantes u otorgantes, sus causahabientes, sus apoderados con poder bastante y la autoridad judicial, así como las personas a cuyo favor resulte de la póliza o del documento algún derecho, ya sea directamente, ya adquirido por acto distinto de ella y quienes acrediten, a juicio del notario, tener interés legítimo.

Los testimonios sólo podrán ser expedidos por el notario, respecto de los libros registros de su notaría, por su sustituto, sucesor, habilitado o por el archivero de protocolos tratándose de libros depositados en el archivo del Colegio Notarial.

En todo testimonio de póliza y, en su caso, de asiento del Libro Registro se hará constar:

1.º El nombre y apellidos del notario que la expide así como, en su caso, el carácter con el que actúe.

2.º La indicación del solicitante a cuya petición se expide.

3.º La referencia al número y fecha a que corresponde el asiento del Libro Registro objeto de testimonio.

4.º El contenido literal, total o parcial, o en extracto, del asiento a que se refiera el testimonio, según proceda, pudiendo utilizarse cualquier procedimiento de reproducción.

5.º Su finalidad o no ejecutiva. Si se solicitara con efecto ejecutivo se hará constar en la póliza mediante nota y, asimismo, en el testimonio que dicho interesado no ha solicitado otro con tal carácter.

6.º El lugar, fecha de su expedición, dación de fe pública y signo, firma, rúbrica y sello del notario.

La expedición del testimonio se hará constar en el asiento del Libro Registro y con expresión de la persona para quien se haya expedido y la fecha, autorizándose la nota con media firma. Cuando en la misma fecha se expidieran varios testimonios del mismo documento se registrará la expedición de todas en una sola nota.

Sin perjuicio de sus efectos prevenidos en la Ley de Enjuiciamiento Civil, el testimonio del Libro Registro relativo a la incorporación de un documento intervenido, tendrá el mismo valor y eficacia que éste, salvo que las leyes dispongan otra cosa.

Los testimonios en extracto acreditan los extremos que en ellas se comprendan, a instancia del solicitante, debiendo el Notario indicar si en lo omitido existe algún elemento que pudiere afectar, modificar o alterar los efectos de los extremos certificados.

En ningún caso incluirán los testimonios firmas de los otorgantes, siendo de aplicación a los mismos, en cuanto sean compatibles con su naturaleza relativas a documentos no matrices, las disposiciones referentes a las copias contenidas en la Sección 4.ª anterior. Los testimonios se extenderán en folios de papel exclusivo para documentos notariales debiendo superponerse el sello de seguridad. Si no fuera posible expedir testimonio en folio de papel exclusivo notarial, se podrá extender en papel común, en cuyo caso y además de los extremos previstos en este artículo, se firmarán y sellarán todos y cada uno de los folios empleados.

Tratándose de Libros registros depositados en los Colegios Notariales, los testimonios de las pólizas, serán expedidas por los notarios Archiveros.

Las Juntas Directivas de los Colegios en orden a un mejor cumplimiento de su función podrán disponer que, en Distritos notariales, distintos del de residencia del Colegio, los Libros Registro que tengan en depósito sean custodiados por un notario en ejercicio en aquellos. Dichas disposiciones de las Juntas Directivas podrán ser revocadas en cualquier momento. Tanto las disposiciones como las revocaciones deberán ser puestas en conocimiento del Consejo General. Los notarios a quienes se les encomiende la custodia de los Libros Registro estarán facultados para expedir por designación de la Junta Directiva testimonios de los documentos contenidos en los mismos.

El importe arancelario a percibir por estos testimonios se considerará ingreso del Colegio.

CAPÍTULO III
De otros documentos notariales

SECCIÓN PRIMERA
Testimonios por exhibición

Artículo 251.– Mediante los testimonios por exhibición los notarios efectúan la reproducción auténtica de los documentos originales que les son exhibidos a tal fin o dan fe de la coincidencia de los soportes gráficos que les son entregados con la realidad que observen.

El testimonio por exhibición no implica el juicio del notario sobre la autenticidad o autoría del documento testimoniado. Si el original testimoniado fuese a su vez copia de otro documento, el testimonio tampoco implicará la concordancia entre ambos, salvo que el notario la haga constar expresamente.

También podrán ser utilizados estos testimonios para dar fe de la presencia de una persona ante el notario.

Artículo 252.– No podrán ser testimoniados:

1.° Los documentos matrices que conforman el protocolo, sin más excepciones que las previstas en este Reglamento. Los documentos unidos a una matriz podrán ser objeto de testimonio identificando en éste la matriz a la que se hallan incorporados.

2.° Los redactados en lengua que no sea oficial en el lugar de expedición del testimonio y que el notario desconozca, salvo que les acompañe su traducción oficial.

Los documentos privados que deban ser obligatoriamente presentados ante la Administración Tributaria sólo podrán ser testimoniados cuando conste su presentación.

Artículo 253.– Los notarios podrán testimoniar en soporte papel, bajo su fe, las comunicaciones o notificaciones electrónicas recibidas o efectuadas conforme a la legislación notarial, debiendo almacenar en soporte informático adecuado las procedentes de otros notarios, registradores de la propiedad y mercantiles y otros órganos de la Administración estatal, autonómica, local y judicial.

La Dirección General de los Registros y del Notariado determinará los soportes en que deba realizarse el almacenamiento y la periodicidad con la que su contenido deba ser trasladado a un soporte nuevo, tecnológicamente adecuado, que garantice en todo momento su conservación y lectura.

Artículo 254.– Cuando en una escritura matriz o en una póliza haya de servir como documento complementario alguno que se halle en el Protocolo o Libro Registro a cargo del notario autorizante o de sus antecesores, podrá éste insertarlo, relacionarlo o reproducirlo total o parcialmente en aquélla, refiriéndose a la correspondiente matriz o asiento sin necesidad de obtener copia o testimonio independiente del mismo, y bastará que así lo haga constar en el original.

También podrá el notario hacer referencia en el documento que autorice o intervenga a la existencia del documento complementario en el Protocolo o Libro-Registro y reproducirlo únicamente en las copias que expida.

SECCIÓN SEGUNDA
Testimonio por vigencia de leyes

Artículo 255.– Los notarios podrán expedir testimonios cuyo objeto sea acreditar en el extranjero la legislación vigente en España o el estatuto personal del requirente.

SECCIÓN TERCERA
Testimonios de legitimación de firmas

Artículo 256.– La legitimación de firmas es un testimonio que acredita el hecho de que una firma ha sido puesta a presencia del notario, o el juicio de éste sobre su pertenencia a persona determinada.

El notario no asumirá responsabilidad por el contenido del documento cuyas firmas legitime.

Artículo 257.– La nota de Visto y legitimado, con la fecha y todos los elementos de autorización notariales puestas al pie de cualquier documento oficial, o expedido por funcionario público en el ejercicio de su cargo es testimonio de que el notario considera como auténticas, por conocimiento directo o identidad con otras indubitadas, las firmas de los funcionarios autorizantes, y hallarse éstos, según sus noticias, en el ejercicio de sus cargos a la fecha del documento.

Artículo 258.– Sólo podrán ser objeto de testimonios de legitimación de firmas los documentos y las certificaciones que hayan cumplido los requisitos establecidos por la legislación fiscal, siempre que estos documentos no sean de los comprendidos en el artículo 1280 del Código Civil, o en cualquier otro precepto que exija la escritura pública como requisito de existencia o de eficacia. Queda a salvo lo dispuesto en el artículo 207 de este Reglamento.

No podrán ser objeto de dichos testimonios la prestación unilateral de garantías, ni los contratos de carácter mercantil que el artículo 144 de este Reglamento define como propios de las pólizas cuando exista pluralidad de partes con intereses contrapuestos.

Artículo 259.– El notario podrá basar el testimonio de legitimación en el hecho de haber sido puesta la firma en su presencia, en el reconocimiento hecho en su presencia por el firmante, en su conocimiento personal, en el cotejo con otra firma original legitimada o en el cotejo con otra firma que conste en el protocolo o Libro Registro a su cargo, debiendo reseñar expresamente en la diligencia de testimonio el procedimiento utilizado.

Dentro del ámbito de los documentos susceptibles de testimonio, sólo podrán ser legitimadas cuando sean puestas o reconocidas en presencia del notario las firmas de letras de cambio y demás documentos de giro, de pólizas de seguro y reaseguro y, en general, las de los documentos utilizados en la práctica comercial o que contengan declaraciones de voluntad.

Artículo 260.– Si el que hubiere de suscribir un documento que haya de ser legitimado no sabe o no puede firmar, o en cualquier otro supuesto en el que proceda la legitimación de la huella dactilar, el interesado, previa su identificación, imprimirá la huella dactilar en la forma prevenida en el artículo 191 de este Reglamento a presencia del notario, quien lo hará constar así en la diligencia de testimonio.

Artículo 261.– 1. El notario podrá legitimar las firmas electrónicas reconocidas puestas en los documentos en formato electrónico comprendidos en el ámbito del artículo 258. Esta legitimación notarial tendrá el mismo valor que la que efectúe el Notario respecto de documentos en soporte papel. La legitimación notarial de firma electrónica queda sujeta a las siguientes reglas:

1.ª El notario identificará al signatario y comprobará la vigencia del certificado reconocido en que se base la firma electrónica generada por un dispositivo seguro de creación de firma.

2.ª El notario presenciará la firma por el signatario del archivo informático que contenga el documento.

3.ª La legitimación se hará constar mediante diligencia en formato electrónico, extendido por el notario con firma electrónica reconocida.

2. La legitimación a que se refiere el apartado anterior se entenderá sin perjuicio de aquellos otros procedimientos de legitimación, distintos del notarial, previstos en la legislación vigente.

Artículo 262.– Para realizar testimonios o legitimaciones el notario deberá apreciar en los solicitantes interés legítimo en su pretensión. Igualmente deberá conocer el contenido de los documentos testimoniados a efectos de apreciar el interés legítimo y que dicho contenido no es contrario a las Leyes o al orden público. En caso contrario, o si no apreciare el interés legítimo, denegará fundadamente lo solicitado, resultando de aplicación lo previsto en el último párrafo del artículo 145 de este Reglamento.

La diligencia del testimonio se extenderá en el propio documento testimoniado. De no ser posible se unirá a éste un folio de papel exclusivo para documentos notariales en el que se realizará la diligencia, reseñando en el documento testimoniado la numeración del folio que la contiene. En uno y otro caso, si el documento contuviere varios folios objeto de testimonio, sea de exhibición o de legitimación de las firmas que éstos contienen, en todos deberá constar la identificación del folio que contiene la diligencia o la referencia al asiento correspondiente en el Libro Indicador. Si el testimonio se hallare totalmente extendido en folios de papel exclusivo para documentos notariales, bastará con reseñar su numeración en la diligencia.

Los testimonios por exhibición deberán realizarse en papel de uso exclusivo para documento notarial, salvo que el formato del documento testimoniado lo impida.

En la diligencia de testimonio se hará constar lugar, fecha, signo, firma rubrica y sello del notario y el de seguridad creado por el Consejo General del Notariado. Si el documento constare en el Libro Indicador se reseñará el número que le corresponda.

Artículo 263.– También tienen la consideración de testimonios las reproducciones obtenidas por el notario de documentos exhibidos para su incorporación a un instrumento público, así como las legitimaciones de firmas practicadas en el cuerpo de dicho instrumento.

Dichos testimonios no se incorporarán al Libro Indicador.

SECCIÓN CUARTA
Disposiciones comunes a las secciones anteriores

Artículo 264.– Los notarios llevarán un libro indicador para cada año natural, integrado por dos secciones, en la primera página de cada una de las cuales pondrán nota de apertura y en la final otra de cierre, ambas autorizadas con firma entera.

La sección primera de este libro se llevará mediante asientos numerados con carácter consecutivo para cada anualidad, autorizados con media firma, que contendrán la fecha y las circunstancias necesarias para la debida identificación de la actuación que motive el asiento.

No será necesaria la inclusión en los supuestos en los que el traslado a papel de una copia electrónica haya quedado incorporado a una escritura o acta matriz, así como de los acuses de recibo digitales que consten por nota en una escritura o acta matriz.

En dicha sección se anotarán:

a) La fecha de traslado a papel de las copias electrónicas indicando la identidad del notario que expide la copia autorizada electrónica, conforme a los párrafos cuarto y quinto del artículo 17 bis de la Ley del Notariado.

b) Los testimonios en soporte papel de las comunicaciones o notificaciones electrónicas recibidas o efectuadas por los notarios conforme a la legislación notarial que se relacionen directamente con un determinado documento autorizado o intervenido

c) Las legitimaciones de firmas electrónicas reconocidas en los documentos en formato electrónico, previstas en el artículo 261 de este reglamento. En estos casos el notario dejará constancia de la identidad de los particulares cuyas firmas electrónicas reconocidas han sido legitimadas y, en su caso, la fecha de remisión del archivo informático a un registro público y los datos de presentación que sean remitidos por el registrador al notario amparados con su firma electrónica reconocida; cuando tales actuaciones se realicen en la fecha del testimonio se harán constar mediante asiento complementario, con numeración propia, relacionado con el principal.

La sección segunda de este libro se llevará mediante la incorporación de hojas numeradas en las que se reproduzcan los documentos testimoniados que constituyen su ámbito. Esta sección comprenderá los testimonios por exhibición, de vigencia de leyes, de legitimación de firmas, las certificaciones de saldo y de asiento que se realicen en soporte papel.

El Notario podrá, bajo su responsabilidad, excluir la incorporación de los testimonios por exhibición que tengan por objeto documentos suficientemente identificables.

La incorporación de la reproducción al libro indicador presupondrá la dación de fe de coincidencia respecto del testimonio correspondiente por parte del notario.

Transcurrido un año desde el cierre anual de cada una de las secciones el Notario podrá reproducirlas en un archivo informático que garantice su conservación y reproducción, procediendo en tal caso a la destrucción del soporte papel correspondiente.

SECCIÓN QUINTA
Legalizaciones

Artículo 265.– Por la legalización se declara que el signo, firma y rúbrica de un notario extendido en un documento coincide con el que habitualmente usa y figura registrado en el Colegio Notarial. Es competente para efectuar la legalización el Decano del Colegio Notarial, el o los miembros de la Junta Directiva a quien a estos efectos expresamente faculte y el Delegado o subdelegado de aquélla a quien expresamente el Decano le atribuya esta competencia.

Artículo 266.– Para la legalización se utilizarán las fórmulas previstas en los Tratados internacionales o la siguiente: "El Decano del Ilustre Colegio Notarial legalizó el signo, firma y rúbrica que anteceden, del notario. N.N. (Aquí la fecha)".

Esta fórmula se empleará siempre que la firma legalizada sea igual, al parecer, a la que el notario acostumbra a usar, y que a la fecha del documento se halle en ejercicio del cargo, sin que le conste nada en contrario.

Cuando la legalización se ponga o concluya en pliego o folio distinto, se hará en ella sucinta relación del documento, cuyo signo, firma y rúbrica se haya legalizado, y, en su caso, el número del pliego o folio en que aparezcan las firmas legalizadas.

Artículo 267.– Las legalizaciones llevarán sobrepuesto un sello de los Colegios Notariales, así como el sello de seguridad creado por el Consejo General del Notariado, con las características que determine dicho órgano.

La Junta Directiva dispondrá las tiradas de estos dos tipos de sellos, únicos que podrán unirse a las legalizaciones y de que estará provisto el Colegio Notarial.

Artículo 268.– Cuando se trate de documentos que hayan de surtir efecto en el extranjero y el Cónsul del país respectivo no legalice directamente la firma del notario autorizante, el Decano del Colegio Notarial, o quien le sustituya, haciendo constar necesariamente, en este caso, su cualidad de Decano accidental, legalizará la firma del notario.

La firma de los Decanos será legalizada por la Dirección General.

A este efecto, las Juntas Directivas remitirán a la Dirección General la firma del Decano y de quien legalmente le sustituya, para que puedan ser comprobadas.

Artículo 269.– Lo dispuesto en el artículo anterior se entiende sin perjuicio de la legalización realizada mediante la apostilla establecida en el Real Decreto 2433/1978, de 2 de octubre, dictada en aplicación del Convenio Internacional de La Haya de 5 de octubre de 1961.

Artículo 270.– Ningún Decano o sustituto a efectos de legalizaciones podrá negarse a legalizar sin justa causa; pero si prudentemente dudase del signo y firma, podrá diferir su legalización por veinticuatro horas, a fin de desvanecer sus dudas.

Si no lo consiguiese, podrá negarse a legalizar, reteniendo el documento y dando parte inmediatamente a la Junta Directiva, con expresión de la causa, para que adopte con urgencia las medidas que procedan.

Artículo 271.– Podrán usarse cajetines o medio de impresión adecuado para los testimonios de legitimidad de firmas de funcionarios y particulares y legalizaciones notariales.

CAPÍTULO IV
DE LA CONSERVACIÓN DE LOS INSTRUMENTOS PÚBLICOS

SECCIÓN PRIMERA
De los protocolos, del libro-registro y de los índices

SUBSECCIÓN 1ª
De los protocolos

Artículo 272.– El protocolo notarial comprenderá los instrumentos públicos y demás documentos incorporados al mismo en cada año, contado desde primero de enero a treinta y uno de diciembre, ambos inclusive, aunque en su transcurso haya vacado la Notaría y se haya nombrado nuevo Notario.

Asimismo se incorporarán al protocolo las pólizas siempre que el notario así lo hubiera comunicado al Colegio Notarial en los plazos y modo previsto en el artículo 283 de este Reglamento.

Las pólizas incorporadas al protocolo se numerarán conforme a lo previsto en la normativa notarial.

Las Juntas directivas de los Colegios Notariales, dando cuenta a la Dirección General, podrán autorizar a los Notarios de aquellas poblaciones en que se autorice habitualmente un número de instrumentos elevado, para abrir, además del protocolo ordinario, uno especial de protestos de letras de cambio y de otros documentos mercantiles, con numeración propia y con apertura y cierre en las mismas fechas indicadas en el párrafo anterior. La Dirección General podrá dar instrucciones especiales sobre la conservación y encuadernación de este protocolo.

Artículo 273.– El primer día de cada año se abrirá el protocolo, extendiendo una nota que diga así:

«Protocolo de los instrumentos públicos correspondientes al año...» (Fecha en letra, firma y rúbrica del Notario).

Una nota análoga pondrá el nuevo Notario en cualquier día del año en que empiece a ejercer el cargo.

El último día del año se cerrará el protocolo con la siguiente nota:

«Concluye el protocolo del año...., que contiene (tantos) instrumentos y (tantos) folios autorizados durante el mismo en esta Notaría». Y fechará en letra, firmará y rubricará.

Artículo 274.– Los protocolos son secretos. Con los protocolos especialmente reservados de que tratan los artículos 34 y 35 de la Ley se observarán las formalidades descritas para los protocolos generales en la parte que les corresponda cumpliendo las prescripciones de los citados artículos de la Ley.

Se encuadernarán al final del año en que se haya autorizado el número 100, o antes, a juicio del Notario, si su volumen lo exigiera, y el rótulo especial del tomo será:

Para los protocolos a que se refiere el artículo 34 de la Ley: «Protocolo reservado testamentario. – Año de...» (en guarismo).

Para los protocolos de que trata el artículo 35 de la Ley: «Protocolo reservado. – Filiaciones. – Año de....» (en guarismo).

Artículo 275.– Cuando el protocolo anual lo requiera por su volumen, a juicio del Notario podrá encuadernarse en más de un tomo, en cuyo caso se cerrará el primero y se empezará el segundo con la nota antes expresada, modificada en la parte precisa para designar los meses que contenga cada tomo.

Los diferentes tomos no se considerarán como distintos protocolos, por lo cual no se interrumpirá ni volverá a empezar en el segundo la foliación del primero, debiendo expresarse en la nota final del último tomo de cada protocolo, además del número de instrumentos y folios del tomo, el número de instrumentos y folios de tomo, reunidos, que forman el protocolo.

Las notas de apertura y cierre del protocolo se pondrán en pliego separado de la clase última. Este pliego no se foliará.

Artículo 276.– En los dos primeros meses de cada año deberán quedar encuadernados los protocolos en pergamino o en piel; la encuadernación se hará a pasta entera, con una caja de cartón, piel o pergamino, que impida el deterioro de su contenido.

Se pondrán también unas correas para que pueda abrocharse la cubierta exterior.

En el lomo del protocolo se pondrá la siguiente inscripción: «Protocolo.Año de... » (en guarismo), y expresión de la residencia del Notario.

La encuadernación de los protocolos, cuando no haya sido hecha por el Notario, se verificará por el Colegio Notarial, reintegrándose éste de su importe con cargo a la fianza del Notario.

Cuando se trate de Notarías incongruas o de escaso rendimiento y los fondos del Colegio lo permitan, los Notarios titulares de las mismas podrán solicitar de la Junta directiva, y ésta conceder, la encuadernación a expensas del Colegio.

Artículo 277.– Vacante una Notaría, el Delegado o Subdelegado de las Juntas en el distrito correspondiente, y donde no le hubiera, el Juez de primera instancia o el municipal, en su caso, pondrán a continuación de la ultima escritura del protocolo corriente de instrumentos públicos la siguiente nota: «Queda vacante esta Notaría de..., por (fallecimiento, renuncia o lo que sea), resultando en este protocolo autorizados hasta hoy (tantos) instrumentos públicos y (tantos) folios».

Fecha en letra y firma del Delegado o Subdelegado, o del Juez, con la de su respectivo Secretario.

El funcionario que haya autorizado esta diligencia dará cuenta inmediatamente a las Juntas de haberse cumplido el servicio.

Artículo 278.– Puesta la nota a que se refiere el artículo anterior en el protocolo de una Notaría vacante, no podrá incorporarse al mismo ningún otro documento, a no ser por el Notario sucesor en quien la misma vacante hubiese sido provista.

Mientras la Notaría no esté provista definitivamente, todos los documentos autorizados por el Notario sustituto se incorporarán al protocolo de éste.

Artículo 279.– Los Notarios y Archiveros serán responsables de la integridad y conservación de los protocolos.

En el caso de inutilizarse todo o parte de un protocolo, además de las obligaciones del artículo 39 de la Ley, el Notario tendrá la de comunicarlo a la Junta directiva del Colegio, y ésta a la Dirección. Si el Notario interesado no pudiese cumplir con lo dispuesto en el citado artículo y en el presente, lo verificará cualquier otro de la misma residencia a cuyo conocimiento llegase el hecho. En su defecto, estará obligado a hacerlo el Juez de Primera Instancia o, en su caso, el Municipal.

Si se deteriorasen por falta de diligencia, los Notarios y Archiveros los repondrán a sus expensas, incurriendo además en responsabilidad disciplinaria.

Si resultase motivo racional para sospechar que hubo delito, se pondrá en conocimiento de los Tribunales a los efectos procedentes.

Artículo 280.– La reconstitución de protocolos notariales deteriorados o destruidos total o parcialmente se ajustará a las siguientes normas:

1. El Notario titular y el Delegado de la Junta directiva del Colegio Notaria practicarán una visita extraordinaria a la Notaría y levantarán un acta haciendo constar:

a) Las circunstancias y extensión del siniestro, en su caso, y daños causados.

b) El número de protocolos o de instrumentos, en su caso, y de libros inutilizados, consignando el mayor número posible de circunstancias y detalles necesarios para que pueda llegarse al conocimiento exacto de cuáles son los documentos o libros deteriorados o inutilizados. En el caso de ser pocos los documentos destruidos, deberá especificarse el número y clase de éstos, y en otro caso, bastará referirse al contenido de los índices. Del acta se remitirá una copia autorizada por ambos Notarios al Colegio Notarial, y la Junta directiva de éste adoptará las medidas de publicidad que estime necesarias para que la destrucción o deterioro de protocolos llegue a conocimiento de los interesados para que éstos puedan incoar el oportuno expediente.

2. Los documentos que se hayan salvado deberán encuadernarse aun cuando falten algunos de numeración intermedia, interpolándose, en tal caso, en sustitución de los que falten, una hoja, en la que se hará constar que tales números intermedios desaparecieron o se inutilizaron, haciéndose referencia al acta en que así se acredite. Tal hoja se colocará en el lugar correspondiente al número o números inutilizados, y podrá emplearse una sola hoja para varios números o instrumentos, si éstos fuesen correlativos.En la misma se hará constar por nota suscrita por el Notario el hecho de la reconstitución, cuando ésta se verificare, con expresión de la fecha y número del acta de protocolización.

3. Los documentos que no sean susceptibles de encuadernación se conservarán en sendas carpetas, con la numeración que, conforme a los índices, les corresponda dentro del año respectivo.

4. Para la reconstitución de cada instrumento público inutilizado, deberá formalizarse un expediente al siguiente tenor:

a) Se incoará mediante instancia de parte interesada o de su representante, y se reconoce personalidad para este objeto a las personas que, de conformidad con lo dispuesto en los artículos 17 de la Ley de 28 de mayo de 1862, y 224 y siguientes de este Reglamento, tengan derecho a obtener copia autorizada del documento que se trate de reconstruir.

b) La instancia se presentará ante el Notario titular, el cual consignará con certificación, a continuación de la instancia, lo que resulte del acta expresada en la regla primera en lo que haga relación al instrumento que se trate de reconstituir; también certificará de lo que resulte en los índices respecto del mismo instrumento, y si éstos hubiesen desaparecido, se incorporará certificación de los del Colegio Notarial.

c) El solicitante presentará también los medios de prueba, expresará los nombres de las personas que hayan de declarar y manifestará los nombres y domicilios de las que sepa que tienen su domicilio en España y están interesadas en el documento.

d) Los medios de prueba serán: las copias autorizadas con las formalidades de derecho, las demás copias y los testimonios, los documentos que hagan referencia a las mismas copias o a los originales o sean consecuencia o efecto de unas y otros, los certificados y documentos expedidos en los Registros y oficinas públicas, las declaraciones de los testigos, los informes periciales, la declaración jurada de los interesados o de sus representantes y cualquier otro medio que se estime pertinente.

e) Si se presentare copia del documento inutilizado expedida con las formalidades de derecho, el Notario la remitirá a la Junta directiva del Colegio Notarial, la cual acordará su protocolización si la considera auténtica, después de cotejar el signo, firma y rúbrica con los que obran en el correspondiente libro del mismo o de otro Colegio, consignándose como resultado de tal cotejo una legalización por el Decano y el Secretario del Colegio Notarial a continuación de la copia misma, expresando en ella que se hace para los efectos de protocolización y devolverá el expediente, que podrá ser ampliado con otras pruebas, tramitándose en la forma que se expresa en los apartados siguientes.

f) En los demás casos, el Notario citará, con la mayor urgencia, a los interesados en el documento, señalándoles un plazo no menor a treinta días para que comparezcan en la Notaría. También se citará al Notario autorizante del documento inutilizado, si no fuera el mismo titular, para que remita declaración detallada, autorizada con su signo, firma y sello, o concurra el día que se haya de examinar la prueba.

g) El examen y desarrollo de prueba se consignará en un acta, en la cual el Notario titular hará constar el resultado de las declaraciones y reseñará con detalle las copias y documentos presentados, y si el Notario autorizante del documento fuera el mismo titular de la Notaría hará constar, además, lo que conozca directamente sobre dicho documento. La prueba deberá dirigirse a demostrar el contenido y la forma del instrumento que se trate de reconstruir o los detalles que falten (en los casos de deterioro parcial) y, por tanto, se dirá su clase y se expresará fielmente su contenido. En el desarrollo de la prueba, el Notario que interviene deberá cerciorarse de la firmeza de las declaraciones, y requerirá al solicitante y a los declarantes para que manifiesten si conocen el domicilio en España de alguno o algunos de los interesados en el documento que no hubiesen sido citados personalmente, y en tal caso, se les notificará la existencia del expediente y el trámite en que se halle. Al levantar el acta hará constar, razonándolo, el juicio que la prueba le merezca.

h) Todas las citaciones y notificaciones se practicarán con la máxima urgencia, y se expresarán por diligencia en el expediente, bajo la responsabilidad del Notario que lo instruya.

i) Aportada y ultimada la prueba, se remitirá el expediente a la Junta directiva del Colegio Notarial, la cual emitirá informe razonando y, a su vez, lo remitirá al Juzgado de primera instancia del partido donde radique la Notaría cuyo protocolo se trate de reconstituir.

j) El Juez de primera instancia examinará el expediente, apreciará la prueba que, en caso necesario, podrá ampliar para mejor proveer, y si la encontrare bastante y eficaz, aprobará el expediente y ordenará que se protocolice.

k) La protocolización se concretará al auto judicial y al documento mismo que, según lo acreditado en el expediente, ha de sustituir al original destruido, y los demás documentos del expediente se conservarán en la Notaría en legajo especial, al cual se hace referencia a formalizarse la protocolización.

5. El instrumento público así reconstituido tendrá la eficacia jurídica correspondiente al original destruido.

6. En el caso de que se impugnare por quien justifique interés legítimo la reconstitución del instrumento durante la tramitación del expediente, éste quedará en suspenso hasta que termine el juicio declarativo que el impugnante promueva. Si no se promoviere en el plazo de treinta días, se levantará la suspensión, así como en el caso de caducidad de la instancia.

7. Cualquier inexactitud sustantiva en las declaraciones juradas que formulen los interesados o sus representantes, será considerada como falsedad en documento público.

8. Los derechos de los Notarios y de los demás funcionarios que intervengan en la reconstitución de protocolos, se regularán por sus respectivos aranceles, reduciéndolos al diez por ciento.

9. En su actuación profesional referente a la reconstitución de protocolos, los Notarios quedan exentos de pagar la contribución de utilidades y las cantidades por folio protocolado correspondientes a la Mutualidad Notarial.

Artículo 281.– La protocolización de toda clase de actos y contratos corresponde exclusivamente a los Notarios. Queda prohibida la formación de protocolos a toda entidad o persona que no sea Notario público con arreglo a la Ley y al presente Reglamento.

Artículo 282.– Cuando con arreglo al artículo 32 de la Ley proceda que el Notario deje examinar por las partes interesadas con derechos adquiridos, sus herederos o causahabientes, un instrumento contenido en el protocolo, cuidará, bajo su más estrecha responsabilidad, que la lectura se limite al documento en que tengan aquéllos interés y que no pueda sufrir el protocolo el menor daño o deterioro, y a tales efectos, el Notario buscará personalmente la escritura señalada y la pondrá de manifiesto a los interesados, no consintiendo se saquen notas o extractos de ella, ni que sea hojeado el protocolo, sino en cuanto sea indispensable para la lectura de la matriz de que se trate, debiendo verificarse la exhibición ante dos testigos y extendiéndose de ella la oportuna acta.

SUBSECCIÓN 2.ª
Del Libro-Registro

Artículo 283.– Los notarios estarán obligados a llevar y conservar un Libro-Registro de Operaciones Mercantiles con los requisitos establecidos en las leyes y en el presente Reglamento. El Libro-Registro consta de dos Secciones. En la Sección A está constituida por la colección, ordenada por fechas, de las pólizas originales de contratos mercantiles intervenidas durante un año, que habrá de encuadernarse por años en uno o más tomos. A tal fin, se presume que las pólizas se incorporan al Libro Registro, salvo que el notario comunique al Colegio Notarial que opta por incorporarlas al protocolo. Dicha comunicación deberá realizarse en el mes de diciembre, para la totalidad del año inmediato posterior, no pudiendo ser modificada durante éste. En la Sección B se asentarán por orden de fecha y correlativamente las intervenciones de aquellos documentos originales que por su naturaleza no pueda conservarse en poder del notario el original.

Las condiciones de confección, llevanza y conservación del Libro Registro serán las mismas establecidas para el protocolo, en cuanto no se opongan a la naturaleza y requisitos de los documentos incorporados.

El Libro-Registro tendrá carácter de Registro Oficial.

El contenido del libro-registro no podrá ser revelado por el notario salvo en los mismos supuestos que el protocolo.

El notario custodiará en su oficina, bajo su responsabilidad, su libro-registro, debiendo realizarse, precisamente en dicha oficina, los cotejos procedentes con los mismos requisitos que se establecen para el cotejo de protocolo.

Los documentos y, en su caso, asientos a que se refiere el párrafo primero de este artículo se incorporarán o practicarán en el libro-registro por orden cronológico en cada una de sus Secciones numerados correlativamente, empezando cada año natural por el número uno, sin que el cese del Notario y la toma de posesión de su sustituto interrumpa la numeración. El paso de un tomo a otro se hará respetando la correlación de números y fechas.

Al principio de cada año natural se efectuará una diligencia de apertura del libro registro y al final del último documento y, en su caso, asiento de cada año natural una diligencia de cierre.

Al final del tomo del Libro Registro de Operaciones correspondiente a la Sección A se expresará el número de pólizas y de folios de que constare. En el tomo relativo a la Sección B se expresará el número de asientos y de folios de que constare.

Cuando proceda, se podrán realizar anotaciones en las hojas del libro-registro, manualmente, en forma mecanográfica o utilizando cualquier otro procedimiento de reproducción. Las anotaciones deberán autorizarse por el notario con media firma.

El libro registro se llevará al día, sin hacer interpolaciones, tachaduras, raspaduras o enmiendas. Cuando fueran advertidos errores u omisiones, se extenderán asientos de rectificación o complementarios, con fecha corriente, efectuándose la correspondiente nota al margen del asiento originario.

Los tomos se numerarán correlativamente a partir de la unidad. Cada tomo no podrá exceder de seiscientas hojas.

La encuadernación se efectuará por los procedimientos técnicos que impidan que, en un uso normal de los libros, las hojas que los componen puedan llegar a soltarse o separarse del mismo.

Las Secciones A y B del Libro Registro de Operaciones se encuadernarán en tomos separados, dando a cada póliza o asiento el número correlativo que en la respectiva Sección corresponda.

En todo lo no regulado en este artículo, será de aplicación al Libro Registro las normas establecidas sobre los aspectos materiales del Protocolo ordinario, incluida las relativas a la confección y remisión de índices, en cuanto lo permita su respectiva naturaleza.

SUBSECCIÓN 3.ª
De los Índices

Artículo 284.– Los Notarios deberán remitir índices de los documentos protocolizados, intervenidos y demás asientos del Libro Registro a las Juntas Directivas, que los archivarán bajo su más estricta responsabilidad. Si no hubiera habido actividad durante el periodo de que se trate, el Notario enviará una certificación negativa. Tales índices se remitirán en soporte informático, mediante firma electrónica reconocida de los Notarios y a través de la red telemática que el Consejo General del Notariado tenga establecida conforme a lo dispuesto en el artículo 107 de la Ley 24/2001. Estos índices tendrán la misma consideración, en cuanto a la información que contienen, que el protocolo, del que se considerarán parte.

Asimismo, el notario deberá velar por la más estricta veracidad de dichos índices, así como por su correspondencia con los documentos públicos autorizados e intervenidos, siendo responsables de cualquier discrepancia que exista entre aquellos y estos. Igualmente, serán responsables del incumplimiento de los plazos de remisión de tales índices.

El notario confeccionará un índice en soporte papel para encuadernarlo al final del protocolo, formándose de este modo el índice cronológico del mismo. Dicho índice y su encuadernación deberá efectuarse en el mes de enero de cada año, respecto de los documentos autorizados o intervenidos en el año precedente.

El notario conservará los correspondientes ficheros electrónicos comprensivos de los índices, en un soporte tecnológicamente seguro, con sujeción a las mismas obligaciones y responsabilidades del Protocolo. Se habilita al Consejo General del Notariado para que acuerde las características técnicas de conservación.

Los índices en soporte informatizado se remitirán a las Juntas Directivas quincenalmente. A tal fin, los del día 1 al 15 de cada mes se remitirán antes del día 22 del mismo y los del día 16 a 30 antes del 7 del mes siguiente. Se habilita a la Dirección General de los Registros y del Notariado para que mediante Instrucción pueda reducir el plazo antes indicado. Estos índices se remitirán mediante firma electrónica reconocida de los Notarios y a través de la red telemática que el Consejo General del Notariado tenga establecida conforme a lo dispuesto en el artículo 107 de la Ley 24/2001.

Sin perjuicio de lo dispuesto en el artículo 286 de este Reglamento, los Colegios Notariales conservarán los índices bajo su más estricta responsabilidad.

Artículo 285.– El Ministerio de Justicia determinará el contenido básico de los índices con independencia de su soporte, pudiendo delegar en el Consejo General del Notariado el desarrollo de tal contenido, así como la incorporación de nuevos datos que deban expresarse respecto de cada instrumento.

En cualquier caso, en los índices se expresará, respecto de cada instrumento, el número de orden, el lugar del otorgamiento, la fecha, el nombre y apellidos o denominación social de todos los otorgantes o requirentes y de los testigos cuando los hubiere y el domicilio de aquéllos; el objeto y la cuantía del documento y el número de folios que comprende y, en su caso, el nombre del notario autorizante que actúe por sustitución del titular del protocolo. También se expresarán en ellos los datos relativos a la sujeción del documento al turno de reparto, en su caso, y a las aportaciones corporativas.

En la formalización del índice anual en soporte papel, los notarios se acomodarán al modelo que determine el Consejo General del Notariado. Respecto de los índices informatizados, compete, igualmente, al Consejo General del Notariado la determinación de las características técnicas de elaboración, remisión y conservación.

En toda esta materia se observará lo dispuesto en la legislación especial en materia de protección de datos.

Artículo 286.– A los efectos de la debida colaboración con las Administraciones Públicas, se crea el índice único informatizado notarial. Es titular y responsable del mismo el Consejo General del Notariado, como consecuencia de su dependencia jerárquica respecto de la Dirección General de los Registros y del Notariado, de conformidad con el artículo 336 del Reglamento Notarial, así como de la dependencia de los notarios respecto del Consejo a través de las Juntas Directivas de los Colegios Notariales, en virtud de lo dispuesto en el artículo 307 del Reglamento Notarial.

Dicho índice único informatizado es la agregación de los índices informatizados que deben confeccionar y remitir los notarios a sus Juntas Directivas. Los Colegios Notariales deberán remitir tales índices informatizados al Consejo General del Notariado en la tercera semana de cada mes los del precedente.

Se habilita al Consejo General del Notariado a que trate el índice único informatizado a los efectos de la remisión de la información de que se trate a las autoridades judiciales y Administraciones Públicas que conforme a la ley tengan derecho a ello, como consecuencia del deber de colaboración del notario en su condición de funcionario.

En todo caso, el Consejo General del Notariado podrá acceder a esa información a efectos estadísticos.

Artículo 287.– El sustituto que, con arreglo al artículo 38 de la Ley, deba encargarse de una Notaría vacante, formará y remitirá, dentro de los ocho días siguientes, los índices o certificaciones negativas, en su caso, de los documentos protocolados en el mes que ocurrió la vacante, y aun en el anterior si el Notario que la produjo no lo hubiera verificado.

Artículo 288.– Los Notarios que no cumplan debidamente las prescripciones reglamentarias relativas al servicio de índices serán corregidos disciplinariamente.

SECCIÓN SEGUNDA
Del Archivo de protocolos

Artículo 289.– Habrá un Archivo general de protocolos en la cabeza de cada distrito notarial.

Artículo 290.– Ninguna persona que no sea Notario podrá tener a su cargo el Archivo de protocolos.

Artículo 291.– Los Archivos generales de protocolos se formarán con los protocolos generales de más de veinticinco años de fecha, con los especiales y libros de que tratan los artículos 34 y 35 de la Ley que cuenten el mismo tiempo desde que aquéllos se hubiesen cerrado y con los de las Notarías amortizadas o suprimidas.

Los demás protocolos y libros quedarán formando el Archivo de la Notaría, a cargo del Notario que la desempeñe.

Se exceptúan de lo dispuesto en el párrafo primero de este artículo los casos en que aún viviese el Notario autorizante, que conservará mientras viva todos los protocolos que hubiese autorizado.

Sin embargo, los Notarios podrán solicitar autorización de la Junta directiva para depositar parte de su protocolo en el local del Archivo, siempre que la capacidad y demás circunstancias de éste lo permitan. La Junta resolverá discrecionalmente y, en su caso, fijarán las condiciones y obligaciones que estime oportunas.

Artículo 292.– Los protocolos de las Notarías amortizadas permanecerán en los respectivos archivos generales y sólo pasarán al archivo de las Notarías creadas en la misma demarcación o en otra posterior si, por razones de servicio, lo dispusiere así la Dirección General.

Cuando por virtud de una demarcación notarial, dentro de un mismo distrito notarial, se suprima alguna Notaría y se creen otras, si alguna de éstas fuese desempeñada por el Notario de las suprimidas, podrá conservar los protocolos que constituyan su archivo.

Cuando con motivo de una demarcación se traslade una Notaría de una población a otra distinta, dentro del mismo distrito, se trasladarán asimismo la totalidad de los protocolos que constituyan su archivo.

El Notario que solicite una vacante distinta de la que venga desempeñando, pero dentro de una misma población, con arreglo al párrafo primero del artículo 96 de este Reglamento, con el fin de obtener la nueva categoría asignada a la Notaría por haber sido modificada su clasificación, conservará los protocolos que constituyan su archivo y no se hará cargo de los de la Notaría solicitada.

Cuando se produzca la vacante de una Notaría, el que deba sustituirla, o el Archivero de Protocolos, en su caso, se harán cargo, por su cuenta y bajo su responsabilidad, de aquellos que respectivamente les corresponda custodiar.

Artículo 293.– El cargo de Archivero de protocolos es obligatorio cuando recaiga el nombramiento en el Notario único de cabeza de partido, o en el más moderno en la localidad si fueren dos o más los residentes en ella, y estará siempre provisto, a no ser que estén vacantes todas las Notarías del punto en que se hallen establecidos los Archivos; pero tan pronto como se provea una, la Dirección General elevará al Ministro de Justicia la correspondiente propuesta para el nombramiento.

Artículo 294.– De cada uno de los Archivos generales de protocolos estará encargado un Notario elegido por el Ministro de Justicia, a propuesta de la Dirección General del Ramo, de entre los que residan en el lugar del Archivo. El sustituto del Notario será, en su caso, el sustituto del Archivo. Cuando en la cabeza del distrito notarial exista un solo Notario, que forzosamente ha de ejercer el cargo de Archivero de protocolos, no será necesario que sea nombrado expresamente.

Cuando vacare un Archivo de protocolos se hará cargo del mismo, con carácter interino, mientras no se designe titular por el Ministro de Justicia, el Notario más antiguo de la localidad. Las Juntas directivas, en casos extraordinarios, tendrán facultades para asegurar la prestación del servicio en los Archivos Notariales.

Sin embargo, en las capitales de Colegio las Juntas directivas organizarán el Archivo general de protocolos del distrito notarial correspondiente, proporcionando local adecuado para su depósito, nombrando y separando el personal auxiliar, satisfaciendo, con cargo a los fondos del Colegio, sus nóminas y los demás gastos que ocasione el servicio, y percibiendo con destino al mismo fondo, los honorarios que corresponda. Para atender al mejor servicio público, propondrá al Ministro de Justicia el nombramiento de un Notario Archivero que podrá ser o no Vocal de la Junta directiva.

Artículo 295.– Los Notarios Archiveros serán corregidos disciplinariamente por iguales causas y en la misma forma que pueden serlo los Notarios.

Artículo 296.– En todo Archivo de protocolos existirá un inventario de los libros y papeles que lo constituyan, cuyo original quedará en el Archivo, y del que se remitirá copia a la Junta del Colegio Notarial.

Los inventarios de los Archivos contendrán la relación de todos los papeles del mismo, y respecto de los protocolos expresarán el número de éstos, folios de cada volumen, Notario autorizante y años a que corresponda.

Artículo 297.– Cuando un Notario se encargue del Archivo de protocolos, extenderá un acta firmada por él mismo y por las personas que le hagan entrega, acreditando haber recibido todos los protocolos, libros y papeles comprendidos en el inventario general y sus adiciones, expresando las fechas de uno y otras, y en el caso de que después de la última de éstas hayan ingresado otros protocolos y libros, los determinará con las circunstancias exigidas. De dicha acta, que quedará en el Archivo, sacará y remitirá copia literal a la Junta directiva dentro de los quince días siguientes a su fecha.

Artículo 298.– Los Notarios y sus sustitutos, así como los sustitutos de las Notarías vacantes, entregarán durante el mes de enero de cada año, al Archivo del distrito a que pertenezcan, los protocolos y libros que obren en su poder y que cada año deban depositar en aquél; si no tuvieran ninguno, remitirán en su lugar certificación negativa, expresando el motivo de la no existencia.

Cuando un Notario remitiere al Archivo certificación negativa por llevar veinticinco años de residencia y no corresponder la remisión de acuerdo con el párrafo tercero del artículo 291 de este Reglamento, bastará esta certificación por sí sola, sin que el Notario hubiera de hacer otra alguna en lo sucesivo mientras ocupe la misma Notaría.

Artículo 299.– En el mes de febrero, los Notarios Archiveros o sus sustitutos adicionarán el inventario general que debe existir de su Archivo, con los protocolos, libros y papeles que hayan sido entregados por los Notarios en el mes anterior, expresando respecto a los primeros su número, folios de cada volumen, Notarios autorizantes y años que comprendan.

Artículo 300.– Los Archiveros de protocolos, o sus sustitutos, remitirán a las respectivas Juntas directivas, en los ocho primeros días del mes de marzo de cada año, una copia de la adición de inventario a que se refiere el artículo precedente y una relación de los Notarios que no hubiesen cumplido la obligación que les impone el artículo 298. Las Juntas corregirán disciplinariamente a dichos Notarios, sin perjuicio de adoptar los acuerdos conducentes al exacto cumplimiento de lo establecido en el artículo 298, antes citado.

Antes del 1 de abril de cada año remitirán las Juntas a la Dirección General una relación de los Notarios morosos, de las sanciones que les hayan impuesto y de las medidas adoptadas para el cumplimiento de su deber en este servicio.

Artículo 301.– Los Archivos generales de protocolos estarán sujetos a la inspección y vigilancia de las Juntas directivas de los Colegios de Notarios y de la Dirección General, que podrán decretar todas las visitas que estimaren convenientes.

Artículo 302.– Los Archiveros y Notarios que no cumplan las disposiciones anteriores en los plazos señalados serán corregidos disciplinariamente por las Juntas directivas por cada falta en que incurran. La Dirección General impondrá asimismo a las Juntas directivas una corrección disciplinaria por cada falta que cometieren por incumplimiento de lo prevenido en esta Sección.

Artículo 303.– Dentro de los límites establecidos en el artículo 32 de la Ley del Notariado, los Archiveros de protocolos, en los días y horas hábiles que tengan señalados, deberán facilitar a las personas de notoria competencia en los estudios de investigación histórica la consulta de documentos que cuenten más de cien años de antigüedad y ofrezcan indubable valor para dichos estudios, adoptando en todo caso las medidas necesarias para la conservación de los documentos que estén bajo su custodia.

Artículo 304.– Los Ayuntamientos facilitarán un local a propósito para el Archivo general de protocolos en la población en que éste radique.

En donde el Ayuntamiento no facilitase dicho local, o mientras no se consiga de él, lo establecerá el Archivero en el edificio que juzgue conveniente y que ofrezca las oportunas garantías para el objeto a que se destina.

Los gastos que se ocasionen a los Notarios Archiveros desde el instante en que se incauten de los protocolos, los de inventarios y los demás referentes a la instalación de los Archivos, así como los de entretenimiento y servicio de oficina, serán de su cuenta.

En casos especiales y de interés público, serán de cuenta de los Colegios los gastos de instalación y reparaciones extraordinarias de los Archivos.

Cuando el Ayuntamiento de una cabeza de distrito no proporcionare local adecuado para la instalación del Archivo, la Junta Directiva, a propuesta del Archivero, podrá acordar su traslado a la capital del Colegio, a la de la provincia, o a otra población del territorio del Colegio donde se disponga de local suficiente para la conservación de los protocolos. A tal efecto, las Juntas Directivas podrán construir, adquirir o arrendar edificios en tales poblaciones, a fin de instalar debidamente los Archivos, y solicitar de los Ayuntamientos y otras Corporaciones públicas la ayuda económica necesaria para ello.

Artículo 305.– Las Juntas directivas de los Colegios, por medio de uno de sus individuos o de alguno de los colegiados, podrán girar visitas de inspección a las Notarías y Archivos del mismo Colegio, a fin de corregir los defectos u omisiones subsanables en la manera de escribir y conservar los instrumentos y protocolos y uniformar la práctica, asegurándose del exacto cumplimiento de las obligaciones notariales en todo el territorio y si hubiere lugar a ello imponer correcciones disciplinarias.

Artículo 306.– La Dirección General ejerce la alta inspección de las Notarías y Archivos y puede decretar cuantas visitas extraordinarias crea convenientes.

Estas visitas podrán practicarse por el Director general, el Subdirector o alguno de los Oficiales o Auxiliares facultativos o Notarios colegiados, debiendo el funcionario que la practique ir acompañado de un Secretario, que nombrará dicho Centro directivo.

Al acordarse la práctica de una visita extraordinaria, se expresará si ha de ser general o especial, designándose, en el primer caso, el período de tiempo que ha de abrazar, y en el segundo, los libros y documentos que han de examinarse o los demás particulares a que se considere oportuno extender la visita.

TÍTULO V
DE LA ORGANIZACION DEL NOTARIADO

CAPÍTULO I
DEL MINISTRO DE JUSTICIA

Artículo 307.– Los notarios, en su organización jerárquica, dependen del Ministro de Justicia, de la Dirección General de los Registros y del Notariado, de las Juntas Directivas de los Colegios Notariales y, a través de estos, del Consejo General del Notariado.

Artículo 308.– El Ministerio de Justicia es el órgano de la Administración del Estado encargado de la acción del Gobierno en cuanto afecte a la fe pública notarial. Su titular, además de las facultades que respecto del Notariado le otorgan las leyes, tiene la condición de Notario Mayor del Reino, con la significación y atribuciones tradicionales.

CAPÍTULO II
DE LA DIRECCIÓN GENERAL DE LOS REGISTROS Y DEL NOTARIADO

Artículo 309.– A la Dirección General de los Registros y del Notariado competen, como Centro superior directivo y consultivo, todos los asuntos referentes al Notariado.

Artículo 310.– La estructura de la Dirección General de los Registros y del Notariado se ajustará a lo dispuesto en la legislación hipotecaria y en el Reglamento Orgánico del Ministerio de Justicia.

Artículo 311.– El Director dependerá inmediatamente del Ministro de Justicia, someterá directamente a su resolución todos los asuntos que deban decidirse con su acuerdo, y dictará por sí, o a propuesta del Servicio correspondiente, las resoluciones que sean de su competencia.

Artículo 312.– Por vacante, ausencia, enfermedad u otra justa causa de imposibilidad del Director, hará sus veces el Subdirector y, a falta de éste, el Oficial primero o el que reglamentariamente le sustituya, sin necesidad de designación ni nombramiento especial.

Artículo 313.– Corresponderá a la Dirección General de los Registros y del Notariado:

1. Proponer al Ministro de Justicia, o adoptar por sí en los casos que sean de su competencia, las disposiciones necesarias para la observancia de la Ley del Notariado y de los Reglamentos y Ordenes para su ejecución.

2. Instruir los expedientes que se formen para la provisión de las Notarías vacantes y para celebrar las oposiciones en los casos en que fueren necesarias, proponiendo la resolución definitiva que en cada caso proceda con arreglo a las Leyes.

3. Resolver en consulta las dudas que se ofrezcan a las Juntas directivas de los Colegios Notariales o a los Notarios sobre la aplicación, inteligencia y ejecución de la Ley del Notariado, de su Reglamento y disposiciones complementarias, en cuanto no exijan disposiciones de carácter general que deban adoptarse por el Ministro de Justicia.

4. Dictar, conforme a las Leyes y Reglamentos, las Resoluciones que estime procedentes en los asuntos de su competencia.

5. Resolver las alzadas contra los acuerdos de las Juntas directivas en materia de impugnación de las cuentas o minutas notariales por aplicación del Arancel, y sin que contra sus resoluciones se dé recurso alguno, en vía administrativa.

6. Resolver igualmente con el mismo alcance y en última instancia los recursos gubernativos contra las calificaciones que de los títulos inscribibles hagan los Registradores.

7.º Ejercer la alta inspección y vigilancia en todas las Notarías, Colegios Notariales, Consejo General del Notariado y Archivos generales de protocolos.

8. Comunicar las órdenes que dicte en cualquier forma el Ministro de Justicia relativas al Notariado.

9. Tramitar e informar las resoluciones que estime procedentes en las alzadas o recursos de apelación interpuestos contra resoluciones de la Dirección General en los asuntos del Notariado.

10. Proponer asimismo al Ministro de Justicia todas las reformas y alteraciones que sean necesarias en la organización de la Dirección.

11. Convocar y celebrar las oposiciones para ingreso en el Cuerpo Facultativo e instruir los expedientes para el nombramiento, ascenso, suspensión y separación de los funcionarios de la Dirección.

12. Formar y publicar los estados de la contratación notarial con arreglo a los datos que suministren los Notarios.

CAPÍTULO III
De los Colegios Notariales y del Consejo General del Notariado

SECCIÓN PRIMERA
De los Colegios Notariales

Artículo 314.– Los Colegios Notariales son Corporaciones de Derecho público, amparadas por la Ley y reconocidas por el Estado, con personalidad jurídica propia y plena capacidad para el cumplimiento de sus fines. En el ejercicio de las funciones públicas atribuidas respecto de la prestación de la función pública notarial quedan subordinados jerárquicamente al Ministro de Justicia y a la Dirección General de los Registros y del Notariado.

Son fines esenciales de estas Corporaciones la ordenación del ejercicio de la profesión, sin perjuicio de las atribuciones del Gobierno, del Ministro de Justicia, de la Dirección General de los Registros y del Notariado y del Consejo General del Notariado, la representación exclusiva de aquélla, la defensa de los intereses profesionales de los colegiados y el cumplimiento de la función social que al notario corresponde.

Los Colegios Notariales, para el ejercicio de sus fines, tienen atribuidas con carácter general en su ámbito territorial, las funciones de colaborar con la Administración, a solicitud de la misma o por propia iniciativa; estar representados en sus Consejos u Organismos consultivos cuando proceda; organizar actividades y servicios comunes de interés para los colegiados en el orden formativo, cultural, asistencial, de previsión y otros análogos. Especialmente les corresponde:

1. Ostentar en su ámbito la representación y defensa de la profesión notarial ante la Administración, Instituciones, Tribunales, Entidades y particulares, con legitimación para ser parte en cuantos litigios afecten a los intereses profesionales y ejercitar el derecho de petición conforme a la Ley.

2. Ordenar en su respectivo ámbito territorial la actividad profesional de los notarios en las siguientes materias: correcta atención al público, tiempo y lugar de su prestación, concurrencia leal y publicidad, continuidad de la prestación de funciones, incluso en días festivos y períodos de vacaciones. No obstante, en el ejercicio de esta competencia la Junta Directiva deberá cumplir con los acuerdos y circulares del Consejo General del Notariado, así como con lo que disponga éste cuando la materia objeto de dicha ordenación por su trascendencia o interés afecte a un ámbito territorial superior al del Colegio respectivo. Asimismo, y en los términos legalmente previstos corregirán las infracciones disciplinarias de sus colegiados, dejando a salvo las facultades del Ministro de Justicia y de la Dirección General de los Registros y del Notariado.

3. Adoptar las medidas conducentes a evitar el intrusismo profesional.

4. Conciliar las posturas de los colegiados. Igualmente y, en su caso, dirimir las cuestiones que por motivos profesionales se susciten entre los colegiados cuando así se lo soliciten. No obstante, se excluye de ambas actuaciones aquellas cuestiones que por afectar a la función pública notarial deba decidir los Colegios Notariales en el ejercicio de las competencias que la legislación notarial les atribuye.

5. Cumplir y hacer cumplir a los colegiados las Leyes generales y especiales, el Reglamento Notarial, los Reglamentos de régimen interior, así como las normas y decisiones adoptadas por los Órganos jerárquicos competentes, incluidas las Circulares de orden interno del Consejo General del Notariado que se refieran a aspectos de ordenación de la función pública notarial.

Los Colegios Notariales se regirán por la Legislación Notarial y en lo que no esté previsto en aquella y no constituya especialidad derivada del ejercicio de la función pública notarial atribuida a los notarios o a los Colegios por la de Colegios Profesionales. El Reglamento Notarial tendrá el carácter de regulador de la actividad pública notarial y de Estatuto General de la profesión.

Cada uno de los notarios de España habrá de estar integrado, con carácter exclusivo, en el Colegio a cuyo territorio pertenezca la población donde tenga su residencia reglamentaria.

Son órganos de los Colegios la Junta general, la Junta Directiva y el Decano.

El Decano ostenta la representación del Colegio.

Artículo 315.– La Junta general se reunirá en la capital del Colegio cuando la convoque la Junta directiva, que deberá hacerlo, por lo menos, una vez al año para aprobar las cuentas del año anterior y el presupuesto del corriente. También deberá convocarla, siempre que lo solicite más de la décima parte de los colegiados, expresando en la solicitud los asuntos a tratar y la información que sobre tales asuntos haya de dar la Junta directiva. En este último caso la Junta general deberá ser convocada para celebrarse dentro del plazo máximo de un mes, contado desde la solicitud.

El anuncio de la convocatoria, con expresión del orden del día, deberá hacerse por escrito con quince días, al menos, de antelación, salvo casos de urgencia en que se hará por telegrama remitido cuarenta y ocho horas antes. Igualmente, dicha remisión podrá hacerse por medios telemáticos en cuyo caso deberá ser firmada electrónicamente y remitida a las direcciones de correo corporativo de los miembros del Colegio. En dicho anuncio podrá indicarse que, a falta de quórum, se celebrará la Junta en segunda convocatoria, una hora después, como mínimo, de la fijada para la primera.

Presidirá la Junta general el Decano y, con él, constituirán la Mesa los miembros de la Junta directiva, la cual podrá designar escrutadores, si lo estima procedente, en cualquier momento de la sesión. Actuará de Secretario el que lo sea de la Junta directiva, que levantará acta de la sesión y la firmará con el Presidente.

Todos los Notarios del Colegio tendrán derecho de asistir, con voz y voto, procurando que no quede desatendido el servicio público. También tendrán el derecho de conferir su representación por escrito a otro colegiado.

Para que se considere legalmente constituida la Junta general hará falta la concurrencia, en primera convocatoria, de la mitad, al menos, de los colegiados en ejercicio. En segunda convocatoria, quedará constituida la Junta cualquiera que sea el número de Notarios concurrentes.

Compete a la Junta general:

1.º La aprobación de cuentas y presupuestos.

2.º La aprobación de los actos de adquisición, enajenación y cuantos signifiquen constitución, modificación o extinción de derechos reales sobre bienes inmuebles.

3.º Apreciar la justificación de las causas invocadas por los miembros de la Junta directiva para admitir su renuncia al desempeño del cargo.

4.º Adoptar acuerdos sobre censura de la gestión de la Junta Directiva. La censura podrá ser simple o cualificada, llevando esta última aparejada el cese de la Junta. Tratándose de censura simple se exigirá para su inclusión en el orden del día la firma de, al menos, el cinco por Ciento de los notarios con derecho a voto. Si fuera cualificada ese porcentaje será, al menos, del diez por Ciento.

La petición de la convocatoria se hará por escrito firmado por los solicitantes que en el caso de censura simple deberá ser el cinco por Ciento de los colegiados y en el de cualificada el diez por Ciento, expresando la causa de la moción. La Junta deberá ser convocada a este solo efecto y en ella se podrán consumir los turnos en pro y en contra que se consideren necesarios.

5.º Adoptar acuerdos sobre mociones de confianza que les someta la Junta directiva sobre aprobación o rechazo de actuaciones específicas ya realizadas en curso o meramente proyectadas, que no hubieren sido votadas anteriormente por la Junta general. La no aprobación tendrá el carácter de censura simple.

6.º Proponer a la Junta de Decanos la adopción de acuerdos sobre materias de interés general para el Notariado en cuanto sean de su competencia, o proponer su elevación a la Dirección General, o al Ministro de Justicia cuando sean de la competencia de éstos.

7.º Elaborar los Reglamentos o Estatutos de régimen interior del Colegio.

8.º Acordar el aumento o reducción del número de Censores de la Junta Directiva en los términos previstos por el artículo 318.

9.º Adoptar los acuerdos sobre asuntos que someta a su consideración la Junta directiva y cualesquiera otros previstos en las Leyes y Reglamentos.

Los acuerdos se adoptarán por mayoría simple de votos, salvo los de los números 4.º y 5.º de este artículo, para los que se requerirá el voto favorable de un tercio, al menos, de los colegiados.

Artículo 316.– Constituyen ingresos de los Colegios Notariales:

1.º Los derivados de sus patrimonios respectivos, y las donaciones, subvenciones y legados que se les hicieren.

2.º La participación en el importe íntegro de los sellos de legitimaciones y legalizaciones, conforme establezca la legislación vigente, y el total importe de las legalizaciones y apostillas que efectúen los miembros de la Junta Directiva con este carácter.

3.º La cuota fija anual que deba aportar cada colegiado, pudiendo las Juntas Directivas fraccionar su pago. No obstante, y respecto de notarías de entrada esta cuota podrá bonificarse previo acuerdo de la Junta Directiva en un porcentaje no superior al 50%. Excepcionalmente y previa solicitud fundada del interesado, podrá la Junta Directiva mediante acuerdo motivado eximir del pago de la cuota fija.

En todo caso, la Junta Directiva podrá acordar la modificación de la cuota fija anual atendiendo a la evolución de los costes a los que va destinada. Si se pretendiera una elevación superior a estos, la Junta Directiva deberá someterlo a aprobación de la Junta General del Colegio Notarial.

4.º Una cantidad mensual que en ningún caso podrá tener carácter progresivo, ni podrá determinarse con arreglo al volumen de ingresos de los notarios. En la determinación de esta cuota será preciso que la Junta Directiva del Colegio identifique el servicio y financiación que el mismo exija.

5.º Las cuotas suplementarias precisas para costear el sostenimiento de servicios específicos.

Cuando estos servicios, por su naturaleza o por la población en que se presten, beneficien solamente a parte de los colegiados, las cuotas serán de cargo exclusivo de éstos.

6.º Las cantidades que las Juntas Generales determinen al aprobar un presupuesto extraordinario conforme a la facultad segunda del artículo 328.

7.º Cualquier otro ingreso reconocido por la legislación en vigor o la que la sustituya, sin perjuicio de su adscripción a fines determinados legalmente.

Artículo 317.– Los Colegios Notariales podrán elaborar, en Junta General, Reglamentos de régimen interior en las materias que sean de su competencia. Estos Reglamentos habrán de ser aprobados por el Consejo General del Notariado, que deberá hacerlo en el plazo de treinta días, siempre que aquéllos estén de acuerdo con el presente Reglamento. Una vez aprobados, las Juntas Directivas darán cuenta del texto de los mismos a la Dirección General de los Registros y del Notariado. El Consejo General del Notariado deberá denegar motivadamente su autorización, siendo recurrible su acuerdo en los plazos y modo previsto para el de alzada ante la Dirección General de los Registros y del Notariado en cuanto a la interpretación y aplicación de la legislación notarial. En la votación relativa a la aprobación del Reglamento de Régimen Interior no deberá participar el Decano del Colegio al que se refiera tal Reglamento.

SECCIÓN SEGUNDA
De las Juntas Directivas

Artículo 318.– La Junta Directiva de cada Colegio estará integrada por un mínimo de tres y un máximo de nueve miembros. Estará compuesta necesariamente de un Decano-Presidente, un Censor y un Secretario. La Junta General del Colegio determinará el número de miembros de la Junta Directiva, así como la existencia de un Vicedecano, número de Censores, Tesorero y Vicesecretarios, dando cuenta de ello a la Dirección General.

Al Decano le sustituirá el Vicedecano; a ambos, los Censores por su orden; éstos se sustituirán mutuamente; al Tesorero, un Censor, el

Vicedecano o el Decano, y al Secretario, un Vicesecretario y, de no existir éste, un Censor o el Tesorero. No obstante, y en todo caso, el Decano podrá delegar las funciones de su cargo, para actuaciones concretas, en cualquier miembro de la Junta Directiva.

Todos los cargos de la Junta serán gratuitos, honoríficos y voluntarios. Los miembros de la Junta Directiva cesarán en el ejercicio de su cargo por el transcurso de su mandato, por renuncia que deberá ser aceptada por la Junta General, por pérdida de la cualidad de colegiado y por elección para otro cargo de la misma Junta, así como por la establecida en el penúltimo párrafo del artículo 353 y las que lo sean de suspensión en el ejercicio del cargo de notario conforme a este Reglamento.

Artículo 319.– El mandato de la Junta Directiva es de cuatro años, pudiendo ser reelegidos sus miembros por iguales períodos, sea para el mismo o para distinto cargo.

La renovación de la Junta será total o parcial. Será total en los supuestos de transcurso del mandato previsto o por haberse aprobado su censura cualificada. En ambos casos, la Junta cesante seguirá desempeñando sus funciones básicas hasta la toma de posesión de la nueva Junta. La renovación será parcial cuando afecte a uno o varios de los miembros de la Junta. En caso de renovación parcial, el elegido desempeñará su función por el tiempo que reste hasta completar el período normal de cuatro años.

Todos los cargos de la Junta Directiva se proveerán mediante elección, por mayoría de votos, siendo elegidos como miembros de la Junta Directiva los integrantes de aquella candidatura que obtenga más votos. No podrá incluirse en más de una candidatura a un mismo notario sea para el mismo o para distinto cargo de la Junta Directiva.

La elección podrá ser ordinaria o extraordinaria. Será ordinaria la elección que se produzca como consecuencia del transcurso del mandato. En cualquier otro supuesto, la elección será extraordinaria.

Serán electores y podrán ser candidatos todos los notarios que estén colegiados el día de la convocatoria de las elecciones.

Artículo 320.– Compete a las Juntas Directivas la convocatoria de elecciones para proveer su renovación, sea total o parcial. Si la renovación fuera parcial, el anuncio de la convocatoria expresará todos los cargos que hayan de proveerse.

El anuncio de la convocatoria para elección ordinaria se efectuará en los diez primeros días de septiembre del año en que expire el mandato de la Junta Directiva. Si se tratara de elección extraordinaria, el anuncio se efectuará dentro de los veinte días siguientes a la fecha en que se hubiera acordado la censura cualificada de la Junta o en que se hubiere producido la vacante, con la sola excepción de que restaran tres meses o menos para la elección ordinaria, en cuyo caso se estará a ésta debiendo ponerlo en conocimiento de la Dirección General de los Registros y del Notariado.

Durante los diez días siguientes al del anuncio de la convocatoria se procederá a la formación de las candidaturas y a su presentación a la Junta Directiva. Cuando el Decano pretendiera su reelección por tercero o ulterior mandato consecutivo la candidatura en la que esté incluido deberá ser presentada por, al menos, el veinticinco por ciento de los colegiados. Las candidaturas expresarán el nombre del candidato o candidatos y el cargo para el que se les proponga. Las candidaturas deberán incluir todos los cargos objeto de elección; en otro caso, serán rechazadas.

Si durante el anterior plazo se hubiere presentado una sola candidatura se abrirá otro extraordinario de cinco días, a contar desde la expiración de aquél para que puedan presentarse otras candidaturas.

La Junta Directiva concluido el plazo de presentación de candidaturas hará pública éstas, pudiendo utilizarse a tal fin medios telemáticos o cualquier otro procedimiento que permita su difusión y conocimiento entre los colegiados. En cualquier caso, la Junta Directiva en el día hábil inmediato posterior comunicará al Consejo General del Notariado las candidaturas, ya se trate de elección ordinaria o extraordinaria, debiendo publicarse en el mismo día o inmediato hábil posterior en el sitio web del Consejo General del Notariado.

Publicadas las candidaturas en el sitio web del Consejo podrán recurrirse las mismas ante éste en los dos días hábiles siguientes. El Consejo dará traslado del recurso a la candidatura recurrida para que por ésta se alegue lo que a su derecho convenga en el plazo de un día hábil. La resolución del Consejo agota la vía administrativa.

La elección ordinaria tendrá lugar el tercer domingo del mes de noviembre siguiente y la extraordinaria, el tercer domingo siguiente a aquél en que se publicite la candidatura en el sitio web del Consejo.

El programa de actuación de las candidaturas sólo podrá ponerse de manifiesto en el período comprendido entre la publicación de las candidaturas en el sitio web del Consejo el día anterior al domingo fijado para la elección.

Fijado el domingo en que ha de celebrarse una elección extraordinaria, si antes de iniciarse la semana precedente a dicho día se produjese una vacante imprevista, podrá aplazarse la elección por un período máximo de dos meses, a los efectos de cumplir con lo dispuesto en este artículo.

Se habilita a la Dirección General de los Registros y del Notariado para que determine mediante Instrucción las reglas y requisitos a los que debe quedar sujeta la emisión del voto electrónico.

Artículo 321.– Todas las elecciones se celebrarán en la capital del Colegio. Las ordinarias, en el día, hora y local señalados en la convocatoria, y en las extraordinarias la Junta Directiva anunciará estas circunstancias a la mayor brevedad posible, conforme a lo previsto en el artículo anterior.

La Mesa estará constituida, al menos, por tres miembros de la Junta Directiva y la presidirá el Decano o quien legalmente le sustituya.

Quien encabece cada una de las candidaturas presentadas podrá designar un escrutador, cuya identidad deberá ser puesta en conocimiento de la Junta Directiva, al menos dos días hábiles antes del día de la elección. En cualquier caso habrá, como mínimo, dos escrutadores, que serán nombrados por la Mesa en defecto de dicha designación.

Los escrutadores habrán de ostentar la cualidad de electores.

La Mesa tendrá papeletas de todas las candidaturas. Las papeletas se confeccionarán con arreglo a un modelo externamente uniforme para todas las candidaturas presentadas, aprobado por la Junta Directiva, de modo que, una vez dobladas aquéllas, no puedan distinguirse unas de otras.

La votación, siempre secreta, se realizará personalmente o por correo. El voto emitido por correo se enviará bajo doble sobre. El exterior se dirigirá al Decano y el sobre interior, conteniendo la papeleta doblada, expresará el nombre y residencia del elector e irá autorizado con su firma y rúbrica. Comprobadas éstas por un miembro de la Junta Directiva, previo cotejo en su caso con el libro a que se refiere el artículo 36, el Secretario de la misma Junta o quien haga sus veces relacionará los sobres recibidos hasta las catorce horas del día anterior al de la votación, únicos que serán admitidos a ésta.

Durante una hora votarán los electores presentes mediante papeleta que entregarán doblada al Presidente, quien, ante el propio votante, depositará aquélla en la urna destinada al efecto, situada a la vista de todos.

Terminada la votación de los presentes, el Presidente de la Mesa abrirá los sobres remitidos por correo y depositará las papeletas en la urna.

Artículo 322.– Para realizar el escrutinio, el Presidente extraerá las papeletas de la urna y las leerá en voz alta, una por una, de lo que los escrutadores tomarán nota. Serán nulas las papeletas que no contengan el nombre del candidato o el cargo para el que es votado.

Hecho el escrutinio y publicado su resultado, si hubiere conformidad y no se suscitase reclamación alguna, se inutilizarán todas las papeletas extraídas de la urna. No habiendo conformidad, se repetirá el escrutinio, consignando su resultado y las diferencias que hubiere.

En caso de empate se entenderá ganadora aquella candidatura que incluya como candidato a Decano al de mayor antigüedad en la carrera. Si se tratara de elección extraordinaria para cubrir otro puesto de la Junta se aplicará el mismo criterio.

Las dudas sobre la inteligencia o validez de votos o sobre el resultado del escrutinio se resolverán en el acto por la Mesa.

No se admitirá discusión sobre ninguna de las protestas o reclamaciones que durante la elección se hicieren, pero la Mesa, sin embargo, acordará sobre ellas lo que juzgue conveniente, antes o después de verificado el escrutinio.

El Presidente proclamará los nombres de los candidatos electos y el cargo para que hayan sido elegidos.

De todo ello se levantará acta, en la que se consignarán los acuerdos sobre la inteligencia y validez de los votos, el resultado del escrutinio y las reclamaciones o protestas que se hubieren hecho.

Artículo 323.– Quienes hubieren elevado protesta o reclamación en el acto de la votación podrán impugnar su resultado mediante escrito dirigido a la Dirección General, el cual, en unión de las pruebas que tenga a bien aducir el impugnante, será presentado dentro de los dos días siguientes a la Junta Directiva y ésta, al siguiente día, lo trasladará al Centro directivo. Dicho Centro, en el plazo de quince días a contar desde aquel en que hubiere recibido el escrito de impugnación, decidirá lo que estime oportuno en resolución razonada que pondrá fin a la vía administrativa.

Artículo 324.– El día siguiente al de la elección, la Junta Directiva participará el resultado a la Dirección General y al Consejo General del Notariado y fijará la fecha de la toma de posesión de los elegidos, que habrá de tener lugar dentro del plazo de treinta días, contados desde la fecha de la elección.

Una vez posesionados de sus cargos los elegidos, se comunicará a la Dirección General y al Presidente del Consejo General del Notariado y a todos los notarios del Colegio

Artículo 325.– La Junta Directiva se reunirá cuando el Decano estime que lo requiere la necesidad del despacho de los asuntos pendientes, siempre por lo menos una vez al mes, y cuando lo soliciten dos Vocales de la misma.

La Junta Directiva de cada Colegio se reunirá ordinariamente en la población que sea capital del mismo, sin perjuicio de la posibilidad de celebrar sus reuniones en cualquier localidad del Colegio Notarial cuando así lo acuerde por mayoría.

Artículo 326.– Será precisa para la válida constitución de la Junta la presencia del Decano, Secretario y, al menos uno o dos censores, dependiendo de si el número de los miembros de la Junta es de tres o más. El Decano y el Secretario podrán ser sustituidos por quienes legalmente corresponda.

Los acuerdos de las Juntas Directivas se adoptarán por mayoría y se consignarán en acta, resolviendo en caso de empate el voto de calidad del Presidente. Una vez aprobada ésta, será suscrita al menos por el Secretario y el Presidente asistentes a la sesión en que se tomaron los acuerdos.

Las deliberaciones de la Junta serán secretas. Sus acuerdos sólo podrán hacerse públicos cuando esté legalmente previsto o lo decida la Junta Directiva que, asimismo, determinará el medio y ámbito de dicha publicidad.

Artículo 327.– Corresponde a la Junta Directiva, como órgano de gobierno y ejecución, el ejercicio de todas las funciones atribuidas al Colegio para el cumplimiento de sus fines, salvo las que están reservadas a la Junta General.

Especialmente son obligaciones de la Junta Directiva:

1.ª Velar por la más estricta disciplina de los notarios en el cumplimiento de sus deberes funcionales, colegiales y corporativos, corrigiendo sus infracciones, de conformidad con lo dispuesto en el régimen disciplinario.

2.ª Ordenar en su respectivo ámbito territorial la actividad profesional de los notarios en las siguientes materias: correcta atención al público, tiempo y lugar de su prestación, concurrencia leal y publicidad, continuidad de la prestación de funciones, incluso en días festivos y períodos de vacaciones. No obstante, en el ejercicio de esta competencia la Junta Directiva deberá cumplir con los acuerdos y circulares del Consejo General del Notariado, así como con lo que disponga éste cuando la materia objeto de dicha ordenación por su trascendencia o interés afecte a un ámbito territorial superior al del Colegio respectivo.

3.ª Organizar los servicios necesarios para la ejecución de los fines del Colegio e impulsar y vigilar su actividad.

4.ª Gestionar, administrar y disponer de los bienes del Colegio en general y proponer a la Junta General la inversión y disposición sobre inmuebles.

5.ª Representar los derechos y administrar los intereses del Colegio. A este fin, antes del 31 de marzo de cada año, formalizará y someterá a la aprobación de la Junta General el presupuesto ordinario de ingresos y gastos del Colegio para el ejercicio corriente y las cuentas del anterior. El ejercicio económico coincidirá con el año natural.

En el presupuesto ordinario se consignarán en partidas separadas las diferentes clases de ingresos, y serán expresadas, también separadas unas de otras, las partidas de gastos que se autoricen, con la cantidad asignada para cada una de ellas. Entre las partidas de gastos se consignarán necesariamente cantidades para bibliotecas y organización de archivos, sin que el concepto de «Imprevistos» pueda exceder del 15 por 100 del total de aquél.

La Junta Directiva podrá hacer transferencias de unas a otras partidas cuando lo considere conveniente a las necesidades del Colegio.

6.ª Informar a los colegiados que lo soliciten acerca de las cuestiones en que tengan interés legítimo y, asimismo, informar a todos los colegiados asistentes, en Junta General, por lo menos una vez al año, de cuantas cuestiones de interés colectivo puedan afectarles a ellos o al Colegio en el orden corporativo, colegial, profesional o cultural y de las que la Junta tenga conocimiento.

7.ª Suministrar al público, incluso a través de los medios de comunicación social, información general sobre materias directamente relacionadas con la actividad notarial y, en particular, aquella información que, según las circunstancias, resulte adecuada para el mejor conocimiento y salvaguarda de los derechos de los particulares.

8.ª Cumplir y ejecutar los acuerdos de la Junta General.

Artículo 328.– Las Juntas Directivas, además de las facultades contenidas en otras disposiciones, tendrán las siguientes:

1. Acordar la comparecencia en juicio del Colegio y el otorgamiento de poderes.

2. Formalizar y someter a la aprobación de la Junta General presupuesto extraordinario para atender gastos colegiales excepcionales, fijando con precisión la forma en que hayan de financiarse y el plazo previsto para su amortización, así como la justa aportación de los colegiados para satisfacer aquéllos.

3. Determinar el sistema contable del Colegio.

4. Organizar, dirigir y administrar el servicio de legalizaciones y apostillas.

5. Adoptar las medidas que estime necesarias y de carácter urgente para asegurar la prestación de las funciones notariales, cuando circunstancias excepcionales de la localidad así lo exijan, pudiendo el Decano, en iguales casos, disponer lo conveniente para garantizar la normalidad en el reparto de letras, pagarés y demás documentos de crédito, y sin perjuicio de dar cuenta de ello a la Dirección General.

6.ª Acordar el pago en todo o en parte, según los fondos de que disponga el Colegio, de las expensas que hubiere hecho un notario para salvar su protocolo, o el de otro notario, de inundación, incendio u otra fuerza mayor. Si se hubiere producido muerte, inutilidad o lesión, se podrá acordar, además, la concesión a aquél o a sus familiares, por una sola vez, de auxilios extraordinarios complementarios en la cuantía que determine la Junta atendidas las circunstancias.

Artículo 329.– El Decano, además de su carácter representativo y de las funciones previstas en otros artículos del Reglamento, tendrá las de convocar la Junta Directiva y presidir ésta, la General y las Comisiones especiales a que asista, dirigiendo las deliberaciones y discusiones; impulsará y coordinará las actividades de la Junta Directiva y vigilará el cumplimiento de todos los servicios. Cuidará de la buena conservación de los bienes del Colegio y será el ordenador de pagos, si bien podrá delegar con carácter general en el Tesorero este último cometido.

Ningún pago podrá hacerse sin que sea ordenado por el Decano o el Tesorero o quienes legalmente le sustituyan.

El Vicedecano ejercerá las funciones que le delegue el Decano, asumiendo las de éste en casos de ausencia, enfermedad, incompatibilidad o vacante.

El Secretario llevará y custodiará la documentación oficial del Colegio y los libros de actas, extenderá éstas, expedirá certificaciones con el visto bueno del Decano y remitirá comunicaciones bajo la dirección de éste.

El Tesorero llevará la contabilidad, formalizará anualmente las cuentas, redactará el presupuesto, haciendo constar en tantas cuentas separadas cuantos sean los diferentes conceptos que tengan los ingresos del Colegio y los gastos relativos a cada concepto y, en su caso, ordenará los pagos; confeccionará el inventario de bienes y verificará la Caja.

Los Censores actuarán como Vocales de la Junta y desempeñarán las funciones que el Decano les delegue y las demás previstas en el Reglamento.

Los Vicesecretarios sustituirán al Secretario, pudiendo ejercer asimismo las funciones que les delegue el Decano y la Junta Directiva.

Artículo 330.– Cuando en el archivo de un Notario fallecido existan instrumentos que no reúnan las solemnidades legales o que adolezcan de otra clase de defectos, las Juntas Directivas de los Colegios Notariales adoptarán las medidas necesarias para su subsanación, si fuere posible, procurando poner en conocimiento de los interesados dichas circunstancias a fin de que puedan, si les conviniere, extender un nuevo documento en sustitución del defectuoso, haciendo los llamamientos por los periódicos oficiales en términos que se respete el secreto del protocolo, pero con las indicaciones necesarias para que se identifiquen los documentos y aplicando, en cuanto sea posible, lo dispuesto en los artículos 146, 153 y 280.

Los gastos que se ocasionen con motivo de lo prevenido en el párrafo anterior, lo mismo que los del otorgamiento de los nuevos instrumentos y cualesquiera otras responsabilidades, serán siempre a cargo de la fianza y sin perjuicio, si ésta no bastara, del derecho de los perjudicados o sus herederos contra los bienes del Notario responsable.

Artículo 331.– Las Juntas Directivas y el Decano tendrán también la facultad de acordar inspecciones a las Notarías siempre que lo consideren conveniente a los fines prevenidos en este Reglamento, debiendo practicarlas de inmediato cuando existan indicios racionales de anomalías que deban ser corregidas. Las Juntas Directivas elaborarán cada año un Plan de inspección de notarías del territorio, que deberá ser aprobado por la Dirección General. A tal efecto designarán para cada inspección dos notarios, uno de los cuales actuará como Secretario. Cualquier forma de resistencia a una inspección dará lugar a la inmediata apertura de expediente de corrección disciplinaria, sin perjuicio de que la Junta adopte cuantas medidas estime pertinentes para que la inspección se lleve a efecto.

Previo acuerdo de la Junta Directiva, el Decano podrá solicitar de otros Colegios Notariales que le permitan designar a notarios de su Colegio como inspectores. El Colegio Notarial donde ejerza su función el notario inspeccionado podrá acordar el abono de indemnizaciones por razón de servicio a aquellos notarios colegiados de otro Colegio, como consecuencia de los gastos en que incurran en el ejercicio de su función. A tal fin, en cada Colegio Notarial se establecerá una lista de notarios que puedan ser designados como inspectores. Dicha lista no podrá ser inferior a cinco y será renovada cada año. Los inspectores podrán servirse del auxilio de peritos, incluso de notarios jubilados, para desempeñar su función.

Artículo 332.– En cada distrito notarial y para facilitar el cumplimiento de sus funciones, las Juntas Directivas designarán un Notario con el carácter de Delegado y otro como Subdelegado, y podrán nombrar varios Subdelegados cuando lo estimen necesario para el servicio. De estos nombramientos las Juntas darán cuenta a la Dirección General.

Los cargos de Delegado y Subdelegado durarán cuatro años, pero la Junta podrá reelegir a los mismos notarios.

Estos cargos son honoríficos, gratuitos y obligatorios para los notarios menores de sesenta años de edad y también para los mayores cuando no haya más que uno en el distrito.

Las Juntas Directivas podrán, cuando existiere motivo para ello y dando cuenta a la Dirección, separar de sus cargos a los Delegados y Subdelegados.

A instancia del Delegado, y previo informe de los Notarios afectados, podrán las Juntas Directivas autorizar la apertura de una oficina especial para que en ella quede instalada la Delegación, siempre que las necesidades del servicio o de la organización notarial así lo aconsejen. El acuerdo razonado de la Junta incluirá, caso de ser favorable a dicha apertura, todas las medidas que considere oportunas en orden a su régimen.

Artículo 333.– Los Notarios de un distrito podrán reunirse en Junta a fin de emitir los informes que se les soliciten por la Junta Directiva y formular a ésta, sin carácter vinculante, las proposiciones que crean oportunas.La Junta del Distrito en que radique la capital del Colegio será convocada por el Decano y presidida por él. Las demás Juntas de Distrito serán convocadas, previo aviso al Decanato, por el respectivo Delegado, quien las presidirá, salvo que la Junta Directiva hubiere designado para hacerlo a alguno de sus miembros.

En defecto de Delegado, le sustituirá a estos fines el Subdelegado más antiguo en la carrera.Ejercerá las funciones de Secretario el Notario más moderno.

Artículo 334.- Las resoluciones o acuerdos de las Juntas podrán ser recurribles en los plazos y forma previstos para el de alzada ante la Dirección General cuando se refieran a la interpretación y aplicación de la regulación notarial.

Artículo 335.- Las Juntas Directivas, lo mismo que los Colegios Notariales y sus Decanos, tendrán el tratamiento de Ilustres.

SECCIÓN TERCERA
Del Consejo General del Notariado

Artículo 336.- El Consejo General del Notariado tiene la condición de Corporación de Derecho público, con personalidad jurídica propia y plena capacidad. En el ejercicio de las funciones públicas atribuidas respecto de la prestación de la función pública notarial queda subordinado jerárquicamente al Ministro de Justicia y a la Dirección General de los Registros y del Notariado. Son sus fines esenciales: colaborar con la Administración, mantener la organización colegial, coordinar las funciones de los Colegios Notariales, asumiéndolas en los casos legalmente establecidos, dictar Circulares de orden interno de obligado cumplimiento para los Colegios y los notarios en las materias a que se refiere el artículo 344 de este Reglamento, y ostentar la representación unitaria del Notariado español.

Forman parte del Consejo General todos los Decanos de los Colegios Notariales de España. En caso de vacante del cargo de Decano de algún Colegio Notarial será miembro del Consejo General quien haga sus veces.

Se relacionará con el Ministerio de Justicia por medio de la Dirección General de los Registros y del Notariado.

El Consejo General tiene su sede en Madrid.

Artículo 337.- El Consejo General funcionará en Pleno, en Comisión Permanente y por medio de la actuación de su Presidente, que ostenta la representación legal del mismo. En defecto o imposibilidad del Presidente será sustituido por el Vicepresidente.

El Presidente y el Vicepresidente serán designados por el Pleno del Consejo General mediante elección entre sus miembros. El Pleno podrá también acordar su remoción y aceptar su renuncia. Todos estos acuerdos se pondrán en conocimiento del Ministerio de Justicia dentro del plazo de cinco días.

El tiempo de duración de los cargos de Presidente y de Vicepresidente coincidirá con el de su mandato como Decano. La condición de Presidente y de Vicepresidente no es delegable en ningún caso.

Artículo 338.– El Pleno se reunirá cuando así lo acuerde el mismo y, además, siempre que lo determine el Presidente, por propia iniciativa o a petición fundada de cualquier Decano. Deberá convocarse el Pleno, al menos, con dos días hábiles de antelación a la fecha de su celebración. En dicha convocatoria se incluirá el orden del día. El Presidente podrá por motivos de urgencia modificar el orden del día hasta el día inmediato hábil al de su celebración comunicando inmediatamente dicha modificación a los miembros del Pleno. Quedará éste válidamente constituido si concurre la mayoría absoluta de sus miembros.

A las sesiones del Pleno asistirán los Decanos personalmente. En caso de imposibilidad podrán designar como su delegado, precisamente por escrito, con expresión de causa y para la sesión particular de que se trate, a un miembro de la Junta Directiva de su Colegio. El Pleno podrá delegar en la Comisión Permanente el ejercicio de aquellas competencias que entienda oportunas, a excepción de la aprobación de Circulares de orden interno que sólo compete al Pleno.

Artículo 339.– La Comisión Permanente estará integrada por el Presidente, el Vicepresidente y tres Decanos designados por el Pleno. Se reunirá cuantas veces fuere necesario, previa convocatoria por el Presidente, por propia iniciativa o a petición fundada de cualquiera de sus miembros. Quedará válidamente constituida para su actuación en cada caso con la asistencia de la mayoría absoluta de sus componentes. De sus acuerdos se dará cuenta inmediata a todos los Decanos.

Podrá ejercer aquellas competencias que le delegue el Pleno del Consejo, asumiendo las funciones de éste en casos de urgencia. Los acuerdos adoptados por la Comisión Permanente en virtud de delegación del Consejo deberán expresar tal carácter y se entenderán adoptados por el órgano delegante, pudiendo ser objeto de recurso en los términos previstos en el artículo 343 de este Reglamento. Del resto de sus acuerdos dará cuenta a todos los Decanos.

No es delegable la condición de miembro de la Comisión Permanente, que se ostentará con carácter personal por todo el tiempo que el designado desempeñe el cargo de Decano.

Artículo 340.– El Consejo General elegirá un Secretario, a propuesta del Presidente. El Secretario deberá ser notario. Su cese se producirá por acuerdo del Consejo, a propuesta asimismo del Presidente. Su designación y cese serán comunicados al Ministerio de Justicia a la mayor brevedad.

Son funciones del Secretario levantar acta de las sesiones del Pleno y de la Comisión Permanente, expedir certificaciones con el visto bueno del Presidente, custodiar la documentación de la Junta, auxiliar al Presidente en la ejecución de los acuerdos y en la preparación del orden del día de las sesiones y dirigir la labor del personal del Consejo, tanto de secciones técnicas como de la oficina administrativa.

A propuesta conjunta del Presidente y del Secretario, el Consejo designará uno o varios Vicesecretarios y los removerá, en su caso. Cualquiera de las funciones del Secretario puede ser delegada por éste en un Vicesecretario, siempre en cuestiones determinadas. El Vicesecretario, o uno de los Vicesecretarios, actuará como Tesorero.

El Consejo podrá encomendar servicios determinados a Secciones Delegadas del mismo, integradas por notarios o personal especializado. El Director de cada una de ellas utilizará la denominación de Delegado o Director de la Sección correspondiente, y rendirá cuenta de su actuación al Consejo a través del Presidente.

Igualmente, podrá crear la unidad especializada prevista en el artículo 17.6 de la Ley del Notariado a los efectos de colaborar eficazmente con las Administraciones Públicas, y especialmente, con las autoridades judiciales, administrativas y policiales competentes en lo relativo a la lucha contra el fraude tributario pudiendo a estos efectos recabar del notario la información y datos precisos. Creada dicha unidad el notario le prestará auxilio en el ejercicio de sus funciones, debiendo facilitar a dicha unidad especializada cualquier información que ésta les requiera para el ejercicio de su función de examen.

Artículo 341.– Para la válida adopción de acuerdos se exige la presencia de la mitad más uno de los Decanos debiendo asistir el Presidente o Vicepresidente en su sustitución y el Secretario o Vicesecretario que le sustituya.

Los acuerdos del Pleno deberán ser adoptados con el voto favorable de la mayoría de los asistentes, resolviendo en caso de empate el voto de calidad del Presidente.

Las deliberaciones del Pleno serán secretas. Sus acuerdos sólo podrán hacerse públicos cuando esté legalmente previsto o lo decida el Pleno que, asimismo, determinará el medio y ámbito de dicha publicidad. Respecto de la Comisión Permanente se estará a lo dispuesto en el artículo 339 de este Reglamento.

Todas las sesiones del Pleno y de la Comisión Permanente se celebrarán en el lugar en que por mayoría simple acuerden sus miembros.

Artículo 342.– Los acuerdos adoptados por el Consejo General son inmediatamente ejecutivos. La ejecución corresponde al Presidente o a la Comisión Permanente, salvo que, en casos especiales, se hubiese acordado que se lleve a efecto por uno o varios Decanos o bien por el Secretario.

Artículo 343.– Los acuerdos o resoluciones del Consejo General, hayan sido adoptados por el Pleno o por la Comisión Permanente previa delegación de aquél, serán impugnables ante el Ministro de Justicia, cuando se refieran a la interpretación y aplicación de la regulación notarial en los plazos y forma previstos para el de alzada.

Artículo 344.– Son funciones del Consejo General las siguientes:

A) 1. Facilitar y organizar la comunicación entre Colegios Notariales; coordinar sus actuaciones y dirimir, dentro de sus facultades, proponiendo en otro caso su resolución, los conflictos que puedan surgir entre ellos.

2. Adoptar las medidas necesarias para que los Colegios cumplan las resoluciones del Consejo General dictadas en materia de su competencia.

3. Completar provisionalmente con los colegiados más antiguos las Juntas Directivas de los Colegios cuando se produzcan las vacantes de más de la mitad de los cargos de aquéllas. La Junta provisional, así constituida, ejercerá sus funciones hasta que tomen posesión los designados en virtud de elección.

Igualmente, el Consejo podrá designar una Junta Gestora para aquellos Colegios en los que no se presentara candidatura válida para cubrir todos los puestos de la Junta Directiva. Dicha Junta estará integrada por tres notarios del ámbito territorial del Colegio respectivo y sus cargos serán obligatorios para los notarios designados. Constituida esa Junta el Consejo comunicará a la Dirección General la identidad de sus integrantes y cargos. En todo caso, dicha Junta deberá convocar elecciones tan pronto sea posible

4. Velar por el exacto cumplimiento de las disposiciones vigentes por parte de los Colegios y de los notarios. A estos efectos, y en el ámbito de las disposiciones que rigen la función pública notarial podrá dictar circulares de orden interno de obligado cumplimiento para los Colegios y notarios. El Proyecto de circular deberá ser sometido a consulta previa de la Dirección General de los Registros y del Notariado. Transcurridos diez días hábiles desde su remisión sin que dicha Dirección General practique objeción se entenderá aprobada la misma. Este plazo podrá reducirse a dos días hábiles por razones de urgencia que motivará el Consejo en su comunicación a la Dirección General y apreciará ésta. En todo caso, las circulares deberán publicarse en la página web del Consejo.

5. Aprobar los Reglamentos de régimen interior de los Colegios.

6. Organizar actividades y servicios comunes de interés para los notarios, y entre ellos los culturales, asistenciales, de previsión y otros análogos, y proveer, en su caso, a su sostenimiento económico. En este sentido, regulará todos los aspectos relativos a la «Revista de Derecho Notarial», organizará el servicio de pago de indemnizaciones por las responsabilidades civiles contraídas por los notarios en el ejercicio de su cargo y el denominado Servicio Quirúrgico, y llevará a cabo de modo continuado estudios sociológicos sobre la implantación del servicio notarial en la sociedad nacional y, en función de sus resultados, propondrá o adoptará, según los casos, las medidas conducentes a procurar el grado óptimo de aquélla en cada circunstancia.

7. Estimular, proteger y vigilar, conforme a las competencias atribuidas por las leyes, la mejor organización y conservación de los archivos.

8. Procurar la armonía y colaboración entre todos los notarios a fin de evitar conflictos entre notarios de Colegios diferentes.

9. Ejercitar el derecho a mostrarse parte en la causa contra cualquier notario que el artículo 62 del Reglamento Notarial concede a la Junta Directiva, si la Junta correspondiente no lo ejercitase y siempre previo informe de la misma.

10. Organizar cursos para la formación de posgraduados o de práctica notarial, primando especialmente la formación continua y sistemática de los empleados de notarías.

11. Determinar su régimen económico-financiero mediante la aprobación de sus propios presupuestos y la fijación equitativa de las aportaciones de todos los Colegios Notariales. Igualmente, establecerá, en su caso, las compensaciones institucionales que estime procedente, para aquellos cargos del Consejo que se entienda oportuno, a fin de garantizar la debida dedicación de los mismos a sus obligaciones corporativas.

B) 1. Ostentar la representación y defensa de la profesión notarial ante la Administración, Instituciones, Tribunales, Entidades y particulares, con legitimación para ser parte en cuantos litigios afecten a los intereses profesionales, y ejercitar el derecho de petición conforme a la Ley.

2. Asumir la representación del Notariado español ante las Entidades similares en otras naciones, designando asimismo las personas y Delegaciones que corresponda.

3. Informar en todos aquellos casos en que el Ministerio de Justicia lo estime conveniente y en especial en las reformas que afecten al ingreso en el Notariado y al régimen de las oposiciones y, en particular, al programa o temario de las oposiciones libres.

4. Designar o proponer, en su caso, los Decanos y notarios que hayan de figurar como vocales de la Junta de Patronato de la Mutualidad Notarial y de los órganos rectores de otras Entidades en los supuestos legalmente establecidos.

5. Participar en los Consejos u Organismos consultivos de la Administración en las materias de competencia de la profesión notarial.

C) 1. Informar preceptivamente todo proyecto de modificación de la legislación sobre Colegios Profesionales, así como los proyectos de Ley o de disposiciones de cualquier rango que se refieran a las condiciones generales de la función notarial.

2. Informar los proyectos de disposiciones generales de carácter fiscal que afecten directa y concretamente a la profesión notarial en los términos previstos en la legislación estatal o autonómica correspondiente.

3. Informar en los recursos gubernativos contra calificaciones de los Registradores de la Propiedad o Mercantiles, siempre que la Dirección General lo solicite y se trate de materias que afecten al Notariado o a la función notarial.

4. Informar, a petición de las Juntas Directivas de los Colegios Notariales o de la Dirección General de los Registros y del Notariado, en las impugnaciones de honorarios hechas con arreglo a los Aranceles Notariales y en los supuestos de consultas a los que se refiere el artículo 70 del Reglamento Notarial.

5. Ejercer cuantas funciones le sean encomendadas por la Administración y colaborar con ésta mediante la realización de estudios, emisión de informes, elaboración de estadísticas y otras actividades relacionadas con sus fines que puedan serle solicitadas o acuerde formular por propia iniciativa, y especialmente colaborar con el Ministerio de Justicia y con la Dirección General de los Registros y del Notariado en todo lo que se refiera a la función notarial.

6. Proponer a la Administración, y en especial a la Dirección General de los Registros y del Notariado, la adopción de medidas o las resoluciones y disposiciones de carácter general que estime convenientes para el Notariado.

7. Colaborar con la Administración para que se cumplan las condiciones exigidas en orden a la presentación y proclamación de candidatos para los cargos de las Juntas Directivas de los Colegios Notariales.

8. Consultar a la Dirección General las dudas que tenga sobre la aplicación de las disposiciones de carácter notarial, y elevar consultas a los Organismos competentes sobre la aplicación de las Leyes cuando se relacionen directamente con la actuación notarial, verificándolo por mediación del Ministerio de Justicia si se refieren a la función.

9. Elevar consulta vinculante a la Dirección General de los Registros y del Notariado, respecto de aquellos actos o negocios susceptibles de inscripción en los Registros de la Propiedad, Mercantil y de Bienes Muebles, de conformidad con el artícu-lo 103 de la Ley 24/2001, de 27 de diciembre.

10. Evacuar las consultas que los Colegios o los notarios le formulen sobre asuntos técnicos de la profesión. La resolución de las consultas deberá ser objeto de publicación en el sitio web del Consejo.

D) 1. Velar por la ética y dignidad profesional en la práctica de la función notarial y por el respeto debido a los derechos de los parti-culares, promoviendo la corrección de cuanto pueda atentar a tales principios, a cuyos fines estará facultado para girar visitas de inspección a los Colegios Notariales y para proponer a la Dirección General de los registros y del Notariado, si procediere, la apertura de expedientes disciplinarios.

2. Instruir los expedientes de corrección disciplinaria promovidos contra las Juntas Directivas por causa de infracciones mutualistas.

3. Adoptar las medidas conducentes a evitar el intrusismo profe-sional.

E) Cualquier otra establecida en las Leyes y Reglamentos.

El ejercicio de todas las funciones establecidas en los apartados anteriores corresponde al Pleno del Consejo General, si bien por acto expreso de delegación, general o específica, de aquél podrán ser ejerci-tadas por la Comisión Permanente, de conformidad con lo previsto en el artículo 339 de este Reglamento. Igualmente, y mediante acuerdo de las dos terceras partes de sus miembros el Pleno podrá delegar la ejecución de alguna de sus competencias en uno o varios de sus integrantes.

Artículo 345.– Corresponde al Presidente del Consejo General ostentar la representación legal de éste; convocar, preparar el orden del día en el que se incluirán obligatoriamente las materias solicitadas por cualquiera de los miembros del Consejo, y presidir las sesiones del Pleno y de la Comisión Permanente; ejecutar los acuerdos adoptados; llevar a cabo los actos de administración del patrimonio de la Junta, entre ellos los de abrir, seguir y extinguir cuentas bancarias, efectuar cobros y pagos y comprar y vender valores mobiliarios; comparecer en juicio por sí o por medio de Procuradores; resolver los asuntos de tramitación ordinaria y cuantas atribuciones le sean encomendadas por el Pleno o la Comisión Permanente. En relación con ésta, apreciará, en su caso, la urgencia de los asuntos que motive la convocatoria de la misma.

TÍTULO VI
DE LAS CORRECCIONES DISCIPLINARIAS

Artículo 346.– El régimen disciplinario de los notarios se regirá por lo establecido en el artículo 43.Dos de la Ley 14/2000, de 29 de diciembre, de Medidas Fiscales, Administrativas y del Orden Social, y por lo previsto en el presente Reglamento. Supletoriamente, a falta de normas especiales, se aplicará lo dispuesto en las normas reguladoras del régimen disciplinario de los funcionarios civiles del Estado, excepto en lo referente a la tipificación de las infracciones.

La Dirección General de los Registros y del Notariado podrá acordar las visitas de inspección que estime necesarias en relación con la actuación de los Colegios Notariales.

Artículo 347.– Las faltas cometidas por los notarios en el ejercicio de su actividad pública se considerarán infracciones muy graves, graves o leves, conforme se establece en los artículos siguientes.

Las infracciones prescribirán a los cuatro meses, en el caso de infracciones leves; a los dos años las infracciones graves y a los cuatro años las infracciones muy graves, computados desde su comisión.

Los mismos plazos serán necesarios en los mismos supuestos para la prescripción de las sanciones, computados desde el día siguiente al que adquiera firmeza la resolución en que se impongan.

La incoación de procedimiento penal no será obstáculo para la iniciación de un expediente disciplinario por los mismos hechos, mas no se dictará resolución en éste en tanto no haya recaído sentencia o auto de sobreseimiento firmes en la causa penal.

En todo caso, la declaración de hechos probados contenida en la resolución que pone término al procedimiento penal vinculará a la que se dicte en el expediente disciplinario, sin perjuicio de la distinta calificación jurídica que pueda merecer en una u otra vía.

Sólo podrá recaer sanción penal y disciplinaria sobre los mismos hechos cuando no hubiere identidad de fundamento jurídico y de bien jurídico protegido.

Artículo 348.– Son infracciones muy graves:

a) Las conductas constitutivas de delito doloso relacionadas con la prestación de la fe pública que causen daño a la Administración o a los particulares declaradas en sentencia firme.

b) Las conductas que hayan acarreado sanción administrativa, en resolución firme, por infracción grave de disposiciones en materia de prevención de blanqueo de capitales, tributaria, de mercado de valores u otras previstas en la legislación especial que resulte aplicable, siempre que dicha infracción esté directamente relacionada con el ejercicio de su profesión.

c) La autorización o intervención de documentos contrarios a lo dispuesto en las leyes o sus reglamentos, a sus formas y reglas esenciales siempre que se deriven perjuicios graves para clientes, para terceros o para la Administración.

d) La actuación del notario sin observar las formas y reglas de la presencia física.

e) La reincidencia por la comisión de infracciones graves en el plazo de dos años siempre que hubieran sido sancionadas por resolución firme.

f) El incumplimiento grave de las normas sobre incompatibilidades contenidas en la Ley 5/2006, de 10 de abril de Regulación de los Conflictos de intereses de los miembros del Gobierno y Altos cargos de la Administración General del Estado y en la Ley 53/1984, de 26 de diciembre, de Incompatibilidades del Personal al Servicio de las Administraciones Públicas.

g) La percepción de derechos arancelarios con infracción de las disposiciones por las que aquellos se rijan.

h) El incumplimiento del deber de fidelidad a la Constitución en el ejercicio de su profesión.

i) Toda actuación profesional que suponga discriminación por razón de raza, sexo, religión, lengua, opinión, lugar de nacimiento, vecindad o cualquier otra condición o circunstancia personal o social.

j) La violación de neutralidad o independencia políticas, utilizando las facultades atribuidas para influir en procesos electorales de cualquier naturaleza y ámbito, así como la obstaculización al ejercicio de las libertades públicas y derechos sindicales.

k) El incumplimiento de las obligaciones de custodia y uso de la firma electrónica reconocida del notario, así como la obligación de denunciar la pérdida, extravío o deterioro o situación que ponga en riesgo el secreto o la unicidad del dispositivo seguro de creación de firma de acuerdo con lo dispuesto en la legislación sobre el uso de firma electrónica de notarios y Registradores de la Propiedad, Mercantiles y de Bienes Muebles.

Artículo 349.– Son infracciones graves:

a) Las conductas que hayan acarreado sanción administrativa, en resolución firme, por infracción de disposiciones en materia de prevención de blanqueo de capitales, tributaria, de mercado de valores, u otras previstas en la legislación especial que resulte aplicable, siempre que dicha infracción esté directamente relacionada con el ejercicio de su profesión y no constituyan falta muy grave.

b) La negativa injustificada a la prestación de funciones requeridas, así como la ausencia injustificada por más de dos días del lugar de su residencia, siempre que cause daño a terceros; en particular, se considerará a los efectos de esta infracción de negativa injustificada a la prestación de funciones requeridas, la denegación injustificada por parte del notario a autorizar un instrumento público.

c) Las conductas que impidan prestar con imparcialidad, dedicación y objetividad las obligaciones de asistencia, asesoramiento y control de legalidad que la vigente legislación atribuya a los notarios o que pongan en peligro los deberes de honradez e independencia necesarios para el ejercicio público de su función.

d) Los enfrentamientos graves y reiterados del notario con autoridades, clientes u otros notarios, en el lugar, zona o distrito donde ejerce su función, debida a actitudes no justificadas de aquél.

e) El incumplimiento grave y reiterado de cualesquiera deberes impuestos por la legislación notarial o por acuerdo corporativo vinculante, así como el impago de los gastos colegiales acordados reglamentariamente.

f) La reincidencia por la comisión de infracciones leves en el plazo de dos años siempre que hubieran sido sancionadas por resolución firme.

g) La falta de rendimiento que afecte al normal funcionamiento del servicio y no constituya falta muy grave.

h) La falta de obediencia debida a las Juntas Directivas y al Consejo General del Notariado.

i) El incumplimiento y la falta de obediencia a las Instrucciones y Resoluciones de carácter vinculante de la Dirección General de los Registros y del Notariado, así como la falta de respeto o menosprecio a dicho Centro Directivo.

Artículo 350.– Es infracción disciplinaria leve, si no procediere calificarla como grave o muy grave, el incumplimiento de los deberes y obligaciones impuestos por la legislación notarial o, con base en ella, por resolución administrativa o acuerdo corporativo. Tratándose del incumplimiento de un acuerdo corporativo, será necesario que el notario previamente haya sido requerido para su observancia por el órgano corporativamente competente.

El requerimiento citará expresamente el precepto, dará un plazo para cumplirlo y apercibirá al notario de que, si no lo hace, podrá incurrir en infracción disciplinaria leve.

Artículo 351.– Tendrán la consideración de infracción grave las siguientes infracciones en que pudieren incurrir los miembros o delegados del Consejo General del Notariado, los de las Juntas Directivas de los Colegios Notariales, así como los archiveros de protocolos:

a) El incumplimiento grave o reiterado de sus deberes, siempre que suponga infracción de un precepto legal, reglamentario o corporativo.

b) La negativa o resistencia a cumplir instrucciones, circulares, resoluciones o actos administrativos de obligado cumplimiento y las graves insuficiencias o deficiencias en su cumplimiento.

c) El incumplimiento o cumplimiento defectuoso de acuerdos corporativos regularmente adoptados, si mediara dolo o negligencia grave.

Si la infracción fuera reiterada en el transcurso de su mandato, tendrá la calificación de muy grave.

Sin perjuicio de lo dispuesto en el artículo 354 de este Reglamento, la sanción a los miembros de la Junta Directiva de los Colegios Notariales o del Consejo General sólo podrá ser impuesta por el Director General de los Registros y del Notariado.

Artículo 352.– Las sanciones que pueden ser impuestas a los notarios, sin perjuicio de lo previsto en la Ley y en la reglamentación notarial en relación a la traba de su fianza, son las siguientes:

a) Apercibimiento.

b) Multa.

c) Suspensión de los derechos de ausencia, licencia o traslación voluntaria hasta dos años.

d) Postergación de la antigüedad en la carrera cien puestos o en la clase hasta cinco años.

e) Traslación forzosa.

f) Suspensión de funciones hasta cinco años.

g) Separación del servicio.

En la sanción de multa existirá una escala de tres tramos: menor, entre 601 y 3.005 euros; media entre 3.005 y 12.020 euros, y mayor entre 12.020 euros y 30.050 euros.

En caso de reiteración podrá multiplicarse dicha cuantía hasta un máximo del cien por cien de la multa a pagar.

Artículo 353.– Las infracciones muy graves se sancionarán con multa en el último tramo, traslación forzosa, suspensión de funciones y separación del servicio.

Las infracciones graves se sancionarán con multa a partir del tramo medio de la escala, con suspensión de los derechos reglamentarios de ausencia, licencia o traslación voluntaria y con postergación.

Las infracciones leves sólo podrán ser sancionadas con apercibimiento, con multa de tramo menor o con suspensión de los derechos reglamentarios de ausencia, licencia o traslación voluntaria.

Las sanciones se graduarán atendiendo en cada caso concreto, esencialmente, a la trascendencia que para la prestación de la función notarial tenga la infracción cometida; la existencia de intencionalidad o reiteración y la entidad de los perjuicios ocasionados.

La imposición de una sanción por infracción grave o muy grave llevará aneja, como sanción accesoria, la privación de la aptitud para ser elegido miembro de las juntas Directivas mientras no se haya obtenido rehabilitación.

El notario separado del servicio causará baja en el escalafón y perderá todos sus derechos, excepto los derivados de la previsión notarial, en los casos en que corresponda.

Artículo 354.– Son órganos competentes en la imposición de sanción las Juntas Directivas de los Colegios Notariales, la Dirección General de los Registros y del Notariado y el Ministro de Justicia.

Las Juntas Directivas podrán imponer las sanciones de apercibimiento y multa en los tramos menor y medio.

La Dirección General de los Registros y del Notariado será el órgano competente para imponer las sanciones no reservadas a las Juntas Directivas excepto la separación del servicio.

La separación del servicio sólo podrá ser impuesta por el Ministro de Justicia.

Artículo 355.– En todo lo no previsto en el presente título en orden al régimen disciplinario de los notarios se aplicará supletoriamente, a falta de normas especiales, lo dispuesto en las normas reguladoras del régimen disciplinario de los funcionarios civiles del Estado, salvo en lo referente a la tipificación de las infracciones y, específicamente, lo establecido en el Reglamento de Régimen Disciplinario de los Funcionarios de la Administración del Estado, aprobado por Real Decreto 33/1986, de 10 de enero, o norma que lo sustituya.

Artículo 356.– El procedimiento disciplinario se iniciará en virtud de acuerdo del órgano competente que tenga conocimiento de los hechos y que podrán ser las Juntas Directivas de los Colegios Notariales, la Dirección General de los Registros y del Notariado o el Ministro de Justicia. El órgano competente para incoar el procedimiento podrá acordar previamente la realización de una información reservada.

En la resolución por la que se incoe el procedimiento se nombrará Instructor y, cuando la complejidad y trascendencia del mismo lo demanden, Secretario para que se encarguen de la tramitación del expediente.

Si el órgano competente para incoar el expediente disciplinario fuera informado por otro de la existencia de hechos que revistan el carácter de infracción disciplinaria podrá ordenar al mismo la incoación del expediente. Igualmente, el órgano competente podrá recabar del inferior su parecer acerca de los hechos a los efectos de valorar su alcance.

La incoación del procedimiento con el nombramiento del Instructor y del Secretario se notificará al notario sujeto a expediente, así como los designados para ostentar dichos cargos.

Serán de aplicación al Instructor y al Secretario las normas relativas a la abstención y recusación establecidas en la Ley 30/1992, de 26 de noviembre, de Régimen Jurídico de las Administraciones Públicas y del Procedimiento Administrativo Común.

El Ministro de Justicia en el supuesto de la separación del servicio, o el Director General de los Registros y del Notariado, en los restantes casos, podrán suspender provisionalmente en el ejercicio de sus funciones a cualquier notario al que se haya ordenado incoar procedimiento disciplinario por infracción muy grave o grave, si ello fuere necesario para asegurar la debida instrucción del expediente o para impedir que continúe el daño al interés público o de terceros. La resolución acordando la suspensión provisional, que agotará la vía administrativa, será recurrible independientemente.

La suspensión de funciones, sea con carácter provisional, sea como sanción definitiva, llevará consigo el nombramiento de un habilitado para atender el servicio público.

Artículo 357.– El Instructor ordenará la práctica de cuantas diligencias sean adecuadas para la determinación y comprobación de los hechos y en particular de cuantas pruebas puedan conducir a su esclarecimiento y a la determinación de las responsabilidades susceptibles de sanción. A este respecto, cuando las conductas a esclarecer tuvieran relación con aspectos económicos de la función pública notarial, el Instructor tanto en esta fase, como en la de información reservada, podrá servirse del auxilio de peritos en la forma establecida en el artículo 331 de este Reglamento.

Como primeras actuaciones, el Instructor procederá a recibir declaración al presunto inculpado y a evacuar cuantas diligencias se deduzcan de la comunicación o denuncia que motivó la incoación del expediente y de lo que aquél hubiera alegado en su declaración.

A la vista de las actuaciones practicadas y en un plazo no superior a tres meses contado a partir de la incoación del procedimiento, el Instructor formulará el correspondiente pliego de cargos, comprendiendo en el mismo los hechos imputados, con expresión, en su caso, de la falta presuntamente cometida, y de las sanciones que puedan ser de aplicación. El Instructor podrá por causa justificada solicitar la ampliación en un mes del plazo referido.

El pliego de cargos deberá redactarse de modo claro y preciso, en párrafos separados y numerados por cada uno de los hechos imputados al notario. También podrá proponer el levantamiento de la suspensión del notario en el ejercicio de sus funciones a que antes se ha hecho referencia.

El pliego de cargos se notificará al inculpado concediéndose un plazo de diez días para que pueda contestarlo con las alegaciones que considere convenientes a su defensa y con la aportación de cuantos documentos considere de interés. En este trámite deberá solicitar, si lo estima conveniente, la práctica de las pruebas que para su defensa crea necesarias.

Contestado el pliego o transcurrido el plazo sin hacerlo, el Instructor podrá acordar la práctica de las pruebas solicitadas que juzgue oportunas así como de todas aquellas que considere pertinentes. Para la práctica de las pruebas se dispondrá del plazo de un mes.

El Instructor cuidará de la tramitación del expediente podrá denegar motivadamente la admisión y práctica de las pruebas cuando las estime improcedentes, sin que contra esta resolución quepa recurso del inculpado.

Para la práctica de las pruebas propuestas, así como para las de oficio cuando así se estime oportuno, se notificará al notario el lugar, fecha y hora en que deberán realizarse, debiendo incorporarse al expediente la constancia de la notificación al domicilio oficial del notario.

El Secretario, en su caso, cuidará y dará fe de las diversas actuaciones del mismo.

Cumplimentadas las diligencias previstas, se dará vista del expediente al inculpado para que en el plazo de diez días alegue lo que estime pertinente a su defensa y aporte cuantos documentos considere de interés.

Se facilitará copia completa del expediente al inculpado cuando éste así lo solicite y lo permita la específica naturaleza de los documentos.

El Instructor formulará dentro de los diez días siguientes la propuesta de resolución en la que fijará con precisión los hechos, motivando, en su caso, la denegación de las pruebas propuestas por el inculpado y hará la valoración jurídica de los mismos para determinar la falta que se estime cometida, señalando la responsabilidad del notario así como la sanción que procede imponer.

La propuesta de resolución se notificará por el Instructor al interesado para que, en el plazo de diez días, pueda alegar ante el instructor cuanto considere conveniente a su defensa.

Oído el inculpado, o transcurrido el plazo sin alegación alguna, se remitirá con carácter inmediato el expediente completo al órgano que haya acordado la incoación del procedimiento. El órgano que ordenó la incoación del expediente no queda vinculado por la propuesta del Instructor, pero deberá resolver siempre acerca de su propia competencia. Consecuentemente, dicho órgano podrá aceptar la propuesta del Instructor, reducirla o ampliarla, e, incluso, apreciar que la sanción procedente rebasa su propia competencia, debiendo elevar el expediente, en este último caso, al órgano superior con su informe preceptivo.

El órgano competente para imponer la sanción podrá devolver el expediente al Instructor para la práctica de aquellas diligencias que, habiendo sido omitidas, resulten imprescindibles para la decisión. En este caso, antes de remitir de nuevo el expediente a dicho órgano, se dará vista de lo actuado al notario inculpado, a fin de que en el plazo de diez días alegue cuanto estime conveniente.

Artículo 358.– La resolución que pone fin al procedimiento disciplinario deberá adoptarse en el plazo de diez días, salvo en el caso de separación del servicio y resolverá todas las cuestiones planteadas en el expediente.

La resolución habrá de ser motivada y en ella no se podrán aceptar hechos distintos de los que sirvieron de base al pliego de cargos y a la propuesta de resolución, sin perjuicio de su distinta valoración jurídica.

En la resolución que ponga fin al procedimiento disciplinario deberá determinarse con toda precisión la infracción que se estime cometida señalando los preceptos en que aparece recogida la misma, el funcionario responsable y la sanción que se impone, haciendo expresa declaración en orden a las medidas provisionales adoptadas durante la tramitación del procedimiento.

La resolución deberá ser notificada al inculpado con expresión del recurso o recursos que quepan contra la misma y el plazo para interponerlos.

La imposición de sanciones por infracción leve se hará en procedimiento abreviado que sólo requerirá la previa audiencia del inculpado y no exigirá el nombramiento de Secretario.

Artículo 359.– El plazo máximo para dictar y notificar la resolución será de nueve meses, ampliables por otros tres mediante acuerdo del órgano que decidió la iniciación del procedimiento. No obstante, en los casos de procedimiento abreviado, el plazo máximo para dictar y notificar la resolución será de tres meses, salvo que se acuerde la transformación del procedimiento durante su instrucción.

Transcurridos los expresados plazos máximos el procedimiento quedará caducado, pero la caducidad no producirá por sí sola la prescripción de la infracción.

Artículo 360.– A salvo de medidas cautelares que puedan adoptar los Juzgados o Tribunales competentes, las sanciones disciplinarias de apercibimiento y multa se ejecutarán cuando quede agotada la vía administrativa. Las sanciones de postergación, traslación, suspensión de funciones y separación del servicio, se ejecutarán cuando sean firmes.

Artículo 361.– La ejecución de las sanciones disciplinarias corresponde al órgano que las hubiere impuesto, salvo las acordadas por el Ministro de Justicia, que se harán efectivas por la Dirección General.

Si la sanción impuesta fuere la de multa, el notario deberá ingresar el importe de la misma, en el plazo de quince días siguientes al requerimiento de pago en el Colegio Notarial al que pertenezca.

Si no lo abonare en el plazo indicado, se procederá a la ejecución de su fianza, o de las que sucesivamente vaya constituyendo de no ser suficiente la cuantía de la primitiva para afrontar las responsabilidades derivadas de la sanción, en la forma regulada en los artículos 24 y siguientes de este Reglamento y normativa complementaria para su desarrollo. Ejecutada la fianza, el notario no podrá ejercer la profesión hasta que no la reponga en toda su integridad.

Si con la fianza o fianzas no bastare para el cumplimiento de la sanción, se procederá a la ejecución de los bienes del sancionado por la vía administrativa de apremio.

Todos los gastos serán de cuenta del notario corregido y mientras no se hagan efectivos por éste, los suplirá el Colegio Notarial.

Artículo 362.– Las sanciones se graduarán atendiendo en cada caso concreto, esencialmente, a la trascendencia que para la prestación de la función notarial tenga la infracción cometida; la existencia de intencionalidad o reiteración y la entidad de los perjuicios ocasionados.

Así, en el supuesto concreto de traslación forzosa el Órgano sancionador, esto es, la Dirección General de los Registros y del Notariado, ponderará si el sancionado debe ser nombrado directamente por la Dirección para servir una Notaría de sección o clase inmediatamente inferior a la que tuviera el interesado, siendo esto último posible, o si es suficiente obligarle a pedir traslado en el siguiente concurso, pudiendo optar en el mismo a una plaza de idéntica categoría.

Idénticos criterios se utilizarán para ponderar la sanción de postergación de puestos de antigüedad en la carrera o la de años de antigüedad en la clase.

Artículo 363.– Contra las resoluciones de la Junta imponiendo sanciones disciplinarias, podrá entablarse recurso en los plazos y forma previsto para el de alzada, ante la Dirección General, en el plazo de un mes, contado a partir del día siguiente al de la notificación. Contra las que imponga la Dirección General podrá recurrirse en alzada, en igual plazo, ante el Ministro de Justicia.

Las resoluciones recaídas en cualquiera de los recursos de alzada previstos en este artículo agotan la vía administrativa.

Artículo 364.– Los notarios sancionados podrán obtener la cancelación en sus expedientes personales de las sanciones anotadas cuando haya transcurrido un año desde que ganó firmeza la orden, resolución o acuerdo sancionador si la falta fue leve, dos años si fue grave y cuatro años si fue muy grave, salvo si los efectos de la sanción se extendieren a plazos superiores, en cuyo caso será necesario el transcurso de éstos.

DISPOSICIONES TRANSITORIAS

Primera.– Derogada

No obstante lo dispuesto en el número primero del artículo sexto las mujeres que hayan figurado en las listas de opositores admitidos en las oposiciones a Notarías celebradas con anterioridad a este Reglamento, podrán tomar parte, excepcionalmente, en las que se anuncien a partir de esta fecha, hasta un máximo de dos convocatorias.

Segunda.– Derogada

Las fianzas actualmente constituidas por los Notarios subsistirán sin modificarse su cuantía mientras permanezcan en las Notarías para cuyo desempeño fueron establecidas, y sólo les será aplicable lo dispuesto en el artículo 23 de este Reglamento cuando sean nombrados para otra Notaría.

Tercera.– Derogada por el artículo segundo del Decreto de 30 de noviembre de 1945.

Cuarta.– Derogada

Lo dispuesto en el penúltimo párrafo del artículo 92, recogiendo el Decreto de 21 de febrero de 1941, sólo se aplicará a los Notarios que hubieren obtenido la clase por oposición con posterioridad a la citada fecha.

Igualmente, si en los concursos que se anuncien a partir de la publicación de este Reglamento, se produjere la igualdad en la categoría entre dos o más solicitantes, de los cuales, unos hubiesen adquirido aquélla por concursos anteriores, y otros en virtud de oposición, se concederá preferencia a éstos sobre aquéllos para la adjudicación de la vacante solicitada por los mismos.

Quinta.- Derogada por el artículo segundo del Decreto de 30 de noviembre de 1945.

Sexta.- Derogada

Los Notarios que hubieren cumplido setenta años de edad podrán trasladarse por concurso, por una sola vez, en el plazo de dos años, a contar desde la fecha de publicación de este Reglamento.

De igual modo, los Notarios que contaren sesenta y nueve y sesenta y ocho años de edad a la publicación de este Reglamento, podrán también, después de cumplidos los setenta, trasladarse por concurso y por una sola vez, en los plazos de dos y de un año y medio, respectivamente, contados desde que cumplan dicha edad.

Séptima.- Derogada

La limitación de dos años de servicios efectivos, exigida en el artículo 99 para tomar parte en las oposiciones entre Notarios, sólo se aplicará a los que ingresen en oposiciones convocadas con posterioridad a este Reglamento.

Octava.- Derogada

Los Notarios que se hallen en situación de excedencia voluntaria con anterioridad a esta disposición, conservarán su derecho a tomar parte en oposiciones entre Notarios, e igualmente, si se lo hubieran reservado, el derecho a reingresar en el servicio activo por Notaría de la misma clase y Colegio en que prestaban sus servicios; y

Novena.- Derogada

Las oposiciones libres a Notarías actualmente en curso se regirán por las disposiciones anteriores al presente Reglamento, si bien para obtener Notarías de Madrid o de Barcelona se precisa reunir una puntuación total no inferior a ciento cinco puntos.

ANEXO I
MUTUALIDAD NOTARIAL
Derogado por Decreto de 29 de abril de 1955

ANEXO II
DEL REGISTRO DE ACTOS DE ÚLTIMA VOLUNTAD

Artículo 1.- El Registro general de actos de última voluntad, creado por Real Decreto de 14 de noviembre de 1885, continuará llevándose en la Dirección General de los Registros y del Notariado a cargo de uno de los funcionarios del Cuerpo Facultativo de Letrados de la misma, con el personal auxiliar que fuese necesario, y constituirá una de sus Secciones.

Artículo 2.- Además del Registro general de actos de última voluntad, continuarán bajo la inspección de la Dirección General los Registros particulares que se lleven en los Decanatos de los Colegios Notariales de la Península e islas adyacentes.

Artículo 3.- En el Registro general se tomará razón:

a) De los testamentos abiertos, de la autorización del acta de otorgamiento y protocolización de los cerrados o sus respectivas revocaciones, de las donaciones "mortis causa" y, en general, de todo acto relativo a la expresión o modificación de la última voluntad autorizado por el Notario de la Península e islas adyacentes, posesiones del Norte de Africa y demás territorios de soberanía nacional; por Cura párroco, en los puntos en que por ley, fuero o costumbre tenga esta facultad, o por Agente diplomático o consular de España en el extranjero.

b) De los testamentos ológrafos, si los otorgantes lo desean y lo hacen constar por medio de acta notarial, en que se expresen la fecha y lugar de su otorgamiento y las demás circunstancias personales expresadas en el artículo siguiente.

c) De la protocolización de los testamentos ológrafos y de los abiertos otorgados sin autorización de Notario, de los testamentos otorgados por militares con arreglo a los artículos 716 y 717 del Código Civil y de los otorgados en viaje marítimo.

d) Las personas que, residiendo o hallándose accidentalmente en el extranjero otorgaren testamento ante funcionario del país en que se halle, podrán hacer constar el hecho de este otorgamiento ante el Agente diplomático o consular de España, suscribiendo un acta en la que constará su nombre y apellidos, estado, nombre y apellidos del cónyuge, si fuere casado o viudo, naturaleza y vecindad, nombre de los padres, nombre y apellidos del funcionario que haya autorizado el acto, población en que tenga lugar, fecha y clase del instrumento. El representante diplomático o consular de España, dará referencia de dichas actas, con transcripción de todos sus datos, al Registro general de actos de última voluntad.

e) De las ejecutorias que afecten a la validez o nulidad de los testamentos y demás actos de última voluntad

Artículo 4.– El Registro General de Actos de Última Voluntad se llevará por procedimientos informáticos. Respecto de cada uno de los otorgantes se expresará: el nombre, apellidos, lugar de nacimiento y Documento Nacional de Identidad; el estado, expresándose el nombre y apellidos del cónyuge del testador, si fuere casado y el nombre de los padres. Se expresarán, también, el nombre y apellidos del Notario o funcionario que haya autorizado o protocolizado el acto de última voluntad, o el Juez o Tribunal que haya dictado la ejecutoria; y el lugar, fecha y clase del acto de última voluntad y aquellas otras circunstancias que se determinen.

Artículo 5.– El Registro general y los particulares de cada Colegio o Notaría serán reservados, bajo la responsabilidad del personal destinado a este servicio en la Dirección y en los Decanatos de los Colegios Notariales.

Sólo podrán expedirse certificaciones de lo que resulte del Registro general en los casos siguientes:

1.º Cuando las pidan los Jueces o Tribunales u otras autoridades para asuntos del servicio, expresado cual sea.

2.º Cuando las soliciten los mismos otorgantes, acreditando su personalidad, o mandatario con poder especial otorgado ante Notario.

3.º Cuando se pidan por cualquier persona, si acredita o consta ya acreditado con documento fehaciente el fallecimiento de aquélla de quien se desee saber si aparece o no registrado algún acto de última voluntad, siempre que hayan transcurrido quince días desde la fecha de la defunción

Artículo 6.– Las solicitudes se elevarán a la Dirección General y se extenderán en papel timbrado o común reintegrado por valor de 2,50 pesetas. y se estampará en ellas un sello de la Mutualidad Benéfica de Funcionarios de la Administración Central del Ministerio de Justicia, de 1,50 pesetas.

También podrán solicitarse certificaciones de urgencia mediante el uso del sello especial creado por la Dirección General para tal objeto. Tales peticiones tendrán la preferencia del despacho urgente en ella solicitado.

Los Jueces y Tribunales que se dirijan al Director general en demanda de certificaciones usarán el papel que corresponda a las actuaciones en que hayan de surtir efecto. Las demás autoridades podrán pedirlas de oficio

Artículo 7.– Los Tribunales, Jueces de cualquier fuero, autoridades y particulares que soliciten certificaciones, consignarán en la respectiva petición, como datos indispensables, el nombre y apellidos del causante, el pueblo de su naturaleza, los nombre de los padres y la fecha del fallecimiento; acreditando tales extremos con el correspondiente certificado de la inscripción de defunción.

Artículo 8.– Las certificaciones se expedirán en papel blanco o impreso, y se autorizarán con media firma del funcionario que las extienda, estampada a continuación del texto, firma entera del Jefe del Registro, al pie del certificado, y Visto Bueno del Director general, que podrá ser estampillado cuando el documento no haya de ser objeto de legalización.

Las certificaciones no se entregarán a los solicitantes sin que sean debidamente reintegradas con la correspondiente póliza de la clase séptima, que será inutilizada con el sello especial de salida del Registro, sin cuyos requisitos no serán admisibles para efecto alguno ante los Tribunales y oficinas. En las que se expidan a petición de Jueces y Tribunales cuidarán éstos de que se reintegren debidamente.

Artículo 9.– En caso de que se advirtiera algún error en el certificado, se devolverá a la Dirección para que, examinando la Sección los antecedentes, se verifique la rectificación, si procediere, y se utilizarán las pólizas que se hubieren adherido. En el nuevo certificado se hará constar que se expide por rectificación.

Si los antecedentes que obran en el Registro no son conformes con la reclamación efectuada por el interesado, se oficiará inmediatamente al Decano del Colegio Notarial respectivo, quien, en el plazo de dos días, deberá confirmar o rectificar los datos pedidos o comunicar que, siendo sus datos iguales a los del Registro Central, oficia a su vez al Notario o Notarios que proceda para que contesten en un plazo igual, de tal modo que, en el caso más desfavorable, los datos lleguen a la Dirección General en el p lazo máximo de ocho días, a contar desde la reclamación.

Cuando se solicite certificación relativa a persona que haya podido ser conocida o llamada con variedad de nombres o apellidos, se podrá interesar que la certificación se extienda a las diversas variedades morfológicas; sin embargo, la certificación no alcanzará a aquellas que claramente no se refieran a la persona de quien se certifique, por no coincidir las demás circunstancias personales. En todo caso, el solicitante abonará los derechos establecidos tantas veces como variedades comprenda el certificado

Artículo 10.– De toda certificación que se expida se tomará nota en su instancia, consignándose la cualidad de negativa o, en su caso, abreviadamente, las fechas de los actos de última voluntad que aparezcan en el Registro si aquéllas fuesen afirmativas.

Dichas instancias anotadas se conservarán enlegajadas durante tres años, pasados los cuales la Dirección dispondrá de ellas como inútiles

Artículo 11.– Los Curas párrocos y Notarios de la Península e islas adyacentes que de cualquier modo intervengan en los otorgamientos y protocolizaciones y actas notariales que se relacionan en el artículo tercero, dirigirán dentro de tercero día al Decanato del respectivo Colegio Notarial una comunicación en la que, por párrafos separados y numerados, se consignen las noticias determinadas en el artículo cuarto. En el caso de no poder expresarlas todas, manifestarán que son las únicas adquiridas.

Los Agentes diplomáticos o consulares de España en el extranjero remitirán a la Dirección General la comunicación que expresa el párrafo precedente en el primer correo que puedan utilizar.

Los Decanatos facilitarán a los Notarios del respectivo Colegio oficios impresos para las comunicaciones.

La Dirección General y los Decanos, respectivamente, acusarán recibo a los Agentes diplomáticos o consulares, así como a los Párrocos, por medio de oficio, que éstos deberán conservar.

Si transcurrido el tiempo necesario para recibir el oficio no llegare a poder de dichos funcionarios, repetirán la comunicación hasta obtenerlo. Los Jueces y Tribunales respectivos consignarán igualmente en comunicación al Decano del Colegio Notarial los datos necesarios para llenar las casillas en las tarjetas a que se refiere el artículo cuarto cuando proceda, según los casos.

Los Decanos acusarán el correspondiente recibo a los respectivos Notarios dentro del tercer día, mediante una tarjeta igual a las usadas para la Dirección General, en la que además, se exprese que corresponde al oficio recibido según su número especial.Con tales tarjetas formarán los Notarios un Registro o fichero de últimas voluntades

Artículo 12.– Los Decanos de los Colegios Notariales que reciban las comunicaciones a que se refiere el artículo anterior dispondrán que inmediatamente se consignen los datos en el Registro particular que ha de llevarse en el Decanato.

Artículo 13.– La información será remitida al Registro General de Actos de Ultima Voluntad por el procedimiento y con la periodicidad que se determine.

Artículo 14.– Tan pronto como los Notarios y demás funcionarios obligados a hacerlo remitan a los Decanatos la comunicación prevenida en el artículo 11, lo harán constar así por nota en el respectivo instrumento.

Artículo 15.– Siempre que ante cualquier Juzgado se solicite declaración de que una persona ha fallecido "ab intestato" o la aprobación de particiones practicadas en virtud de cualquier acto de última voluntad, se presentará el respectivo certificado, en el que se consignen los testamentos registrados o expresión de que no consta ninguno del causante.

El certificado se unirá a los autos, y el Juez, sin perjuicio de que en su vista acuerde lo que estime procedente, cuidará, al hacer la declaración de herederos o al aprobar las particiones, de que se consigne en el auto correspondiente el contenido de la certificación.

Los Notarios que sean requeridos para autorizar actos de adjudicación o partición de bienes adquiridos por herencia testada, exigirán que los interesados les presenten certificado en que conste si existe o no registrado algún acto de última voluntad del causante.

Los Registradores de la Propiedad harán constar brevemente en la inscripción de los bienes adquiridos por herencia testada o intestada el contenido de la certificación y la suspenderán por defecto subsanable en el caso de que ésta no les sea presentada con los títulos correspondientes. Una vez que dicha certificación les sea presentada, podrán verificar el asiento solicitado, cualquiera que sea el contenido de aquélla.

La certificación del Registro de actos de última voluntad no será, sin embargo, precisa cuando se trate de causantes menores de catorce años o de los que hubieren fallecido con anterioridad a 1.º de enero de 1886.

Los Jueces, Notarios y Registradores de la Propiedad, a quienes se presente certificado relativo a personas que les conste por otros documentos, que ha sido designada con alguna variación en nombre o apellidos, deberán exigir un nuevo certificado, en la forma prevenida en el artículo noveno.

ANEXO III
DEL EJERCICIO DE LA FE PÚBLICA POR LOS AGENTES DIPLOMÁTICOS Y CONSULARES DE ESPAÑA EL EN EL EXTRANJERO

Artículo 1.– Los Jefes de las Misiones diplomáticas y los Cónsules de España de carrera tendrán a su cargo el ejercicio de la fe pública en el extranjero con arreglo a lo dispuesto en los artículos 11 y 734 del Código Civil y a las estipulaciones de los Tratados internacionales.

Los *Jefes* de Misión podrán delegar esas funciones en el Secretario de Embajada de mayor categoría que forme parte de aquélla, y los Cónsules, en los Vicecónsules. Cuando en una misma localidad exista Misión diplomática y Consulado de carrera, corresponderá a este último el ejercicio de la fe pública

Artículo 2.– En los países en que los Cónsules ejerzan la jurisdicción contenciosa y en aquellos en que por existir una numerosa población española lo juzgue necesario el Ministerio de Asuntos Exteriores, los Cónsules de carrera o, en su defecto, las Misiones diplomáticas, podrán autorizar, previa aprobación de dicho Ministerio, para el ejercicio de la fe pública, a determinados Agentes consulares honorarios, teniendo en cuenta en todo caso sus condiciones personales de aptitud.

Artículo 3.– Para que los instrumentos públicos autorizados por los funcionarios a que se refiere el artículo anterior tengan validez en España, deberán ser calificadas sus copias por los Cónsules de carrera de que tales funcionarios dependan con la siguiente fórmula:
"El Cónsul de España en Certifica: Que don... (Cónsul, Vicecónsul honorario o Agente consular de España), en..., está autorizado para el ejercicio de la fe pública, y que este instrumento reúne las condiciones intrínsecas y extrínsecas exigidas para su validez por la legislación española". (Fecha, firma y sello).
Esta diligencia se practicará de oficio y no devengará derechos

Artículo 4.– Los Agentes consulares honorarios conservarán en todo caso y en todos los países de la facultad de legalizar firmas, dar certificados de existencia, de consentimiento para contraer matrimonio, extender y autorizar protestas de averías y de naufragios y expedir, en general, toda clase de certificados que, no teniendo carácter notarial, estén comprendidos dentro de las atribuciones ordinarias de los Cónsules, a menos que éstas les sean fin limitadas por sus Jefes inmediatos.

Artículo 5.– Los Agentes diplomáticos y consulares observarán en la redacción de las escrituras y actas matrices, expedición de copias y testimonios, formación y conservación de protocolos y en todos aquellos actos en que intervengan con carácter notarial, todas las prescripciones contenidas en la Ley del Notariado y en el título IV de su Reglamento y su Anexo II, en la parte que sea aplicable y con las excepciones que se consignan en los artículos siguientes. No será de aplicación lo dispuesto en los artículos 175 y 249, apartado 2, del Reglamento Notarial.

Artículo 6.- Cuando el número de instrumentos que se autoricen en una Agencia diplomática o consular durante el año no exceda ordinariamente de cincuenta, se encuadernarán cuando se haya autorizado el número 100, o antes si por el volumen o por otras circunstancias se creyere más conveniente para su mejor conservación.

En este caso se abrirá y cerrará el protocolo con las siguientes notas:

"Protocolo de los instrumentos públicos autorizados en esta... (Legación o Consulado) desde el día de la fecha".

"Concluye el protocolo de instrumento públicos abierto el día... (fecha), que contiene... (tantos) instrumentos y... (tantos) folios".

En ambas diligencias se observarán formalidades prescritas por el artículo 273 del Reglamento del Notariado.

La numeración de las escrituras se seguirá sin interrupción desde el número 1 hasta el 100, o hasta aquel con que se cierre el protocolo

Artículo 7.- Tanto en el caso a que se refiere el artículo anterior como cuando se forme el protocolo con arreglo al artículo 272 del Reglamento del Notariado se conservarán las escrituras, antes de ser encuadernadas, en una carpeta especial cerrada por todos sus lados, que llevará la inscripción: "Protocolo corriente de instrumentos públicos de... (designación de la Agencia diplomática o consular)".

Artículo 8.- Los Cónsules de carrera se harán cargo de los protocolos llevados por los Agentes consulares honorarios que cesen en el ejercicio de la fe pública y también de los llevados por los Agentes que en lo sucesivo cesen en sus cargos por supresión del puesto, o cuando el que haya de sustituirlos en el que aquéllos desempeñaban no esté autorizado para ejercer esas funciones.

Artículo 9.- Cuando se suprima un Consulado de carrera se hará cargo de su protocolo el Consulado general o, en su defecto, la Embajada o Legación y, a falta de ambos, el Consulado de carrera más próximo en el mismo país. Si no hubiera Legación o Consulado de carrera, se remitirá al Ministerio de Asuntos Exteriores para los efectos expresados en el artículo 27 de este anexo. El mismo procedimiento se seguirá al suprimirse una Misión diplomática.

En el caso de suprimirse un Consulado por traslado a otra localidad próxima en el mismo país, continuará el protocolo de aquel a cargo del nuevamente establecido

Artículo 10.– En sustitución de los índices mensuales a que se refiere el artículo 284 del Reglamento del Notariado, los Agentes diplomáticos y consulares, al comenzar cada protocolo, abrirán un índice en el que, con los requisitos señalados en el párrafo segundo del artículo 33 de la Ley, irán anotando todos los instrumentos a medida que los autoricen. Los índices se conservarán en la carpeta donde se guarden las escrituras antes de ser encuadernadas y se encuadernarán con éstas al final del tomo respectivo.

Los Agentes diplomáticos y consulares enviarán anualmente al Ministerio de Asuntos Exteriores, para su remisión a la Dirección General de los Registros y del Notariado, un índice en el que se detallen, con arreglo al modelo oficial que se inserta al final del Reglamento, los instrumentos públicos que hayan autorizado durante el año. Estos índices se depositarán en el Archivo general de Protocolos de Madrid

Artículo 11.– Los instrumentos públicos a que se refieren los artículos 34 y 35 de la Ley, autorizados por los Agentes diplomáticos y consulares, se protocolizarán en el Protocolo corriente.

Artículo 12.– Las escrituras matrices y sus copias se extenderán en papel común de tamaño aproximado al del papel sellado (45,50 centímetros de largo por 31,50 de ancho), observándose siempre lo dispuesto en el párrafo segundo del artículo 154 del Reglamento del Notariado.

Artículo 13.– Los Agentes diplomáticos y consulares autorizarán los instrumentos públicos con el sello de la respectiva Agencia, y firmándolos y rubricándolos. No podrán autorizar matrices ni copias los funcionarios cuyas firmas no se hallen previamente registradas en el Ministerio de Asuntos Exteriores, y no podrán variar sus firmas sin autorización de dicho Ministerio.

Artículo 14.– La presentación y reseña del certificado de nacionalidad establecido por el artículo octavo del Reglamento del Registro de nacionalidad en el extranjero de 5 de septiembre de 1871, será obligatoria para la redacción de los instrumentos públicos en sustitución del documento de identidad correspondiente, cuando el otorgante o requeriente sea español y resida en el extranjero. Cuando se trate de un español transeúnte, deberá presentar, y se reseñará en el instrumento, su documento personal de identidad o, en su defecto, el certificado de nacionalidad.

Artículo 15.– La capacidad legal de los extranjeros que otorguen documentos ante los Agentes en la forma diplomáticos y consulares y que pertenezcan a país distinto de aquél en que dichos Agentes se hallen acreditados, se justificará, en el caso a que se refiere el número quinto del artículo 168 del Reglamento del Notariado, por certificación expedida por el Cónsul y, en su defecto, por el Agente diplomático del país a que el extranjero pertenezca.

La designación de cargas, gravámenes o responsabilidades a que puedan estar afectos los bienes objeto del contrato se hará constar, en primer término, por lo que resulte de la declaración de la parte transmitente o de la que constituya un gravamen y, en segundo lugar, por lo que aparezca de los títulos o documentos que se exhiban al agente diplomático o consular. También podrán hacerse constar, cuando en ello estén conformes los contratantes, remitiéndose a lo que resulte de los libros del Registro de la Propiedad.

Artículo 16.– Podrán ser testigos instrumentales en los documentos intervivos los que reúnan las condiciones señaladas en el artículo 181 del Reglamento del Notariado, no siendo legitimidad necesaria, sin embargo, la condición del domicilio en España para los extranjeros, pero sí en el país del otorgamiento cuando aquéllos no sean ciudadanos del mismo.

Sólo podrán ser testigos en los testamentos los que tengan la capacidad exigida por el Código Civil, pero no será necesaria la condición del domicilio, conforme a lo dispuesto en el artículo 734 del mismo Código.

Artículo 17.– Las escrituras autorizadas por los Agentes diplomáticos y consulares harán fe en todo el territorio español.

Artículo 18.– Los testimonios que, para los efectos expresados en el artículo 254 del Reglamento del Notariado, expidan los Agentes diplomáticos o consulares de los testamentos y los de otras escrituras por las que se modifique el estado civil, se remitirán a la Dirección General de los Registros por conducto del Ministerio de Asuntos previstos en Exteriores.

Artículo 19.– Los agentes diplomáticos y consulares remitirán al Ministerio de Asuntos Exteriores copia, autorizada con su firma y sello, de los testamentos abiertos y del acta de los testamentos cerrados que autoricen.

Artículo 20.– El Agente diplomático o consular en cuyo poder hubiese depositado su testamento ológrafo o cerrado un español, lo remitirá al Ministerio de Asuntos Exteriores, cuando fallezca el testador, con el certificado de defunción, para los fines expresados en el artículo 736 del Código Civil.

Artículo 21.– Para la obtención de segundas o posteriores copias, en el caso del artículo 235 del Reglamento del Notariado, será Juez competente el del domicilio del que la solicita o, en su caso, el que conozca de los autos a que la copia deba adaptarse.

Artículo 22.– Los recursos de queja ante la Dirección General de los Registros que establecen los artículos 145 y 231 del Reglamento del Notariado, se cursarán por conducto del Ministerio de Asuntos Exteriores.

Artículo 23.– Cuando se otorguen documentos ante un Agente diplomático o consular, por los que se cancele, rescinda, anule o por cualquier otro concepto quede sin efecto una escritura anterior, el Agente lo comunicará, por conducto del Ministerio de Asuntos Exteriores, al Notario autorizante del primer documento, para los efectos expresados en el párrafo segundo 178 del mencionado Reglamento.

Si el primer documento hubiere sido también autorizado por un Agente diplomático o consular, la comunicación se hará directamente por el que autorice el documento posterior

Artículo 24.– Los Agentes diplomáticos consulares podrán dar testimonio de legitimidad de firmas de toda clase de personal, particulares y razones sociales, puestas en su presencia en la forma y con los requisitos consignados en el artículo 256 y siguientes de Reglamento del Notariado, pero sin que sea necesario que los documentos se extiendan en papel del Timbre del Estado. Cuando los documentos hayan de producir efecto en el país en que se firman, se observarán las prescripciones de carácter fiscal impuestas por la legislación territorial.

Artículo 25.– Para los testimonios por exhibición, certificados de asistencia, testimonios de legitimidad de firmas y legalizaciones, los Agentes diplomáticos y consulares llevarán, en sustitución del libro a que se refiere el artículo 283 del Reglamento del Notariado, los libros y registros prevenidos por las disposiciones dictadas por el Ministerio de Asuntos Exteriores.

Artículo 26.– Los depósitos a que se refiere el artículo 216 del expresado Reglamento Notarial, que los particulares o Corporaciones, constituyan en poder de los Agentes diplomáticos y consulares, se regirán por las disposiciones dictadas por el Ministerio de Asuntos Exteriores.

Artículo 27.– Los Agentes diplomáticos y consulares remitirán, para su custodia en el Archivo general de Protocolos de Madrid, por conducto del Ministerio de Asuntos Exteriores, los protocolos de más de veinte años de fecha y los de las Agencias suprimidas en los casos previstos en el artículo noveno de este anexo.

DISPOSICIÓN FINAL

Única.– Quedan derogadas todas las disposiciones anteriores al presente Reglamento relativas a las materias que en el mismo o sus anexos se regulan o condicionan, salvo en aquellos puntos que en ellos se declaran vigentes.

ANEXO IV
DEL EJERCICIO DE LA FE PÚBLICA EN MATERIA ELECTORAL

CAPÍTULO PRELIMINAR
Disposiciones generales

Artículo 1.- Las normas contenidas en este anexo se aplicarán en la elección de Diputados y Senadores de las Cortes Generales, miembros de los Parlamentos y Asambleas Legislativas de las Comunidades Autónomas, miembros de las Corporaciones Locales y otros cargos de representación política que deban ser designados por elección directa de primer grado.

Serán también aplicables, en cuanto procedan, a las distintas modalidades de referéndum.

Artículo 2.- Corresponderá, en general, a las Juntas directivas de los Colegios notariales la ejecución de lo establecido en este anexo y disposiciones que lo desarrollen, para lo cual podrán adoptar en cada caso las medidas que consideren oportunas.

Artículo 3.- Convocada la elección, las Juntas directivas examinarán la situación de los mismo.

Notarios del Colegio y adoptarán las medidas necesarias con el fin de procurar que queden atendidos tanto el servicio público general como el extraordinario que pueda motivar la elección.

Todos los Notarios tienen el deber de comunicar a su Decano las circunstancias que puedan ser relevantes a los fines señalados en el párrafo anterior. Este deber subsistirá durante todo el período electoral.

Artículo 4.- Durante el período comprendido entre la convocatoria de la elección y la proclamación de candidatos y el que medie entre el quinto día anterior a la votación y el siguiente a ésta, quedarán en suspenso los ejercicios de las oposiciones entre Notarios, los derechos de ausencia y licencia y la situación prevista en el apartado 4.º del artículo 43 del Reglamento Notarial, respecto de los Notarios residentes en el territorio afectado por las elecciones. Los ejercicios de las oposiciones de ingreso en el Notariado quedarán suspendidos entre el quinto día anterior a la votación y el siguiente a ésta.

No obstante lo dispuesto en el párrafo anterior, las Juntas directivas de los Colegios hechos o Notariales y la Dirección General, en su caso, podrán conceder o mantener, por justa causa, las licencias previstas en el artículo 45 del Reglamento Notarial.

En el tiempo comprendido entre los dos períodos mencionados en el párrafo 1.º de este artículo, se aplicarán las normas establecidas en los artículos 43 a 48 del Reglamento Notarial, si bien los Notarios interesados deberán añadir a las comunicaciones ordinarias los datos necesarios para su inmediata localización.

En cualquiera de los supuestos contemplados en este artículo, las Juntas directivas y la Dirección General, por razones de servicio, podrán exigir que el Notario se reintegre a su residencia en el plazo máximo de tres días.

Artículo 5.– Los Notarios presentados como candidatos podrán ausentarse de su residencia con el fin de intervenir en los actos electorales propios de su candidatura, pero si no fueren proclamados como candidatos deberán reintegrarse al desempeño de su cargo en el plazo de tres días.

A los proclamados candidatos se les prohíbe la dación de fe en los hechos y actos del caso y correspondiente procedimiento electoral.

Artículo 6.– Los Decanos, atendidas las circunstancias de hecho y conforme a las informaciones recibidas, procederán a habilitar de oficio, en cualquier momento del período electoral, al Notario o Notarios que se estime conveniente para asegurar la prestación de la función en materia electoral en distrito o distritos notariales distintos del suyo propio dentro del territorio del Colegio. Estas habilitaciones tienen carácter obligatorio para los Notarios salvo excusa admitida.

Para la designación de habilitados se procurará seguir criterios de proximidad territorial y facilidad de comunicaciones.

El Notario así habilitado será provisto de la correspondiente credencial, en la que constará el distrito o distritos a que la habilitación se refiera y la indicación de que se realiza sólo a efectos electorales, incorporará a su propio protocolo los instrumentos que autorice.

En razón a las habilitaciones efectuadas, y por el tiempo de su duración, las Juntas directivas realizarán las necesarias adaptaciones en el régimen de sustituciones.

Artículo 7.– Los Notarios deberán ser informados por las Juntas directivas de las medidas de sustitución y habilitación que se adopten respecto al distrito a que pertenezcan. El Delegado y Subdelegado de la Junta directiva en la capital de cada provincia recibirán análoga información en cuanto a todos los distritos notariales a ella correspondientes. Unos y otros tendrán el deber de facilitar tal información a los interesados que los soliciten.

El Colegio Notarial informará igualmente con referencia a todo el territorio del mismo.

A los mismos fines, las Juntas directivas comunicarán a las Juntas Electorales Provinciales y, en su caso, a las Juntas de Zona que acumulen sus funciones la relación de los Notarios, titulares o habilitados, que puedan ejercer dentro del respectivo territorio y el lugar de su residencia, así como las alteraciones que se produzcan antes del día señalado para la votación.

Artículo 8.– La prestación de funciones para dar fe de actos u operaciones relacionadas con la materia electoral se regirá por la legislación notarial general, y en especial, por lo que se dispone en este anexo para el día de la votación.

Las autorizaciones para solicitar la certificación de inclusión en el censo y para recibir, en su caso, la documentación para el voto por correo, en los supuestos de enfermedad o incapacidad que le impida la formulación personal de la solicitud o la realización personal de la recepción, se instrumentarán en escritura pública de poder.

El Notario exigirá al poderdante la presentación de la certificación médica acreditativa de la enfermedad o incapacidad que le impida la formulación personal de la solicitud e incorporará la expresada certificación a la escritura.Exigirá,igualmente, al poderdante la presentación del documento nacional de identidad, que deberá reseñar en aquélla. El apoderado tendrá derecho a obtener las copias necesarias para el cumplimiento de las autorizaciones a que se refiere el párrafo anterior y no tendrá facultad de subapoderar.

La escritura será única para cada poderdante y sólo podrá cometer una designación de apoderado.El Notario no autorizará ningún otro documento de la misma clase a favor del mismo apoderado.Tampoco autorizará ningún otro poder del mismo elector,quien manifestará que es el único que otorga y que desconoce que el apoderado ya lo sea de otra persona.

Las actuaciones notariales relacionadas con la emisión del voto por correo deberán ser cumplimentadas por los Notarios con la máxima urgencia y con carácter preferente.

Artículo 9.– Los candidatos y los representantes de las candidaturas, así como sus respectivos apoderados, podrán solicitar la adscripción de Notarios solamente para hacer constar hechos o actos electorales que se produzcan el día de la votación en una o varias circunscripciones.

A tales efectos se procederá de la siguiente forma:

A) Los interesados presentarán al Decano del Colegio Notarial una solicitud en la que expresarán el número de Notarios cuya adscripción pretendan y los previsibles lugares de actuación. Esta solicitud deberá presentarse necesariamente en un período de diez días, que finalizará el sexto día anterior al señalado para la votación.

B) El Decano, discrecionalmente, hará, en su caso, las adscripciones que considere posibles, a la vista del conjunto de las peticiones formuladas y teniendo en cuenta las previsiones generales para el día de la elección.

C) En todo caso, a los efectos previstos en el párrafo 1.º del artículo 3.º de este anexo, deberá quedar sin adscripción la mitad, como mínimo, de los Notarios disponibles.

D) Cuando el número de las adscripciones solicitadas fuere superior al de las que procedan con arreglo a la letra anterior, se procurará distribuirlas de forma que todos los solicitantes puedan disponer de análogas garantías de autenticidad, reduciendo, en su caso y progresivamente, las solicitudes con mayor número de peticiones para la misma circunscripción. Estos criterios se referirán a las candidaturas en las elecciones de listas cerradas y a los candidatos en las de listas abiertas.

E) La adscripción recaerá preferentemente en los Notarios residentes en el lugar en que deban actuar, atendiendo en otro caso a criterios de facilidad de comunicaciones.

F) El Decano notificará a los solicitantes y a los Notarios adscritos los acuerdos recaídos.

Las menciones que en este artículo se hacen a los Notarios comprenden igualmente a los Fedatarios electorales a que se refiere el artículo 18 de este anexo.

El Decano comunicará a la Junta Electoral Provincial y a todos los Notarios del Colegio, al menos un día antes del señalado para la votación, los Notarios o Fedatarios electorales adscritos.

SECCIÓN SEGUNDA
Normas especiales para el día de la votación

Artículo 10.– Todos los Notarios con residencia demarcada dentro de una circunscripción electoral quedan habilitados, sin necesidad de investidura especial, para actuar en materia electoral en todo el territorio de aquélla durante el día de la votación.

En los supuestos en que el territorio de la circunscripción electoral sea de menor extensión que el distrito notarial todos los Notarios de éste podrán actuar libremente, en la misma materia, en todos y cada uno de los términos municipales del mismo.

Artículo 11.– Sin perjuicio de lo dispuesto en el artículo anterior, los **Decanos** podrán disponer que determinados Notarios permanezcan el día de la votación en la población que se les señale, con obligación de desplazarse a las demás poblaciones de la circunscripción territorial en donde sean requeridos.

Artículo 12.– Los Notarios que ostenten cargos en organismos electorales están excusados de prestar su ministerio durante el día en que se celebre la votación. Asimismo podrán excusarse hasta dos miembros de la Junta directiva que esta misma señale.

Artículo 13.– Quienes en virtud de la oportuna solicitud hayan obtenido adscripción de Notarios o Fedatarios electorales conforme al artículo 9.º sólo podrán realizar los requerimientos del día de la votación a los que les fueron adscritos, quienes no deberán aceptar requerimientos de personas distintas de los solicitantes.

Artículo 14.– El requerimiento de prestación de funciones para el día de la votación deberá ser efectuado al Notario o Fedatario electoral adscrito por los mismos candidatos o representantes de las candidaturas a cuyo favor se hubiere realizado la adscripción, o por sus respectivos apoderados, expresando el objeto concreto a que deba referirse su actuación.

Artículo 15.– Toda persona que, en el ámbito de un Colegio electoral determinado, tenga interés legítimo en hacer constar el día de la votación hechos o actos concretos del procedimiento electoral podrá requerir la prestación de funciones de cualquier Notario o Fedatario electoral que no haya sido adscrito conforme al artículo 9.º del presente anexo.

Artículo 16.– Al cumplimentar los requerimientos, el Notario hará constar únicamente los hechos que, a su juicio tengan relación directa con el objeto de aquéllos y no estará obligado a recoger manifestaciones ajenas a dicho objeto que puedan hacer otras personas, salvo las que le haga el Presidente de la Mesa en relación con los mismos hechos.

Artículo 17.– En el caso de que se impidiere o dificultare a los Notarios su actuación, se estará a lo establecido en las normas electorales y, en todo caso, podrán aquéllos reclamar el auxilio de los agentes de la autoridad, quienes vendrán obligados a prestarlo con arreglo a sus respectivos reglamentos.

Cuando la gravedad de los hechos, a juicio del Notario, así lo aconseje, éste por medio de simple escrito, lo pondrá en conocimiento de la Junta directiva de su Colegio a fin de que la misma pueda ejercitar, si lo estimare oportuno, las acciones pertinentes, e incluso interponer querellas en nombre propio y en el del Notario.

CAPÍTULO II
De los funcionarios acreditados como Fedatarios Electorales

Artículo 18.– En la forma y con los requisitos que se establecen en este capítulo podrán ser facultados para levantar actas relativas a hechos o actos que puedan influir en la pureza del sufragio los funcionarios siguientes: Registradores de la Propiedad, Abogados del Estado, Agentes de Cambio y Bolsa, Corredores Colegiados de Comercio e Inspectores financieros y tributarios.

Para poder ser acreditados como Fedatarios electorales, los funcionarios deberán tener la condición de Licenciados en Derecho y no figurar incluidos en ninguna de las candidaturas proclamadas.

El ámbito de sus facultades abarca únicamente la circunscripción territorial expresada en su credencial y el período comprendido entre el comienzo del día de la votación y la conclusión del escrutinio en los Colegios electorales.

El ejercicio de dichas facultades es obligatorio.

Artículo 19.– Los Fedatarios electorales, en cuanto a la organización del servicio que este anexo les encomienda, dependerán de la Junta directiva del Colegio Notarial correspondiente, la cual les expedirá la oportuna credencial, autorizada con la firma del Decano y el sello del Colegio Notarial.

No podrán ejercer sus funciones si fueren proclamados candidatos y deberán poner este hecho en conocimiento del Decano del Colegio Notarial con devolución de la credencial.

Artículo 20.– Los Ministerios de que dependan los funcionarios antes citados, bien directamente, bien a través de sus Delegaciones Provinciales o, en su caso, por medio de los Colegios profesionales a que aquéllos pertenezcan, remitirán a los Decanos de los correspondientes Colegios Notariales, en el plazo de seis días siguientes a la publicación de la convocatoria de elecciones, una relación de tales funcionarios, con expresión del domicilio de cada uno de ellos. En el plazo de otros seis días las Juntas directivas, tras apreciar y admitir, en su caso, las excusas presentadas, publicarán en el tablón de anuncios del Colegio Notarial las listas definitivas de los funcionarios autorizados y remitirán una copia a los Presidentes de las Juntas Electorales Provinciales correspondientes.

Artículo 21.– De conformidad con lo dispuesto en el artículo 2.º de este anexo, cuando el carácter limitado de una convocatoria electoral lo aconseje y siempre que el servicio notarial se estime suficiente, las Juntas directivas podrán acordar que la designación de Fedatarios electorales quede reducida a algunos de los funcionarios mencionados en el artículo 18 e incluso prescindir de su designación.

Artículo 22.– La Dirección General de los Registros y del Notariado dictará una instrucción dirigida a determinar la forma en que los Fedatarios electorales han de extender las actas que levanten.

Artículo 23.– Los Fedatarios electorales entregarán las actas que hayan levantado, dentro de los tres días siguientes al de la votación, en el Colegio Notarial que les haya expedido su credencial, donde quedarán archivadas, al menos, durante cinco años. La entrega podrá ser efectuada directamente o mediante el Notario Delegado o Subdelegado de la Junta directiva en el distrito notarial donde el Fedatario electoral tenga su domicilio.

Los testimonios de dichas actas se librarán por cualquier miembro de la Junta directiva a petición del requiriente o de las Juntas Electorales. Las personas con las que se hayan entendido determinadas diligencias podrán obtener testimonio parcial relativo a ellas.

Artículo 24.– En cuanto sea posible serán de aplicación a los Fedatarios electorales las disposiciones de este anexo que se refieran a los Notarios.

DISPOSICIONES ADICIONALES

Primera.– Los Notarios y Fedatarios electorales que incumplieren las obligaciones que les impone este anexo incurrirán en responsabilidad, que les podrá ser exigida ante sus superiores en la forma que dispongan las normas orgánicas de sus respectivos Cuerpos.

Segunda.– La Dirección General de los Registros y del Notariado, teniendo en cuenta las cifras establecidas en ocasiones precedentes y las oscilaciones en los costes de los servicios públicos, señalará la cantidad que el solicitante, a que se refiere el artículo 9.º, habrá de satisfacer en el Colegio Notarial por cada uno de los Notarios o Fedatarios electorales indicados en su petición.

La cantidad que corresponde al adscrito será percibida por éste en razón de la mera adscripción y aun cuando el día de la votación no llegare a tener actuación alguna. La parte relativa a las peticiones que no hubiere sido posible atender será devuelta al solicitante.

La retribución de los Fedatarios electorales por sus actuaciones será equivalente a la de los Notarios.

Tercera.– Para el cómputo de los plazos a que se refiere este anexo los días se entenderán siempre como días naturales.

DISPOSICIÓN FINAL

Quedan derogadas todas las disposiciones anteriores al presente Reglamento relativas a las materias que en el mismo o en sus anexos se regulan o se condicionan, salvo en aquellos puntos que en ellos se declaran vigentes.

ANEXO V

Artículo 1.– Los Colegios Notariales deberán adecuar su ámbito territorial al de las Comunidades Autónomas, con la única excepción de Ceuta y Melilla cuyos notarios serán colegiados del Colegio Notarial de Andalucía.

La denominación de los Colegios Notariales es:

a) Colegio Notarial de Andalucía.
b) Colegio Notarial de Aragón.
c) Colegio Notarial de Asturias.
d) Colegio Notarial de Baleares.
e) Colegio Notarial de Canarias.
f) Colegio Notarial de Cantabria.
g) Colegio Notarial de Castilla La Mancha.
h) Colegio Notarial de Castilla-León.
i) Colegio Notarial de Cataluña.
j) Colegio Notarial de Extremadura.
k) Colegio Notarial de Galicia.

l) Colegio Notarial de La Rioja.
m) Colegio Notarial de Madrid.
n) Colegio Notarial de Murcia.
o) Colegio Notarial de Navarra.
p) Colegio Notarial del País Vasco.
q) Colegio Notarial de Valencia.

Artículo 2.– La capitalidad de los Colegios Notariales coincidirá con la capital de la Comunidad Autónoma respectiva, con la de cualquiera de las capitales de provincia que la integren o con la que hasta el momento tuvieran respecto de aquellos Colegios cuyo ámbito territorial no se modifique.

Artículo 3.– La elección de la Junta Directiva en aquellos Colegios Notariales cuyo ámbito territorial se modifica de conformidad con lo dispuesto en el artículo 1 de este Anexo se sujetará a las siguientes reglas:

1.º Se formará una Comisión electoral integrada por tres notarios del ámbito territorial del nuevo Colegio y por dos Decanos de Colegios Notariales que no estuvieran afectados por el artículo 1. Los tres notarios, en su caso, deberán pertenecer a la Junta o Juntas Directivas de los Colegios que se agrupen o segreguen. Su nombramiento, así como el de los dos Decanos será efectuado por el Consejo General del Notariado. Su identidad será comunicada a la Dirección General de los Registros y del Notariado.

2.º La Comisión Electoral será presidida por uno de los Decanos nombrados por el Consejo General del Notariado, actuando como secretario uno de los notarios del ámbito territorial del nuevo Colegio designados por el Consejo.

3.º La Comisión electoral asumirá las competencias que establece el Reglamento Notarial respecto de las Juntas Directivas en materia electoral.

4.º A los efectos de integrar la Junta Directiva, la Comisión electoral, atendido el ámbito territorial y número de colegiados de cada Colegio Notarial, designará provisionalmente el número de miembros de la Junta Directiva sin que, en ningún caso, pueda ser inferior a tres y superior a nueve.

5.º La Comisión electoral convocará elecciones en los plazos de elección ordinaria a que se refiere el artículo 320 del Reglamento Notarial.

Las candidaturas que se presenten deberán incluirse candidatos a todos los cargos que incorpore dicha Junta Directiva que inexcusablemente deberá contener los de Decano y Secretario.

Si no se presentara candidatura válida para cubrir los cargos de la Junta Directiva el Consejo General del Notariado nombrará una Junta Gestora integrada por tres notarios del ámbito territorial del Colegio Notarial respectivo, siendo obligatorios sus cargos para los notarios designados. Constituida esa Junta el Consejo comunicará a la Dirección General la identidad de sus integrantes y cargos. En todo caso, dicha Junta deberá convocar elecciones tan pronto sea posible.

Igualmente, la Comisión electoral designará a un escrutador que deberá tener la condición de elector.

6.º Una vez elegida la Junta Directiva, la Comisión electoral comunicará el resultado de la elección a la Dirección general de los Registros y del Notariado y al Consejo General del Notariado. Asimismo, fijará la fecha de toma de posesión de conformidad con lo dispuesto en el artículo 324 del Reglamento Notarial. La toma de posesión de los miembros de la Junta Directiva tendrá lugar ante el Presidente de la Comisión electoral levantando acta uno de los miembros de ésta.

7.º La Junta Directiva elegida deberá convocar Junta General de colegiados en los treinta días siguientes a su toma de posesión, incluyendo necesariamente como punto en el orden del día la concreción del número de miembros de la Junta Directiva, que no podrá ser inferior al designado por la Comisión electoral.

Si la Junta General fijara un número superior, la Junta Directiva convocará elecciones extraordinarias en los términos previstos en el Reglamento Notarial. El mandato de los nuevos miembros de la Junta coincidirá con el del resto de los miembros de aquélla inicialmente elegidos.

Artículo 4.– Se habilita al Consejo General del Notariado para que adopte aquellas medidas relativas a fijación provisional de las sedes de los nuevos Colegios, patrimonio y personal que sean precisas para el adecuado cumplimiento de lo dispuesto en este Anexo.

Observaciones de vigencia del Reglamento Notarial:

Modificaciones realizadas por el RD 45/2007, de 19 de enero de 2007

---

* SE MODIFICAN:
  - los artículos 1, 3 segundo párrafo, 24, 25,26, 27, 28, 30, 34
  - el párrafo quinto del artículo 35, 38, 40,42, 43, 49, 51, 52, 53, 56, 57,58, 61, 67, 68, 69,70, 71, 73, 79, 80, 81
  - el ordinal 2.º del artículo 83
  - El párrafo primero del artículo 84, 85, 88, 90, 92, 97, 99, 100, 101, 102, 105, 106,108,111
  - la rúbrica del Capítulo I del Título III, 117, 118, 119, 120, 121, 122, 123, 124, 125,126, 127, 128, 134, 138, 139, 141, 142, 143, 144, 145, 147, 148, 149, 150, 151,154, 156, 157, 158, 159, 161, 162, 163, 164, 165, 166
  - el último párrafo del artículo 168, 169, 170, 171, 175, 177, 178, 179, 182,183, 193, 195, 196
  - el título de la Sección 3.ª del Capítulo II del Título IV, 197, 198, 199,200, 201, 202, 203, 204
  - el último párrafo del artículo 209
  - las reglas 5.ª y 6.ª del artículo 209 bis, 210, 215, 216, 217, 218, 219, 220
  - la Sección 4.ª («De las copias») del Capítulo II del Título IV, que comprende los artículos 221 a 249, pasa a numerarse como Sección 5.ª, 221, 222, 224, 225, 226, 228, 230
  - los dos primeros párrafos del artículo 233
  - el párrafo primero del artículo 237, 241, 243, 244, 248, 249
  - una Sección 6.ª al Capítulo II del Título IV, 251, 252, 253, 254, 255, 256, 257, 258, 259, 260, 261, 262, 263, 264, 265, 266, 267, 268, 269, 270
  - la rúbrica de la Sección 1.ª del Capítulo IV del Título IV, 272, 283, 284, 285, 286
  - el párrafo quinto del artículo 304, 307
  - el ordinal séptimo del artículo 313, 314, 315, 316, 317, 318, 319, 320, 321, 322, 324, 325, 326, 327, la regla sexta del artículo 328, 329, 331, 332, 334, 336, 337, 338, 339, 340, 341, 342, 343, 344, 346, 347, 348, 349, 350, 351, 352, 353, 354, 355, 356, 357, 358, 359, 360, 361, 362, 363, 364
  - SE ADICIONAN una Sección 1.ª a continuación de la rúbrica del Capítulo II del Título III
  - se añade una Sección 2.ª al Capítulo II del Título III
  - se añaden un artículo 197 bis, un nuevo artículo 197 ter, un nuevo artículo 197 quater, un nuevo artículo 197 quinquies, un nuevo artículo 197 sexiens, una Sección 4.ª al Capítulo II del Título IV
  - se añade una letra (a) a la Subsección 1.ª de la Sección 4.ª del Capítulo II del Título IV
  - se añade una letra (b) a la Subsección 1.ª de la Sección 4.ª del Capítulo II del Título IV

- se adiciona un párrafo al artículo 206
- una Subsección 2.ª a la Sección 4.ª del Capítulo II del Título IV
- una Subsección 3.ª a la Sección 4.ª del Capítulo II del Título IV
- una Subsección 4.ª a la Sección 4.ª del Capítulo II del Título IV
- una Subsección 5.ª a la Sección 4.ª del Capítulo II del Título IV
- una Subsección 6.ª a la Sección 4.ª del Capítulo II del Título IV
- una Sección 1.ª en el Capítulo III del Título IV
- una Sección 2.ª en el Capítulo III del Título IV
- una Sección 3.ª en el Capítulo III del Título IV
- una Sección 4.ª en el Capítulo III del Título IV
- una Sección 5.ª en el Capítulo III del Título IV
- una Subsección 1.ª, rubricada «De los protocolos» dentro de la Sección 1.ª del Capítulo IV del Título IV
- una Subsección 2.ª en la Sección 1.ª del Capítulo IV del Título IV
- una Subsección 3.ª en la Sección 1.ª del Capítulo IV del Título IV y un Anexo V
- el texto del RD Notarial incluye la corrección de errores publicada en BOE nº 33 de febrero de 2007, por lo que se entiende vigente y actualizado
- y SE DEROGAN el artículo 141 bis y las disposiciones transitorias primera, segunda, cuarta, sexta, séptima, octava y novena por el Real Decreto 45/2007, de 19 de enero, por el que se modifica el Reglamento de la organización y régimen del Notariado, aprobado por Decreto de 2 de junio de 1944

REGLAMENTO NOTARIAL

TEXTO COMPARATIVO

TEXTO COMPARATIVO

REGLAMENTO NOTARIAL. TABLA COMPARATIVA. INCLUYE EL TEXTO ANTES Y DESPUÉS DE LA REFORMA

En la presente Tabla puede consultar la redacción anterior y posterior a la importante reforma operada por el **Real Decreto 45/2007, de 19 de enero, por el que se modifica el Reglamento de la organización y régimen del Notariado**. (Incluye la corrección de errores publicada en BOE nº 33 de febrero de 2007).

TEXTO ANTERIOR	TEXTO ACTUAL
Artículo 1	**Artículo 1**
El Notariado está integrado por todos los Notarios de España, con idénticas funciones y los derechos y obligaciones que las leyes y reglamentos determinan.	El Notariado está integrado por todos los notarios de España, con idénticas funciones y los derechos y obligaciones que las leyes y reglamentos determinan.
Los Notarios son a la vez profesionales del Derecho y funcionarios públicos, correspondiendo a este doble carácter la organización del Notariado. Como profesionales del Derecho tienen la misión de asesorar a quienes reclaman su ministerio y aconsejarles los medios jurídicos más adecuados para el logro de los fines lícitos que aquéllos se proponen alcanzar.	Los notarios son a la vez funcionarios públicos y profesionales del Derecho, correspondiendo a este doble carácter la organización del Notariado. Como funcionarios ejercen la fe pública notarial, que tiene y ampara un doble contenido:
Como funcionarios ejercen la fe pública notarial, que tiene y ampara un doble contenido:	a) En la esfera de los hechos, la exactitud de los que el notario ve, oye o percibe por sus sentidos.
	b) Y en la esfera del Derecho, la autenticidad y fuerza probatoria de las declaraciones de voluntad de las partes en el instrumento

TEXTO ANTERIOR	**TEXTO ACTUAL**

a) En la esfera de los hechos, la exactitud de los que el Notario ve, oye o percibe por sus sentidos.

b) Y en la esfera del Derecho, la autenticidad y fuerza probatoria a las declaraciones de voluntad de las partes en el instrumento público redactado conforme a las leyes.

El Notariado disfrutará de plena autonomía e independencia en su función, y en su organización jerárquica depende directamente del Ministerio de Justicia y de la Dirección General de los Registros y del Notariado.

Sin perjuicio de esta dependencia, el régimen del Notariado se estimará descentralizado a base de Colegios Notariales, regidos por Juntas directivas con jurisdicción sobre los Notarios de sus respectivos territorios.

Cada Colegio Notarial comprenderá las provincias asignadas al mismo, dividiéndose en Distritos, cuya extensión y límites determinará la Demarcación Notarial.

público redactado conforme a las leyes.

Como profesionales del Derecho tienen la misión de asesorar a quienes reclaman su ministerio y aconsejarles los medios jurídicos más adecuados para el logro de los fines lícitos que aquéllos se proponen alcanzar.

El Notariado disfrutará de plena autonomía e independencia en su función, y en su organización jerárquica depende directamente del Ministerio de Justicia y de la Dirección General de los Registros y del Notariado. Sin perjuicio de esta dependencia, el régimen del Notariado se estimará descentralizado a base de Colegios Notariales, regidos por Juntas Directivas con jurisdicción sobre los notarios de su respectivo territorio.

En ningún caso el notario, ni en el ejercicio de su función pública, ni como profesional del derecho, podrá estar sujeto a dependencia jerárquica o económica de otro notario.

El ámbito territorial de los Colegios Notariales deberá corresponderse con el de las Comunidades Autónomas, de conformidad con lo previsto en el anexo V de este Reglamento.

Las provincias integradas en cada Colegio Notarial se dividirán en Distritos, cuya extensión y lí-

TEXTO ANTERIOR	TEXTO ACTUAL
	mites determinará la Demarcación Notarial.

Artículo 2

Al Notariado corresponde íntegra y plenamente el ejercicio de la fe pública, en cuantas relaciones de Derecho privado traten de establecerse o declararse sin contienda judicial.

Artículo 3

El Notariado, como órgano de jurisdicción voluntaria, no podrá actuar nunca sin previa rogación de sujeto interesado, excepto en casos especiales legalmente fijados.

Los particulares tienen el derecho de libre elección de Notario, salvo en los actos o contratos en que intervenga el Estado, la Provincia o el Municipio o los establecimientos o entidades que de ellos dependan, conforme a lo preceptuado en el artículo 126 de este Reglamento.

La prestación del ministerio notarial tiene carácter obligatorio siempre que no exista causa legal o imposibilidad física que lo impida.

Artículo 3

El Notariado, como órgano de jurisdicción voluntaria, no podrá actuar nunca sin previa rogación de sujeto interesado, excepto en casos especiales legalmente fijados.

Los particulares tienen el derecho de libre elección de notario sin más limitaciones que las previstas en el ordenamiento jurídico. La condición de funcionario público del notario impide que las Administraciones Públicas o los organismos o entidades que de ellos dependan puedan elegir notario, rigiendo para ellos lo dispuesto en el artículo 127 de este Reglamento.

La prestación del ministerio notarial tiene carácter obligatorio siempre que no exista causa legal o imposibilidad física que lo impida.

TEXTO ANTERIOR

La jurisdicción notarial, fuera de los casos de habilitación, se extiende exclusivamente al Distrito Notarial en que está demarcada la Notaria.

TEXTO ACTUAL

La jurisdicción notarial, fuera de los casos de habilitación, se extiende exclusivamente al Distrito Notarial en que está demarcada la Notaria.

Artículo 4

La demarcación notarial determinará el número y la residencia de los Notarios.

También podrá establecer respecto de alguna o algunas de las Notarías de una población, de nueva creación, o ya existentes, para cuando queden vacantes, que los Notarios a quienes corresponda tengan instalado su despacho u oficina en barrios o distritos concretos de la misma, sin que esto altere su competencia territorial ni la de los restantes Notarios de la población.

La demarcación notarial deberá ser revisada en su totalidad transcurridos diez años desde la anterior revisión total. También podrá serlo, transcurridos solamente cinco años, cuando las necesidades del servicio lo exijan conforme al artículo 3 de la Ley.

Podrán realizarse revisiones parciales cuando lo exijan necesidades del servicio inherentes al nacimiento o a la expansión ace-

TEXTO ANTERIOR	**TEXTO ACTUAL**

lerada de núcleos de población, a la variación considerable de la contratación o a otras circunstancias semejantes, para demarcar alguna Notaría en población donde antes no la hubiere, trasladar la existente a otra población o aumentar o reducir el número de Notarías demarcadas en alguna. Para estas revisiones bastará que hayan transcurrido dos años desde la última revisión total, o tres desde la anterior parcial que les afecte.

Artículo 5

El ingreso en el Notariado tendrá lugar mediante oposición para obtener el Título de Notario. La convocatoria de la oposición se publicará en el "Boletín Oficial del Estado" y deberá expresar:

a) El número de plazas que se convocan.

b) El lugar donde vaya a celebrarse la oposición.

c) Las condiciones o requisitos que deben reunir los aspirantes, la composición del tribunal o tribunales, en su caso, los ejercicios que han de celebrarse y el sistema o forma de la calificación, todo lo cual podrá expresarse por referencia a este Reglamento.

Artículo 5

El ingreso en el Notariado tendrá lugar mediante oposición para obtener el Título de Notario. La convocatoria de la oposición se publicará en el "Boletín Oficial del Estado" y deberá expresar:

a) El número de plazas que se convocan.

b) El lugar donde vaya a celebrarse la oposición.

c) Las condiciones o requisitos que deben reunir los aspirantes, la composición del tribunal o tribunales, en su caso, los ejercicios que han de celebrarse y el sistema o forma de la calificación, todo lo cual podrá expresarse por referencia a este Reglamento.

TEXTO ANTERIOR	**TEXTO ACTUAL**
d) Una referencia al programa que ha de regir los dos primeros ejercicios de la oposición.	d) Una referencia al programa que ha de regir los dos primeros ejercicios de la oposición.
e) La cuantía de los derechos de examen.	e) La cuantía de los derechos de examen.
f) La posibilidad de que en la misma oposición se constituyan simultáneamente varios tribunales distintos, identificados bajo números correlativos si lo considera conveniente la Dirección General a la vista del número de aspirantes admitidos, y de que alguno o algunos de dichos tribunales actúen en lugares distintos.	f) La posibilidad de que en la misma oposición se constituyan simultáneamente varios tribunales distintos, identificados bajo números correlativos si lo considera conveniente la Dirección General a la vista del número de aspirantes admitidos, y de que alguno o algunos de dichos tribunales actúen en lugares distintos.
	g) El número de plazas que se reservan para personas que tengan la condición legal de personas con discapacidad con arreglo a lo dispuesto en la Ley 53/2003, de 10 de diciembre, sobre Empleo Público de Discapacitados y según el Real Decreto 1557/1995, de 21 de septiembre, sobre Acceso de Minusválidos a las oposiciones al título de notario.

Artículo 6

Los que aspiren a realizar las pruebas selectivas para el ingreso en el Notariado deben reunir, en la fecha que termine el plazo de presentación de las instancias, las condiciones siguientes:

TEXTO ANTERIOR	**TEXTO ACTUAL**

a) Ser español u ostentar la nacionalidad de cualquier país miembro de la Unión Europea, o estar incurso en las situaciones previstas en el artículo 1 de la Ley 17/1993, de 23 de diciembre, de acceso a determinados sectores de la función pública de los nacionales de los Estados miembros de la Unión Europea.

b) Ser mayor de edad.

c) No encontrarse comprendido en ninguno de los casos que incapacitan o imposibilitan para el ejercicio del cargo de notario.

d) Ser Doctor o Licenciado en Derecho o haber concluido los estudios de esta licenciatura, en los términos previstos en el segundo párrafo del apartado 2 del artículo 21 de este reglamento.

Si el título procediera de un Estado miembro de la Unión Europea, deberá acreditar el reconocimiento u homologación del título equivalente, conforme a la Directiva 89/48/CEE, de 21 de diciembre de 1988, al Real Decreto 1665/1991, de 24 de octubre, y demás normas de transposición y desarrollo.

Artículo 7

Carecen de aptitud para ingresar en el Notariado:

TEXTO ANTERIOR	TEXTO ACTUAL

1. Los impedidos física o psíquicamente para desempeñar el cargo.

2. Los que estuvieren inhabilitados para el ejercicio de funciones públicas, como consecuencia de sentencia firme.

3. Los que se hallaren declarados en situación de prodigalidad, los quebrados no rehabilitados y los concursados no declarados inculpables.

Los que como consecuencia de expediente disciplinario hubieran sido separados del servicio de cualquiera de las Administraciones Públicas, por resolución firme.

Artículo 8

Las solicitudes para tomar parte en las oposiciones libres de ingreso en el Notariado deberán dirigirse a la Dirección General de los Registros y del Notariado. El plazo para presentar aquéllas será el de treinta días hábiles, contados desde el día siguiente al de la inserción de la convocatoria en el Boletín Oficial del Estado.

Para ser admitidos y, en su caso, tomar parte en la práctica de los ejercicios correspondientes, bastará con que los aspirantes manifiesten en sus instancias que reúnen todas y cada una de las

TEXTO ANTERIOR	TEXTO ACTUAL

condiciones exigidas y que se comprometen a prestar acatamiento a la Constitución Española.

Con l a instancia podrán los aspirantes presentar los documentos que acrediten títulos o servicios académicos, científicos, culturales o administrativos.

Al presentar la instancia, los solicitantes entregarán en la Dirección General de los Registros y del Notariado, en concepto de derechos de examen, la cantidad que en cada convocatoria se señale, de conformidad con la legislación vigente, al tiempo de su publicación. Si el solicitante desistiese de tomar parte en los ejercicios de oposición, no por ello tendrá derecho alguno a que le sea devuelta la cantidad ingresada.

La presentación de instancias y el pago de derechos de examen podrán realizarse en la forma prevista en la Ley de Régimen Jurídico de las Administraciones Públicas y del Procedimiento Administrativo Común.

Si alguna de las instancias adoleciese de algún defecto, se requerirá al interesado para que, en un plazo de diez días, subsane la falta, con ape rcibimiento de que si así no lo hiciere se le relacionará entre los excluidos.

Expirado el plazo de presentación de instancias, la Dirección

TEXTO ANTERIOR	**TEXTO ACTUAL**

General aprobará con carácter provisional la lista de admitidos y excluidos, la cual se hará pública en el Boletín Oficial del Estado, concediéndose un plazo de quince días para formular reclamaciones. Estas serán aceptadas o rechazadas en la resolución por la que se apruebe la lista definitiva, que, asimismo, se publicará en el Boletín Oficial del Estado, fijándose, además, en lugar visible de la Dirección General.

Artículo 9

Publicada la lista definitiva de aspirantes admitidos y excluidos, se hará el nombramiento del Tribunal o Tribunales por Orden Ministerial, dictada a propuesta de la Dirección General, que se hará pública en el Boletín Oficial del Estado.

SECCIÓN III
Del Tribunal de las oposiciones libres y celebración de las mismas

Artículo 10

El tribunal o cada uno de los tribunales calificadores de la opo-

TEXTO ANTERIOR	TEXTO ACTUAL

sición estará compuesto por un presidente y seis vocales.

Será presidente el Director General de los Registros y del Notariado o la persona en quien delegue, que podrá ser: uno de los subdirectores generales, si reúne la condición de notario o registrador; un notario o registrador de la propiedad o mercantil adscrito a la Dirección General de los Registros y del Notariado; el decano u otro miembro de la Junta Directiva del colegio notarial donde se celebren las oposiciones, o un notario con más de 10 años de antigüedad en la carrera.

Los vocales serán: dos notarios, uno de ellos perteneciente necesariamente al colegio donde se celebren las oposiciones; un catedrático o profesor titular de universidad, en activo o excedente, de Derecho Civil, Mercantil, Financiero y Tributario, Romano, Internacional Privado, Procesal o Administrativo; un miembro de la carrera judicial con categoría de magistrado; un registrador de la propiedad o mercantil y un abogado del Estado, o un abogado ejerciente, con más de 15 años de ejercicio profesional especializado en asuntos civiles o mercantiles.

Si presidiera el decano, otro miembro de la Junta Directiva o un notario, podrá ser vocal,

TEXTO ANTERIOR	**TEXTO ACTUAL**

en lugar de uno de los vocales notarios, un abogado del Estado o un registrador de la propiedad o mercantil.

Ejercerá de secretario el vocal notario más moderno.

En ausencia del presidente o del secretario, hará sus veces el vocal notario. Si el tribunal se hubiera constituido con varios notarios, la ausencia del presidente se cubrirá por el secretario, y la de éste, por un vocal registrador.

El cargo de vocal es irrenunciable, salvo justa causa debidamente acreditada.

La designación de los miembros de tribunales suplentes se realizará, en su caso, conforme a los mismos criterios señalados en los párrafos anteriores para el nombramiento de presidente, secretario y vocales de los tribunales titulares.

Artículo 11

No podrán ser miembros del Tribunal quienes sean, entre sí o respecto de alguno de los opositores, cónyuges o parientes dentro del cuarto grado de consanguinidad o segundo de afinidad. Si, no obstante, fueren nombrados, incurrirán en causa de incompa-

TEXTO ANTERIOR	**TEXTO ACTUAL**

tibilidad, y se nombrará a los que hayan de sustituirles.

Artículo 12

En caso de pluralidad de tribunales, cada uno de ellos proveerá el mismo número de plazas convocadas; si hubiera exceso, la plaza o plazas en exceso se asignarán sucesivamente a los diversos tribunales.

En el caso anterior, actuarán ante cada tribunal un número de opositores proporcional al número de plazas que deba proveer, haciéndose, en su caso, el redondeo oportuno.

Publicado el nombramiento del tribunal o tribunales, la Dirección General citará a los nombrados para su constitución y, simultáneamente, señalará el local, día y hora en el que se celebrará, en su caso, el sorteo para determinar el tribunal ante el que ha de actuar cada opositor y su orden respectivo de actuación, así como el local o locales, en su caso, donde se celebrará la oposición, con expresión del día y hora de comienzo de los ejercicios, y hará públicos estos acuerdos en el Boletín Oficial del Estado.

El acto del sorteo será presidido por el Director General,

TEXTO ANTERIOR	TEXTO ACTUAL

o quien reglamentariamente le sustituya, y por dos miembros del tribunal o tribunales actuantes.

Entre el sorteo y el comienzo del primer ejercicio deberá mediar, al menos, un plazo de 30 días; y no podrá exceder de ocho meses el tiempo comprendido entre la publicación de la convocatoria y el comienzo de los ejercicios.

Artículo 13

Al tiempo de constituirse el Tribunal, todos sus miembros deberán prestar declaración de no estar comprendidos en ninguna de las causas de incompatibilidad previstas en el artículo 11. El cumplimiento de este requisito se hará constar en el acta correspondiente.

Constituido el Tribunal, le serán remitidos por la Junta directiva del Colegio Notarial la lista de opositores admitidos y excluidos y sus expedientes personales.

Artículo 14

En la fecha señalada por la Dirección General, conforme a lo previsto en el artículo 12 para la realización del sorteo,

TEXTO ANTERIOR	TEXTO ACTUAL

se celebrará sesión pública y, en ella, el Director general o quien reglamentariamente le sustituya, ordenará a quien desempeñe las funciones de Secretario del Tribunal o Tribunales actuantes, que dé lectura de la convocatoria y de la Orden nombrando los miembros del Tribunal o Tribunales y, en su caso, las delegaciones y designaciones reglamentarias.

Realizado el sorteo se formará, por el número correlativo obtenido, la lista o listas de opositores que, autorizadas por el Presidente, se publicarán en el tablón de anuncios de la Dirección General y en el del local o locales de celebración de las oposiciones.

Artículo 15

El Tribunal designará, con veinticuatro horas de antelación, por lo menos, y por orden riguroso de la lista de sorteo, los opositores, que podrán ser llamados para actuar en cada día.

Artículo 16

Los ejercicios de la oposición serán cuatro: los dos primeros, orales, y el tercero y el cuarto,

TEXTO ANTERIOR	TEXTO ACTUAL

escritos. Tanto los dos primeros como la lectura del tercero y de la primera parte del cuarto serán públicos.

El primer ejercicio consistirá en contestar verbalmente, en el plazo máximo de 60 minutos, a cuatro temas, los tres primeros, de Derecho Civil Español, Común y Foral, y el cuarto, de legislación fiscal. Los temas de Derecho Civil corresponderán, respectivamente, uno a las materias de parte general o introducción, propiedad y derechos reales; otro, a obligaciones y contratos, y otro, a Derecho de Familia y sucesiones.

El segundo ejercicio consistirá, a su vez, en contestar asimismo verbalmente, en el tiempo máximo de 60 minutos, y por el siguiente orden, a seis temas: dos de Derecho Mercantil, dos de Derecho Hipotecario, uno de Derecho Notarial y otro de Derecho Procesal o Administrativo. Los dos temas de Derecho Mercantil y de Derecho Hipotecario serán uno de cada parte en que se hallen divididas estas materias.

En ambos ejercicios orales los temas serán sacados a la suerte de los comprendidos en el programa que deberá estar publicado en el Boletín Oficial del Estado un año antes de la convocatoria de la oposición. El opositor dispondrá

TEXTO ANTERIOR	**TEXTO ACTUAL**

de cinco minutos, como máximo, antes de comenzar la exposición, para reflexionar y tomar notas por escrito, si lo desea.

El programa comprenderá una exposición del derecho positivo vigente en España en cada una de las materias que en él se incluyen, destacando, tanto en el Derecho Común como en el Foral, aquellas que el notario debe profesionalmente conocer y aplicar y cuyo conocimiento le dote de una auténtica especialización en aquéllas.

En la parte del Derecho Civil se incluirán los principios fundamentales de Derecho Internacional Privado.

La legislación fiscal comprenderá aquellos impuestos que más puedan interesar al notario como asesor de los particulares.

El indicado programa se revisará por la Dirección General cuando lo estime necesario, o a propuesta del Consejo General del Notariado, y siempre con informe preceptivo de éste.

El tribunal no hará advertencia ni pregunta alguna a los opositores sobre las materias del ejercicio. Al presidente corresponde fijar la hora del comienzo y fin del ejercicio y advertirá al opositor, por una sola vez, con diez minutos de antelación, la hora en que

TEXTO ANTERIOR	**TEXTO ACTUAL**

debe acabar. Podrá también exigir que los opositores se atengan a la cuestión y eviten divagaciones inoportunas, y dar cumplimiento a las prescripciones de este reglamento relacionadas con la práctica de estos ejercicios.

En el primer ejercicio se podrá excluir al opositor, al concluir su exposición del segundo tema de Derecho Civil, si el tribunal, por unanimidad, acuerda que los ha desarrollado con manifiesta insuficiencia para obtener la aprobación. Igual medida podrá ser aplicada en el segundo ejercicio al término de la exposición del primer tema de Derecho Hipotecario.

El tercer ejercicio consistirá en redactar, en el tiempo máximo de seis horas, un dictamen sobre un tema de Derecho Civil Español, Común y Foral, Derecho Mercantil, Derecho Hipotecario o Notarial, de entre los formulados por el tribunal reservadamente. Las cuestiones que se propongan en este ejercicio versarán sobre casos de derecho positivo.

El cuarto ejercicio, que tendrá una duración máxima de seis horas, se dividirá en dos partes, cada una de ellas con la duración que fije el tribunal:

Primera: redactar una escritura o documento notarial, debiendo

TEXTO ANTERIOR	TEXTO ACTUAL

el opositor justificar en pliego aparte los problemas jurídicos que plantee o resuelva en su trabajo, realizando la liquidación del impuesto que en su caso corresponda a la escritura redactada.

Segunda: resolver un supuesto de contabilidad y matemática financiera que recaerá sobre las materias contenidas en el anexo del programa de la oposición.

Los ejercicios escritos se realizarán el día que fije el tribunal respectivo sobre cuestiones que serán secretas y se redactará en el mismo día designado para la realización del respectivo ejercicio por el tribunal, o, en su caso, tribunales conjunta o separadamente.

Los opositores estarán totalmente aislados, y no podrán consultar sino los textos legales que el tribunal les permita, y que por sí mismos se proporcionen, sin notas de jurisprudencia ni comentarios. Así mismo podrán utilizar calculadora.

Concluidos los ejercicios, los opositores los firmarán y entregarán al miembro del tribunal que estuviera presente, quien los cerrará en sobre firmado por el opositor.

Los opositores deberán leer personalmente el tercer ejercicio y la primera parte del cuarto. La incomparecencia del opositor determinará el decaimiento de sus derechos y su consideración como retirado, salvo que concurran causas de fuerza mayor, debidamente justificadas y libremente apreciadas por el tribunal; en estos casos, el tribunal podrá optar por fijar otra fecha para la lectura o, con el consentimiento del opositor, permitir la lectura del ejercicio por un miembro del propio tribunal.

Artículo 17

En los dos primeros ejercicios, los opositores que no concurrieren a practicarlos en primer llamamiento, actuarán después de terminado éste, en un segundo turno y con el mismo número que les hubiere correspondido en el sorteo. Si llamados en el segundo turno no comparecieren, se les tendrá por desistidos de la oposición, sin admitirse excusa alguna.

En los ejercicios tercero y cuarto sólo habrá un llamamiento.

Artículo 18

Todos los ejercicios de la oposición son eliminatorios.

La calificación de los opositores tendrá lugar en la forma siguiente:

Para obtener la declaración de aptitud en cada ejercicio se requiere alcanzar mayoría de votos del Tribunal en sentido favorable. En caso de empate, decidirá el Presidente.

Obtenida la mayoría, se fijará la calificación dividiendo el total de puntos que alcance el opositor por el número de miembros del Tribunal.

En los dos primeros ejercicios, cada uno de los miembros del Tribunal podrá conceder de uno a diez puntos, y de uno a veinte en el tercero y en el cuarto. En ningún caso al opositor que haya obtenido la declaración de aptitud en un ejercicio podrá asignársele una calificación inferior a cinco puntos.

Las calificaciones se harán, en los dos primeros ejercicios, al término de cada sesión, y en el tercero y en el cuarto ejercicios, el mismo día o el siguiente en que concluya la lectura por el último opositor. Las calificaciones se expondrán seguidamente al público, expresándose el número de puntos alcanzados por cada opositor, sin hacer mención de los opositores que no hubiesen sido declarados aptos en los ejercicios.

TEXTO ANTERIOR	**TEXTO ACTUAL**

Artículo 19

El tribunal no podrá constituirse ni actuar sin la asistencia de cinco de sus miembros.

Los ejercicios no podrán suspenderse, una vez comenzados, por un plazo mayor de 15 días naturales sino por causa justificada, aprobada por la Dirección General.

Entre la conclusión del primer ejercicio y el comienzo del segundo deberá mediar un plazo mínimo de 30 días naturales. Entre la conclusión del segundo y el comienzo del tercero y entre la conclusión del tercero y el comienzo del cuarto, deberá mediar un plazo mínimo de 20 días naturales.

Todas las dudas y cuestiones que se presenten durante la práctica de los ejercicios de oposición serán resueltas por el tribunal. Si no hubiera unanimidad, prevalecerá el criterio de la mayoría, y, en caso de empate, decidirá el voto del presidente.

Los actos del tribunal podrán ser impugnados por los interesados en los casos y en la forma previstos en la Ley de Régimen Jurídico de las Administraciones Públicas y del Procedimiento Administrativo Común.

TEXTO ANTERIOR	**TEXTO ACTUAL**

Artículo 20

Concluido el último ejercicio, el tribunal o, en su caso, cada tribunal formará, en el mismo día o en el siguiente, la lista de opositores aprobados por orden de calificación, teniendo en cuenta el número de puntos obtenidos por cada opositor en los cuatro ejercicios. Si la calificación fuera idéntica, el empate se resolverá por votación del tribunal, con el voto decisorio del presidente, en su caso, en consideración al juicio total que de los opositores hayan formado por la actuación de aquéllos.

Un ejemplar de dicha lista autorizado por el secretario del tribunal o, en su caso, de los respectivos tribunales, y con el visto bueno de su presidente, expresiva de la suma total de puntos de cada opositor aprobado, se expondrá al público en el local o locales donde se celebren las oposiciones, remitiéndose otro idéntico a la Dirección General dentro del plazo de tres días, en unión de los ejercicios y expedientes de los opositores que hayan obtenido la aprobación.

El número de opositores aprobados no podrá exceder, en ningún caso, del de plazas convocadas. Por tanto, solamente se incluirán

TEXTO ANTERIOR	**TEXTO ACTUAL**

en la lista de aprobados los que de acuerdo con las reglas anteriores resulten mejor clasificados y estén dentro del límite de plazas expresado. Si fueren varios los tribunales calificadores, el número de opositores aprobados por cada uno de ellos no podrá exceder del número de plazas a cada uno asignadas.

Igualmente, en caso de pluralidad de tribunales, una vez recibida por la Dirección General la documentación a que se refiere el párrafo segundo de este artículo, procederá a ordenar a los opositores en función de las puntuaciones obtenidas. En caso de igualdad de puntuaciones, se establecerá el orden según la puntuación obtenida en el primer ejercicio o siguientes si persistiera la igualdad. En caso de igualdad en todos los ejercicios, se dará prioridad al opositor de mayor edad.

La relación de opositores aprobados, ordenada conforme a los criterios recogidos en este artículo, se publicará de acuerdo con lo dispuesto en el último párrafo del artículo 21 de este Reglamento.

TEXTO ANTERIOR	**TEXTO ACTUAL**

Artículo 21

Dentro de los treinta días siguientes a la terminación del último ejercicio, los opositores aprobados deberán presentar en la Dirección General de los Registros y del Notariado, si no los tuvieren ya presentados, los siguientes documentos:

1. Certificación de nacimiento acreditativa de que el opositor tenía cumplida la edad de veintitrés años el día de terminación del plazo de presentación de instancias.

2. Título de Licenciado o Doctor en Derecho, o bien certificación académica que acredite la terminación de los estudios de la licenciatura en Derecho, acompañada de certificación de haber hecho el depósito para obtener alguno de dichos títulos. Todos estos documentos podrán presentarse originales o por testimonio notarial.

Cuando el opositor ejerza o haya ejercido algún cargo público que exija título de Licenciado en Derecho será suficiente que presente el título o nombramiento para dicho cargo, original o mediante testimonio notarial.

3. Certificación del Registro Central de Penados y Rebeldes

TEXTO ANTERIOR	**TEXTO ACTUAL**

que acredite no estar condenado a pena que inhabilite para el ejercicio de funciones públicas.

4. Certificación médica de no tener impedimento físico o psíquico habitual para ejercer el cargo de Notario.

5. Declaración de no hallarse comprendido en los números tercero y cuarto del artículo 7. La inexactitud en esta declaración dará lugar a la exclusión de las oposiciones, en cualquier momento que se descubra, o a la expulsión del Cuerpo si se tuviere conocimiento de ello después de haber terminado los ejercicios.

Los documentos que acrediten los extremos comprendidos bajo los números 3, 4 y 5 no surtirán efecto si su fecha es anterior en más de tres meses en relación a la de la publicación de la convocatoria.

Los opositores que dejaren de presentar dentro de plazo los documentos antes reseñados, quedarán decaídos de todos los derechos que hubiesen adquirido por virtud de la oposición.

Si después de practicada la oposición resultare que alguno de los opositores carecía de la aptitud necesaria para el ingreso en el Notariado perderá los derechos adquiridos en aquélla.

TEXTO ANTERIOR	**TEXTO ACTUAL**

La Dirección General examinará a la mayor brevedad la documentación presentada y publicará en el Boletín Oficial el Estado la lista de opositores aprobados que habiendo completado la documentación requerida tienen derecho a la expedición del título y la de aquellos otros que, no habiéndola completado, han decaído en su derechos y comunicará estos hechos a los respectivos interesados.

CAPÍTULO II
De la investidura notarial

SECCIÓN I
Del título

Artículo 22

El título de Notario se expide, al ingresar en el Cuerpo, por el Ministro de Justicia en nombre del Rey, y habilita para ejercer la función notarial en cualquiera de las Notarías demarcadas en el territorio español para las que el titular reciba el adecuado nombramiento. Dicho título no necesitará ser renovado cualquiera que sea la clase o sección de las Notarías para cuyo desempeño sea nombrado ulteriormente el Notario.

TEXTO ANTERIOR	**TEXTO ACTUAL**

Los sucesivos cambios de Notaría se harán constar al tiempo de la toma de posesión en el propio título por medio de diligencia extendida por el Decano del Colegio con referencia expresa a la orden de nombramiento.

El nombre y el título de Notario solo podrá usarse por los que integran el Cuerpo notarial, sin que pueda ser utilizado por otras personas, aunque la legislación vigente dé a su actuación carácter notarial.

Publicada la lista a que se refiere el párrafo último del artículo anterior, se expedirá el título de Notario a favor de cada uno de los opositores aprobados, quienes tendrán la obligación de participar en todos los concursos convocados desde aquella publicación y solicitar todas las vacantes hasta obtener una. Quien incumpliera dicha obligación será considerado como renunciante al título y dado de baja en el escalafón.

SECCIÓN II
Del nombramiento

Artículo 23

Salvo en los casos a que se refiere el párrafo siguiente, el

TEXTO ANTERIOR	TEXTO ACTUAL

nombramiento de los Notarios se hará por Orden ministerial, de la que se dará traslado al interesado y al Decano del Colegio Notarial al que pertenezca la Notaría. Si el nombrado desempeñare otra de distinto Colegio se dará también traslado al Decano de éste.

Cuando el nombramiento de los Notarios del territorio de una Comunidad Autónoma esté atribuido a ésta, la Dirección Genera le remitirá la resolución recaída en relación con el concurso y, recibida ésta, el órgano competente de la Comunidad efectuará los nombramientos correspondientes y, además de practicar los traslados previstos en el párrafo anterior, comunicará los nombramientos, a la mayor brevedad posible, a la propia Dirección General, la cual proveerá a la necesaria coordinación entre los distintos Colegios notariales y a su adecuado reflejo en los escalafones del Cuerpo notarial. A tales efectos y, además, al objeto de respetar el orden de la lista definitiva de opositores aprobados en cada oposición de ingreso, para el cómputo de la antigüedad en dichos escalafones, se tomará como fecha inicial la de la citada resolución de la Dirección General.

Los nombramientos se publicarán, según corresponda, en el

TEXTO ANTERIOR	TEXTO ACTUAL

Boletín Oficial del Estado o en el periódico oficial de las respectivas Comunidades Autónomas, sin orden de preferencia entre unos u otros.

SECCIÓN III
De las fianzas

Artículo 24

Como requisito previo para tomar posesión, dentro del plazo de treinta días naturales contados desde la publicación del nombramiento para una Notaría determinada en virtud de concurso ordinario en el «Boletín Oficial del Estado» o en su caso, en el periódico oficial de la Comunidad Autónoma correspondiente, el Notario electo deberá constituir la fianza, en cumplimiento de lo preceptuado por el artículo 14 de la Ley Orgánica del Notariado presentando en la Dirección General de los Registros y del Notariado los documentos justificativos de haberla constituido.

La fianza que deberá prestar para este efecto será la que produzca una renta anual de 5.000 pesetas, salvo que se trate de Notarías de poblaciones de más de

Artículo 24

El notario electo deberá obligatoriamente acreditar la contratación de un seguro de responsabilidad civil a que se refiere el artículo siguiente y constituir la fianza, en cumplimiento de lo preceptuado por el artículo 14 de la Ley Orgánica del Notariado, presentando en la Dirección General de los Registros y del Notariado los documentos justificativos de todo ello. Dicha obligación deberá cumplirse dentro del plazo de treinta días naturales, contados desde la publicación del nombramiento para una Notaría determinada en virtud de concurso ordinario en el Boletín Oficial del Estado o, en su caso, en el Boletín o Diario oficial de la Comunidad Autónoma correspondiente.»

TEXTO ANTERIOR	**TEXTO ACTUAL**

un millón de habitantes censados, en cuyo caso se elevará a 10.000 pesetas.

Artículo 25

La fianza podrá constituirse en títulos de la Deuda pública o con garantía de fincas rústicas o urbanas por el propio Notario o por un tercero, pero en este caso no podrá retirase sino avisando al Notario con seis meses de anticipación, por medio de requerimiento en forma legal, para que durante este término la reponga, entendiéndose que si no lo hiciese así, se entregará la fianza a su dueño, previa liquidación de responsabilidad y en la forma determinada en este Reglamento, quedando en suspenso el Notario mientras no la complete en el plazo reglamentario.

Artículo 25

El seguro de responsabilidad civil tendrá por objeto cubrir las responsabilidades de dicha índole en que pudiera incurrir el notario en el ejercicio de su cargo.

La Dirección General de los Registros y del Notariado previa audiencia del Consejo General del Notariado fijará las condiciones mínimas del seguro de responsabilidad civil. No obstante, el Consejo General del Notariado podrá solicitar justificadamente a la Dirección General de los Registros y del Notariado que se modifiquen dichas condiciones. El centro directivo deberá pronunciarse expresamente en el plazo máximo de un mes sobre tal solicitud de modificación.

Artículo 26

La fianza en títulos o efectos públicos se constituirá en la Caja General de Depósitos o en establecimientos legalmente autorizados al efecto, en calidad de depósito necesario, a disposición de la Di-

Artículo 26

La fianza que deberá prestar el notario tendrá una cuantía de 1.500 euros, salvo que se trate de poblaciones de más de un millón de habitantes, en cuyo caso se elevará a 3.000 euros, cuya cuantía podrá ser

TEXTO ANTERIOR	TEXTO ACTUAL

rección *General de los Registros y del Notariado.*

El Notario presentará en este Centro el resguardo original definitivo del depósito y copia simple del mismo; ambos documentos con instancia solicitando la aprobación de la fianza.

Dicho resguardo, después de cotejado y conforme con la copia presentada, será devuelto, bajo recibo, al interesado o su legal representante.

Iguales formalidades se cumplirán en el caso de renovación del resguardo.

actualizada por la Dirección General de los Registros y del Notariado previa audiencia del Consejo General del Notariado.

La fianza podrá constituirse en títulos de la Deuda pública o con garantía de fincas rústicas o urbanas por el propio Notario o por un tercero, pero en este caso no podrá retirarse sino avisando al Notario con seis meses de anticipación, por medio de requerimiento en forma legal, para que durante este término la reponga, entendiéndose que si no lo hiciese así, se entregará la fianza a su dueño, previa liquidación de responsabilidad y en la forma determinada en este Reglamento, quedando en suspenso el Notario mientras no la complete en el plazo reglamentario.

Artículo 27

La fianza con garantía de fincas se constituirá en escritura pública de hipoteca que otorgará el que fuere dueño de inmueble, por cantidad bastante a producir la renta señalada para cada caso, capitalizada ésta al cinco por ciento, expresándose que queda a disposición de la Dirección General para responder del desempeño del cargo por el Notario.

Artículo 27

La fianza en títulos o efectos públicos se constituirá en la Caja General de Depósitos o en establecimientos legalmente autorizados al efecto, en calidad de depósito necesario, a disposición de la Dirección General de los Registros y del Notariado.

El Notario presentará en este Centro el resguardo original definitivo del depósito y copia simple

TEXTO ANTERIOR	TEXTO ACTUAL

Otorgado la escritura de inscribirá en el Registro de la Propiedad correspondiente.

El Notario solicitará de la Dirección General la aprobación de la fianza por medio de instancia, a la que acompañará: 1º La escritura de constitución de hipoteca, debidamente inscrita. 2º Certificación, en relación de cargas de las fincas hipotecadas, librada con fecha posterior la de la inscripción de la escritura de la hipoteca; y 3º Otra certificación expedida por la Oficina catastral, por la del Registro Fiscal de Edificios y solares o por la Secretaría municipal correspondiente, a falta de algunas de las expresadas, haciendo constar el líquido imponible con que el último quinquenio aparezcan los inmuebles hipotecados.

Si dicho líquido imponible no fuese igual o superior a la renta expresada en el párrafo primero de este artículo, no podrá aprobarse la fianza, salvo que la diferencia se haya constituido en títulos de la Deuda pública.

del mismo; ambos documentos con instancia solicitando la aprobación de la fianza.

Dicho resguardo, después de cotejado y conforme con la copia presentada, será devuelto, bajo recibo, al interesado o su legal representante.

Iguales formalidades se cumplirán en el caso de renovación del resguardo.

La fianza con garantía de fincas se constituirá en escritura pública de hipoteca que otorgará el que fuere dueño del inmueble, por cantidad bastante a producir la renta señalada para cada caso, capitalizada ésta al cinco por ciento, expresándose que queda a disposición de la Dirección General para responder del desempeño del cargo por el Notario.

Otorgada la escritura se inscribirá en el Registro de la Propiedad correspondiente.

El Notario solicitará de la Dirección General la aprobación de la fianza por medio de instancia, a la que acompañará: 1.º La escritura de constitución de hipoteca, debidamente inscrita; 2.º Certificación, en relación, de cargas de las fincas hipotecadas, librada con fecha posterior a la de la inscripción de la escritura de la hipoteca; y 3.º Otra certificación expedida por la Oficina catastral, por la del Registro Fiscal de Edificios y Solares o por

TEXTO ANTERIOR	**TEXTO ACTUAL**
	la Secretaría municipal correspondiente, a falta de algunas de las expresadas, haciendo constar el líquido imponible con que en el último quinquenio aparezcan los inmuebles hipotecados.
	Si dicho líquido imponible no fuese igual o superior a la renta expresada en el párrafo primero de este artículo, no podrá aprobarse la fianza, salvo que la diferencia se haya constituido en títulos de la Deuda pública.
	Iguales formalidades se cumplirán en el caso de renovación o modificación de la fianza.

Artículo 28

El Notario suspenso en el ejercicio de su cargo por falta de fianza, según lo prevenido en el artículo 14 de la Ley de Notariado, estará obligado a reponerla en el término de seis meses, a contar desde el día en que se le hubiera notificado haber sido declarado suspenso y si dejara transcurrir este plazo sin acreditar en la Dirección General haber constituido dicha fianza, se le considerará como renunciante.

Artículo 28

El notario suspenso en el ejercicio de su cargo por falta de fianza, según lo prevenido en el artículo 14 de la Ley del Notariado, estará obligado a reponerla en el término de un mes, a contar desde el día en que se le hubiere notificado haber sido declarado suspenso, sin perjuicio de sus responsabilidades disciplinarias.

TEXTO ANTERIOR	**TEXTO ACTUAL**

Artículo 29

El plazo señalado para constitución de la fianza sólo podrá prorrogarse por otro que no exceda de un mes. Si se tratara de Notarios nombrados para Baleares o Canarias, la prórroga podrá ser de dos meses.

Dicha prórroga se concederá por la Dirección General de los Registros y del Notariado.

Los Notarios electos que no constituyan o amplíen su fianza en los plazos legales sin acreditar justa causa o haber obtenido prórroga serán considerados como renunciantes, anunciándose nuevamente la vacante de la Notaría para su provisión en el turno que corresponda.

El interesado podrá recurrir en alzada el acuerdo de la Dirección General ante el Ministro de Justicia.

Artículo 30

La fianza que están obligados a constituir los Notarios como garantía para el ejercicio de su cargo, así como los intereses o productos de la misma, sólo estará afecta a las responsabilidad contraídas en el desempeño de aquél, y únicamente podrá ser embargada en

Artículo 30

La fianza que están obligados a constituir los Notarios como garantía para el ejercicio de su cargo, así como los intereses o productos de la misma, estarán afectos a las responsabilidades contraídas en el desempeño de aquél y preferentemente a las cantidades que dejare

TEXTO ANTERIOR	**TEXTO ACTUAL**

tal concepto por los Tribunales de Justicia, es decir, previa declaración por éstos de aquellas responsabilidades y de su índole notarial por la Dirección General de los Registros y del Notariado, como derivadas del ejercicio del cargo en relación con los particulares respecto de los cuales el fedatario presta su ministerio.

La fianza responderá también, y preferentemente, de las cantidades que dejare de abonar el Notario en concepto de multas, encuadernación de protocolos, desorganización y deterioro de éstos, por su negligencia y atenciones de la Mutualidad o del colegio a que esté obligado.

Para hacer efectivas estas obligaciones demostrada la falta de pago, se podrá proceder directamente contra la fianza por la Dirección General en los términos que previene este Reglamento o comisionando para ello al Decano el Colegio Notarial respectivo. si por haberse procedido contra la fianza, ésta desapareciese o quedase reducida, se aplicará lo que para tales casos dispone el artículo 14 de la Ley del Notariado y el 28 de este Reglamento.

de abonar el notario en concepto de multas, encuadernación de protocolos, desorganización y deterioro de éstos por su negligencia, primas del seguro de responsabilidad civil y de las aportaciones, cotizaciones y, en general cualquier pago, que deba realizar al Colegio Notarial, o que tenga su origen en causa corporativa.

Para hacer efectivas estas obligaciones, la Dirección General de los Registros y del Notariado ordenará al notario deudor el pago de lo adeudado, apercibiéndole de la ejecución forzosa de la fianza. Notificada la orden de pago, el deudor dispondrá de un plazo de un mes para abonar su importe.

Transcurrido el plazo a que se refiere el párrafo anterior, sin que el deudor hubiese satisfecho la deuda reclamada, la Dirección General de los Registros y del Notariado ordenará la traba y ejecución de la fianza. Si la misma fuese suficiente para solventar con cargo a ella la cantidad total reclamada por principal, recargos e intereses, la Dirección General dispondrá lo necesario para ejecutarla, comunicándolo al notario deudor a fin de que reponga la fianza con apercibimiento de que, de no hacerlo, quedará suspendido en sus funciones conforme al artículo 14 de la Ley del Notariado. Si la fianza fuere insuficiente para satisfacer

TEXTO ANTERIOR	**TEXTO ACTUAL**
	todo lo adeudado, la Dirección General declarará la falta de fianza y la suspensión del notario en su cargo, con nota en el protocolo. Dicha suspensión no se alzará hasta que haya sido íntegramente satisfecha la deuda reclamada y haya sido repuesta la fianza.
	En lo relativo a la suspensión de la ejecución de la fianza se estará a lo dispuesto en el artículo 111 de la Ley 30/1992, de 26 de noviembre, de Régimen Jurídico de las Administraciones Públicas y del Procedimiento Administrativo Común.

Artículo 31

Las fianzas podrán ser sustituidas en todo tiempo, solicitándolo al efecto de la Dirección General, quien no expedirá la orden de devolución o de cancelación, en su caso, sin que previamente haya aprobado la constitución de la nueva fianza, con arreglo a lo prevenido en este Reglamento.

Artículo 32

La fianza constituida para una Notaría servirá por todo el valor reconocido al prestarla para cual-

quiera otra que obtenga el interesado, sin perjuicio del necesario aumento si la Notaría que pasara a desempeñar tuviese asignada mayor fianza, quedando afecta la totalidad de la garantía a las responsabilidades contraídas desde su ingreso en el Notariado.

Artículo 33

Para la devolución o cancelación de una fianza deberá el Notario interesado o quien la haya constituido, sus herederos o la Autoridad judicial, en su caso, a instancia de parte interesada, dirigirse al Decano del Colegio a que pertenezca la última Notaría servida, para que se anuncie en el Boletín Oficial del Estado y en el de la provincia donde se halle enclavada aquella en que ha cesado dicho Notario en el ejercicio de su cargo. En el anuncio se harán constar las Notarías que aquél hubiera anteriormente desempeñado y se fijará el plazo de un mes, contado desde el día de dichas publicaciones oficiales, para que se puedan formular las oportunas reclamaciones ante la Junta directiva del Colegio. Los gastos de los anuncios correrán a cargo de quien solicite la devolución o cancelación de la fianza.

TEXTO ANTERIOR	**TEXTO ACTUAL**

La misma Junta directiva unirá al expediente una certificación negativa o afirmativa, según proceda, de las infracciones reglamentarías, faltas o defectos que se observen en los protocolos del Notario de que se trate y de hallarse o no comprendido en alguno de los casos determinados en el artículo 30, a los efectos de la responsabilidad de la fianza.

La propia Junta, cuando se trate de Notarías pertenecientes a otro Colegio, recabará de las Juntas respectivas las certificaciones a que se refiere el párrafo anterior, que unirá también al expediente.

Este será elevado, con informe de la Junta, a la Dirección General, una vez transcurrido el plazo fijado en el párrafo primero, para que dicho Centro, en virtud de orden motivada, resuelva lo que fuese procedente.

El mismo procedimiento se seguirá cuando, por haber pasado el interesado de Notaría de mayor fianza a otra que la tuviese asignada menor, se pretendiese la devolución o cancelación de la diferencia resultante entre ambas fianzas.

En todo caso, procederá la devolución de la fianza notarial una vez transcurrido el plazo de quince años, a contar del cese del Notario en el ejercicio del cargo,

TEXTO ANTERIOR	TEXTO ACTUAL

sin que contra ella se haya formu-lado reclamación. En la hipótesis de que se formulare reclamación, dicho plazo se contará desde la última reclamación formulada contra la fianza.

Artículo 34

Acordada la devolución de la fianza consistente en valores públicos, la Dirección General lo comunicará a la Caja General de Depósitos o establecimientos en que se halle depositada, para que se devuelva el depósito constituido a quien justifique ser su dueño.

Decretada la cancelación de la fianza hipotecaria, la Dirección General remitirá la copia de la es-critura en que se haya constituido la hipoteca al Decano del Colegio Notarial a cuyo territorio perte-nezca el Registro de la Propiedad en que se hay inscrito la mencio-nada escritura, para su entrega al interesado, el cual la presentará en dicho Registro con el traslado que se le habrá conferido de la orden de cancelación, debiendo el Registrador practicar ésta, con-siderando como documento au-téntico o fehaciente la expresada orden, según los términos y para los efectos que determinan los

Artículo 34

Acordada la devolución de la fianza, la Dirección General de los Registros y del Notariado entregará al interesado escrito justificativo de tal acuerdo para su presentación en las Entidades en que hubiera queda-do depositada o constituida.

TEXTO ANTERIOR	**TEXTO ACTUAL**

artículos 82 de la Ley Hipotecaria y 155 de su Reglamento.

SECCIÓN IV
De la toma de posesión

Artículo 35

El título de Notario, cuya expedición se comunicará al interesado, será remitido por la Dirección General a la Junta Directiva del Colegio al que corresponda la primera Notaría para la que haya sido nombrado el Notario electo, la cual, dentro de los quince días siguientes al último día del plazo para constituir la fianza según lo previsto en el artículo 24, le dará posesión en sesión pública, procurando que ésta sea solemne y además conjunta para todos los que hayan sido aprobados en la misma oposición si son varios.

En los nombramientos ulteriores el expresado término posesorio de quince días empezará a contarse desde el siguiente a la publicación del nuevo nombramiento en el «Boletín Oficial del Estado» o, en su caso, en el periódico oficial de la Comunidad Autónoma, o desde que se apruebe la fianza, en el supuesto de que haya de aumentarse la constituida.

Artículo 35

El título de Notario, cuya expedición se comunicará al interesado, será remitido por la Dirección General a la Junta Directiva del Colegio al que corresponda la primera Notaría para la que haya sido nombrado el Notario electo, la cual, dentro de los quince días siguientes al último día del plazo para constituir la fianza según lo previsto en el artículo 24, le dará posesión en sesión pública, procurando que ésta sea solemne y además conjunta para todos los que hayan sido aprobados en la misma oposición si son varios.

En los nombramientos ulteriores el expresado término posesorio de quince días empezará a contarse desde el siguiente a la publicación del nuevo nombramiento en el «Boletín Oficial del Estado» o, en su caso, en el periódico oficial de la Comunidad Autónoma, o desde que se apruebe la fianza, en el supuesto de que haya de aumentarse la constituida.

El plazo señalado a los Notarios para tomar posesión de las Notarías no podrá prorrogarse por más de un mes. Este plazo podrá ser de dos meses si se tratase de Notarías en Baleares o Canarias.

El Notario que no se posesionare de su cargo en los plazos legales, sin mediar justa causa debidamente acreditada o sin haber obtenido prórroga, será considerado como renunciante, y la Notaría será anunciada y provista en el turno que corresponda.

No podrán obtener la posesión los Notarios electos que desempeñen los cargos incompatibles determinados en el art. 16 de la Ley del Notariado, sin haber acreditado previamente la cesación en aquéllos. Si, esto no obstante, se posesionaren de la Notaría, serán declarados renunciantes y dados de baja en el escalafón del Cuerpo tan pronto como se tenga noticia de que existe dicha incompatibilidad.

El Decano exigirá al Notario electo una declaración firmada, asegurando, bajo su responsabilidad, que no desempeña dichos cargos incompatibles.

No obstante lo dispuesto en los dos párrafos anteriores, los Notarios que se hallen en la situación de suspensos en el ejercicio del cargo por desempeñar alguno de

El plazo señalado a los Notarios para tomar posesión de las Notarías no podrá prorrogarse por más de un mes. Este plazo podrá ser de dos meses si se tratase de Notarías en Baleares o Canarias.

El Notario que no se posesionare de su cargo en los plazos legales, sin mediar justa causa debidamente acreditada o sin haber obtenido prórroga, será considerado como renunciante, y la Notaría será anunciada y provista en el turno que corresponda.

No podrán obtener la posesión los notarios electos que desempeñen los cargos incompatibles determinados en el artículo 16 de la Ley del Notariado, sin haber acreditado previamente la cesación en aquéllos. En caso de ejercer cargo incompatible en la Administración Pública deberán acreditar la excedencia en el Cuerpo de origen, con carácter previo. Si, esto no obstante, se posesionaren de la Notaría, serán declarados renunciantes y dados de baja en el escalafón del Cuerpo tan pronto como se tenga noticia de que existe dicha incompatibilidad.

El Decano exigirá al Notario electo una declaración firmada, asegurando, bajo su responsabilidad, que no desempeña dichos cargos incompatibles.

No obstante lo dispuesto en los dos párrafos anteriores, los Notarios

TEXTO ANTERIOR	**TEXTO ACTUAL**
los incompatibles determinados en el art. 115, podrán posesionarse de la Notaría que hubieren obtenido por concurso u oposición, pero no desempeñar las funciones notariales. Esta misma disposición se aplicará a quienes hallándose en el desempeño de dichos cargos incompatibles, hubiesen de tomar posesión de su primera Notaría.	que se hallen en la situación de suspensos en el ejercicio del cargo por desempeñar alguno de los incompatibles determinados en el art. 115, podrán posesionarse de la Notaría que hubieren obtenido por concurso u oposición, pero no desempeñar las funciones notariales. Esta misma disposición se aplicará a quienes hallándose en el desempeño de dichos cargos incompatibles, hubiesen de tomar posesión de su primera Notaría.

Artículo 36

La presentación del Notario electo a la Junta directiva el día de la posesión la hará uno de los Notarios colegiados a quien aquél elija.

El nuevo Notario prometerá fidelidad a la constitución y cumplir todas las obligaciones que las leyes y demás disposiciones emanadas del Poder público le impongan.

El Decano le impondrá la medalla y placa que pueden usar los Notarios como distintivo oficial. Se dará por terminado el acto, consignándose la toma de posesión del nuevo Notario.

Los Secretarios de las Juntas directivas llevarán un libro de actas en que consten las posesiones,

TEXTO ANTERIOR	**TEXTO ACTUAL**

y otro libro en el que los Notarios estamparán el signo, firma y rúbrica que adopten.

Artículo 37

Al tomar posesión de su primera Notaría, los Notarios electos recibirán su título que les entregará el Decano, quien expedirá un testimonio literal e íntegro de aquél. En ambos casos se extenderá la diligencia de toma de posesión, quedando así colegiado el nuevo Notario.

En las ulteriores tomas de posesión, el Notario, aunque lo fuere ya del mismo Colegio, deberá presentar su título al Decano y esté expenderá el testimonio antes mencionado con inclusión de cuantas diligencias figuren en aquél, extendiendo en los dos diligencia de la nueva posesión.

El testimonio del título a que se refieren los dos párrafos anteriores se unirá al expediente que para cada Notario se formará en el Colegio.

Si el título hubiera sufrido deterioro, pérdida o extravío, deberá el Notario solicitar y obtener de la Dirección General, a modo de duplicado, una certificación literal de la copia obrante en su expediente

TEXTO ANTERIOR	**TEXTO ACTUAL**

personal y, asimismo, deberá solicitar y obtener de los distintos Colegios Notariales donde hubiese ejercido la reproducción en dicha certificación, por orden cronológico, de las sucesivas diligencias de posesión. No obstante, para la toma de posesión, bastará acreditar documentalmente haber solicitado de la Dirección General la certificación antedicha y presentar un testimonio del que, a su vez, obra en el Colegio donde hubiera tomado la posesión precedente.

El Decano del Colegio comunicará a la Dirección General y, en su caso, a los órganos competentes de la Comunidad Autónoma, así como al Delegado de la Junta, la posesión del nuevo Notario.

Artículo 38

Conferida la posesión, el Notario, desde su residencia, dirigirá oficios a los Alcaldes, Jueces municipales y demás autoridades de los pueblos comprendidos en el Distrito notarial, notificándoles, para su conocimiento y el del público, hallarse en disposición del ejercer el cargo.

Artículo 38

Conferida la posesión, el notario, desde su residencia, dirigirá oficios a los Alcaldes, Jueces de Primera Instancia y demás autoridades de los pueblos comprendidos en el Distrito notarial, notificándoles, para su conocimiento y el del público, hallarse en disposición de ejercer el cargo.

TEXTO ANTERIOR	TEXTO ACTUAL

Artículo 39

El nuevo Notario comunicará a la Junta directiva del Colegio Notarial la fecha de la nota que al comenzar a ejercer su cargo, y dentro de los tres días siguientes al de la posesión, deberá consignar en el protocolo a continuación de la última escritura.

También dará conocimiento a los demás Notarios del mismo distrito del signo firma y rúbrica que haya adoptado.

Artículo 40

Dentro de los treinta días siguientes a la fecha de la posesión, el Notario informará a la Junta del Colegio Notarial a que pertenezca del estado en que se encuentran los protocolos de la Notaría de que se ha posesionado, haciendo constar si los instrumentos que los forman reúnen los requisitos externos prevenidos por las disposiciones vigentes. Será personalmente responsable de las deficiencias que en su día pudieran aparecer de no haberlas hecho constar en su informe.

Mientras no cumplan la expresada obligación, los Notarios no

Artículo 40

Dentro de los treinta días siguientes a la fecha de la posesión, el notario informará a la Junta del Colegio Notarial a que pertenezca del estado general en que se encuentran el protocolo y el Libro-Registro de la Notaría de que se ha posesionado, haciendo constar si los instrumentos que los forman reúnen los requisitos externos prevenidos por las disposiciones vigentes. Será personalmente responsable de las deficiencias que en su día pudieran aparecer, de no haberlas hecho constar en su informe.

Mientras no cumplan la expresada obligación, los notarios no

TEXTO ANTERIOR	**TEXTO ACTUAL**
podrán ausentarse de sus Notarías ni pedir licencia.	podrán ausentarse de sus Notarías ni pedir licencia. El notario deberá entregar a su sucesor en el protocolo el Libro Indicador y los soportes informáticos en los que se encuentren los ficheros de titularidad pública a que se refiere la Orden JUS/484/2003, de 19 de febrero y los que, con idéntico carácter sustituyan o se añadan a éstos. En el informe a que se refiere el párrafo primero deberá hacerse constar el cumplimiento de esta obligación, incluyendo la relación de los ficheros informáticos recibidos.

SECCIÓN V
Del cese

Artículo 41

Los Notarios cesarán en el cargo dentro de los quince días siguientes a la publicación de la orden de jubilación, de excedencia o de nombramiento para otra Notaría en el Boletín Oficial del Estado o, en este ultimo caso, si correspondiere a determinada Comunidad Autónoma, en el periódico oficial de ésta.

En los casos de traslado a otra Notaría para la que se requiera ampliación de fianza, el plazo anteriormente indicado comenzará

TEXTO ANTERIOR	**TEXTO ACTUAL**

a contarse desde la fecha de la aprobación de la fianza.

La nota a que se refiere el artículo 277 de este Reglamento se extenderá en todo caso dentro del plazo señalado en este precepto.

La concesión de prórroga de plazo posesorio no implicará prórroga del plazo para cesar establecido en este artículo.

SECCIÓN VI
De la residencia y de los despachos u oficinas notariales

Artículo 42

El Notario deberá residir en el lugar en que esté demarcada su Notaría.

Los Notarios deberán tener su despacho u oficina en el punto de su residencia, en condiciones adecuadas y decorosas para el ejercicio de su ministerio, teniendo allí centralizada la documentación general y particular que se les confíe.

Se prohíbe a los Notarios tener más de un despacho u oficina en la población de residencia ni en otra de su distrito; no obstante, la Junta Directiva podrá autorizar algún despacho auxiliar en pobla-

Artículo 42

El Notario deberá residir en el lugar en que esté demarcada su Notaría.

Los Notarios deberán tener su despacho u oficina en el punto de su residencia, en condiciones adecuadas y decorosas para el ejercicio de su Ministerio, teniendo allí centralizada la documentación general y particular que se les confíe.

Se prohíbe a los Notarios tener más de un despacho u oficina en la población de residencia ni en otra de su distrito; no obstante, la Junta Directiva podrá autorizar algún despacho auxiliar en población distinta de aquella en que estuviere demar-

TEXTO ANTERIOR	**TEXTO ACTUAL**

ción distinta de aquella en que estuviere demarcada la Notaría, si lo aconsejan las necesidades del servicio.

No podrá haber más de un despacho notarial en un mismo edificio, salvo autorización de la Junta Directiva del Colegio, oídos los Notarios que con anterioridad tengan establecido su despacho en aquél. También se exigirá autorización de la Junta para que un Notario establezca su despacho u oficina en el mismo edificio en que haya tenido instalado su despacho otro Notario, a menos de haber transcurrido tres años, o tratarse de población donde exista demarcada una sola Notaría.

Para que en un mismo local actúe más de un Notario se requerirá, inexcusablemente, autorización de la Junta Directiva, que sólo podrá concederla si se dan las condiciones necesarias para asegurar el respeto al principio de libre elección de Notario por el público, atendidas las circunstancias de la población y el número de Notarios existentes en la misma.

Las autorizaciones que se concedan deberán expresar, como mínimo, las condiciones relativas a la utilización del local único y a la instalación de los respectivos despachos, así como a las conse-

cada la Notaría, si lo aconsejan las necesidades del servicio.

No podrá haber más de un despacho notarial en un mismo edificio, salvo autorización de la Junta Directiva del Colegio, oídos los Notarios que con anterioridad tengan establecido su despacho en aquél. También se exigirá autorización de la Junta para que un Notario establezca su despacho u oficina en el mismo edificio en que haya tenido instalado su despacho otro Notario, a menos de haber transcurrido tres años o tratarse de población donde exista demarcada una sola Notaría.

Para que un mismo local actúe más de un Notario se requerirá, inexcusablemente, autorización de Junta Directiva, que solo podrá concederla si se dan las condiciones necesarias para asegurar el respeto al principio de libre elección de Notario por el público, atendidas las circunstancias de la población y el número de Notarios existentes en la misma. En todo caso, no podrá concederse esta autorización en los distritos que cuenten con menos de cinco plazas de notarios. En los distritos que cuenten con más de cinco plazas de notarios, el número de notarías abiertas no podrá ser inferior a los dos tercios de las plazas demarcadas.

|

cuencias de su incumplimiento y las previsiones relativas al cese, por cualquier causa de alguno de los Notarios autorizados. La autorización por sí sola no afectará a los contratos de trabajo de cada Notario con sus empleados.

En ningún caso podrán las Juntas Directivas conceder autorización para que dos o más Notarios tengan su despacho, separadamente, en un mismo edificio o para poder actuar en un mismo local, cuando lo pretendan todos los Notarios de la población.

Las Juntas Directivas podrán modificar e incluso revocar las autorizaciones concedidas en los casos de alteración de las circunstancias tenidas en cuenta al concederlas y en los de incumplimiento de las condiciones establecidas, así como dirimir, de conformidad con lo dispuesto en los artículos 314 y 327 de este Reglamento las cuestiones que se susciten entre los Notarios interesados.

Las decisiones de las Juntas Directivas concediendo, denegando, modificando o revocando las autorizaciones a que este artículo se refiere y resolviendo las dudas o las quejas que en esta materia se produzcan serán inmediatamente ejecutivas, sin perjuicio de que contra ellas puedan interponerse los recursos procedentes

Las autorizaciones que se concedan deberán expresar, como mínimo, las condiciones relativas a la utilización del local único y a la instalación de los respectivos despachos, así como a las consecuencias de su incumplimiento y las previsiones relativas al cese, por cualquier causa, de alguno de los Notarios autorizados. La autorización por si sola no afectará a los contratos de trabajo de cada Notario con sus empleados.

En ningún caso podrán las Juntas Directivas conceder autorización para que dos o más Notarios tengan su despacho, separadamente, en un mismo edificio o para poder actuar en un mismo local, cuando lo pretendan todos los Notarios de la población.

Las Juntas Directivas podrán modificar e incluso revocar las autorizaciones concedidas en los casos de alteración de las circunstancias tenidas en cuenta al concederlas y en los de incumplimiento de las condiciones establecidas, así como dirimir, de conformidad con lo dispuesto en los artículos 314 y 327 de este Reglamento, las cuestiones que se susciten entre los Notarios interesados.

Las decisiones de las Juntas Directivas concediendo, denegando, modificando o revocando las autorizaciones a que este artículo

TEXTO ANTERIOR	**TEXTO ACTUAL**

conforme al artículo 334 de este Reglamento.

se refiere y resolviendo las dudas o las quejas que en esta materia se produzcan serán inmediatamente ejecutivas, sin perjuicio de que contra ellas puedan interponerse los recursos procedentes conforme al artículo 334 de este Reglamento.

CAPÍTULO III
De los derechos de los notarios

SECCIÓN I
De las ausencias y de las licencias

Artículo 43

No se considerarán como casos de ausencia notarial los siguientes:

1º Las salidas que, por razones de su cargo, hagan los Notarios a otros pueblos de su distrito.

2º Las que realicen en casos de habilitación para asuntos electorales.

3º Las de asistencia a sesiones de las Juntas generales de los Colegios debidamente convocadas, o de la Junta directiva, cuando de ella formaren parte.

4º Las que efectúen para tomar parte en las oposiciones directas o entre Notarios.

Artículo 43

No se considerarán como casos de ausencia notarial los siguientes:

1.º Las salidas que, por razón de su cargo, hagan los notarios a otros pueblos de su distrito.

2.º Las que realicen en casos de habilitación reglamentaria mientras dure la habilitación.

3.º Las de asistencia a sesiones de órganos y actos de carácter corporativo.

4.º Las que efectúen para tomar parte en oposiciones entre notarios.

En este caso, deberán ponerlo en conocimiento del Decano respectivo, contándose el término desde cuatro días antes del señalado para

TEXTO ANTERIOR	TEXTO ACTUAL

En este caso, deberán ponerlo en conocimiento del Decano respectivo, contándose el término desde cuatro días antes del señalado para el sorteo de los opositores y expirando al cuarto día de haberse extinguido su derecho de opositor.

Estos plazos se ampliarán a diez días, cuando se trate de opositores a Notarías en la Península, para los residentes en Colegios de Canarias y de Baleares, o de Notarios en la Península que hayan de concurrir a oposiciones que se celebren en dichos Colegios.

5º Las de asistencia a sesiones de organismos jurídicos o comisiones asesoras dependientes o relacionadas con el Ministerio de Justicia, siempre que previamente la Dirección General de los Registros y del Notariado lo haya así declarado al tiempo de su aceptación.

Igualmente las que impliquen asistencia a Cámaras legislativas.

el sorteo de los opositores y expirando al cuarto día siguiente al de la última actuación del opositor.

5.º Las que impliquen asistencia a Cámaras legislativas.

6.º Las de asistencia a sesiones de organismos jurídicos o comisiones asesoras dependientes o relacionadas con cualquier Administración, siempre que previamente la Dirección General de los Registros y del Notariado lo haya así declarado al tiempo de su aceptación.

Artículo 44

Los Notarios, no teniendo reclamado su Ministerio, podrán ausentarse de su Notaría o distrito notarial por los plazos y con las condiciones siguientes:

TEXTO ANTERIOR	TEXTO ACTUAL

a) Por cinco días si la Notaría está demarcada en población donde haya un solo Notario.

b) Por diez días si en la residencia hubiere dos Notarios en servicio efectivo.

c) Y por quince días en las Notarías donde residan y presten servicio efectivo más de dos Notarios.

Al hacer uso de este derecho, los Notarios deberán dar conocimiento a la Junta directiva y a la Dirección General de las fechas en que se ausenten y vuelvan a hacerse cargo de su Notaría.

De las mencionadas ausencias no podrá usarse por cada Notario más de seis veces al año, ni las ausencias podrán ser sucesivas, debiendo mediar entre una y otra un mes, por lo menos, de intervalo.

Artículo 45

Independientemente del derecho anterior, los Notarios podrán obtener licencias ordinarias o extraordinarias, que serán concedidas por las Juntas directivas de los respectivos Colegios y por la Dirección General.

Las Juntas directivas podrán conceder licencias ordinarias, que

TEXTO ANTERIOR	**TEXTO ACTUAL**

no excederán del plazo de un mes en cada año.

La Dirección General podrá conceder licencias ordinarias, que no excederán del plazo de dos meses en cada año.

Las licencias extraordinarias sólo se podrán conceder por la Dirección General en casos excepcionales, mediante justa causa y por plazo máximo de un año.

Las licencias se concederán en virtud de solicitud del Notario interesado dirigida al Decano de la Junta directiva, y por conducto de ésta y con su informe, a la Dirección General, cuando a ella corresponda su concesión.

Artículo 46

Ni las Juntas directivas ni la Dirección General podrán conceder licencias simultáneas a todos los Notarios de un mismo distrito, salvo en casos de Notaría única.

Si el Notario dejare de dar un aviso al Decanato y a la Dirección del día en que se ausentare de su residencia y el en que vuelva a hacerse cargo de su Notaría, perderá el derecho a la congrua durante el año en curso.

TEXTO ANTERIOR	**TEXTO ACTUAL**

Artículo 47

Toda licencia concedida por la Dirección General o por las Juntas directivas de los Colegios Notariales se entenderá caducada si el Notario que la haya obtenido no empieza a disfrutaría dentro de los quince días siguientes a la fecha de su concesión.

Si concluido el término de la licencia concedida no se hubiere presentado el Notario a desempeñar de nuevo su cargo, ni alegare justa causa que lo haya impedido, se procederá en la forma prevenida en el artículo 84 de este Reglamento.

Artículo 48

El Notario podrá interrumpir el uso de licencia, reintegrándose al ejercicio del cargo, y proseguir después el disfrute de aquélla por el tiempo que restare, con tal que la interrupción no exceda de la mitad del plazo concedido, comunicando a la Junta directiva y a la Dirección General los días en que interrumpa el uso de la licencia y en que la reanude.

SECCIÓN II
De las sustituciones

Artículo 49

Los Notarios en los casos de ausencia, enfermedad temporal o cualquier otro supuesto similar serán sustituidos por el de la misma localidad que designe el titular, y siendo Notario único por el que designe entre los del mismo distrito o de otro colindante, y no mediando estas designaciones por el que corresponda según el cuadro de sustituciones del Colegio y, en su defecto, por el que designe la Junta directiva del Colegio Notarial.

Si la enfermedad que motivase la sustitución excediere de un año y el Notario o en su nombre quien le represente no pidiere la excedencia voluntaria, la Dirección General instruirá expediente de jubilación forzosa, previo el agotamiento de los plazos de ausencias y licencias reglamentarias.

Artículo 49

Los notarios, en los casos de ausencia, licencia, incluidas las de maternidad o paternidad, durante el tiempo en que hagan uso de este derecho y por el plazo máximo previsto por la normativa aplicable para la baja por tal concepto, enfermedad temporal o cualquier otro supuesto similar, serán sustituidos por el que designe el titular entre los del mismo distrito o de otro colindante, previo acuerdo en este último supuesto de la Junta Directiva. No mediando estas designaciones, por el que corresponda según el cuadro de sustituciones del Colegio, y, en su defecto, por el que designe la Junta Directiva del Colegio Notarial. No obstante, la Junta Directiva podrá encomendar la sustitución a varios notarios, de forma alternativa o sucesiva, en ningún caso simultánea, fijando su régimen de actuación.

Si la duración de la enfermedad que motivase la sustitución excediere de un año y el notario o en su nombre quien le represente no pidiere la excedencia voluntaria, la Dirección General instruirá expediente de incapacidad permanente, previo agotamiento de los plazos

TEXTO ANTERIOR	**TEXTO ACTUAL**
	de ausencias y licencias reglamentarias.
	No obstante lo anterior, si la enfermedad no fuese irreversible, el notario podrá optar por la situación de excedencia en cualquier momento de la instrucción del expediente de incapacidad permanente.

Artículo 50

Cuando una Notaría esté vacante o en suspenso su titular, se encargará de la misma, en concepto de Sustituto, aquel a quien corresponda conforme al Cuadro de sustituciones del respectivo Colegio Notarial, y si no lo hubiere, el que designe la Junta directiva, dando cuenta a la Dirección General.

Artículo 51

Podrá designar quien lo sustituya durante sus ausencias, en la forma establecida para las sustituciones ordinarias, el Notario que sea miembro de alguna Cámara Legislativa, el que desempeñe Comisiones de servicios encomendadas por la Dirección General, o con autorización de ésta acepte cargos de la Administración no

Artículo 51

La Dirección General de los Registros y del Notariado podrá nombrar en comisión de servicios a los notarios en activo, por todo el tiempo que proceda según la naturaleza del trabajo encomendado:

a) Para desempeñar las comisiones que se les encomienden en relación con los servicios propios de dicho Centro Directivo.

TEXTO ANTERIOR	**TEXTO ACTUAL**

comprendidos en el artículo 115 de este Reglamento y el que ejerza cargos de la máxima representación del Notariado.

b) Para prestar algún trabajo determinado en algún Ministerio u Organismo Público.

c) Para realizar estudios o proyectos de especialización a instancia del Consejo General del Notariado.

Los miembros del Consejo General del Notariado, los Decanos y Vicedecanos de los Colegios Notariales, los Secretarios, Vicesecretarios y los encargados de Sección del citado Consejo General del Notariado, se considerarán en comisión de servicio durante todo el tiempo de su mandato.

Los notarios que ocupen cargo público que fuese compatible con su condición de tales con arreglo a las leyes, podrán solicitar de la Dirección General la asimilación de su situación a la de notario en comisión de servicio.

Los notarios que tengan encomendada por la Dirección General de los Registros y del Notariado comisión de servicios o con autorización de ésta acepten cargo público compatible con su condición de tales con arreglo a las leyes, los miembros del Consejo General del Notariado, los Decanos y Vicedecanos de los Colegios Notariales, los Secretarios, Vicesecretarios y los encargados de Sección del Consejo General del Notariado, podrán designar para que les sustituyan

TEXTO ANTERIOR	**TEXTO ACTUAL**

en todas sus funciones notariales, durante el desempeño de sus citados cargos o comisión, a otro notario en activo, bien con carácter ocasional o bien con carácter permanente, con su conformidad, poniéndolo en conocimiento del Colegio Notarial que corresponda a la mayor brevedad.

En defecto de designación será nombrado por la Junta Directiva del Colegio Notarial correspondiente, según el cuadro de sustituciones, o fuera del mismo, de acuerdo con lo previsto en este Reglamento.

En los casos en que proceda, el sustituto se entenderá investido de habilitación especial a los fines previstos en los artículos 3, último párrafo, y 116 de este Reglamento.

El sustituto permanente, antes de comenzar la sustitución y al finalizarla, pondrá nota en la última matriz del protocolo del notario sustituido, comunicándoselo seguidamente al Colegio Notarial. Si el sustituto no perteneciese al mismo Colegio Notarial que el sustituido, o lo solicitare a la vista de las características de su despacho, se estimará a los efectos reglamentarios que se halla en uso de licencia por ausencia mientras desempeña la sustitución, y su situación se regulará por lo establecido en el párrafo primero del artículo 49 y el párrafo primero del artículo 54 de este Reglamento.

TEXTO ANTERIOR	TEXTO ACTUAL

Las condiciones económicas de la sustitución serán libremente convenidas entre los interesados. A falta de convenio, se aplicará lo que dispone el párrafo segundo del artículo 55 de este Reglamento.

El notario sustituido podrá, si las funciones que tiene encomendadas lo permiten, y siempre con subordinación al trabajo que pueda tener encomendado, actuar y autorizar documentos en su notaría en cualquier momento, sin necesidad de poner nota alguna en el Protocolo ni de comunicarlo al Colegio.

En los supuestos de sustitución previstos en este artículo, la designación puede recaer en uno o en varios notarios siempre que, en este último caso, el ejercicio de las funciones notariales por parte de los nombrados sea alternativo o sucesivo, no simultáneo.

Las disposiciones del presente artículo serán de aplicación a los notarios adscritos a la Dirección General de los Registros y del Notariado en todo lo que no se halle regulado en su normativa específica.

Artículo 52

Los Notarios que acepten los cargos a que se refiere el artículo 115 de este Reglamento pueden

Artículo 52

Los notarios que acepten los cargos a que se refiere el artículo 115 de este Reglamento pueden

TEXTO ANTERIOR	**TEXTO ACTUAL**

designar para que les sustituyan en todas sus funciones notariales, mientras desempeñen aquéllos, a cualquier Notario en activo o en situación de excedencia.

Si el sustituto se encontrase en activo y perteneciese a distinto distrito notarial que el sustituido, se estimará; a los efectos reglamentarios, que se halla en uso de licencia por ausencia mientras desempeña la sustitución, y su situación se regulará por lo establecido en el párrafo primero del artículo 49 y en el párrafo primero del artículo 54 de este Reglamento.

El sustituido, a la brevedad posible, deberá poner en conocimiento de la Dirección del Decano del Colegio Notarial de su residencia y del de la residencia del sustituto, si éste pertenece a distinto Colegio, la circunstancia de haber hecho uso de este derecho, y la Dirección General de los Registros autorizará al sustituto para que ejerza sus funciones como tal, poniéndolo en conocimiento del Decano o Decanos correspondientes.

designar para que les sustituyan en todas sus funciones notariales, mientras desempeñen aquéllos, a cualquier notario en activo.

Si el sustituto perteneciese a distinto distrito notarial que el sustituido, se estimará, a los efectos reglamentarios, que se halla en uso de licencia por ausencia mientras desempeña la sustitución, y su situación se regulará por lo establecido en el párrafo primero del artículo 49 y en el párrafo primero del artículo 54 de este Reglamento.

El sustituido, a la mayor brevedad posible, deberá poner en conocimiento de la Dirección General de los Registros y del Notariado, del Decano del Colegio Notarial de su residencia y del de la residencia del sustituto, si éste pertenece a distinto Colegio, la circunstancia de haber hecho uso de este derecho, y la Dirección General de los Registros y del Notariado autorizará al sustituto para que ejerza sus funciones como tal, poniéndolo en conocimiento del Decano o Decanos correspondientes.

Artículo 53

En los casos de sustitución no se trasladarán los protocolos a la Notaría del sustituto, y los

Artículo 53

Los documentos autorizados por el Notario sustituto se incorporarán al Protocolo o Libro-Registro

TEXTO ANTERIOR	TEXTO ACTUAL

documentos que autorice éste se protocolarán en la Notaría del sustituido, expresando en los mismos el concepto de Notario sustituto. Si el Notario sustituido residiere en distinta población podrá trasladar los protocolos a su domicilio para su mejor custodia, previa autorización de la Junta directiva del respectivo Colegio.

del Notario sustituido, excepto en los casos de vacante y de la habilitación prevista por el artículo 121 de este Reglamento, en los términos que resultan del mismo.

El protocolo y el Libro-Registro del Notario sustituido no se trasladarán a la Notaría del sustituto, salvo que éste residiere en distinta población, en cuyo supuesto podrá trasladarlos al domicilio de su Notaría, para su mejor custodia, previa autorización de la Junta Directiva del respectivo Colegio.

Tratándose de sustitución por Notaría vacante, si el sustituto residiere en la misma población, deberá conservar el Protocolo y el Libro-Registro del sustituido, en su propia Notaría o en otro lugar adecuado, cuando así lo autorice con carácter previo la Junta Directiva. Si residiere en población distinta, el Protocolo y el Libro Registro deberán permanecer en lugar adecuado de la población en que estuviere demarcada, sin perjuicio de poder trasladarlos a su Notaría o a otro lugar adecuado, con la finalidad y previa la autorización a que se refiere el párrafo anterior.

Artículo 54

Cuando un sustituto deba encargarse de un protocolo por

TEXTO ANTERIOR	**TEXTO ACTUAL**

causa de licencia o de incompati-bilidad para desempeñar el cargo mencionado, el sustituido pondrá, a continuación o al margen de la última escritura matriz de su pro-tocolo de instrumentos públicos, nota fechada y firmada del día en que ausente, haciendo mención de la causa de la sustitución. A su regreso pondrá nota en el último instrumento del mismo protocolo de haber vuelto a encargarse de la Notaría.

En el caso de enfermedad tem-poral, la primera nota será puesta por el sustituto y la segunda por el sustituido.

Artículo 55

El Notario sustituto tendrá derecho en todo caso a percibir íntegramente los honorarios que devengue en los documentos que autorice por el sustituido.

Las Juntas directivas, en los casos de sustitución por enferme-dad temporal u otros similares, podrán determinar la parte de ho-norarios que el Notario sustituido podrá percibir del sustituto.

TEXTO ANTERIOR	**TEXTO ACTUAL**

Artículo 56

Cada tres años, en la primera quincena del mes de diciembre, las Juntas directivas de los Colegios Notariales formarán el Cuadro de sustituciones, que remitirán a la Dirección para su aprobación.

El Cuadro de sustituciones, una vez aprobado, regirá desde 1 de enero, debiendo remitirse un ejemplar del mismo a todos los Notarios del Colegio.

Artículo 56

Cada cuatro años, en la primera quincena del mes de diciembre, o cuando las necesidades del servicio lo aconsejen, las Juntas Directivas de los Colegios Notariales formarán el cuadro de sustituciones, que remitirán a la Dirección para su aprobación.

El cuadro de sustituciones, una vez aprobado, se remitirá a todos los notarios del Colegio.

Artículo 57

Los Notarios se jubilarán forzosamente al cumplir los setenta años de edad o antes, por incapacidad permanente para el ejercicio del cargo. Voluntariamente podrán jubilarse desde que hayan cumplido la edad de sesenta y cinco años.

Artículo 57

Los notarios se jubilarán forzosamente al cumplir la edad de 70 años o voluntariamente a partir de los 65, sin perjuicio de lo que establezca en su momento la legislación aplicable.

Los notarios que hubiesen sido declarados en situación de incapacidad permanente conforme a lo previsto en el segundo párrafo del artículo 49, podrán obtener, previo expediente análogo al previsto en el citado artículo, su reincorporación al Cuerpo, si acreditasen haber desaparecido la causa que motivó la incapacidad, considerándose que hasta la fecha han estado en situación de excedencia. Estos notarios tendrán derecho a reingresar en

TEXTO ANTERIOR	**TEXTO ACTUAL**
	el servicio por la misma población donde residieran en la fecha en que se declare su incapacidad. No será precisa la reserva expresa de este derecho al tiempo de la declaración de su incapacidad, pudiendo renunciar en cualquier momento mediante escrito elevado a la Dirección General de los Registros y del Notariado, y cuyo ejercicio se regirá por lo dispuesto en el artículo 109 de este Reglamento.
	Tomada posesión de su plaza por el notario que se hubiera reincorporado, solicitará su alta en el Régimen Especial de los Trabajadores por Cuenta Propia o Autónomos, con indicación de la base de cotización por la que opta, en los términos y condiciones establecidos en la regulación de dicho Régimen, de conformidad con lo previsto en el artículo 2 del Real Decreto 1505/2003, de 28 de noviembre, por el que se establece la inclusión de los miembros del Cuerpo Único de Notarios en ese Régimen Especial de la Seguridad Social.

Artículo 58

Los expedientes de jubilación, cuantía de las pensiones y el abono de las mismas, se regirán por

Artículo 58

La jubilación implica el cese de la relación funcionarial y la pérdida de la condición de funcionario a los

TEXTO ANTERIOR	**TEXTO ACTUAL**
lo dispuesto en el Anexo citado en el artículo anterior.	efectos del ejercicio de la función pública notarial y de la posibilidad de ser elector o elegible para órganos colegiados de la organización corporativa notarial.

Artículo 59

El Notario jubilado forzosamente por edad cesará en el ejercicio del cargo dentro del plazo señalado en el párrafo primero del artículo 41 de este Reglamento.

SECCIÓN IV
De las prerrogativas y honores de los notarios

Artículo 60

El Notario, una vez que obtenga el título y tome posesión de su Notaría, tendrá en el distrito a que corresponda la demarcación de la misma el carácter de funcionario público y autoridad en todo cuanto afecte al servicio de la función notarial, con los derechos y prerrogativas que conceden a tales efectos las leyes fundamentales tanto de carácter civil como administrativo y penal.

TEXTO ANTERIOR	TEXTO ACTUAL

La presentación de la medalla o de la tarjeta de identidad será bastante para el efecto de acreditar al Notario en el ejercicio de las funciones notariales, y asimismo para que las autoridades y sus delegados o dependientes le auxilien cuando lo solicitare en el cumplimiento de las obligaciones de su cargo.

El Notario que haya de ejercer su Ministerio en actos presididos por Autoridad, ocupará lugar preferente en la presidencia.

Artículo 61

El Notario requerido para ejercer su ministerio, a quien se impida o dificulte el libre ejercicio de sus funciones con injurias, amenazas o cualquier forma de coacción, lo hará constar, a los efectos de lo dispuesto en loas artículos 258, 259, 260 y 265 del Código Penal, por medio de acta, que firmarán el mismo y los testigos concurrentes y, en su caso, la persona o personas que se presten a suscribirla, de cuyo documento se sacarán tres copias que, dentro de las veinticuatro horas siguientes, serán remitidas al Juez de Instrucción al Presidente de la Audiencia y a la Junta Directiva

Artículo 61

El notario requerido para ejercer su ministerio, a quien se impida o dificulte el libre ejercicio de sus funciones con injurias, amenazas o cualquier forma de coacción, lo hará constar, a los efectos de lo dispuesto en los artículos 550, 551.1, 552, 553, 555 y 556 del Código Penal, por medio de acta, que firmarán él mismo y los testigos concurrentes y, en su caso, la persona o personas que se presten a suscribirla, de cuyo documento se sacarán tres copias que, dentro de las veinticuatro horas siguientes, serán remitidas al Juez de Instrucción, al Presidente del Tribunal Superior de Justicia y a la Junta Directiva del Colegio Notarial. Esta

TEXTO ANTERIOR	**TEXTO ACTUAL**

del Colegio Notarial. Esta tendrá personalidad para ejercitar las acciones civiles y criminales que estime convenientes, incluso para interponer la querella en nombre propio y en el del Notario.

De igual modo se procederá, a tenor de lo dispuesto en el número 5º del artículo 565 del Código Penal, cuando, sin incurrir en delito, se faltare al respeto y consideración debida al Notario. Además, el Notario podrá reclamar directamente, y bajo su responsabilidad, la asistencia de agentes de la autoridad, los cuales vendrán obligados a prestarla, con arreglo a sus respectivos reglamentos.

tendrá legitimación para ejercitar las acciones civiles y criminales que estime convenientes, incluso para interponer la querella en nombre propio y en el del notario.

De igual modo se procederá, a tenor de lo dispuesto en el artículo 634 del Código Penal, cuando, sin incurrir en delito, se faltare al respeto y consideración debida al notario. Además, el notario podrá reclamar directamente, y bajo su responsabilidad, la asistencia de agentes de la autoridad, los cuales vendrán obligados a prestarla, con arreglo a sus respectivos reglamentos.

Artículo 62

El Notario contra quien se tramite un sumario, solo quedará en suspenso para el ejercicio del cargo por resolución judicial que lleve consigo auto de prisión consentido o firme.

La Junta directiva del Colegio Notarial tendrá derecho a mostrarse parte en la causa, en cualquier momento procesal de la misma.

TEXTO ANTERIOR	**TEXTO ACTUAL**

Artículo 63

La retribución de los Notarios estará a cargo de quienes requieran sus servicios y se regulará por el Arancel notarial, sin que en ningún caso la percepción difiera del coste medio ponderado del documento incrementado con los derechos que correspondan según el Arancel. La determinación de dichos costes corresponderá a la Dirección General de los Registros y del Notariado a propuesta fundada de la Junta de Decanos, y será vinculante para todos los Notarios.

El arancel notarial se aprobará por el Gobierno mediante Decreto, a propuesta del Ministro de Justicia, previo informe de la Junta de Decanos de los Colegios Notariales y con audiencia de la Comisión permanente del Consejo de Estado.

Su revisión y actualización se llevará a cabo cada diez años o antes si las circunstancias lo aconsejan.

Los honorarios y derechos y las cantidades suplidas por el Notario con relación a los impuestos generales sobre las sucesiones y sobre Transmisiones Patrimoniales y Actos Jurídicos Documentados, plusvalía o inscripciones

TEXTO ANTERIOR	TEXTO ACTUAL

o certificaciones del Registro de la Propiedad podrán hacerse efectivas por el procedimiento de apremio que la legislación hipotecaria establece o establezca en lo sucesivo a favor de los Registradores de la Propiedad.

Se regulará asimismo por la legislación hipotecaria la fijación de las bases sobre las que haya de aplicarse el arancel.

El Notario podrá dispensar totalmente los derechos devengados en cualquier documento, pero no tendrá la facultad de hacer dispensa parcial que se reputará ilícita.

Artículo 64

Los Decanos de los Colegios Notariales tendrán tratamiento y consideraciones de Jefes Superiores de Administración; los Notarios de capital de Colegio, los de Jefe de Administración de primera clase; los de capital de provincia y los que desempeñen Notarías de primera clase no comprendidas en las anteriores, los de Jefe de Administración de segunda; los Notarios de segunda, los de Jefes de Administración de tercera clase, y los Notarios de tercera, los de Jefes de Negociado

| **TEXTO ANTERIOR** | **TEXTO ACTUAL** |

de primera, segunda y tercera clase según que lleven más de treinta años de antigüedad en el escalafón, de veinte a treinta años, o menos de veinte.

Artículo 65

Todos los Notarios colegiados estarán autorizados para usar, como distintivo oficial de su cargo, una medalla de oro ovalada, de diecinueve milímetros de diámetro en su mayor extensión, y quince de anchura, con un filete blanco en su contorno, conteniendo en el anverso un libro protocolo cerrado y orlado con dos ramas de olivo, con la inscripción alrededor Nihil prius fide, y en el reverso la fecha de la Ley del Notariado. Esta medalla se usará pendiente, en el lado izquierdo del pecho, de cinta blanca en el centro y encarnada en los costados ajustándose en todo al modelo oficial.

Los individuos de las Juntas directivas, en los actos de oficio a que concurran como tales, podrán usar dicho distintivo, pero de dimensiones proporcionalmente aumentadas, pendiente al cuello con una cinta de iguales colores.

Los Notarios usarán, además, una placa de plata rafagada en oro, de setenta y ocho milímetros de diámetro, en forma de estrella de ocho puntas, con una corona en la parte Superior y en el centro un escudo esmaltado en oro con las armas de España, partiendo de la parte inferior del escudo dos cintas con la inscripción Fe pública notarial, debajo del enlace de las mismas un libro en forma de protocolo, con el lema Nihil prius fide.

Los Decanos podrán usar la placa dorada o de oro.

Artículo 66

El sello notarial tendrá en lo sucesivo carácter obligatorio y llevará en el centro un libro en forma de protocolo con el lema Nihil prius fide, orlado con el nombre y apellido del Notario y la designación de su residencia.

Artículo 67

Los Notarios necesitarán autorización expresa de la Dirección General de los Registros y del Notariado para celebrar congresos, asambleas o reuniones generales.

Artículo 67

Los notarios podrán celebrar congresos, asambleas o reuniones generales.

El Consejo General del Notariado, y las Juntas Directivas de los Colegios Notariales, en sus respectivos

TEXTO ANTERIOR	**TEXTO ACTUAL**
	ámbitos, promoverán y organizarán la celebración de los que estimen convenientes para el cumplimiento de los fines corporativos.

Artículo 68

El Notario que se inutilizare en el ejercicio del cargo para el desempeño de la función, o que se jubilare o renunciare al mismo, llevando, en estos dos últimos casos, treinta y cinco años de servicios efectivos, podrá solicitar y obtener de la Dirección General, previo informe de la Junta directiva del respectivo Colegio, el título de Notario honorario, que le facultará para tomar parte voluntariamente en la elección de cargos de las Juntas directivas y para poder ser designado, a su vez, para estos organismos. Los que en idénticas circunstancias hubieren sido Decanos podrán solicitar y obtener el nombramiento de Jefes Superiores de Administración Civil.

Artículo 68

La Junta Directiva, respecto del notario que se inutilizare en el ejercicio del cargo para el desempeño de la función, o que se jubilare o renunciare al mismo, llevando, en estos dos últimos casos, treinta y cinco años de servicios efectivos, podrá solicitar y obtener de la Dirección General, el título de notario honorario, pudiendo asistir con voz pero sin voto a las Juntas Generales.

Artículo 69

Las Juntas directivas de los Colegios y los Notarios gozarán

Artículo 69

El estudio del notario tendrá la categoría y consideración de

TEXTO ANTERIOR	**TEXTO ACTUAL**
de franquicia postal para la remisión de los índices mensuales al Colegio de su territorio y oficinas liquidadoras del impuesto de Derechos reales, y comunicaciones que dirijan a los Decanos de sus respectivos Colegios y a la Dirección General.	oficina pública. En consecuencia, la oficina pública notarial deberá reunir las condiciones adecuadas para la debida prestación de la función pública notarial, debiendo estar constituida por un conjunto de medios personales y materiales ordenados para el cumplimiento de dicha finalidad.

Artículo 70

Las Juntas directivas y los Notarios podrán consultar a la Dirección General las dudas que tengan sobre la aplicación de la Ley y el Reglamento del Notariado o dos disposiciones complementarias. En las consultas se consignará, razonándola, la opinión del consultante; dirigiéndose las que hagan los Notarios por conducto de las Juntas directivas que expondrán también razonadamente su opinión sobre ellas y las remitirán con la posible brevedad.

Artículo 70

Las Juntas Directivas por propia iniciativa o a solicitud fundada de un notario podrán consultar a la Dirección General las dudas que tengan sobre la aplicación de la Ley del Notariado y el Reglamento Notarial o sus disposiciones complementarias. En las consultas se consignará, razonándola, la opinión del consultante.

Artículo 71

El estudio del Notario tendrá la categoría y consideración de «oficina pública».

Podrá anunciarse el local de la misma mediante una placa

Artículo 71

Como consecuencia del carácter de funcionario público del notario y de la naturaleza de la función pública notarial, la publicidad de la oficina pública notarial y de su titular deberá

TEXTO ANTERIOR	**TEXTO ACTUAL**

esmaltada con el emblema del Notariado, en forma similar al de la medalla, orlándolo con el nombre del Notario, sus apellidos y el lugar de la residencia.

En modo alguno los Notarios podrán anunciarse directa o indirectamente a título de sucesores de un titular de la misma Notaría.

Las Juntas directivas podrán adoptar medidas sobre la forma y dimensiones de las placas anunciadoras.

realizarse preferentemente a través de los sitios web de los Colegios Notariales y del Consejo General del Notariado.

A tal fin, los Colegios Notariales mantendrán una lista actualizada de los notarios que estuvieran colegiados en su ámbito territorial accesible al público en su sitio web. En dichos sitios web, y a los efectos de la identificación del notario y localización de la oficina pública notarial, se incluirá el nombre y apellidos del notario, su fotografía si éste lo solicitara, y la dirección, correo electrónico y números de teléfono y fax de la oficina pública notarial.

En modo alguno los notarios podrán anunciarse directa o indirectamente a título de sucesores de un titular de la misma Notaría.

Igualmente, el local de la oficina pública notarial podrá anunciarse mediante una placa, respecto de las que las Juntas Directivas podrán adoptar medidas sobre la forma y dimensiones.

CAPÍTULO I
DE LA DEMARCACIÓN NOTARIAL

Artículo 72

La revisión de la demarcación notarial en todos los supuestos del artículo 4 de este Reglamento se llevará a efecto por el Ministro de Justicia, a propuesta de la Dirección General, y se aprobará por Real Decreto.

A tal fin, se recabarán informes a la Junta de Decanos a las Juntas directivas de los Colegios Notariales, que oirán a las generales, Registradores de la Propiedad y Salas de Gobierno de las Audiencias afectadas y cuantos otros se consideren oportunos, todos los cuales se solicitarán dentro de los quince días siguientes al inicio del expediente y deberán ser remitidos en el plazo máximo de tres meses, contados desde la remisión de la solicitud.

El Ministro de Justicia, oída la Comisión Permanente del Consejo de Estado, resolverá lo que proceda.

En las Comunidades Autónomas, además de lo dispuesto en los párrafos anteriores, se tendrá en cuenta lo que, en su caso, dispongan sus respectivos Estatutos.

Como complemento de la demarcación notarial, la Dirección General, previa audiencia de los Colegios y de acuerdo con la Mutualidad Notarial, hará una relación revisable cada dos años de las Notarías enclavadas en zonas rurales que, aun sin producir lo

TEXTO ANTERIOR	TEXTO ACTUAL

necesario para la decorosa subsistencia de un Notario, se consideran imprescindibles para el buen servicio público. Estas Notarías independientemente de la congrua normal que les corresponda por razón de folios, disfrutarán por razón de residencia de una subvención anual cuyo percibo estará condicionado a que el Notario atienda con notorio celo a su Notaría, y visite periódicamente los pueblos de su distrito que determina la Junta directiva.

La revisión no perjudicará los derechos adquiridos por los titulares de Notarías que pierdan la consideración de subvencionadas en virtud de dicha revisión.

Artículo 73

La demarcación notarial tendrá en cuanta lo preceptuado por el artículo tercero de la Ley y se adaptará a la delimitación territorial de las provincias y municipios con arreglo a los planos del Instituto Geográfico Catastral y de Estadística, sin que las alteraciones en la demarcación judicial puedan influir en la notarial, salvo en el caso de que, como consecuencia

Artículo 73

La demarcación notarial tendrá en cuenta lo preceptuado por el artículo 3 de la Ley y se adaptará a la delimitación territorial de las provincias o los entes territoriales previstos en la legislación aplicable y municipios con arreglo a los planos del Instituto Geográfico Catastral y de Estadística, sin que las alteraciones en la demarcación judicial puedan influir en la notarial, salvo en el caso de que, como consecuencia

TEXTO ANTERIOR	**TEXTO ACTUAL**
de aquélla, se modifique también la demarcación notarial.	de aquélla, se modifique también la demarcación notarial.
	El Real Decreto en que se apruebe la demarcación deberá hacer constar los distritos notariales, indicando los términos municipales comprendidos dentro de los mismos, todo ello sin perjuicio de las competencias asumidas por las Comunidades Autónomas en sus respectivos Estatutos.

Artículo 74

El Real Decreto ordenando la demarcación expresará los turnos o forma en que deban proveerse las Notarías de nueva creación, y en su caso, aquellas en que los Notarios a quienes correspondan hayan de instalar su despacho u oficina en barrios o distritos concretos de la población. También establecerá la manera de amortizar las que se supriman.

En todo caso, las vacantes que fueren suprimidas por una demarcación y no hubieren sido anunciadas para su provisión en el Boletín Oficial del Estado, quedarán amortizadas, cualquiera que sea el turno a que hubieren correspondido.

Las que estuvieren servidas y deban suprimirse serán amortiza-

TEXTO ANTERIOR	**TEXTO ACTUAL**

das cuando reglamentariamente vaquen, y sus titulares continuarán desempeñándolas, siendo considerados como Notarios excedentes de demarcación para todos los efectos legales mientras no dejen de servir la Notaría suprimida o no transcurra el plazo reglamentario para ejercitar los derechos de excedencia.

Artículo 75

Las suprimidas en demarcaciones anteriores que no hayan sido amortizadas y que se restablezcan por nueva demarcación continuarán desempeñadas por los Notarios que las sirvan, quienes ya no tendrán el carácter y derechos del excedente de demarcación.

Artículo 76

Cuando en una localidad deba suprimirse en virtud de demarcación más de una Notaría, la amortización se hará paulatinamente suprimiéndose la primera vacante que ocurra y proveyéndose la segunda en el turno que corresponda.

La declaración de Notaría se hará por la Dirección General,

TEXTO ANTERIOR	TEXTO ACTUAL

y mientras no lo verifique ésta, el archivo de la vacante estará a cargo del Notario sustituto a quien corresponda encargarse de la mencionada Notaría.

CAPÍTULO II
De la clasificación de las notarías

Artículo 77

Todos los Notarios de España tienen idénticas funciones. No obstante a los meros efectos orgánicos y corporativos y en atención a criterios básicamente demográficos, las Notarías se agrupan en las siguientes clases o secciones:

De capitales de provincia, sean o no capitales de Colegio Notarial, Ceuta, Melilla, y todas las poblaciones mayores de setenta y cinco mil habitantes en su término municipal, según el último censo de población publicado por el Instituto Nacional de Estadística (sección primera).

De poblaciones que, no estando comprendidas en el párrafo anterior, excedan de dieciocho mil habitantes según dicho Censo (sección segunda).

Y de todas las demás poblaciones (sección tercera).

TEXTO ANTERIOR	**TEXTO ACTUAL**

Para fijar la población de los términos municipales a efecto de los párrafos precedentes, se tendrá en cuenta la de hecho que resulte en el último Censo publicado por el mencionado Instituto.

Artículo 78

La clasificación de Notarías con las rectificaciones que imponga el Censo de población, se expresará de un modo concreto en la demarcación notarial.

Artículo 79

Los Notarios tendrán, para todos los efectos legales, la categoría que se fije en la clasificación a la Notaría que estuvieren desempeñando, con las siguientes excepciones:

a) El Notario que desempeñe Notaría que en virtud de nueva clasificación aumente o disminuya de clase o sección, conservarán, mientras la sirva, la que hubiere tenido hasta entonces.

b) El Notario que en virtud de oposición entre Notarios fuese calificado para obtener clase superior a la de la Notaría que sirve, conservará la categoría obtenida

Artículo 79

Los notarios tendrán, para todos los efectos legales, la categoría que se fije en la clasificación a la Notaría que estuvieren desempeñando, con las siguientes excepciones:

a) El notario que desempeñe Notaría que en virtud de nueva clasificación aumente o disminuya de clase o sección, conservará, mientras la sirva, la que hubiere tenido hasta entonces.

b) Para que el notario pueda obtener la clase de la notaría que haya obtenido por concurso será preciso que tenga una antigüedad en la carrera de cinco años, si la notaría

TEXTO ANTERIOR	TEXTO ACTUAL

aunque continúe desempeñando aquella de que era titular antes de concluir la oposición.

es de plaza clasificada de segunda, y de nueve si es de plaza clasificada de primera. Si tuviera menos antigüedad en la carrera, adquirirá la clase correspondiente a su notaría cuando haya transcurrido el plazo indicado, sumando a tal efecto la antigüedad en carrera que tuviere a la que pueda obtener en la plaza obtenida por concurso.

CAPÍTULO III
DE LAS VACANTES DE NOTARÍAS

SECCIÓN I
De las causas y efectos de las vacantes

Artículo 80

Las Notarías quedan vacantes:

1º Por muerte.

2º Por sentencia firme que condene a la inhabilitación perpetua, o temporal absoluta, o especial para el cargo de Notario.

3º Por renuncia.

4º Por abandono del cargo.

5ª Por traslación.

6º Por excedencia.

7º Por jubilación.

8º Por separación del cargo en virtud de fallo del Tribunal de Honor.

Artículo 80

Las Notarías quedan vacantes:

1.º Por muerte.

2.º Por sentencia firme que condene a la inhabilitación absoluta, o especial para el cargo de notario.

3.º Por renuncia.

4.º Por abandono del cargo.

5.º Por traslación.

6.º Por excedencia, salvo lo prevenido en el artículo 109 de este Reglamento.

7.º Por jubilación o incapacidad permanente.

8.º Cuando por sentencia firme en que no medie inhabilitación, la

TEXTO ANTERIOR	**TEXTO ACTUAL**

9º Cuando por sentencia firme en que no medie inhabilitación, la pena impuesta impida al Notario durante más de un año el ejercicio de su cargo.

En este último caso quedará vacante la Notaría y se proveerá por el turno que corresponda, teniendo el Notario derecho, cuando pueda volver al desempeño del cargo, a la primera Notaría de igual clase que vaque y cuyo número de folios, según el último quinquenio, sea igual o menor.

pena impuesta impida al notario durante más de un año el ejercicio de su cargo.

Artículo 81

Los Tribunales que impusieren a un Notario pena que lleve consigo inhabilitación perpetua o temporal, absoluta o especial para el cargo de Notario, lo comunicarán a la Dirección General, remitiéndole copia de la sentencia una vez que ésta sea firme.

Tendrán la misma obligación en los casos en que la sentencia condene a una pena que, sin llevar consigo inhabilitación, impida al Notario el ejercicio de su cargo.

Artículo 81

Los Tribunales que impusieren a un notario pena que lleve consigo inhabilitación, absoluta o especial para el cargo de notario, lo comunicarán a la Dirección General, remitiéndole copia de la sentencia una vez que ésta sea firme.

Tendrán la misma obligación en los casos en que la sentencia condene a una pena que, sin llevar consigo inhabilitación, impida al notario el ejercicio de su cargo.

Artículo 82

Los Jueces de instrucción, al dictar auto de procesamiento

TEXTO ANTERIOR	**TEXTO ACTUAL**

contra un Notario, cuando el procesamiento lleva consigo la suspensión del cargo, por haberse dictado auto de prisión consentido o firme, deberán ponerlo en conocimiento de la Dirección General de los Registros y del Notariado y del Decano del Colegio Notarial del territorio donde sirva el Notario, a los efectos procedentes.

Artículo 83

Las Notarias quedarán vacantes por renuncia:

1º Cuando expresamente lo manifestare el Notario interesado.

2º Cuando dentro de los plazos legales no constituyera fianza para desempeñar el cargo, o no la repusiere cuando proceda, en los términos prevenidos en este Reglamento.

3º Cuando no se posesionarse de la Notaría en el plazo reglamentario o al concluir la licencia que se le hubiere concedido y cuando no hubiere obtenido prórroga, si precediere, hallándose en situación de excedencia, a no ser por motivo justificado, o se ausentare del distrito notarial sin estar autorizado par ello.

Artículo 83

Las Notarias quedarán vacantes por renuncia:

1º Cuando expresamente lo manifestare el Notario interesado.

2.º Cuando dentro de los plazos legales no constituyere fianza para desempeñar el cargo, o no la repusiere cuando proceda, en los términos prevenidos en este Reglamento, en cuyo caso se estará a lo previsto en el artículo 28 del mismo

3º Cuando no se posesionarse de la Notaría en el plazo reglamentario o al concluir la licencia que se le hubiere concedido y cuando no hubiere obtenido prórroga, si precediere, hallándose en situación de excedencia, a no ser por motivo justificado, o se ausentare del distrito notarial sin estar autorizado par ello.

TEXTO ANTERIOR	TEXTO ACTUAL

4º Cuando expresamente se declare en este Reglamento.

Los derechos y obligaciones del Notario renunciante no cesarán mientras no le haya sido admitida o declarada la renuncia, según los casos.

El Notario declarado renunciante será dado de baja en el Escalafón del Cuerpo.

4º Cuando expresamente se declare en este Reglamento.

Los derechos y obligaciones del Notario renunciante no cesarán mientras no le haya sido admitida o declarada la renuncia, según los casos.

El Notario declarado renunciante será dado de baja en el Escalafón del Cuerpo.

Artículo 84

Se considerará que hay abandono del cargo por parte del Notario en cualquiera de los casos comprendidos en los apartados segundo y tercero del artículo anterior.

Comprobado el hecho de la ausencia, el Notario ausente será llamado por edicto publicado en el «Boletín Oficial del Estado», y si dentro del plazo de veinte días, a contar desde el de la publicación, no compareciese, se declarará la vacante de la Notaría y el Notario será dado de baja en el Escalafón.

Cuando comparezca dentro del plazo señalado en el párrafo anterior, se seguirá el expediente con audiencia del interesado y se resolverá lo que proceda.

Artículo 84

Se considerará que hay abandono del cargo por parte del notario en cualquiera de los casos comprendidos en el apartado 3.º del artículo anterior.

Comprobado el hecho de la ausencia, el Notario ausente será llamado por edicto publicado en el «Boletín Oficial del Estado», y si dentro del plazo de veinte días, a contar desde el de la publicación, no compareciese, se declarará la vacante de la Notaría y el Notario será dado de baja en el Escalafón.

Cuando comparezca dentro del plazo señalado en el párrafo anterior, se seguirá el expediente con audiencia del interesado y se resolverá lo que proceda.

Este expediente será resuelto en primera instancia por la Direc-

TEXTO ANTERIOR	**TEXTO ACTUAL**

Este expediente será resuelto en primera instancia por la Dirección General, y en última por el Ministro.

No obstante, el Notario separado podrá solicitar la revisión del expediente, si justificare que la ausencia o abandono obedecieron a causas no imputables a su voluntad.

ción General, y en última por el Ministro.

No obstante, el Notario separado podrá solicitar la revisión del expediente, si justificare que la ausencia o abandono obedecieron a causas no imputables a su voluntad.

Artículo 85

Los Decanos de los Colegios Notariales, los Delegados y Subdelegados de las Juntas directivas, los Jueces de Primera Instancia y los municipales, en su caso, por conducto de los de Primera Instancia, manifestarán a la Dirección General la fecha en que ocurriere una vacante, dentro de los tres días siguientes a la misma.

Artículo 85

Los Decanos de los Colegios Notariales, los Delegados y Subdelegados de las Juntas Directivas y los Jueces de primera instancia, manifestarán a la Dirección General la fecha en que ocurriere una vacante, dentro de los tres días siguientes a la misma. Dicha Dirección general lo comunicará a la respectiva Comunidad Autónoma para el ejercicio de las competencias que tuviera asumidas estatutariamente.

Artículo 86

La Dirección General de los Registros y del Notariado llevará los libros necesarios para determinar con toda exactitud el turno a que corresponda cada vacante y la turnará por el orden riguroso en el

TEXTO ANTERIOR	TEXTO ACTUAL

artículo 88 y con estricta sujeción a la fecha en que ocurra o sea declarada la vacante, y de no ser esto posible, por la en que se haya dado conocimiento de ella.

La Dirección podrá fijar libremente el turno cuando, por simultaneidad de las vacantes, sea imposible determinarlo según las anteriores reglas.

Por excepción, las vacantes producidas por jubilación se turnarán automáticamente, antes que toda otra vacante de las que se produzcan en el mismo día por cualquier otra causa.

Artículo 87

Se tendrá por fecha de la vacante para todos los efectos reglamentarios, la del nombramiento para otra Notaría del titular que la servía, la de su fallecimiento, la del día en que cumpla la edad reglamentaria para su jubilación forzosa y la del en que se acuerde su jubilación por imposibilidad física o voluntaria, excedencia, renuncia o traslación forzosa, o se declare desierta una Notaría.

TEXTO ANTERIOR	**TEXTO ACTUAL**

SECCIÓN II
*De los turnos para la provisión
de vacantes*

Artículo 88

El concurso constituye el único modo de cubrir las Notarías vacantes, sin otras excepciones que la traslación forzosa y la vuelta al servicio activo del excedente con reserva de vacante para la misma población.

Para la provisión de vacantes se harán los siguientes grupos:

1.º *Madrid.*

2.º *Barcelona.*

3.º *Tantos grupos como poblaciones con dieciséis o más Notarías demarcadas.*

4.º *Restantes Notarías de la primera sección.*

5.º *Notarías de la segunda sección.*

6.º *Notarías de la tercera sección.*

Dentro de cada uno de estos grupos, las Notarías vacantes se proveerán con arreglo a los turnos siguientes:

Turno primero: *Antigüedad en la carrera.*

Turno segundo: *Antigüedad en la clase.*

Dentro de cada uno de los seis grupos, las vacantes se asignarán

Artículo 88

El concurso constituye el único modo de cubrir las Notarías vacantes, sin otras excepciones que la traslación forzosa y la vuelta al servicio activo del excedente con reserva de vacante para la misma población.

Las vacantes que se produzcan relativas a notarías de la misma población, se asignarán, las dos primeras al turno primero y la tercera al turno segundo y así sucesivamente. El orden de los turnos especificados será rotatorio, teniendo en cuenta los turnos que hubiesen correspondido en notarías vacantes de la misma población en los anteriores concursos. La vacante que en el concurso no resulte cubierta por el turno de clase según lo establecido en el artículo 92, se adjudicará en el mismo concurso por el turno de antigüedad en la carrera.

Si en virtud del artículo 57 de este Reglamento existiera algún notario con derecho de reingreso preferente a la plaza que ocupara al tiempo de la declaración de su incapacidad permanente, dicho notario antes de la asignación de turnos

TEXTO ANTERIOR	**TEXTO ACTUAL**
alternativamente una a cada turno empezando por el primero.	para cada plaza deberá comunicar el ejercicio de su derecho a la Dirección General de los Registros y del Notariado. Ejercido su derecho esta plaza se excluirá del concurso atribuyéndosele en la resolución de dicho concurso.

Artículo 89

No consumirán turno las vacantes que correspondan a excedentes voluntarios al volver al servicio activo después de terminada la excedencia si tuvieran reservado el derecho a ser nombrados para vacantes de la misma población.

Ninguno de ellos podrá ser nombrado para las vacantes que hayan de amortizarse por efecto de la demarcación notarial.

Tampoco consumirán turno las que se destinen a los Notarios a quienes se impusiere la corrección disciplinaria de traslación forzosa.

Artículo 90	**Artículo 90**
Si una vacante no fuese cubierta en un concurso se anunciará en los siguientes, cambiando de turno en cada uno de ellos, hasta que sea cubierta.	Si una vacante no fuese cubierta en un concurso se anunciará en los siguientes hasta que sea cubierta.

TEXTO ANTERIOR	**TEXTO ACTUAL**

a) Concurso de antigüedad

Artículo 91

En el turno primero, de antigüedad en la carrera, será nombrado el Notario solicitante de mayor antigüedad en el Cuerpo.

La antigüedad se determinará por el número que tenga el Notario en el Escalafón, sin deducción alguna por el tiempo de excedencia voluntaria o forzosa, anterior o posterior a este Reglamento.

En el caso de suspensión en el cargo decretada por los Tribunales de Justicia, se deducirá la mitad del tiempo de aquélla, salvo el caso de que el Notario sometido al procedimiento fuese absuelto.

No se descontará el tiempo de las licencias.

---

b) Concurso de clase

Artículo 92

En el turno segundo de antigüedad en la clase o sección será nombrado el Notario solicitante más antiguo en la clase igual a la de la vacante, cuando se trate de Notarios de primera o segunda clase.

Artículo 92

En el turno segundo de antigüedad en la clase o sección será nombrado el notario solicitante más antiguo en la clase igual a la de la vacante, cuando se trate de notarios de primera o segunda clase; en defecto de solicitantes de la misma clase, el

TEXTO ANTERIOR	**TEXTO ACTUAL**

La antigüedad en este turno se contará desde la fecha de la adquisición de la clase o sección conforme a lo previsto en el artículo 23 de este Reglamento, teniéndose en cuenta además las siguientes reglas:

a) Se computará todo el tiempo servido en Notarías de igual clase.

b) En los casos previstos en el artículo 79 se computará, además, todo el tiempo servido por el Notario con su categoría personal en la Notaría de clase diferente a que dicho artículo se refiere en cada uno de sus dos supuestos.

c) A quien haya sido aprobado en oposiciones entre Notarios se les computará, en todo caso, el tiempo de antigüedad en clase abonado por la oposición según resulte de su clasificación en la lista de aprobados y de las reglas que contiene el artículo 100.

Si aplicando las reglas anteriores la antigüedad en la clase fuere igual, será nombrado el Notario que tenga el número más bajo en el Escalafón del Cuerpo. Cuando se trate de Notarios que hubieran obtenido la clase en virtud de oposiciones se guardará el orden de preferencia que conste en la lista definitiva del Tribunal calificador, según resulte de su publicación

más antiguo en la inmediatamente inferior, y en defecto de éstos, el más antiguo de la restante clase.

La antigüedad en este turno se contará desde la fecha de la adquisición de la clase o sección conforme a lo previsto en el artículo 23 de este Reglamento, teniéndose en cuenta además las siguientes reglas:

a) Se computará todo el tiempo servido en Notarías de igual clase, así como, en su caso, el tiempo de antigüedad en clase abonado por la oposición entre notarios, conforme al sistema vigente al tiempo de la celebración de ésta.

b) En los casos previstos en el artículo 79 se computará, además, todo el tiempo servido por el notario con su categoría personal en la Notaría de clase diferente a que dicho artículo se refiere en cada uno de sus dos supuestos.

Si aplicando las reglas anteriores la antigüedad en la clase fuere igual, será nombrado el notario que tenga el número más bajo en el Escalafón del Cuerpo.

Para las vacantes de tercera clase anunciadas en este turno será nombrado el notario de dicha categoría que tenga el número más bajo en el escalafón y, en su defecto, el más antiguo en la carrera.

TEXTO ANTERIOR	**TEXTO ACTUAL**

por la Dirección General en el «Boletín Oficial del Estado».

Para las vacantes de tercera clase anunciadas en este turno será nombrado el Notario de dicha categoría que tenga el número más bajo en el Escalafón.

Artículo 93

La provisión de Notarías en los turnos precedentes se verificará por concurso, incluyéndose en cada uno de ellos las vacantes que resulten del anterior y las que hayan ocurrido hasta el día precedente a la fecha del anuncio del concurso de que se trate, siempre que de ella se tenga conocimiento en la Dirección General.

Artículo 94

El anuncio del concurso se publicará en el Boletín Oficial del Estado y en él se convocará a los Notarios que quisieren aspirar a las vacantes incluidas en el mismo para que las soliciten con sujeción a las reglas siguientes:

1. Presentar en la Dirección General una instancia firmada de su puño y letra, dentro de los

TEXTO ANTERIOR	**TEXTO ACTUAL**

quince días naturales siguientes a la publicación del anuncio, debiendo ingresar las instancias en el referido Centro directivo antes de las dos de la tarde del día en que finalice el plazo, quedando sin efecto las que ingresen después de dicha hora, cualquiera que sea la causa.

Si el último día del plazo fuera inhábil, se entenderá automáticamente prorrogado hasta el primero hábil, a la hora indicada.

El Registro de entrada expedirá recibo de las instancias presentadas a los interesados que lo reclamen, siendo este recibo el único documento admisible para formular y reconocer reclamación alguna sobre tal hecho.

2. Solicitar en una sola instancia todas las Notarías que se pretendan, aunque correspondan a turno diferente.

3. Expresar sin salvedad ni condición alguna la Notaría o Notarías que se piden, indicando en la instancia, si fueran varias las Notarías pedidas, el orden en que se prefieran.

4. Indicar la fecha de su ingreso en la carrera, si es o no excedente de demarcación la Notaría que el solicitante sirve y su categoría, expresando el tiempo de servicios en ésta si entre las vacantes que solicita hay alguna

TEXTO ANTERIOR	**TEXTO ACTUAL**

del turno segundo o de antigüedad en la clase.

5. Consignar, bajo su responsabilidad en la solicitud, que por el hecho de obtener la Notaría que pretende no incurre en la incompatibilidad a que se refiere el artículo 138 de este Reglamento.

La instancia que no contenga los requisitos exigidos en la reglas cuarta y quinta, o los exprese inexactamente, se tendrá por no presentada, sin perjuicio de las facultades disciplinarias concedidas a la Dirección en este Reglamento, si ésta estimase que se había cometido la inexactitud deliberadamente.

Los titulares de Notarías que radiquen fuera de la Península podrán tomar parte en los concursos mediante telegrama, que tendrá el mismo valor y habrá de contener las mismas indicaciones que una instancia, y deberá ingresar en la Dirección General dentro del plazo señalado para las solicitudes, sometiéndose los pretendientes a la interpretación que el Centro directivo dé a posibles errores de los telegramas.

El mismo día en que se remita al Boletín Oficial del Estado el anuncio de las Notarías vacantes, será telegrafiado a los Decanos de Baleares y Las Palmas, a fin de que éstos o hagan llegar a co-

TEXTO ANTERIOR	**TEXTO ACTUAL**

nocimiento de todos los Notarios de su territorio por el medio más rápido posible.

Ningún concursante podrá anular, ampliar, disminuir o modificar su solicitud después de presentada ésta.

Artículo 95

Para concursar Notarías en los turnos establecidos, excepto el destinado a excedentes de demarcación, será necesario que haya transcurrido el plazo de un año a contar desde la fecha de la posesión de la Notaría que sirva el solicitante.

Artículo 96

Los Notarios residentes en una localidad no podrán solicitar las vacantes que en ella se produzcan, salvo en el caso de cambio de su clasificación notarial. Podrá concursar dentro de la población el Notario obligado a tener su despacho u oficina en distrito urbano o barrio, conforme al artículo 4, siempre que hayan transcurrido tres años desde la fecha de posesión.

TEXTO ANTERIOR	**TEXTO ACTUAL**

No podrán concursar los Notarios que tengan suspendido este derecho mientras dure la sanción y durante dos años los que hubiesen sido trasladados forzosamente, no pudiendo estos últimos volver a Notarías del mismo distrito notarial ni de lo colindantes, a no ser que hayan transcurrido diez años y durante este tiempo no hayan vuelto a ser corregidos con igual sanción.

SECCIÓN III
De la oposición entre notarios

Artículo 97

La promoción en el Notariado, además de la que puede obtenerse por el nombramiento en concurso de traslado para vacante de sección superior en virtud de la antigüedad del concursante en la carrera o en la clase, tiene lugar por la oposición entre Notarios que, mediante la selección de los concurrentes más aptos y sin necesidad de acudir al concurso de traslado, atribuye una determinada antigüedad personal en las secciones o clases superiores a la de tercera.

Artículo 97

La promoción en el Notariado, además de la que puede obtenerse por la antigüedad efectiva de cada notario, en la carrera o en la clase, tiene lugar por la oposición entre notarios, que mediante la selección de los concurrentes más aptos, confiere un abono de antigüedad en la carrera en los términos que se prevén en esta sección.

TEXTO ANTERIOR	**TEXTO ACTUAL**

Artículo 98

Las oposiciones entre Notarios serán convocadas por la Dirección General cuando lo aconsejen las necesidades del servicio y, en todo caso, antes de que transcurran dos años desde el término de los ejercicios de las oposiciones últimamente celebradas, anunciándose la convocatoria en el Boletín Oficial del Estado.

Artículo 99

La convocatoria comprenderá un número de plazas para obtener antigüedad en cada una de las clases de primera y segunda, que representará respecto de todas las Notarías demarcadas en España en cada una de dichas secciones el 3 por 100 de las de primera y el 4 por 100 de las de segunda.

Para realizar el cómputo se incluirán entre las demarcadas de primera las de Madrid y Barcelona. Y en el cálculo para concretar las plazas de cada clase se despreciarán, en todo caso, los decimales.

En ningún caso podrán resultar aprobados más opositores para cada clase que el número de

Artículo 99

La convocatoria comprenderá un número de plazas que represente el 1,5 % de todas las Notarías demarcadas en España, con desprecio de los decimales.

En ningún caso podrán resultar aprobados más opositores que el número de plazas convocadas.

TEXTO ANTERIOR	TEXTO ACTUAL

plazas convocadas en cada una de ellas.

Artículo 100

El aprobado con calificación para obtener clase de primera dará derecho al abono de los siguientes años de antigüedad en esta clase:

a) A los dos primeros de la lista de aprobados que hayan obtenido un mínimo de 60 puntos, diez años.

b) A quienes hayan obtenido un mínimo de 50 puntos y no rebasen de la mitad de plazas de primera convocadas, dos años.

c) A los demás, un año.

El aprobado con calificación para obtener clase de segunda dará derecho al abono de tres años de antigüedad en esta clase.

Los abonos de antigüedad a que se refieren los párrafos precedentes se aplican desde la fecha de la resolución de la Dirección General que establezca la lista de los aprobados; tendrán efectividad tan sólo en el primer concurso posterior a la oposición al que el Notario concurra y obtengan una plaza de la categoría o clase alcanzada en la misma, y se perderán junto con la categoría ganada si el

Artículo 100

El abono de la antigüedad en la carrera se realizará en los siguientes términos:

a) A los tres primeros de la lista de aprobados que hayan obtenido un mínimo de 60 puntos, veinte años.

b) A quienes hayan obtenido un mínimo de 50 puntos y no rebasen un sexto, calculado por defecto, de las plazas convocadas, quince años.

c) A quienes hayan obtenido un mínimo de 45 puntos y no rebasen un tercio, calculado por defecto, de las plazas convocadas, diez años.

d) A quienes hayan obtenido un mínimo de 40 puntos y no rebasen dos tercios, calculados por defecto, de las plazas convocadas, cinco años.

El abono de antigüedad obtenido se adicionará a la que a cada opositor ya le corresponda a los efectos de poder aplicarla en cualquier concurso que se convoque en los cinco años siguientes a la publicación en el Boletín Oficial Estado de la lista de aprobados. Transcurrido el término de cinco años, quedará sin efecto

TEXTO ANTERIOR	**TEXTO ACTUAL**
Notario obtuviera antes una plaza de categoría o clase inferior a la ganada en la oposición.	el abono obtenido, salvo que no se haya publicado ningún concurso durante tal plazo, en cuyo caso el abono se prorrogará hasta que éste se produzca. Ejercitado el abono y obtenida la plaza, el notario figurará en el escalafón exclusivamente con la antigüedad que originariamente le corresponda, quedando consumido el abonado por la oposición regulada en esta Sección.

Artículo 101

El Tribunal estará compuesto por un Presidente y seis Vocales.

Será Presidente el Director general de los Registros y del Notariado o uno de los Subdirectores del mismo Centro. En su defecto, el Presidente de la Junta de Decanos de los Colegios Notariales de España o el Vicepresidente y, a falta de ambos, el Decano que la propia Junta designe.

Serán Vocales: El Decano que designe la Junta de Decanos de los Colegios Notariales de España, en el caso de que presida el Director general o uno de los Subdirectores generales del Centro directivo, y, en otro caso, un Abogado del Estado adscrito a la Dirección General; dos Notarios de la Sección Primera, uno de ellos necesariamente

Artículo 101

El Tribunal estará compuesto por un Presidente y seis Vocales.

Será Presidente el Director General de los Registros y del Notariado o uno de los Subdirectores del mismo Centro. En su defecto, el Presidente del Consejo General del Notariado o su Vicepresidente y, a falta de ambos, el Decano que el propio Consejo General designe.

Serán Vocales: el Decano que designe el Consejo General del Notariado, en el caso de que presida el Director general o uno de los Subdirectores generales del Centro directivo, y, en otro caso, un Abogado del Estado o Letrado Adscrito a la Dirección General; dos notarios con más de veinte años de antigüedad en la carrera o que hubieran aprobado anteriores oposiciones entre nota-

TEXTO ANTERIOR	**TEXTO ACTUAL**

de Colegio donde exista Derecho Foral o especial; un Registrador de la Propiedad o Mercantil; un Catedrático de Universidad, en activo o excedente, de Derecho Romano, Civil, Mercantil, Procesal o Administrativo, y un Abogado del Estado.

Hará las veces de Secretario el Vocal Notario más moderno.

En ausencia del Presidente hará sus veces el primero de los Vocales; si el ausente fuere el Secretario, le sustituirá en sus funciones el otro Vocal Notario.

El nombramiento del Tribunal se hará, después de publicada la lista definitiva de aspirantes admitidos y excluidos, por Orden, a propuesta de la Dirección General de los Registros y del Notariado, que se insertará en el "Boletín Oficial del Estado".

Dentro de los ocho días siguientes a la publicación del nombramiento del Tribunal, la Dirección General citará a éste para su constitución, que deberá tener lugar en el plazo máximo de quince días, contados desde la citación.

Constituido el Tribunal, procederá éste, dentro de los treinta días siguientes, a la redacción del cuestionario a que se refiere el artículo 105 de este Reglamento. Para este supuesto bastará la asis-

rios; un Registrador de la Propiedad o Mercantil, con más de veinte años de antigüedad en la carrera; un Catedrático de Universidad, en activo o excedente, de alguna de las siguientes áreas de conocimiento: Derecho Romano, Civil, Mercantil, Internacional Privado, Procesal o Financiero y Tributario, y un Abogado del Estado.

Hará las veces de Secretario el Vocal notario más moderno.

En ausencia del Presidente hará sus veces el primero de los Vocales; si el ausente fuere el Secretario, le sustituirá en sus funciones el otro Vocal notario.

El nombramiento del Tribunal se hará, después de publicada la lista definitiva de aspirantes admitidos y excluidos, por Orden, a propuesta de la Dirección General de los Registros y del Notariado, que se insertará en el Boletín Oficial del Estado.

Dentro de los ocho días siguientes a la publicación del nombramiento del Tribunal, la Dirección General citará a éste para su constitución, que deberá tener lugar en el plazo máximo de quince días, contados desde la citación.

TEXTO ANTERIOR	**TEXTO ACTUAL**

tencia de los Vocales que residan en Madrid, pudiendo remitir los otros las modificaciones que a su juicio deban introducirse en el programa que haya regido para las oposiciones entre Notarios inmediatamente anteriores, siendo árbitros los Vocales que concurran para resolver en definitiva sobre la redacción de dicho cuestionario. Aquellas modificaciones deberán remitirse al Presidente del Tribunal dentro del indicado plazo.

Artículo 102

Podrán tomar parte en estas oposiciones los Notarios en activo o excedentes que cuenten más de un año de servicios efectivos, salvo que se hallen en tal situación por causa de incompatibilidad, debiendo solicitarlo de la Dirección General mediante instancia presentada dentro del plazo de treinta días hábiles, contados desde el siguiente al de la publicación de la convocatoria en el «Boletín Oficial del Estado».

Con la instancia no será necesario que acompañen documento alguno, pero sí podrán presentar los que acrediten título o servicios académicos, científicos, culturales o administrativos.

Artículo 102

Podrán tomar parte en estas oposiciones los notarios en activo que cuenten con más de un año de servicios efectivos, debiendo solicitarlo a la Dirección General mediante instancia presentada dentro del plazo de treinta días hábiles, contados desde el siguiente al de la publicación de la convocatoria en el Boletín Oficial del Estado.

Con la instancia no será necesario que se acompañe documento alguno, pero sí se podrán presentar los que acrediten la publicación de estudios sobre cualquier disciplina jurídica, a cuyo fin deberán acompañar original o testimonio notarial de su trabajo.

TEXTO ANTERIOR	TEXTO ACTUAL

Al presentar la instancia los solicitantes entregarán, o acreditarán haber entregado, en el lugar que fije la convocatoria, la cantidad que, en concepto de derechos de examen, se señale conforme a las disposiciones vigentes al tiempo de publicarse aquélla.

Si alguna de las instancias adoleciese de algún defecto se procederá en la forma prevista en el artículo 8, párrafo sexto de este Reglamento.

Al presentar la instancia los solicitantes entregarán, o acreditarán haber entregado, en el lugar que fije la convocatoria, la cantidad establecida en concepto de derechos de examen, que se señale conforme a las disposiciones vigentes al tiempo de publicarse aquélla.

Si alguna de las instancias adoleciese de algún defecto se procederá en la forma prevista en el artículo 8, párrafo sexto, de este Reglamento.

Artículo 103

Dentro de los ocho días hábiles siguientes al de conclusión del plazo de presentación de instancias, la Dirección General resolverá sobre la admisión de los opositores. formará la lista de los admitidos y excluidos y remitirá un ejemplar para su publicación en el Boletín Oficial del Estado, concediéndose un plazo de quince días para formular reclamaciones.

Estas serán aceptadas o rechazadas en la resolución por la que se apruebe la lista definitiva, que, asimismo, se publicará en el Boletín Oficial del Estado y se fijará en el tablón de anuncios del Centro directivo.

TEXTO ANTERIOR	**TEXTO ACTUAL**

Artículo 104

Publicada la lista definitiva, así como el nombramiento del Tribunal, la Dirección General señalará, en la forma y plazos previstos en el artículo 12, las circunstancias del sorteo y del comienzo de los ejercicios.

En la fecha prevista para la celebración del sorteo, el Tribunal se reunirá y dará cumplimiento a lo que, respecto a las oposiciones libres, ordena el artículo 14.

Artículo 105

Los ejercicios serán tres: uno oral, y dos escritos: todos públicos.

El primero consistirá en redactar por escrito un dictamen sobre una consulta de trascendencia jurídica, de entre los casos formulados reservadamente por el Tribunal, que versarán sobre Derecho Civil Español, Común y Foral, Derecho Mercantil y Legislación Hipotecaria.

El segundo consistirá en el desarrollo oral de tres temas que versarán: uno, sobre Derecho Civil, Común y Foral; otro, sobre Derecho Mercantil; y el tercero, sobre Legislación Hipotecaria o

Artículo 105

Los ejercicios serán tres: uno oral, y dos escritos; todos públicos.

El primero consistirá en redactar por escrito un dictamen sobre una consulta de trascendencia jurídica, de entre los casos formulados reservadamente por el Tribunal, que versarán sobre Derecho civil español, común y foral, Derecho mercantil y Legislación Hipotecaria.

El segundo consistirá en el desarrollo oral de tres temas, que versarán: uno, sobre Derecho civil, común y foral; otro, sobre Derecho mercantil; y el tercero, sobre Legislación Hipotecaria o Notarial, sacados a la suerte de los contenidos

TEXTO ANTERIOR	**TEXTO ACTUAL**

Notarial, sacados a la suerte de los contenidos en el Cuestionario que redactará el Tribunal y publicará oportunamente en el «Boletín Oficial del Estado». En este ejercicio podrá invertir el opositor hora y media como máximo.

El tercero consistirá en la redacción de un instrumento público de reconocida dificultad, debiendo el opositor razonar en pliego aparta de la aplicación de los principios legales que se hayan tenido en cuenta para su redacción y resolución de los problemas planteados.

Los ejercicios primero y tercero se practicarán en grupos, compuestos cada uno de ellos, si fueren varios, del número de opositores que determine el Tribunal. Cada grupo actuará el día que se le designe.

Uno de los opositores del grupo sacará a la suerte el tema sobre el cual haya de versar el ejercicio correspondiente, el mismo para todos los individuos que lo formen, y durante ocho horas, como máximo, habrá de escribir cada opositor su trabajo.

Una vez terminado, lo autorizará y encerrará en un sobre, del modo prevenido en el artículo 16.

en el Cuestionario que redactará la Dirección General de los Registros y del Notariado y publicará oportunamente en el Boletín Oficial del Estado. En este ejercicio podrá invertir el opositor hora y media como máximo.

El tercero consistirá en la redacción de un instrumento público de reconocida dificultad, debiendo el opositor razonar en pliego aparte la aplicación de los principios legales que se hayan tenido en cuenta para su redacción y resolución de los problemas planteados.

Los ejercicios primero y tercero se podrán practicar en grupos, compuesto cada uno de ellos, si fueren varios, del número de opositores que determine el Tribunal. Cada grupo actuará el día que se le designe.

Uno de los opositores del grupo sacará a la suerte el tema sobre el cual haya de versar el ejercicio correspondiente, el mismo para todos los individuos que lo formen, y durante ocho horas, como máximo, habrá de escribir cada opositor su trabajo.

Una vez terminado, lo autorizará y encerrará en un sobre, del modo prevenido en el artículo 16.

En estos ejercicios sólo podrá el opositor consultar textos legales.

TEXTO ANTERIOR	**TEXTO ACTUAL**
En estos ejercicios sólo podrá el opositor consultar textos legales.	Los temas sacados a la suerte en los ejercicios primero y tercero no volverán a ser insaculados.
Los temas sacados a la suerte en los ejercicios primero y tercero no volverán a ser insaculados.	

Artículo 106

En los ejercicios primero y tercero, cada uno de los individuos del Tribunal podrá conceder 20 puntos como máximo a cada opositor.

En el segundo ejercicio, cada uno de los miembros del Tribunal podrá conceder de uno a diez puntos como máximo por cada uno de los temas a que el opositor hubiere contestado.

No podrá votarse en blanco, y el escrutinio se verificará en la forma prevenida en los párrafos segundo y tercero del artículo 18 de este Reglamento.

Para obtener clase de primera será necesario haber alcanzado en su totalidad un mínimo de 45 puntos, y para obtener clase de segunda, un mínimo de 35 puntos.

Artículo 106

En los ejercicios primero y tercero, cada uno de los miembros del Tribunal podrá conceder 20 puntos como máximo a cada opositor.

En el segundo ejercicio, cada uno de los miembros del Tribunal podrá conceder de uno a diez puntos como máximo por cada uno de los temas a que el opositor hubiere contestado.

No podrá votarse en blanco, y el escrutinio se verificará en la forma prevenida en los párrafos segundo y tercero del artículo 18 de este Reglamento.

TEXTO ANTERIOR	TEXTO ACTUAL

Artículo 107

Serán aplicables a las oposiciones entre Notarios, en todo lo que no esté previsto para las mismas, lo dispuesto en este Reglamento para la oposición libre.

Artículo 108

Quien resulte aprobado en oposiciones entre Notarios no estará obligado a concursar y obtener vacantes de igual clase a la por él obtenida para consolidar derechos, siéndole siempre computados su antigüedad en clase y el abono que le corresponda en la forma prevista en los artículos 92 y 100.

Artículo 108

El cuestionario del segundo ejercicio será el que haya redactado la Dirección General de los Registros y del Notariado en el momento de publicar la convocatoria y deberá constar, al menos, con un año de antelación al día en que se inicie el citado ejercicio. Dicho cuestionario no podrá contener más de veinticinco temas de Derecho Civil, quince de Derecho Mercantil, diez de Derecho Notarial y diez de Derecho Hipotecario.

SECCIÓN IV
De la excedencia

Artículo 109

El Notario que lleve un año de servicios efectivos en su carrera podrá ser declarado, a su instancia, en situación de excedencia *voluntaria. Y el que sin llevar un año de servicios efectivos tome posesión, en virtud de oposición o concurso, de otro cargo investido de funciones públicas, será considerado como renunciante y dado de baja en el escalafón del Cuerpo de Notarios.*

Las solicitudes de excedencia se presentarán a la Dirección General, expresando en ellas el domicilio que el interesado fije para las notificaciones que hayan de dirigírsele.

Pasado el plazo de un año, el Notario podrá reingresar en el servicio activo por los turnos ordinarios y sin preferencia alguna por su carácter de excedente. Esta limitación no afectará a quien hallándose en la situación de excedencia apruebe una oposición entre Notarios.

Excepcionalmente, el Notario que solicite la excedencia tendrá derecho, si se lo reserva al pedirla, a reingresar en el servicio por la misma población donde residiera al serle concedida aquélla, en cuyo caso, después de terminar el plazo por el que fuese concedida, y no antes, será nombrado para servir la primera vacante que se produzca en dicha población.

Este derecho se podrá renunciar en todo tiempo mediante escrito que el Notario excedente elevará a la Dirección General de los Registros y del Notariado, y una vez hecha la expresada renuncia, podrá solicitar vacantes en los turnos ordinarios, al tiempo y en la forma dichos.

Si hubiere más de un Notario que tenga reservado el derecho de reingreso por la misma población, será nombrado preferentemente aquel con relación al cual haga más tiempo que terminó el plazo de excedencia, y si en la misma población ocurrieren en el mismo día dos o más vacantes a que tengan derecho más de un Notario excedente, podrán elegir los Notarios por orden de antigüedad en el escalafón.

El tiempo de excedencia voluntaria, sea anterior o posterior a este Reglamento, no será deducible para la determinación de la antigüedad de los Notarios en ninguno de los turnos de provisión de vacantes.

Artículo 110

Si se reserva el reingreso por la misma población, con sujeción a lo dispuesto en el artículo anterior, la excedencia será obligatoria durante el plazo por que fuese concedida, pudiendo prorrogarse

TEXTO ANTERIOR	**TEXTO ACTUAL**

siempre que se solicite antes de extinguirse éste.

La situación de excedencia voluntaria y sus prórrogas serán por anualidades completas.

Artículo 111

La situación de excedencia voluntaria no podrá solicitarse por Notarios que se hallen sometidos a expediente de corrección disciplinaria.

El Notario, durante el tiempo de prestación del servicio militar, se considerará en situación especial de ausencia legalmente justificada. En el plazo máximo de treinta días a partir del siguiente al de su licenciamiento, deberá presentarse a desempeñar de nuevo su cargo, salvo que exista una justa causa que lo impida. Su sustitución se verificará en la forma establecida en el párrafo primero del artículo 49 del Reglamento Notarial.

No obstante, siempre que no exista causa de incompatibilidad, en cualquier momento de dicho período el Notario podrá interrumpir la situación de ausencia y reintegrarse al ejercicio del cargo.

El Notario comunicará a la Junta Directiva correspondiente

Artículo 111

La situación de excedencia voluntaria no podrá solicitarse por notarios que se hallen sometidos a expediente de corrección disciplinaria.

TEXTO ANTERIOR	TEXTO ACTUAL

la fecha en que dará comienzo su incorporación a filas, y aquélla lo pondrá en conocimiento de la Dirección General de los Registros y del Notariado. Del mismo modo se procederá por lo que se refiere a las fechas de licenciamiento y sucesiva incorporación al ejercicio del cargo, así como a las relativas a cada interrupción de la situación de ausencia.

Artículo 112

Los excedentes que deban reingresar solicitando las vacantes en concurso, lo harán llenado idénticos requisitos que los funcionarios en activo, y continuarán en situación de excedencia hasta que obtengan Notaría, considerándose prorrogado indefinidamente el plazo de excedencia mientras esto no suceda.

Artículo 113

Los Notarios que hubieren disfrutado de excedencia no podrán obtenerla de nuevo hasta transcurrido un año de su vuelta al servicio activo.

TEXTO ANTERIOR	**TEXTO ACTUAL**

Artículo 114

La situación especial de los excedentes por demarcación será regulada en el Decreto en que aquélla se ordene, sin que en ningún caso puedan ascender de clase, estimándose como tal para estos efectos la que el Reglamento establece en el artículo 77.

Artículo 115

Los Notarios que acepten los cargos de Ministro, Subsecretario, Director general y otros que lleven aneja la categoría de Jefe Superior de Administración civil; los de Delegado o Subdelegado del Gobierno, Presidente de Diputación Provincial, Consejero de Estado, del Consejo Superior del Ejército, Magistrado del Tribunal Supremo, los de miembro de Cámaras Legislativas; Altos organismos o Tribunales de Justicia o de la Administración Central, cuando estos cargos o representaciones sean incompatibles, quedarán en suspenso mientras desempeñen aquel cargo y serán sustituidos conforme a lo determinado en el artículo 52 de este Reglamento. Dentro de los treinta días siguientes al cese en los cargos mencio-

TEXTO ANTERIOR	TEXTO ACTUAL

nados deberán posesionarse de la Notaría. Cuando no lo hicieren, quedarán en situación de excedencia voluntaria por el plazo de un año, si al concurrir en la incompatibilidad tuvieren, por lo menos, otro de servicio en el Cuerpo. Si no lo llevaren, se les considerará como renunciantes y causarán baja definitiva en el Escalafón. Terminado el año de excedencia podrán solicitar Notarías por los turnos ordinarios en igual forma y con idénticos requisitos que los excedentes voluntarios, o reingresar en su residencia conforme a lo establecido en el artículo 109.

CAPÍTULO I

DE LA JURISDICCIÓN Y DE LAS ZONAS NOTARIALES

CAPÍTULO I

DE LA JURISDICCIÓN NOTARIAL

Artículo 116

Los Notarios carecen de fe pública fuera de su respectivo distrito notarial, salvo en los casos de habilitación especial.

Tendrá su residencia en la población designada en su nombramiento.

TEXTO ANTERIOR	**TEXTO ACTUAL**

Artículo 117

Los Notarios residentes en una misma localidad podrán ejercer su ministerio, indistintamente, dentro de su término municipal.

También podrán ejercerlo en los términos municipales de los demás pueblos del mismo distrito notarial con arreglo al artículo 8.º de la Ley; pero sólo podrán autorizar instrumentos públicos en el término municipal correspondiente al lugar del domicilio de otro Notario, cuando éste sea único, en los casos siguientes:

1.º Por imposibilidad física permanente de alguno de los otorgantes o requirentes.

2.º Por imposibilidad accidental de los otorgantes, cuando se trate de escritura de testamento, adopción, reconocimiento de hijos no matrimoniales o capitulaciones matrimoniales.

3.º Cuando exista un caso de verdadera importancia por vencimiento de plazo legal o contractual.

La excepción prevista en los diferentes apartados del párrafo anterior será también aplicable cuando el Notario o Notarios residentes en el lugar sean incompatibles o se hallen físicamente

Artículo 117

Los notarios residentes en una misma localidad podrán ejercer su ministerio, indistintamente, dentro de su término municipal.

También podrán ejercerlo en los términos municipales de los demás pueblos del mismo distrito notarial con arreglo al artículo 8 de la Ley en los que no exista notaría demarcada; pero, salvo los casos de sustitución y habilitación, sólo podrán autorizar instrumentos públicos en el término municipal correspondiente al domicilio de otro u otros notarios, cuando éstos sean incompatibles o haya otra causa que imposibilite su intervención y siempre que, en ambos supuestos concurra además alguna de las circunstancias siguientes:

1.º Imposibilidad física permanente de alguno de los otorgantes o requirentes.

2.º Imposibilidad accidental de los otorgantes, cuando se trate de escrituras de testamento, reconocimiento de hijos no matrimoniales, capitulaciones matrimoniales o actas notariales.

3.º Cuando exista un caso de verdadera importancia por vencimiento del plazo legal o contractual.

TEXTO ANTERIOR	**TEXTO ACTUAL**

imposibilitados para autorizar el acto o contrato.

Artículo 118

Para que los Notarios puedan ejercer en el término municipal del lugar en que tenga su residencia otro Notario, será indispensable que se les haga previo y especial requerimiento, fundado en alguno de los casos comprendidos en el artículo anterior.

En todo caso, además de hacerlo constar en el respectivo instrumento, el Notario autorizante remitirá, al mismo tiempo que los índices, los documentos justificativos del previo requerimiento y del motivo de éste a la Junta directiva del Colegio, la cual, en su vista, resolverá lo que sobre la conducta del Notario estime procedente.

Exceptúase el caso de que la Notaría o Notarías demarcadas estén servidas por Notarios sustitutos; en este caso no será necesario el previo requerimiento.

Artículo 118

Sin perjuicio de los supuestos de habilitación reglamentaria, los notarios de cualquier residencia podrán actuar en los términos municipales contiguos al suyo y pertenecientes a otro Distrito notarial, cualquiera que sea el Colegio a que correspondan, para el solo caso de autorizar el testamento del que se halle gravemente enfermo, protestos o documentos de plazo perentorio, siempre que en tal término no resida notario o el notario único o todos los notarios residentes en el lugar sean incompatibles o haya otra causa que imposibilite su intervención.

Artículo 119

Los Notarios de cualquier residencia podrán actuar en los

Artículo 119

En todo caso, además de hacerlo constar en el respectivo

TEXTO ANTERIOR	**TEXTO ACTUAL**
términos municipales contiguos al suyo y pertenecientes a otro distrito notarial, cualquiera que sea el Colegio a que correspondan, para el solo caso de autorizar, previo especial requerimiento, el testamento del que se halle gravemente enfermo, protestos o documentos de plazo perentorio y a condición siempre de que en tal término no resida Notario o se halle oficialmente ausente.	documento, el notario comunicará a la Junta Directiva en los dos días hábiles siguientes, la práctica de cualquier actuación prevista en los dos artículos anteriores.

Artículo 120

Además de los casos de habilitación especial para asuntos electorales, cuando un distrito quede sin Notario en activo servicio por muerte, jubilación, traslado del titular, ausencia o cualquier otra causa que imposibilite permanente o temporalmente para el ejercicio del cargo y no estuviese previsto el caso en el Cuadro de sustituciones, el Decano del Colegio Notarial habilitará a otro de distrito colindante, procurando elegir el más inmediato, dando cuenta a la Dirección General, que podrá ratificar o modificar la habilitación a favor de otro, atendiendo siempre al servicio público.

Artículo 120

Además de los casos de habilitación especial previstos en este Reglamento, cuando un distrito quede sin notario en servicio activo por muerte, jubilación, traslado del titular, ausencia o cualquier otra causa que lo haga necesario para la mejor prestación del servicio público y no estuviese previsto el caso en el Cuadro de sustituciones, el Decano del Colegio Notarial habilitará a otro de distrito colindante, dando cuenta a la Dirección General, que podrá ratificar o modificar la habilitación a favor de otro, atendiendo siempre al servicio público.

TEXTO ANTERIOR	**TEXTO ACTUAL**

Artículo 121

Siempre que uno de los Notarios de un distrito lo solicite, éste se dividirá en zonas, asignando al mismo la que le corresponda, integrada por términos municipales inmediatos y sin que ello implique que con relación a los demás Notarios del distrito se haya de establecer también la división del resto en otras zonas.

Todas las Notarías demarcadas en una población estarán siempre comprendidas en la misma zona.

Artículo 121

Cuando la atención al servicio público lo requiera, las Juntas Directivas podrán habilitar excepcionalmente a uno o varios notarios para poder actuar en términos municipales distintos de aquellos donde esté demarcada su notaría, aunque exista otro notario. En todo caso, las Juntas Directivas adoptarán las medidas que procedan previo informe del notario o notarios afectados.

Los documentos públicos autorizados o intervenidos por el notario habilitado quedarán incorporados a su protocolo o libro-registro, salvo que la Junta Directiva al acordar la habilitación determine lo contrario.

Estas habilitaciones especiales serán inmediatamente ejecutivas sin perjuicio de ser recurribles ante la Dirección General de los Registros y del Notariado, que resolverá previo informe de la Junta Directiva.

Artículo 122

La división del distrito en zonas se llevará a efecto por las Juntas directivas, previo informe de todos los Notarios interesados, quienes tendrán recurso de alzada

Artículo 122

Las habilitaciones a que se refiere el artículo anterior subsistirán mientras que la Junta Directiva no acuerde lo contrario o las modifique.

TEXTO ANTERIOR	**TEXTO ACTUAL**

ante la Dirección General de los Registros y del Notariado.

Las zonas que se establezcan subsistirán mientras no acuerde lo contrario o no las modifique la Junta directiva a petición de cualquiera de los Notarios del distrito o por iniciativa propia.

El acuerdo de la Junta directiva no se ejecutará hasta que hayan transcurrido veinte días de haber sido comunicado a la Dirección General, la cual, en ese plazo, podrá aprobarlo, modificarlo o revocarlo. Si no lo hiciese, se entenderá que queda aprobado el acuerdo de la Junta.

Artículo 123

En el distrito en que se implante el régimen de zonas los Notarios no podrán actuar en las asignadas a otros compañeros, sino en los casos y con idénticos requisitos en que pueden hacerlo en el lugar en que tenga su residencia otro Notario.

Artículo 123

El notario que actúe en la residencia de otro hará suyos los honorarios devengados.

Artículo 124

El Notario que actúe en la residencia o en la zona de otro cuando pueda o deba hacerlo, cumpliendo

Artículo 124

En los supuestos de habilitación especial, se estará a lo que establezca la Junta Directiva en cada caso.

TEXTO ANTERIOR	**TEXTO ACTUAL**

lo preceptuado en el presente Reglamento, abonará al titular o titulares de la mencionada residencia o zona el 50 por 100 de los honorarios que por autorización de la matriz perciba con arreglo al Arancel, debiendo hacer constar el abono en los índices y remitir con los mismos a la Junta directiva el justificante de haberlo realizado, y en caso de no haberlos satisfecho enviará su importe a dicha Junta para su entrega al interesado.

Artículo 125

La infracción del régimen mencionado, actuando indebidamente en la residencia de otro Notario o en las zonas notariales, además de la corrección disciplinaria que proceda, motivará la pérdida total de honorarios, que experimentará el Notario infractor en beneficio del titular o titulares de la residencia o zona no respetada. Caso de reincidencia, los honorarios que deberá abonar a sus compañeros serán elevados al doble de los que haya percibido.

Artículo 125

La infracción del régimen mencionado, actuando indebidamente en la residencia de otro notario, además de la corrección disciplinaria que proceda, motivará la pérdida total de honorarios, que experimentará el notario infractor en beneficio del titular o titulares de la residencia no respetada.

CAPÍTULO II
Reparto de documentos

SECCIÓN 1.ª
*Del derecho a la libre elección de
Notario*

Artículo 126

De acuerdo con el precepto del artículo 3.º del Reglamento, cuando en una población hubiese dos o más Notarios serán turnados entre ellos los documentos en que intervengan directamente o representados o los contratos por los que adquieran derechos u obligaciones el Estado, la Provincia, el Municipio, sus Organismos autónomos, los Bancos oficiales, las Cajas de Ahorro y Montes de Piedad o Instituciones similares a éstas, el Instituto Nacional de Previsión y demás Entidades gestoras de la Seguridad Social, la Organización Sindical y Entidades de ella dependientes, los Colegios oficiales, las Mutualidades y Montepíos Laborales, las Asociaciones de Beneficencia pública, las Empresas que gozan de monopolios concedidos por el Estado, la Provincia o el Municipio, Compañías de navegación y radiodifusión subvencionadas por el Estado, explotadoras de puertos

Artículo 126

Todo aquél que solicite el ejercicio de la función pública notarial tiene derecho a elegir al notario que se la preste, sin más limitaciones que las previstas en el ordenamiento jurídico, constituyéndose dicho derecho en elemento esencial de una adecuada concurrencia entre aquellos.

En las transmisiones onerosas de bienes o derechos realizadas por personas, físicas o jurídicas, que se dediquen a ello habitualmente, o bajo condiciones generales de contratación, así como en los supuestos de contratación bancaria, el derecho de elección corresponderá al adquirente o cliente de aquellas, quien sin embargo, no podrá imponer notario que carezca de conexión razonable con algunos de los elementos personales o reales del negocio.

A salvo de lo dispuesto en el párrafo anterior, se estará a lo dispuesto en la normativa específica. En defecto de tal, a lo que las partes hubieran pactado y, en último caso, el derecho de elección corresponde-

TEXTO ANTERIOR	**TEXTO ACTUAL**

o concesionarias de zonas francas y las Empresas que disfruten de concesiones relativas a servicios públicos en los contratos que se relacionan con los mismos.

rá al obligado al pago de la mayor parte de los aranceles.

Los notarios tienen el deber de respetar la libre elección de notario que hagan los interesados y se abstendrán de toda práctica que limite la libertad de elección de una de las partes con abuso derecho o infringiendo las exigencias de la buena fe contractual.

SECCIÓN 2.ª
Del turno de documentos

Artículo 127

Cuando por consecuencia de actos, diligencias, procedimientos judiciales o resoluciones administrativas haya de extenderse escritura matriz o protocolizarse mediante acta, diligencias o documentos de cualquier clase, la escritura o acta será extendida, autorizada y protocolada por el Notario, si fuere único residente en el punto donde se halle establecido el Juzgado o Tribunal, o tenga su asiento la autoridad administrativa que hubiere dictado la resolución.

Si fuesen varios los Notarios que tengan su residencia donde radique el Juzgado, Tribunal o autoridad administrativa, la elección corresponderá a los interesados

Artículo 127

No obstante lo previsto en el artículo anterior, cuando el otorgante, transmitente o adquirente de los bienes o derechos, fuere el Estado, las Comunidades Autónomas, Diputaciones, Ayuntamientos, o los organismos o sociedades dependientes de ellos, participados en más de un cincuenta por ciento, o en los que aquellas Administraciones Públicas ostenten facultades de decisión, los documentos se turnarán entre los notarios con competencia en el lugar del otorgamiento.

Dichos documentos deberán otorgarse en población en que la entidad, organismos o empresa tengan su domicilio social, o delegación u oficina o, en su caso, donde radique el inmueble objeto del contrato.

TEXTO ANTERIOR

si la designación fuese unánime; de no haber conformidad en la elección, el Juzgado, Tribunal o Autoridad administrativa nombrará al Notario a quien corresponda, con arreglo a un turno establecido entre los Notarios que residan en la capitalidad del Juzgado, Tribunal o residencia de la Autoridad administrativa.

TEXTO ACTUAL

Para los documentos en que, por su cuantía, esté permitido que el notario perciba la cantidad que acuerde libremente con las partes, las Administraciones Públicas y Entes a que se refiere el párrafo primero de este artículo podrán elegir notario sin sujeción al turno, atendiendo a los principios de concurrencia y eficiencia en el uso de recursos públicos.

Cuando el adquirente fuere un particular, éste podrá solicitar del Colegio Notarial la intervención de notario de su libre elección, que deberá ser atendida.

Artículo 128

Las particiones que hayan sido aprobadas judicialmente, así como las actuaciones o diligencias judiciales que no dieren lugar a la extensión de escritura matriz, se protocolizarán por el Notario que, residiendo dentro del partido judicial, fuere designado unánimemente por los interesados.

A falta de acuerdo entre éstos, el Juez o Tribunal designará el Notario a quien corresponda, con arreglo a un turno establecido entre los Notarios del distrito notarial.

Artículo 128

Cuando por consecuencia de actos, diligencias, procedimientos judiciales o resoluciones administrativas haya de extenderse escritura matriz o protocolizarse mediante acta, diligencias o documentos de cualquier clase, la escritura o acta será extendida, autorizada y protocolada por el Notario, si fuere único residente en el punto donde se halle establecido el Juzgado o Tribunal, o tenga su asiento la autoridad administrativa que hubiere dictado la resolución.

TEXTO ANTERIOR	**TEXTO ACTUAL**
	Si fuesen varios los Notarios que tengan su residencia donde radique el Juzgado, Tribunal o autoridad administrativa, la elección corresponderá a los interesados si la designación fuese unánime; de no haber conformidad en la elección, el Juzgado, Tribunal o autoridad administrativa nombrará al Notario a quien corresponda, con arreglo a un turno establecido entre los Notarios que residan en la capitalidad del Juzgado, Tribunal o residencia de la autoridad administrativa.
	Las particiones que hayan sido aprobadas judicialmente, así como las actuaciones o diligencias judiciales que no dieren lugar a la extensión de escritura matriz, se protocolizarán por el Notario que, residiendo dentro del partido judicial, fuere designado unánimemente por los interesados.
	A falta de acuerdo entre éstos, el Juez o Tribunal designará el Notario a quien corresponda, con arreglo a un turno establecido entre los Notarios del distrito notarial.

Artículo 129

Cuando en las actuaciones judiciales o administrativas a que hacen referencia los artículos anteriores, por rebeldía o por cualquie-

TEXTO ANTERIOR	**TEXTO ACTUAL**

ra otra causa, no compareciese una de las partes interesadas, se entenderá que no hay unanimidad y procederá a la designación de Notario con arreglo al turno correspondiente.

El Juzgado o Tribunal facilitará al Notario nombrado los autos originales, los testimonios y los antecedentes necesarios para el desempeño de su cometido. Si los datos recibidos no fueren bastantes, aquél podrá reclamar a las partes o al Juzgado o Tribunal directamente, lo que le falte para completar la documentación.

Artículo 130

Serán objeto de turno especial de oficio, de carácter gratuito para el interesado:

a) Los poderes para pleitos, copias y testimonios otorgados o instados por personas físicas que hayan obtenido el beneficio de pobreza o, al menos, solicitado su concesión, conforme a las leyes procesales, siempre que tengan relación directa con el procedimiento a que tal beneficio se refiera.

b) Los poderes para pleitos cuyo exclusivo objeto sea solicitar el referido beneficio de pobreza.

c) Los instrumentos, copias y testimonios relativos al estado civil de las personas cuando los interesados aleguen, bajo sanción de falsedad, carecer de medios económicos.

d) Las actas y sus copias, autorizadas a requerimiento de Asociaciones de Beneficencia Pública o de la Cruz Roja.

Los respectivos instrumentos, en que se harán constar las circunstancias anteriores, quedarán exentos de cualquier aportación colegial o mutualista.

Las actuaciones en este turno de oficio, aunque sólo existiere una Notaría demarcada en la localidad, eximen al beneficiario de la obligación de satisfacer honorarios al Notario, salvo en los supuestos autorizados por las leyes procesales.

Los interesados, cuando en la población haya demarcada más de una Notaría, solicitarán de los Colegios Notariales y, en su defecto, de los Delegados y Subdelegados, la designación de un Notario que haya de actuar, a cuyo efecto tales órganos llevarán un turno especial.

TEXTO ANTERIOR	**TEXTO ACTUAL**

Artículo 131

Se distribuirán también por igual entre los Notarios de una población los protestos de letras de cambio y documentos mercantiles, a no ser que el voto directo, no delegado ni delegable, de las tres cuartas partes de los Notarios de la localidad a que afecten acuerde lo contrario.

Si hubiere tres Notarios, prevalecerá lo que acuerde la mayoría. Si solamente hubiere dos, el reparto de los protestos será siempre obligatorio, a no ser que, por acuerdo de ambos, se establezca el criterio de libertad.

Artículo 132

La oposición al reparto de protestos y demás documentos mercantiles deberá hacerse por escrito dirigido a la Junta directiva en el mes de noviembre. La Junta acordará, en la primera quincena de diciembre, la continuación o supresión del reparto en la localidad de que se trate, según el número de votos favorables o adversos. Los Notarios interesados podrán recurrir en alzada ante la Dirección General, en el plazo de diez días.

TEXTO ANTERIOR	**TEXTO ACTUAL**

Artículo 133

Los Notarios no podrán renunciar los turnos sino en favor de todos los Notarios de la localidad.

Tan sólo se permitirá la cesión individual de un asunto determinado mediante justa causa.

El reparto forzoso de protestos será renunciable siempre que, a juicio de la Junta directiva o de la Dirección General, quede el servicio público suficientemente atendido, y sin que esta renuncia pueda hacerse a favor de determinado Notario, sino de todos los que estén afectos al reparto.

Artículo 134

Las Juntas directivas determinarán las bases, manera o forma de llevar los turnos de reparto de documentos, dando cuenta para la aprobación del sistema que implanten a la Dirección General.

Si las circunstancias lo aconsejaren, las Juntas directivas, oídos los Notarios de la población, podrán acordar al establecer o modificar las bases del reparto la adscripción de Notarios determinados para cada Organismo oficial que deberá ser consultado previamente, la distribución igual

Artículo 134

Las Juntas Directivas determinarán las bases, manera o forma de llevar los turnos de documentos sujetos contemplados en los artículos anteriores, dando cuenta para la aprobación del sistema que implanten a la Dirección General.

En aras del mantenimiento de la imparcialidad del notario, de la libre concurrencia entre estos, así como de la efectiva elección del particular y de una mejor prestación del servicio público, los Colegios Notariales podrán establecer turnos desiguales entre los notarios de una misma pla-

TEXTO ANTERIOR	**TEXTO ACTUAL**

o desigual de documentos o de honorarios y el establecimiento de fórmulas de compensación de las posibles desigualdades que se produjeran, pudiendo incluso establecer que la entrega de las copias a los interesados y cobro de las minutas correspondientes se haga a través de quienes se encarguen de llevar el turno.

El reparto desigual de turno deberá ser establecido por las Juntas Directivas en todos aquellos casos en que entre los volúmenes de trabajo de los Notarios de una localidad existan diferencias que sean excesivas.

Los encargados de llevar los turnos de reparto serán los Decanos y los Delegados o Subdelegados y, en su defecto, el Notario más antiguo de la población.

za y, en su caso, si las circunstancias así lo justificaren, excluirán del turno a aquellos notarios cuyo volumen de trabajo no les permita atender debidamente el mismo.

En todo caso, la prestación de su ministerio es obligatoria para los notarios en caso de documentos sujetos a turno, debiendo las Juntas Directivas velar por la corrección de la prestación de la función pública notarial.

La aplicación de los sistemas de turno de documentos en ningún caso alterará el régimen arancelario aplicable al instrumento público de cuya autorización o intervención se trate.

Artículo 135

Los Notarios deben cumplir estrictamente estas bases acordadas en orden al reparto de documentos, y tendrán derecho a reclamar de los Centros correspondientes los antecedentes o documentos que sean necesarios para la redacción de las escrituras y actas sujetas a reparto.

TEXTO ANTERIOR	TEXTO ACTUAL

El incumplimiento de las obligaciones mencionadas, o la infracción de las bases que condicionan los turnos de reparto o la falta de diligencia en la autorización de los documentos con ellos relacionados, motivarán la suspensión en el turno durante el plazo que la Junta directiva acuerde, y cuyo plazo no podrá exceder de seis meses y, en su caso, además de reembolso al fondo común de reparto de las cantidades indebidamente percibidas por el infractor, la aplicación de las correcciones disciplinarias que sean procedentes conforme al Título VI de este Reglamento.

Artículo 136
Cuando no exista en la localidad Notario a quien por razón de residencia debiera corresponder la autorización de documentos notariales sujetos a reparto, se turnarán éstos entre todos los del distrito, a no ser que sólo hubiere uno en la demarcación del mismo, en cuyo caso a él corresponderá la autorización del documento.

TEXTO ANTERIOR	**TEXTO ACTUAL**

Artículo 137

Se prohíbe a los Notarios estipular entre sí convenios de ninguna especie que tengan por objeto el reparto de documentos, sin perjuicio de lo establecido en los artículos anteriores.

CAPÍTULO III
De las incompatibilidades

Artículo 138

En una misma localidad no podrá haber a la vez dos Notarios parientes dentro del cuarto grado civil de consanguinidad o segundo de afinidad, a no ser que haya en la misma dos o más Notarías servidas por Notarios no parientes entre sí.

Tampoco será compatible en un mismo distrito notarial el cargo de Notario con el de Juez de Primera Instancia o Registrador de la Propiedad, cuando sean desempeñados por parientes de aquél dentro del segundo grado de consanguinidad o afinidad, a no ser que concurra la excepción mencionada en el párrafo anterior.

Artículo 138

En una misma localidad no podrá haber a la vez dos notarios unidos en matrimonio o en situación de convivencia análoga o parientes dentro del cuarto grado civil de consanguinidad o segundo de afinidad a no ser que en la misma haya, al menos, una notaría servida por notarios no parientes de aquellos.

Tampoco será compatible en un mismo distrito notarial el cargo de Notario con el de Juez de primera instancia o Registrador de la Propiedad, cuando sean desempeñados por parientes de aquél dentro del segundo grado de consanguinidad o afinidad, a no ser que concurra la excepción mencionada en el párrafo anterior.

TEXTO ANTERIOR	TEXTO ACTUAL
La incompatibilidad por parentesco dará lugar, previo expediente en el que oirá a los interesados y a la Junta directiva del Colegio Notarial, al traslado del funcionario cuyo nombramiento fuere más reciente.	Cuando la incompatibilidad por parentesco sea sobrevenida por causa de una nueva demarcación no será de aplicación lo establecido en los párrafos anteriores. En caso de que sea sobrevenida por cualquier otra causa, la Junta Directiva, previo expediente en que se dará audiencia a los notarios afectados y al resto de los de la plaza, resolverá atendiendo a las circunstancias de la misma.

Artículo 139

Los Notarios no podrán autorizar escrituras en que se consignen derechos a su favor, pero sí las en que sólo contraigan obligaciones o extingan o pospongan aquellos derechos, con la antefirma «por mí y ante mí».

En tal sentido, los Notarios podrán autorizar su propio testamento, poderes de todas clases, cancelación y extinción de obligaciones. De igual modo podrán autorizar o intervenir en los actos o contratos en que sea parte su esposa o parientes hasta el cuarto grado de consanguinidad y segundo de afinidad, siempre que reúnan idénticas circunstancias.

No podrá, en cambio, autorizar actos jurídicos de ninguna clase que contengan disposiciones a

Artículo 139

Los notarios no podrán autorizar escrituras en que se consignen derechos a su favor, pero sí las que en sólo contraigan obligaciones o extingan o pospongan aquellos derechos, con la antefirma "por mí y ante mí" .

En tal sentido, los Notarios podrán autorizar su propio testamento, poderes de todas clases, cancelación y extinción de obligaciones. De igual modo podrán autorizar o intervenir en los actos o contratos en que sea parte su cónyuge o persona con análoga relación de afectividad o parientes hasta el cuarto grado de consanguinidad y segundo de afinidad, siempre que reúnan idénticas circunstancias.

No podrán, en cambio, autorizar actos jurídicos de ninguna clase

TEXTO ANTERIOR	**TEXTO ACTUAL**
su favor o de su esposa o parientes de los grados mencionados, aun cuando tales parientes o el propio Notario intervengan en el concepto de representantes legales o voluntarios de un tercero.	que contengan disposiciones a su favor o de su cónyuge o persona con análoga relación de afectividad o parientes de los grados mencionados, aun cuando tales parientes o el propio Notario intervengan en el concepto de representantes legales o voluntarios de un tercero.
Exceptuase el caso de autorización de testamentos en que se les nombre albaceas o contadores partidores y los poderes para pleitos a favor de los mencionados parientes.	Exceptúase el caso de autorización de testamentos en que se les nombre albaceas o contadores-partidores y los poderes para pleitos a favor de los mencionados parientes.
	El notario no podrá autorizar o intervenir instrumentos públicos respecto de personas físicas o jurídicas con las que mantenga una relación de servicios profesionales.

Artículo 140

Los Notarios no podrán tampoco constituirse en fiadores de los contratos que autoricen, ni tomar parte en aquellos en que intervenga por razón de su cargo, ni intervenir en empresas de arriendo de rentas públicas. Por el contrario podrán formar parte de toda clase de Sociedades, incluso como Consejeros, que no tengan por objeto el arriendo de rentas públicas, siempre que no autori-

TEXTO ANTERIOR	TEXTO ACTUAL

cen las escrituras que a las mismas afecten a partir del ingreso como socio o de la designación como Consejero.

Artículo 141

El cargo de Notario es incompatible con los que determina el artículo 16 de la Ley del Notariado y otros especiales y, además, con el de Juez y Fiscal municipal. A los efectos del citado artículo, las poblaciones en que haya demarcadas dos o más Notarías, se equiparan a las que tengan más de veinte mil habitantes. Los cargos de Decano y demás de las Juntas directivas de los Colegios, y los de Delegado o Subdelegado de las mismas, son incompatibles con los de Decano de Colegios de Abogados.

La incompatibilidad de los Notarios que acepten los cargos de Ministro, Subsecretario, Director general y otros de Jefe Superior de Administración, se regularán por lo dispuesto en los artículo 52 y 115 de este Reglamento.

Artículo 141

El cargo de notario es incompatible con los que determina el artículo 16 de la Ley del Notariado, especialmente con los de Juez y Fiscal, y aquellos otros que determine el ordenamiento jurídico. A los efectos del citado artículo, las poblaciones en que haya demarcadas dos o más Notarías, se equiparan a las que tengan más de veinte mil habitantes.

La incompatibilidad de los notarios que acepten los cargos de Ministro, Subsecretario, Director General y el resto de los citados en el artículo 115 de este Reglamento, se regularán por lo dispuesto en los artículos 52 y 115 de este Reglamento.

TEXTO ANTERIOR	**TEXTO ACTUAL**

Artículo 141 bis

El Notario que admita cualquiera de los cargos a que se refiere el párrafo primero del artículo anterior, lo pondrá en conocimiento por escrito e inmediatamente, de la Dirección General de los Registros, y cesará en el ejercicio de las funciones notariales mientras desempeñe aquéllos.

La omisión del escrito equivaldrá a opción por el cargo incompatible.

Si habiendo dado el conocimiento, la cesación pasara de tres meses, deberá optar, igualmente, por uno u otro cargo.

Si no lo hiciese se entenderá que acepta el cargo incompatible, la vacante se proveerá también en el turno que proceda y el Notario será declarado en situación de excedencia voluntaria si llevare un año, por lo menos de servicios en el Cuerpo o la incompatibilidad fuese por nombramiento definitivo en cargo activo y permanente, no accidental o de suplencia; y renunciante y baja en el Escalafón, si el cargo incompatible fuese de otra clase y no llevase el año de servicios efectivos.

TEXTO ANTERIOR	**TEXTO ACTUAL**

CAPÍTULO IV
DEL DERECHO A LA ELECCIÓN DE NOTARIO

Artículo 142

Los Notarios, en aras de su deber de imparcialidad, cuidarán de que se respete el derecho de libre elección de Notario.

En los actos y contratos que hayan de otorgarse por varias personas la elección de Notario corresponderá, en defecto de pacto, a quien de ellas deba satisfacer los derechos arancelarios notariales o la mayor parte de los mismos.

No obstante lo dispuesto en el párrafo anterior, en las transmisiones onerosas de bienes o derechos realizadas por quien se dedique a ello habitualmente o bajo condiciones generales de contratación, el derecho de elección de Notario corresponderá al adquirente, quien, sin embargo, no podrá imponer Notario que, por su competencia territorial, carezca de conexión razonable con alguno de los elementos personales o reales del negocio.

Los Notarios se abstendrán de facilitar toda práctica que implique la imposición de Notario por una de las partes con abuso de derecho, o de modo antisocial

Artículo 142

El notario que admita cualquiera de los cargos a que se refiere el párrafo primero del artículo anterior, lo pondrá en conocimiento, por escrito e inmediatamente, de la Dirección General de los Registros y del Notariado, y cesará en el ejercicio de las funciones notariales mientras desempeñe aquellos.

La omisión del escrito equivaldrá a opción por el cargo incompatible.

Si habiendo dado el conocimiento, la cesación pasara de tres meses, deberá optar, igualmente, por uno u otro cargo.

Si no lo hiciese, se entenderá que acepta el cargo incompatible, la vacante se proveerá también en el turno que proceda y el notario será declarado en situación de excedencia voluntaria si llevare un año, por lo menos, de servicios en el Cuerpo o la incompatibilidad fuese por nombramiento definitivo en cargo activo y permanente, no accidental o de suplencia; y renunciante y baja en el Escalafón, si el cargo incompatible fuese de otra clase y no llevase el año de servicios efectivos.

TEXTO ANTERIOR	**TEXTO ACTUAL**

o contrario a las exigencias de la buena fe contractual.

Las escrituras sujetas al gravamen gradual de Actos Jurídicos Documentados, que se refieren directamente a bienes inmuebles, deberán otorgarse ante el Notario correspondiente al territorio en donde se encuentre situado el inmueble y, en el caso de que fueren varios, el de mayor valor; las de préstamo hipotecario podrán otorgarse también, si el sujeto pasivo fuera persona física, ante el Notario correspondiente al territorio de su domicilio fiscal. Las demás escrituras sujetas al referido gravamen se otorgarán ante el Notario correspondiente al territorio del domicilio fiscal del sujeto pasivo.

No obstante lo dispuesto en el párrafo anterior, las referidas escrituras podrán otorgarse ante cualquier otro Notario cuando ello no determine una cuota a ingresar distinta de la que correspondería satisfacer de haberse otorgado el documento ante alguno de los Notarios a que se refiere el párrafo anterior.

Lo establecido en los dos párrafos anteriores no será de aplicación a las escrituras autorizadas por los Cónsules de España en el extranjero.

TEXTO ANTERIOR	**TEXTO ACTUAL**

TÍTULO IV
DEL INSTRUMENTO PÚBLICO

CAPÍTULO I
DE LA NATURALEZA Y EFECTOS DEL
INSTRUMENTO PÚBLICO

Artículo 143

A los efectos del artículo 1217 del Código Civil, los documentos notariales se regirán por los preceptos contenidos en el presente título.

Los testamentos y actos de última voluntad se regirán, en cuanto a su forma y requisitos o solemnidades, por los preceptos de la legislación civil, acoplándose a los mismos la notarial, como norma supletoria en todo cuanto no implique modificación de aquéllos.

La fe pública, debida a la actuación notarial según las disposiciones del presente título, no podrá ser negada ni desvirtuada en los efectos que legal o reglamentariamente deba producir sin incurrir en responsabilidad.

Artículo 143

A los efectos del artículo 1217 del Código Civil, los documentos notariales se regirán por los preceptos contenidos en el presente Título.

Los testamentos y actos de última voluntad se regirán, en cuanto a su forma y requisitos o solemnidades, por los preceptos de la legislación civil, acoplándose a los mismos la notarial, teniendo ésta el carácter de norma supletoria de aquélla.

Los documentos públicos autorizados o intervenidos por notario gozan de fe pública, presumiéndose su contenido veraz e íntegro de acuerdo con lo dispuesto en la Ley.

Los efectos que el ordenamiento jurídico atribuye a la fe pública notarial sólo podrán ser negados o desvirtuados por los Jueces y Tribunales y por las administraciones y funcionarios públicos en el ejercicio de sus competencias.

TEXTO ANTERIOR	**TEXTO ACTUAL**

Artículo 144

El instrumento público comprende las escrituras públicas, las actas, y, en general, todo documento que autorice el Notario, bien sea original, en copia o testimonio.

Contenido propio de las escrituras públicas son las declaraciones de voluntad, los actos jurídicos que impliquen prestación de consentimiento y los contratos de todas clases.

La órbita propia de las actas notariales afecta exclusivamente a hechos jurídicos que por su índole peculiar no pueden calificarse de actos o contratos, aparte otros casos en que la legislación notarial establece el acta como manifestación formal adecuada.

Los testimonios, legalizaciones y demás documentos notariales que no reciban la denominación de escrituras públicas o actas, tienen como delimitación, en orden al contenido, la que el Reglamento les asigna.

Artículo 144

Conforme al artículo 17 de la Ley del Notariado son instrumentos públicos las escrituras públicas, las pólizas intervenidas, las actas, y, en general, todo documento que autorice el notario, bien sea original, en certificado, copia o testimonio.

Las escrituras públicas tienen como contenido propio las declaraciones de voluntad, los actos jurídicos que impliquen prestación de consentimiento, los contratos y los negocios jurídicos de todas clases.

Las pólizas intervenidas tienen como contenido exclusivo los actos y contratos de carácter mercantil y financiero que sean propios del tráfico habitual y ordinario de al menos uno de sus otorgantes, quedando excluidos de su ámbito los demás actos y negocios jurídicos, y en cualquier caso todos los que tengan objeto inmobiliario; todo ello sin perjuicio, desde luego, de aquellos casos en que la Ley establezca esta forma documental.

Las actas notariales tienen como contenido la constatación de hechos o la percepción que de los mismos tenga el notario, siempre que por su índole no puedan calificarse de actos y contratos, así como sus juicios o calificaciones.

TEXTO ANTERIOR	**TEXTO ACTUAL**
	Los testimonios, certificaciones, legalizaciones y demás documentos notariales que no reciban la denominación de escrituras públicas pólizas intervenidas o actas, tienen como delimitación, en orden al contenido, la que este Reglamento les asigna.

Artículo 145

La autorización del instrumento público tiene carácter obligatorio para el Notario con jurisdicción a quien se sometan las partes o corresponda en virtud de los preceptos de la legislación notarial.

Esto no obstante, el Notario no sólo deberá excusar su ministerio, sino negar la autorización notarial cuando, a su juicio, todos o alguno de los otorgantes carezcan de la capacidad legal necesaria para el otorgamiento que pretendan, cuando la representación del que comparezca en nombre de tercera persona, natural o social, no esté legítimamente acreditada o no le corresponda por las leyes; cuando en los contratos de obras, servicios, adquisición y transmisión de bienes del Estado, la Provincia o el Municipio las resoluciones o expedientes bases del contrato no se hayan dictado o tramitado con arreglo a las leyes, reglamentos u

Artículo 145

La autorización o intervención del instrumento público implica el deber del notario de dar fe de la identidad de los otorgantes, de que a su juicio tienen capacidad y legitimación, de que el consentimiento ha sido libremente prestado y de que el otorgamiento se adecua a la legalidad y a la voluntad debidamente informada de los otorgantes e intervinientes.

Dicha autorización e intervención tiene carácter obligatorio para el notario con competencia territorial a quien se sometan las partes o corresponda en virtud de los preceptos de la legislación notarial, una vez que los interesados le hayan proporcionado los antecedentes, datos, documentos, certificaciones, autorizaciones y títulos necesarios para ello.

Esto no obstante, el notario, en su función de control de la legalidad, no sólo deberá excusar su minis-

TEXTO ANTERIOR

ordenanzas, y cuando el acto o el contrato en todo o en parte sean contrarios a las leyes, a la moral o a las buenas costumbres, o se prescinda por los interesados de los requisitos necesarios para la plena validez de los mismos.

Cuando por consecuencia de resoluciones o expedientes de la Administración central, provincial o municipal, o de resoluciones judiciales, deba otorgarse escritura pública, el Notario requerido para autorizarla tendrá derecho a examinar, sin entrar en el fondo de ella, si la resolución se ha dictado y el expediente o juicio se ha tramitado con arreglo a las leyes, reglamentos u ordenanzas que rijan en la materia, y que la persona que intervenga en nombre de la Administración es aquella a quien las leyes atribuyen la representación de la misma.

La negativa de los Notarios a intervenir o autorizar un instrumento público podrá ser revocada por la Dirección General de los Registros y del Notariado en virtud del recurso del interesado, la cual, previo informe del Notario y de la Junta directiva del Colegio Notarial respectivo, dictará en cada caso la resolución que proceda. Si ésta ordenara la redacción y autorización del instrumento público, el Notario podrá consig-

TEXTO ACTUAL

terio, sino negar la autorización o intervención notarial cuando a su juicio:

1.º La autorización o intervención notarial suponga la infracción de una norma legal, o no se hubiere acreditado al notario el cumplimiento de los requisitos legalmente exigidos como previos.

2.º Todos o alguno de los otorgantes carezcan de la capacidad legal necesaria para el otorgamiento que pretendan.

3.º La representación del que comparezca en nombre de tercera persona natural o jurídica no esté suficientemente acreditada, o no le corresponda por las leyes. No obstante, si el acto documentado fuera susceptible de posterior ratificación o sanación el notario podrá autorizar el instrumento haciendo la advertencia pertinente conforme artículo 164.3 de este Reglamento, siempre que se den las dos circunstancias siguientes:

a) Que la falta de acreditación sea expresamente asumida por la parte a la que pueda perjudicar.

b) Que todos los comparecientes lo soliciten.

4.º En los contratos de obras, servicios, adquisición y transmisión de bienes del Estado, la Comunidad Autónoma, la Provincia o el Municipio, las resoluciones o expedientes bases del contrato no se hayan *nar al principio del mismo que lo efectúa como consecuencia de la resolución de la Dirección General.*

dictado o tramitado con arreglo a las leyes, reglamentos u ordenanzas.

5.º El acto o el contrato en todo o en parte sean contrarios a las leyes o al orden público o se prescinda por los interesados de los requisitos necesarios para su plena validez o para su eficacia.

6.º Las partes pretendan formalizar un acto o contrato bajo una forma documental que no se corresponda con su contenido conforme a lo dispuesto en el artículo 144 de este Reglamento.

Cuando por consecuencia de resoluciones o expedientes de la Administración central, autonómica, provincial o local, deba extenderse instrumento público, el notario requerido para autorizarlo o intervenirlo tendrá derecho a examinar, sin entrar en el fondo de ella, si la resolución se ha dictado y el expediente se ha tramitado con arreglo a las leyes, reglamentos u ordenanzas que rijan en la materia, y que la persona que intervenga en nombre de la Administración es aquella a quien las leyes atribuyen la representación de la misma.

En el caso de resoluciones judiciales que den lugar al otorgamiento ante Notario de un instrumento público, de apreciarse la falta de competencia, procedimiento, documentación o trámites necesarios para el mismo, el Notario se dirigirá

TEXTO ANTERIOR	**TEXTO ACTUAL**
	con carácter previo al Juzgado o Tribunal poniendo de manifiesto dicha circunstancia. Una vez recibida la resolución del órgano jurisdiccional, el Notario procederá al otorgamiento en los términos indicados por el Juzgado o Tribunal, sin perjuicio de formular en el momento del otorgamiento las salvedades que correspondan, a fin de excluir su responsabilidad.
	La negativa de los notarios a intervenir o autorizar un instrumento público podrá ser revocada por la Dirección General de los Registros y del Notariado en virtud de recurso de cualesquiera de los interesados, la cual, previo informe del notario y de la Junta Directiva del Colegio Notarial respectivo, dictará en cada caso la resolución que proceda. Si ésta ordenara la redacción y autorización del instrumento público, el notario podrá consignar al principio del mismo que lo efectúa como consecuencia de la resolución de la Dirección General a fin de salvar su responsabilidad.

Artículo 146

El Notario responderá civilmente de los daños y perjuicios ocasionados con su actuación

TEXTO ANTERIOR	**TEXTO ACTUAL**

cuando sean debidos a dolo, culpa o ignorancia inexcusable. Si pudieren repararse, en todo o en parte, autorizando una nueva escritura el Notario lo hará a su costa, y no vendrá éste obligado a indemnizar sino los demás daños y perjuicios ocasionados.

A tales efectos, quien se crea perjudicado podrá dirigirse por escrito a la Junta Directiva del Colegio Notarial, la cual, si considera evidentes los daños y perjuicios hará a las partes una propuesta sobre la cantidad de la indemnización por si estiman procedente aceptarla como resolución del conflicto.

CAPÍTULO II
Del instrumento público

SECCIÓN 1ª
Requisitos generales

Artículo 147

El Notario redactará el instrumento público conforme a la voluntad común de los otorgantes, la cual deberá indagar, interpretar y adecuar al ordenamiento jurídico, e informará a aquéllos del valor y alcance de su redacción.

Lo dispuesto en el párrafo anterior se aplicará incluso en

Artículo 147

El notario redactará el instrumento público conforme a la voluntad común de los otorgantes, la cual deberá indagar, interpretar y adecuar al ordenamiento jurídico, e informará a aquéllos del valor y alcance de su redacción, de conformidad con el artículo 17 bis de la Ley del Notariado.

TEXTO ANTERIOR	**TEXTO ACTUAL**
los casos en que se pretenda un otorgamiento según minuta o la elevación a escritura pública de un documento privado. *Sin mengua de su imparcialidad, el Notario insistirá en informar a una de las partes respecto de las cláusulas propuestas por la otra y prestará asistencia especial al otorgante necesitado de ella.* *En el texto del documento, el Notario consignará, en su caso, que aquél ha sido redactado conforme a minuta y si le constare, la parte de quien procede ésta y si la misma obedece a condiciones generales de su contratación.*	Lo dispuesto en el párrafo anterior se aplicará incluso en los casos en que se pretenda un otorgamiento según minuta o la elevación a escritura pública de un documento privado. En el texto del documento, el notario consignará, en su caso, que aquél ha sido redactado conforme a minuta y si le constare, la parte de quien procede ésta y si la misma obedece a condiciones generales de su contratación. Asimismo, el notario intervendrá las pólizas presentadas por las entidades que se dedican habitualmente a la contratación en masa, siempre que su contenido no vulnere el ordenamiento jurídico y sean conformes a la voluntad de las partes. Sin mengua de su imparcialidad, el notario insistirá en informar a una de las partes respecto de las cláusulas de las escrituras y de las pólizas propuestas por la otra, comprobará que no contienen condiciones generales declaradas nulas por sentencia firme e inscrita en el Registro de Condiciones generales y prestará asistencia especial al otorgante necesitado de ella. También asesorará con imparcialidad a las partes y velará por el respeto de los derechos básicos de los consumidores y usuarios.

TEXTO ANTERIOR	**TEXTO ACTUAL**

Artículo 148

Los instrumentos públicos deberán redactarse necesariamente en idioma español, empleando en ellos estilo claro, puro, preciso, sin frases ni término alguno oscuros ni ambiguos, y observando, de acuerdo con la Ley, como reglas imprescindibles, la verdad en el concepto, la propiedad en el lenguaje y la severidad en la forma.

Artículo 148

Los instrumentos públicos deberán redactarse empleando en ellos estilo claro, puro, preciso, sin frases ni término alguno oscuros ni ambiguos, y observando, de acuerdo con la Ley, como reglas imprescindibles, la verdad en el concepto, la propiedad en el lenguaje y la severidad en la forma.

Artículo 149

Cuando el documento se otorgue en territorio español en el que se hable lengua o dialecto peculiar del mismo y todos o alguno de los otorgantes sean naturales de aquel territorio sometidos a su derecho foral, el Notario, siempre que entienda suficientemente, declarándolo así, el idioma o dialecto de la región, a solicitud del interesado, redactará el instrumento público en idioma español y en la lengua o dialecto de que se trate, a doble columna, para que simultáneamente puedan leerse y apreciarse ambas redacciones, procurando que gráficamente se correspondan en cuanto sea posible, a cuyo efecto deberá tachar las líneas que por ello queden en blanco a

Artículo 149

Los instrumentos públicos se redactarán en el idioma oficial del lugar del otorgamiento que los otorgantes hayan convenido. En caso de discrepancia entre los otorgantes respecto de la utilización de una sola de las lenguas oficiales el instrumento público deberá redactarse en las lenguas oficiales existentes. Las copias se expedirán en el idioma oficial del lugar pedido por el solicitante.

TEXTO ANTERIOR	**TEXTO ACTUAL**

la terminación de la columna que resulte menor.

Artículo 150

Cuando se trate de extranjeros que no entiendan el idioma español, el Notario autorizará el instrumento público si conoce el de aquéllos, haciendo constar que les ha traducido verbalmente su contenido y que su voluntad queda reflejada fielmente en el instrumento público.

También podrá en este caso autorizar el documento a doble columna en ambos idiomas, en forma similar a la que se establece en el artículo anterior, si así lo solicitare el otorgante extranjero, que podrá hacer uso de este derecho aun en la hipótesis de que conozca perfectamente el idioma español.

Cuando los extranjeros no conozcan el idioma español y el Notario, a su vez, no entienda el de aquéllos, la autorización del instrumento público exigirá la asistencia de intérprete oficial, que hará las traducciones verbales o por escrito que sean necesarias, declarando bajo su responsabilidad en el instrumento público la

Artículo 150

Cuando se trate de extranjeros que no entiendan el idioma español, el Notario autorizará el instrumento público si conoce el de aquéllos, haciendo constar que les ha traducido verbalmente su contenido y que su voluntad queda reflejada fielmente en el instrumento público.

También podrá en este caso autorizar el documento a doble columna en ambos idiomas, si así lo solicitare el otorgante extranjero, que podrá hacer uso de este derecho aun en la hipótesis de que conozca perfectamente el idioma español. Podrá sustituirse la utilización de la doble columna por la incorporación de la traducción en idioma oficial al instrumento público.

Los notarios podrán intervenir pólizas redactadas en lengua o idioma extranjero a requerimiento de las partes, si todas ellas y el notario conocen dicho idioma. En estos casos, la diligencia de intervención y las restantes manifestaciones del notario se redactarán en el idioma oficial del lugar del otorgamiento.

TEXTO ANTERIOR

conformidad del original español con la traducción.

De acuerdo con lo que antecede, el Notario que conozca un idioma extranjero podrá traducir los documentos escritos en el mencionado idioma, que precise insertar o relacionar en el instrumento público.

Cuando en un instrumento público hubiere que insertar documento, párrafo, frase o palabra de otro idioma o dialecto, se extenderá inmediatamente su traducción o se explicará lo que el otorgante entienda por la frase, palabra o nombre exótico. Están fuera de esta prescripción las palabras latinas que tanto en el foro como en el lenguaje común son usuales y de conocida significación.

TEXTO ACTUAL

Cuando los otorgantes, o alguno de ellos, no conocieren suficientemente el idioma en que se haya redactado el instrumento público, y el Notario no pudiere por sí comunicar su contenido, se precisará la intervención, en calidad de intérprete, de una persona designada al efecto por el otorgante que no conozca el idioma, extremo que se expresará en la comparecencia y la autorización del documento, que hará las traducciones necesarias, declarando la conformidad del original con la traducción y que suscribirá, asimismo, el instrumento público.

De acuerdo con lo que antecede, el Notario que conozca un idioma extranjero podrá traducir los documentos escritos en el mencionado idioma, que precise insertar o relacionar en el instrumento público.

Cuando en un instrumento público hubiere que insertar documento, párrafo, frase o palabra de otro idioma o dialecto, se extenderá inmediatamente su traducción o se explicará lo que el otorgante entienda por la frase, palabra o nombre exótico. Están fuera de esta prescripción las palabras latinas que tanto en el foro como en el lenguaje común son usuales y de conocida significación.

TEXTO ANTERIOR	**TEXTO ACTUAL**

Artículo 151

Las abreviaturas y blancos de que trata el artículo 25 de la Ley no se refieren a las iniciales, abreviaturas y frases reconocidas comúnmente por tratamiento, títulos de honor, expresiones de cortesía, de respeto o de buena memoria, ni se reputarán blancos los espacios que resulten al final de una línea cuando la siguiente empiece formando cláusula distinta; pero en este último caso deberá cubrirse el blanco con una línea de tinta.

En los instrumentos públicos no podrán usarse guarismos en ningún caso y concepto sin que previamente hubieren sido puestos en letra. Exceptúanse aquellos que impliquen expresión de cantidades que no afecten al valor o precio del contrato, o que constituyan referencia numérica de las fechas y datos de otros documentos o notas de inscripción en los Registros o del pago del impuesto.

Artículo 151

Las abreviaturas y blancos de que trata el artículo 25 de la Ley no se refieren a las iniciales, abreviaturas y frases reconocidas comúnmente por tratamiento, títulos de honor, expresiones de cortesía, de respeto o de buena memoria, ni se reputarán blancos los espacios que resulten al final de una línea cuando la siguiente empiece formando cláusula distinta; pero en este último caso deberá cubrirse el blanco con una línea de tinta.

En los instrumentos públicos no podrán usarse guarismos en ningún caso y concepto sin que previamente hubieren sido puestos en letra. Exceptúanse aquellos que impliquen expresión de cantidades que no afecten al valor o precio del contrato, o que constituyan referencia numérica de las fechas y datos de otros documentos o notas de inscripción en los Registros o del pago del impuesto.

En las actas notariales y en las pólizas intervenidas podrán usarse guarismos para la expresión de cantidades y de fechas, si bien el notario, a su solo juicio, podrá ponerlos en letra incluso mediante diligencia extendida por sí, bajo su responsabilidad. En caso de discrepancia entre la expresión en

TEXTO ANTERIOR	TEXTO ACTUAL
	letra y en guarismos prevalecerá la expresión en letra.

Artículo 152

Los instrumentos públicos deberán extenderse con caracteres perfectamente legibles, pudiendo escribirse a mano, a máquina o por cualquier otro medio de reproducción, cuidando de que los tipos resulten marcados en el papel en forma indeleble.

En todo caso, los espacios en blanco deberán quedar cubiertos con escritura o, en su defecto, con una línea.

Las adiciones, apostillas, entrerrenglonaduras, raspaduras y testados existentes en un instrumento público se salvarán, al final de éste, antes de la firma de los que lo suscriban.

Los interlineados se podrán hacer, bien en el mismo texto, bien al final del instrumento haciendo en este último caso una llamada en el lugar que corresponda, y en cuanto afecten a las matrices deberán hacerse o salvarse siempre a mano, por el propio Notario.

La Dirección General de los Registros y del Notariado, por sí, o por medio de los Colegios Notariales, vigilará el cumplimiento

TEXTO ANTERIOR	**TEXTO ACTUAL**

de lo establecido en este precepto, practicando las visitas de inspección que estime oportunas y, en general, adoptando las medidas necesarias para uniformar la práctica y asegurar la buena conservación y legibilidad del texto.

Artículo 153

Los errores materiales, las omisiones y los defectos de forma padecidos en los documentos notariales inter vivos podrán ser subsanados por el Notario autorizante, su sustituto o sucesor en el protocolo, por propia iniciativa o a instancia de la parte que los hubiera originado o sufrido. Sólo el Notario autorizante podrá subsanar la falta de expresión en el documento de sus juicios de identidad o de capacidad o de otros aspectos de su propia actividad en la autorización.

Para realizar la subsanación se atenderá al contexto del documento autorizado y a los inmediatamente anteriores y siguientes, a las escrituras y otros documentos públicos que se tuvieron en cuenta para la autorización y a los que prueben fehacientemente hechos o actos consignados en el documento defectuoso. El Notario

TEXTO ANTERIOR	**TEXTO ACTUAL**

autorizante podrá tener en cuenta, además, los juicios por él formulados y los hechos por él percibidos en el acto del otorgamiento.

La subsanación podrá hacerse por diligencia en la propia escritura matriz o por medio de acta notarial en las que se hará constar el error, la omisión, o el defecto de forma, su causa y la declaración que lo subsane. La diligencia subsanatoria extendida antes de la expedición de ninguna copia no precisará ser trasladada en éstas, bastando transcribir la matriz conforme a su redacción rectificada. En caso de hacerse por acta se dejará constancia de ésta en la escritura subsanada en todo caso y en las copias anteriores que se exhiban al Notario.

Cuando sea imposible realizar la subsanación en la forma anteriormente prevista, ser requerirá para efectuaría el consentimiento de los otorgantes o una resolución judicial.

Artículo 154

Los instrumentos públicos se extenderán en el papel timbrado correspondiente, comenzando cada uno en hoja o pliego distinto, según se emplee una u otra clase

Artículo 154

Los instrumentos públicos, a excepción de las pólizas, se extenderán en el papel timbrado correspondiente, comenzando cada uno en hoja o pliego distinto, según se emplee una

TEXTO ANTERIOR	**TEXTO ACTUAL**

de papel y, en todo caso, en la primera plana de aquéllos. Al final del instrumento y antes de las firmas, expresará el Notario la numeración de todas las hojas o pliegos empleados.

u otra clase de papel y, en todo caso, en la primera plana de aquéllos. Al final del instrumento, expresará el notario la numeración de todas las hojas o pliegos empleados que deberá ser estrictamente correlativa, salvo que con carácter excepcional y por causa justificada que el notario expresará no pudiere hacerse así. Las firmas de los otorgantes deberán figurar a continuación del texto del acto o negocio jurídico que se autoriza o interviene, sin perjuicio de que cuando el número de otorgantes así lo exigiere se utilice uno o más folios adicionales, cuya numeración deberá ser igualmente relacionada por el notario.

Cuando por tratarse de provincia exceptuada del uso de papel sellado o cuando por alguna circunstancia excepcional se emplee papel común sin señal o numeración que lo identifique suficientemente, los otorgantes y testigos, en su caso, deberán firmar en todas las hojas o pliegos.

Cuando por tratarse de provincia exceptuada del uso de papel sellado o cuando por alguna circunstancia excepcional se emplee papel común sin señal o numeración que lo identifique suficientemente, los otorgantes y testigos, en su caso, deberán firmar en todas las hojas o pliegos.

No será necesaria la firma de otorgantes y testigos en las particiones y demás documentos que se protocolicen, aun cuando se hallen extendidos en papel común, debidamente reintegrado, si el instrumento público mediante el cual se protocolicen, lo está en papel timbrado o que reúna las condiciones expresadas.

No será necesaria la firma de otorgantes y testigos en las particiones y demás documentos que se protocolicen, aun cuando se hallen extendidos en papel común, debidamente reintegrado, si el instrumento público mediante el cual se protocolicen, lo está en papel timbrado o que reúna las condiciones expresadas.

Además deberán llevar numeración correlativa todas las hojas, incluso las en blanco, que constituyen el protocolo anual.

TEXTO ANTERIOR	**TEXTO ACTUAL**
	Además deberán llevar numeración correlativa todas las hojas, incluso las en blanco, que constituyen el protocolo anual.

Artículo 155

Las planas primera y tercera de cada pliego, en las escrituras y actas matrices, tendrán al lado izquierdo del que escribe un margen blanco de la cuarta parte de la anchura de la plana, y al lado derecho un pequeño margen para que no lleguen las letras al canto del papel.

Las planas segunda y cuarta tendrán también al lado izquierdo un margen de la cuarta parte del ancho del papel y al lado derecho el necesario para la encuadernación de los protocolos.

En ninguna plana los márgenes en blanco excederán del tercio de la anchura del papel.

El número de líneas deberá ser el de veinte en la plana del sello y veinticuatro en las demás, a base de quince sílabas por línea aproximadamente.

TEXTO ANTERIOR	**TEXTO ACTUAL**

SECCIÓN 2ª
De las escrituras matrices

**a) Comparecencia y
capacidad de los otorgantes**

Artículo 156	**Artículo 156**

La comparecencia de toda escritura indicará:

1º La población en que se otorga, y, si es fuera de ella, la aldea, caserío o paraje, con expresión del término municipal.

2º El día, mes y año, siendo facultativo agregar otros datos cronológicos, además de la hora, en los caso en que por disposición legal deba consignarse.

3º El nombre, apellidos, residencia y Colegio del Notario autorizante, con las oportunas indicaciones de sustitución, requerimiento especial exigido en ciertos casos y designación en turno oficial.

4º El nombre, apellidos, edad, estado civil, profesión, oficio y domicilio de los otorgantes, salvo si se tratare de funcionarios públicos que intervengan en el ejercicio de sus cargos, que bastará con la indicación de éste y el nombre y apellidos.

5º La indicación de los documentos personales de los compa-

La comparecencia de toda escritura indicará:

1.º El número de protocolo, la población en que se otorga, y, si es fuera de ella, la aldea, caserío o paraje, con expresión del término municipal. En caso de autorización fuera del despacho notarial se indicará el lugar de otorgamiento.

2.º El día, mes y año, siendo facultativo agregar otros datos cronológicos, además de la hora en los casos en que por disposición legal deba consignarse.

3.º El nombre, apellidos, residencia y Colegio del notario autorizante, con las oportunas indicaciones de sustitución, habilitación, requerimiento especial exigido en ciertos casos y designación en turno oficial.

4.º El nombre, apellidos, edad, estado civil y domicilio de los otorgantes, salvo si se tratare de funcionarios públicos que intervengan en el ejercicio de sus cargos, en cuyo caso bastará con la indicación de éste y el nombre y apellidos.

TEXTO ANTERIOR	**TEXTO ACTUAL**

recientes, si la ley lo exigiere o el Notario lo estimare oportuno.

6º Las mencionadas circunstancias respecto a las personas individuales o las que identifiquen a las sociales en cuya representación comparezca algún otorgante, si no constan de los documentos que se incorporen o testimonien, o si se ha operado en ellas alguna variación.

7º La fe de conocimiento por el Notario o medios sustitutivos utilizados, si no se estima conveniente consignarla al final.

8º La afirmación, a juicio del Notario, y no apoyada en el solo dicho de los otorgantes, de que éstos tienen la capacidad legal o civil necesaria para otorgar el acto o contrato a que la escritura se refiera.

9º La calificación de dicho acto o contrato con el nombre conocido que en derecho tenga, salvo que no lo tuviere especial.

Se expresará la vecindad civil de las partes cuando lo pidan los otorgantes o cuando afecte a la validez o eficacia del acto o contrato que se formaliza, así como en el supuesto del artículo 161.

En la comparecencia de los representantes podrá indicarse como domicilio el del representado o el de la sucursal, agencia o delegación que constituya su centro de trabajo, y en la comparecencia de profesionales colegiados, que intervengan por razón de su profesión, podrá indicarse como domicilio el de su despacho o estudio.

5.º La indicación de los documentos de identificación de los comparecientes, a salvo lo dispuesto en el artículo 163. Igualmente deberá hacerse constar el número de identificación fiscal cuando así lo disponga la normativa tributaria.

6.º Las mencionadas circunstancias respecto a las personas individuales o las que identifiquen a las sociales en cuya representación comparezca algún otorgante, si no constan de los documentos que se incorporen o testimonien, o si se ha operado en ellas alguna variación.

7.º La fe de conocimiento por el notario o medios sustitutivos utilizados, si no se estima conveniente consignarla al final.

8.º La afirmación de que los otorgantes, a juicio del notario,

TEXTO ANTERIOR	**TEXTO ACTUAL**

tienen la capacidad legal o civil necesaria para otorgar el acto o contrato a que la escritura se refiera, en la forma establecida en este Reglamento, así como, en su caso, el juicio expreso de suficiencia de las facultades de representación.

9.º La calificación de dicho acto o contrato con el nombre conocido que en derecho tenga, salvo que no lo tuviere especial.

10.º La profesión o cualquier otro dato personal, cuando lo solicite el otorgante, el Notario lo juzgue conveniente por resultar significativa su constancia para una adecuada identificación, o su inclusión sea exigida por leyes o reglamentos.

Artículo 157

La designación de los otorgantes o comparecientes se hará expresando su nombre y apellidos, pudiéndose consignar también los títulos, honores y dignidades que tuvieren, su edad, su estado civil, su profesión y su vecindad.

Cuando el otorgante fuere conocido con un segundo nombre unido al primero, se expresará también esta circunstancia. Si se conociere un solo apellido, se hará constar así, no siendo necesario

Artículo 157

Las circunstancias identificativas de los otorgantes o comparecientes se harán constar por lo que resulte de los documentos de identidad aportados y en su caso de sus manifestaciones.

Cuando el otorgante fuere conocido con un segundo nombre unido al primero, o con un nombre distinto, se expresará también esta circunstancia. Si se conociere un solo apellido, se hará constar así, no siendo necesario expresar el se-

TEXTO ANTERIOR	**TEXTO ACTUAL**
expresar el segundo cuando por los otros datos resultare perfectamente identificado. En caso de duda, podrá agregarse su filiación.	gundo cuando por los otros datos resultare perfectamente identificado. En caso de duda, podrá agregarse su filiación.

Artículo 158

La edad se expresará haciendo constar el número de años, cuando fuere indispensable para el acto o contrato. Si fuere mayor de edad, bastará consignar esta expresión. Cuando se trate de menores de edad emancipados o que por cualquier otro motivo intervengan en la escritura pública, se hará constar necesariamente su edad exacta, acreditándose esta circunstancia, si hubiere duda sobre ello, con la correspondiente certificación del Registro del estado civil.

Artículo 158

La edad de los menores se expresará por indicación de la fecha de nacimiento.

Tratándose de mayores de edad, bastará consignar esta expresión, salvo cuando la indicación del número de años de edad cumplidos fuere indispensable para el acto o contrato de que se trate, lo exija alguna disposición legal o reglamentaria, o el Notario lo juzgue conveniente.

Los datos relativos a la edad se harán constar por lo que figure en el documento de identificación del compareciente, del que resulte la representación, o tratándose de menores de edad por lo que resulte de las declaraciones de los comparecientes, acreditándose esta circunstancia, si hubiere duda sobre ello, con su documento de identificación, con certificación del Registro civil o con el Libro de Familia.

Artículo 159

Las circunstancias relativas al estado de cada compareciente se

Artículo 159

Las circunstancias relativas al estado de cada compareciente se

TEXTO ANTERIOR

expresarán diciendo si es soltero, casado, viudo o divorciado, siendo suficiente para los eclesiásticos la expresión de esta circunstancia y la Orden a que pertenezcan o su respectiva dignidad.

Si el otorgante fuere casado, viudo o divorciado, y el acto o contrato afectare a los derechos presentes o futuros de la sociedad conyugal, se harán constar el nombre y apellidos del cónyuge, diciendo también si está casado en primeras nupcias o en ulterior matrimonio, salvo que por ley o por pacto no exista entre los cónyuges sociedad de gananciales.

TEXTO ACTUAL

expresarán diciendo si es soltero, casado, separado judicialmente, viudo o divorciado.

También podrá hacerse constar a instancia de los interesados su situación de unión o separación de hecho.

Si el otorgante fuere casado, separado judicialmente o divorciado, y el acto o contrato afectase o pudiese afectar en el futuro a las consecuencias patrimoniales de su matrimonio actual, o en su caso, anterior, se hará constar el nombre y apellidos del cónyuge a quien afectase o pudiese afectar, así como el régimen económico matrimonial.

Las circunstancias a que se refiere este artículo se harán constar por el notario por lo que resulte de las manifestaciones de los comparecientes.

Se expresará, en todo caso, el régimen económico de los casados no separados judicialmente. Si fuere el legal bastará la declaración del otorgante. Si fuese el establecido en capitulaciones matrimoniales será suficiente, a todos los efectos legales, que se le acredite al notario su otorgamiento en forma auténtica. El notario identificará la escritura de capitulaciones y en su caso, su constancia registral, y testimoniará, brevemente, el régimen acreditado, salvo que fuere alguno de los regu-

TEXTO ANTERIOR	**TEXTO ACTUAL**
	lados en la ley, en que bastará con hacer constar cuál de ellos es.
	En las escrituras de capitulaciones matrimoniales el notario hará constar que las modificaciones del régimen económico matrimonial realizadas durante el matrimonio no perjudicarán en ningún caso los derechos ya adquiridos por terceros.

Artículo 160

Las circunstancias de profesión y vecindad se expresarán por lo que conste al Notario o resulte de las declaraciones de los otorgantes y de sus documentos de identidad.

Artículo 161

La nacionalidad o la regionalidad, cuando puedan influir en la determinación de la capacidad y otorguen fuera del territorio de su región, se hará constar necesariamente en la comparecencia.

Artículo 161

Respecto de españoles la nacionalidad y su identidad se acreditarán por el pasaporte o el documento nacional de identidad y la vecindad por el lugar de otorgamiento, salvo que manifieste el interesado otra cosa. Respecto de extranjeros residentes en territorio nacional, su nacionalidad e identidad se acreditará mediante pasaporte o permiso de residencia expedido por autoridad española. Por último, respecto de

TEXTO ANTERIOR	**TEXTO ACTUAL**
	extranjeros no residentes su nacionalidad e identidad se acreditará mediante pasaporte o mediante cualquier otro documento oficial expedido por autoridad competente de su país de origen que sirva a efectos de identificación, lo que se certificará en caso de duda por la autoridad consular correspondiente.
	En todo caso, el documento utilizado deberá contener fotografía y firma del otorgante.

Artículo 162

Los que tengan su vecindad en un punto y su residencia o domicilio en otro, deberán consignar expresamente uno de ellos para las notificaciones y diligencias a que pueda dar lugar el cumplimiento del contrato.

Artículo 162

Los que tengan su vecindad en un punto y su residencia o domicilio en otro deberán consignar expresamente uno de ellos para las notificaciones y diligencias a que pueda dar lugar el cumplimiento del negocio o acto documentado.

Artículo 163

La indicación de los documentos de identidad será obligatoria para la redacción de los instrumentos públicos cuando lo exija especialmente la ley. Se exceptúan los casos de testamentos y aquellos en los cuales no pueda diferirse, a juicio del Notario, la

Artículo 163

La indicación de los documentos de identidad será obligatoria para la redacción de las escrituras cuando lo exija expresamente la ley.

Se exceptúan los casos de testamentos y aquellos en los cuales no pueda diferirse, a juicio del notario, la autorización del instrumento.

TEXTO ANTERIOR	**TEXTO ACTUAL**
autorización del instrumento, sin perjuicio de que se presente el documento de identidad en el término de ocho días.	No será preciso aportar documentos de identidad cuando el compareciente manifieste carecer de ellos y la finalidad del documento otorgado sea exclusiva y precisamente la de hacer manifestaciones u otorgar poderes en relación con un expediente administrativo o judicial de asilo, acogida de refugiados, repatriación u otro similar, siempre que quede constancia de la huella digital y de fotografía del compareciente.
Tampoco se necesitará la presentación del documento de identidad cuando se trate de funcionarios públicos que intervengan por razón de su cargo.	Tampoco se necesitará la indicación del documento de identidad cuando se trate de funcionarios públicos que intervengan por razón de su cargo.

Artículo 164

La intervención de los otorgantes se expresara diciendo si lo hacen por su propio nombre o en representación de otro, reseñándose en este caso el documento del cual surge la representación, salvo cuando emane de la Ley, en cuyo caso se expresará esta circunstancia, y no siendo preciso que la representación legal se justifique si consta por notoriedad al autorizante.

La voluntaria habrá de justificarse siempre en el mismo acto del otorgamiento o, con la conformi-

Artículo 164

La intervención de las otorgantes se expresará diciendo si lo hacen por su propio nombre o en representación de otro, reseñándose en este caso los datos identificativos del documento del cual surge la representación, salvo cuando emane de la ley, en cuyo caso se expresará esta circunstancia, no siendo preciso que la representación legal se justifique si consta por notoriedad al autorizante.

Si el otorgante actúa en representación voluntaria de otra persona física o jurídica, el notario, antes de

TEXTO ANTERIOR	TEXTO ACTUAL

dad de los demás otorgantes, en un momento posterior, lo que se podrá hacer constar en la forma prevista en el párrafo 2º del artículo 176 de este Reglamento. En este caso, el Notario hará la oportuna advertencia a las partes, que se consignará expresamente en el instrumento.

También se hará constar el carácter con que intervienen los otorgantes que sólo comparezcan al efecto de completar la capacidad o de dar su autorización o consentimiento para el contrato.

la autorización del acto o negocio jurídico de que se trate consultará el Archivo de Revocación de Poderes o el que le sustituya del Consejo General del Notariado, a los efectos de comprobar que no consta la revocación salvo que, bajo su responsabilidad, no estime necesario realizar la consulta.

Si la representación no resultare suficientemente acreditada a juicio del notario autorizante y todos los comparecientes hicieren constar expresamente su solicitud de que se autorice el instrumento con tal salvedad, el notario reseñará dichos extremos y los medios necesarios para la perfección del juicio de suficiencia. En tal caso, cuando le sean debidamente acreditados, el notario autorizante o su sucesor en el protocolo así lo harán constar por diligencia, expresando en ella su juicio positivo de suficiencia de las facultades expresadas. En todas las copias que se expidan con anterioridad a dicha diligencia el notario hará constar claramente que la representación no ha quedado suficientemente acreditada.

También se hará constar el carácter con que intervienen los otorgantes que sólo comparezcan al efecto de completar la capacidad o de dar su autorización o consentimiento para el contrato.

TEXTO ANTERIOR	TEXTO ACTUAL

Artículo 165

Cuando alguno de los otorgantes concurra al acto en nombre de una Sociedad, establecimiento público, Corporación u otra persona social, se expresará esta circunstancia, designando, además de las relativas a la personalidad del representante, el nombre de dicha entidad y su domicilio, e indicando el título del cual resulte la expresada representación. El representante suscribirá el documento con su propia firma, sin que sea necesario que anteponga el nombre ni use la firma o razón social de la entidad que represente.

Artículo 165

Cuando alguno de los otorgantes concurra al acto en nombre de una Sociedad, establecimiento público, Corporación u otra persona social, se expresará esta circunstancia, designando, además de las relativas a la personalidad del representante, el nombre de dicha entidad y su domicilio, datos de inscripción y número de identificación fiscal en su caso, e indicando los datos del título del cual resulte la expresada representación. El representante suscribirá el documento con su propia firma, sin que sea necesario que anteponga el nombre ni use la firma o razón social de la entidad que represente.

Artículo 166

El Notario insertará en el cuerpo del a escritura en cuanto será posible, o incorporará a ella, originales o por testimonio, los documentos fehacientes que acrediten la representación.

Bastará con que de dichos documentos se inserte lo pertinente, aseverando el Notario que en otro de complemento de la matriz, figurase en protocolo legalmente

Artículo 166

En los casos en que así proceda, de conformidad con el artículo 164, el notario reseñará en el cuerpo de la escritura que autorice los datos identificativos del documento auténtico que se le haya aportado para acreditar la representación alegada y expresará obligatoriamente que, a su juicio, son suficientes las facultades representativas acreditadas para el acto o contrato a que el

TEXTO ANTERIOR	TEXTO ACTUAL

a cargo del Notario autorizante, bastará con que éste haga la oportuna referencia en aquélla para luego practicar la inserción en las copias.

El Notario podrá también reseñar en la matriz los documentos de los que resulte la representación, haciendo constar que se acompañarán a las copias que se expidan.

instrumento se refiera. La reseña por el notario de los datos identificativos del documento auténtico y su valoración de la suficiencia de las facultades representativas harán fe suficiente, por sí solas, de la representación acreditada, bajo la responsabilidad del notario. En consecuencia, el notario no deberá insertar ni transcribir, como medio de juicio de suficiencia o en sustitución de éste, facultad alguna del documento auténtico del que nace la representación.

En los supuestos en que el documento del que resulte la representación figure en protocolo legalmente a cargo del notario autorizante, la exhibición de la copia auténtica podrá quedar suplida por la constancia expresa de que el apoderado se halla facultado para obtener copia del mismo y que no consta nota de su revocación.

Deberán ser unidos a la matriz, original o por testimonio, los documentos complementarios de la representación cuando así lo exija la ley y podrán serlo aquéllos que el notario autorizante juzgue conveniente. En los casos de unión, incorporación o testimonio parcial, el notario dará fe de que en lo omitido no hay nada que restrinja ni, en forma alguna, modifique o condicione la parte transcrita.

TEXTO ANTERIOR	**TEXTO ACTUAL**

Artículo 167

El Notario, en vista de la naturaleza del acto o contrato y de las prescripciones del Derecho sustantivo en orden a la capacidad de las personas, hará constar que, a su juicio, los otorgantes, en el concepto con que intervienen, tienen capacidad civil suficiente para otorgar el acto o contrato de que se trate.

Artículo 168

Constituyen reglas especiales en orden a la comparecencia en las escrituras públicas las siguientes:

1.ª Cuando se trate de ausentes deberá comparecer en representación de los mismos la persona a quien corresponda de acuerdo con lo preceptuado en el Código Civil.

2.ª Los menores de edad podrán comparecer por sí mismos, esto es, por su propio derecho, cuando de acuerdo con los preceptos del Derecho Civil puedan realizar por sí solos el acto de que se trate o hayan de consentir el que verifique su representante legal, también podrán comparecer al efecto de ser oídos.

Artículo 168

Constituyen reglas especiales en orden a la comparecencia en las escrituras públicas las siguientes:

1.ª Cuando se trate de ausentes deberá comparecer en representación de los mismos la persona a quien corresponda de acuerdo con lo preceptuado en el Código Civil.

2.ª Los menores de edad podrán comparecer por sí mismos, esto es, por su propio derecho, cuando de acuerdo con los preceptos del Derecho Civil puedan realizar por sí solos el acto de que se trate o hayan de consentir el que verifique su representante legal, también podrán comparecer al efecto de ser oídos.

TEXTO ANTERIOR	**TEXTO ACTUAL**

3.ª Las autoridades y funcionarios públicos no precisarán presentar ante el Notario documentos que justifiquen su cargo cuando al Notario le conste por notoriedad.

De igual modo podrá éste hacer constar la intervención por parentesco o por otro motivo al efecto de completar la capacidad.

4.ª La capacidad legal de los extranjeros que otorguen documentos ante Notario español, si éste no la conociere, se acreditará por certificación del Cónsul general o, en su defecto, del representante diplomático de su país en España. Cuando se den los supuestos del número 8 del artículo 10 del Código Civil la capacidad de los extranjeros se calificará por el Notario con arreglo a la Ley española. Si en el Estado de que el extranjero otorgante fuese ciudadano no se usare más que el nombre y el primer apellido, el Notario se abstendrá de exigirle la declaración del segundo, aunque se trate de documentos inscribibles en el Registro de la Propiedad.

Cuando en la redacción de alguna escritura o acta el Notario tenga que calificar documentos otorgados en territorio extranjero, podrá exigir que se le acredite la

3.ª Las autoridades y funcionarios públicos no precisarán presentar ante el Notario documentos que justifiquen su cargo cuando al Notario le conste por notoriedad.

De igual modo podrá éste hacer constar la intervención por parentesco o por otro motivo al efecto de completar la capacidad.

4.ª La capacidad legal de los extranjeros que otorguen documentos ante Notario español, si éste no la conociere, se acreditará por certificación del Cónsul general o, en su defecto, del representante diplomático de su país en España. Cuando se den los supuestos del número 8 del artículo 10 del Código Civil la capacidad de los extranjeros se calificará por el Notario con arreglo a la Ley española. Si en el Estado de que el extranjero otorgante fuese ciudadano no se usare más que el nombre y el primer apellido, el Notario se abstendrá de exigirle la declaración del segundo, aunque se trate de documentos inscribibles en el Registro de la Propiedad.

Cuando en la redacción de alguna escritura el notario tenga que calificar la legalidad de documentos otorgados en territorio extranjero, podrá exigir a su satisfacción que se le acredite la capacidad legal de los otorgantes y la observancia de las formas y solemnidades establecidas en el país de que se trate. En otro

TEXTO ANTERIOR	**TEXTO ACTUAL**
capacidad legal de los otorgantes y la observancia de las formas y solemnidades establecidas en el país de que se trate mediante certificado del Cónsul español en dicho territorio.	caso, el notario deberá denegar su función conforme al artículo 145 de este Reglamento.

Artículo 169

Las personas casadas podrán intervenir por sí solas en todos los actos y contratos que con arreglo a derecho puedan realizar sin el consentimiento de su consorte, ya sean dichos actos de administración o de dominio.

Cuando se precisare dicho consentimiento y no se acreditare, el Notario podrá autorizar el documento siempre que, haciendo la oportuna advertencia a las partes, éstas insistieran en ello y prestaren su conformidad, todo lo cual se consignará expresamente.

En ningún caso autorizará el Notario el documento cuando el consentimiento del otro cónyuge se exija bajo sanción de nulidad.

Artículo 169

Cuando para la plena eficacia del acto o negocio jurídico que se pretenda formalizar, sea precisa la concurrencia del consentimiento del cónyuge o conviviente no intervinientes, el notario podrá autorizar el documento siempre que, haciendo la oportuna advertencia a las partes, éstas insistieren en ello y prestaren su conformidad, todo lo cual se consignará expresamente conforme al artículo 164.

TEXTO ANTERIOR	TEXTO ACTUAL

b) Exposición

Artículo 170

La descripción de los inmuebles en los documentos sujetos a registro se hará por el Notario, expresando con la mayor exactitud posible los requisitos y circunstancias imprescindibles o necesarios para realizar la inscripción.

Sólo a requerimiento de los otorgantes o en el caso de que la importancia o complejidad de la descripción de las fincas lo hicieren necesario, a juicio del Notario, se añadirán otros datos no sustanciales, como la expresión de la superficie en la medida del país, la determinación de los pisos de una finca urbana, los detalles de la construcción, la existencia de plantaciones, siembras y cultivos, y otros análogos no exigidos por la legislación hipotecaria para la inscripción de los inmuebles.

Artículo 170

En los documentos sujetos a registro, el notario hará la descripción de los bienes que constituyan su objeto expresando con la mayor exactitud posible aquellas circunstancias que sean imprescindibles para realizar la inscripción.

A requerimiento de los otorgantes o cuando el notario lo juzgue conveniente, podrá añadirse cualesquiera otras circunstancias descriptivas no exigidas por la legislación registral, que faciliten una mejor determinación del objeto del negocio jurídico formalizado.

Tratándose de bienes inmuebles, la descripción incluirá la referencia catastral que les corresponda, así como la certificación catastral descriptiva y gráfica, en los términos establecidos en la normativa catastral.

Artículo 171

En la descripción de los inmuebles, los Notarios procurarán rectificar los datos que estuvieren equivocados o que hubieren su-

Artículo 171

En la descripción de los inmuebles, los notarios rectificarán los datos equivocados de acuerdo con lo que resulte de la certificación

TEXTO ANTERIOR	**TEXTO ACTUAL**

frido variación por el transcurso del tiempo, aceptando las afirmaciones de los otorgantes o lo que resulte de los documentos facilitados por los mismos.

Al realizar la rectificación se consignarán con los datos nuevos los que aparezcan en el título para la debida identificación de la finca con los asientos del Registro; y en los documentos posteriores sólo será preciso consignar la descripción ya rectificada, rectificándola de nuevo si fuere preciso.

catastral descriptiva y gráfica que refleje su realidad material.

Al realizar la rectificación se consignarán con los datos nuevos los que aparezcan en el título para la debida identificación de la finca con los asientos del Registro; y en los documentos posteriores sólo será preciso consignar la descripción actualizada, rectificándola de nuevo si fuere preciso.

Artículo 172

Cuando en los actos o contratos sujetos a registro, los interesados no presenten los documentos de los que hayan de tomarse las circunstancias necesarias para su inscripción, el Notario los requerirá para que verbalmente las manifiesten, y si así no lo hicieren, lo autorizará salvando su responsabilidad con la correspondiente advertencia, excepto el caso de que la inscripción y, por lo tanto, las circunstancias para obtenerla, sea forzosa, según la naturaleza del contrato, para que éste tenga validez, en el cual caso se negará a autorizarla.

TEXTO ANTERIOR	TEXTO ACTUAL

La falsedad o inexactitud de las manifestaciones verbales de los interesados serán de la responsabilidad de los que las formulasen, y nunca del Notario autorizante.

Artículo 173

En todo caso el Notario cuidará de que el documento inscribible en el Registro de la Propiedad inmueble, intelectual, industrial, mercantil, de aguas o de cualquier otro que exista ahora o en lo sucesivo, se consignen todas las circunstancias necesarias para su inscripción, según la respectiva disposición aplicable a cada caso, cuidando además que tal circunstancia no se exprese con inexactitud que dé lugar a error o perjuicio para tercero.

Artículo 174

La relación de los títulos de adquisición del que transmita, modifique, grave o libere un inmueble o derecho real, se hará con arreglo a lo que resulte de los títulos presentados, y a falta de esta presentación, por lo que,

TEXTO ANTERIOR	**TEXTO ACTUAL**

bajo su responsabilidad, afirmen los interesados, consignándose, siempre que sea posible, los datos del Registro, folio, tomo, libro y número de la finca y de la inscripción.

En los títulos o documentos presentados o exhibidos al Notario con aquel objeto, y al margen de la descripción de la finca o fincas o derechos objeto del contrato, se pondrá nota expresiva de la transmisión o acto realizado, con la fecha y firma del Notario autorizante. Cuando fueren varios los bienes o derechos, se pondrá una sola nota al pie del documento.

Artículo 175

1. El Notario, antes de autorizar el otorgamiento de una escritura de adquisición de bienes inmuebles o de constitución de un derecho real sobre ellos, deberá solicitar del Registro de la Propiedad que corresponda la información adecuada, mediante un escrito con su sello que podrá remitirse por cualquier procedimiento, incluso telefax.

El otorgamiento de la escritura deberá realizarse dentro de los diez días naturales siguientes a

Artículo 175

1. A los efectos de informar debidamente a las partes acerca del acto o negocio jurídico, el notario, antes de autorizar el otorgamiento de una escritura de adquisición de bienes inmuebles o constitución de derecho real sobre ellos, deberá comprobar la titularidad y el estado de cargas de aquellos.

2. El conocimiento de la titularidad y estado de cargas del inmueble se efectuará por medios telemáticos en los términos previstos en la Ley Hipotecaria. Excepcionalmente, en

TEXTO ANTERIOR	**TEXTO ACTUAL**

la recepción por el Notario de la información registral.

2. El Notario no estará obligado a solicitar dicha información:

a) Cuando se trate de actos de liberalidad.

b) Cuando el transmitente del bien o constituyente del derecho sea una entidad de derecho público, cualesquiera que fueran su ámbito y naturaleza.

c) Cuando el adquirente del bien o beneficiario del derecho se declare satisfecho por la información resultante del título, de las afirmaciones del transmitente y por lo pactado entre ellos siempre que, además, haga constar la urgencia de la formalización del acto en la escritura que autorice y todo ello sin perjuicio de que el Notario podrá denegar su actuación si no considera suficientemente justificada la urgencia alegada o si alberga dudas sobre la exactitud de la información que posee el adquirente.

3. La solicitud de información, que podrá referirse a una o varias fincas, contendrá, además del nombre del Notario, su domicilio y número de telefax, la descripción de la finca o fincas con sus datos registrales y situación conocida de cargas, o bien solamente reseña identificadora en la que se haga constar su naturaleza, término

supuestos de imposibilidad técnica, podrá efectuarse mediante un escrito con su sello que podrá remitirse por cualquier procedimiento, incluso telefax, en cuyo caso se estará a lo dispuesto en el apartado cuarto de este artículo.

3. Sin perjuicio de que como medio de preparación para la redacción de la escritura se acceda a los Libros del Registro de la Propiedad, el notario deberá efectuarlo también en el momento inmediato más próximo a la autorización de la escritura pública bajo su responsabilidad. En cualquier caso, el acceso se realizará sin intermediación del registrador mediante el empleo de la firma electrónica reconocida del notario y en los términos previstos en el artículo 222.10 de la Ley Hipotecaria.

Dicho acceso sólo podrá efectuarse en el cumplimiento estricto de las funciones que la legislación vigente atribuye al notario.

El notario testimoniará e incorporará a la matriz el contenido del acceso telemático, indicando el día y la hora de éste.

4. Si se empleara telefax o cualquier otro medio escrito el otorgamiento de la escritura deberá realizarse dentro de los diez días naturales siguientes a la recepción por el notario de la información registral, si bien que en tal caso el

TEXTO ANTERIOR	**TEXTO ACTUAL**

municipal de su situación, extensión y linderos, con expresión, según los casos, del sitio o lugar en que se hallare si es rústica, nombre de la localidad, calle, plaza o barrio, el número, si lo tuviere, y el piso o local, si es urbana, y si fuesen conocidos, los datos registrales de ellas y los del titular registral o al menos los del transmitente.

4. La información podrá ser solicitada sin expresión de plazo o para un día determinado dentro de los quince naturales siguientes al de la petición.

notario advertirá a las partes de la posible existencia de discordancia entre la información registral y los Libros del Registro, al no producirse el acceso telemático a estos en el momento de la autorización.

La solicitud de información, que podrá referirse a una o varias fincas, contendrá, además del nombre del notario, su domicilio y número de telefax, la descripción de la finca o fincas con sus datos registrales y situación conocida de cargas, o bien solamente reseña identificadora en la que se haga constar su naturaleza, término municipal de su situación, extensión y linderos, con expresión, según los casos, del sitio o lugar en que se hallare si es rústica, nombre de la localidad, calle, plaza o barrio, el número, si lo tuviere, y el piso o local, si es urbana, y si fuesen conocidos, los datos registrales de ellas y los del titular registral o al menos los del transmitente.

La información podrá ser solicitada sin expresión de plazo o para un día determinado dentro de los quince naturales siguientes al de la petición.

5. Se exceptúan del deber a que se refiere los apartados anteriores, los siguientes supuestos:

a) Cuando se trate de actos de liberalidad.

b) Cuando el adquirente del bien o beneficiario del derecho se

TEXTO ANTERIOR	**TEXTO ACTUAL**
	declare satisfecho de la información resultante del título, de las afirmaciones del transmitente y por lo pactado entre ellos siempre que, además, haga constar la urgencia de la formalización del acto en la escritura que autorice y todo ello sin perjuicio de que el notario podrá denegar su actuación si no considera suficientemente justificada la urgencia alegada o si alberga dudas sobre la exactitud de la información que posee el adquirente.

c) Estipulación

Artículo 176

La parte contractual se redactará de acuerdo con la declaración de voluntad de los otorgantes o con los pactos o convenios entre las partes que intervengan en la escritura cuidando el Notario de reflejar con la debida claridad y separadamente los que se refieran a cada uno de los derechos creados, transmitidos, modificados o extinguidos, como asimismo el alcance de las facultades, determinaciones y obligaciones de cada uno de los otorgantes o terceros a quienes pueda afectar el documento, las reservas y limitaciones, las condi-

TEXTO ANTERIOR	**TEXTO ACTUAL**

ciones, modalidades, plazos y pactos o compromisos anteriores.

La aceptación de la oferta a que se refiere el artículo 1262 y de la estipulación a favor de tercero del artículo 1257, la ratificación del párrafo segundo del artículo 1259, todos del Código Civil y, en general, la adhesión a todo negocio jurídico, cuando en las escrituras matrices no aparezca la nota que las revoque o desvirtúe y la Ley no exigiere expresamente el requisito de la unidad de acto, podrán formalizarse mediante diligencia de adhesión en dichas matrices, autorizada dentro de los sesenta días naturales a contar desde la fecha de su otorgamiento, o en escritura independiente, sin sujeción a plazo.

Artículo 177

El precio o valor de los derechos se determinará en efectivo, con arreglo al sistema monetario oficial de España, pudiendo también expresarse las cantidades en moneda o valores extranjeros, pero reduciéndolos simultáneamente a moneda española. De igual modo, los valores públicos o industriales se estimarán en efecti-

Artículo 177

El precio o valor de los derechos se determinará en efectivo, con arreglo al sistema monetario oficial de España, pudiendo también expresarse las cantidades en moneda o valores extranjeros, pero reduciéndolos simultáneamente a moneda española. De igual modo, los valores públicos o industriales se estimarán en efectivo metálico,

TEXTO ANTERIOR	**TEXTO ACTUAL**
vo metálico, con arreglo a los tipos oficiales o contractuales.	con arreglo a los tipos oficiales o contractuales.

Los notarios deberán identificar en las escrituras relativas a actos o contratos por los que se constituyan, declaren, transmitan, graven, modifiquen o extingan a título oneroso el dominio y los demás derechos reales sobre bienes inmuebles el precio, haciendo constar si éste se recibió con anterioridad o en el momento del otorgamiento de la escritura, cuantía, así como el medio o medios de pago empleados y el importe de cada uno de ellos.

Respecto del momento del pago, el notario hará constar, si se produjo con anterioridad, la fecha o fechas en que se realizó y el medio de pago empleado en cada una de ellas.

Igualmente, si el otorgante se niega a identificar el medio de pago, en todo o en parte, el notario deberá hacer constar tal circunstancia en la escritura pública.

El notario deberá testimoniar en la escritura pública los cheques, instrumentos de giro o documentos justificativos de los medios de pago empleados, que se le exhiban por los otorgantes.

Si los otorgantes no pudieran acompañar, en todo o en parte del precio, los documentos acreditativos del medio de pago empleado, el notario deberá no sólo preguntar

TEXTO ANTERIOR	**TEXTO ACTUAL**
	las causas por las que no se aportan los documentos justificativos de pago, sino también las fechas y los medios de pago empleados, haciendo constar en la escritura, bajo la responsabilidad en los términos que procedan de los otorgantes, sus manifestaciones al respecto.
	Si el otorgante se negara a identificar en la escritura pública, en todo o en parte el medio de pago empleado, el notario le advertirá, haciéndolo constar en la escritura pública, que suministrará a la Administración Tributaria, de acuerdo con lo dispuesto en el artículo 17 de la Ley del Notariado y a través del Consejo General del Notariado, la información relativa a dicha escritura.

Artículo 178

Se hará constar al final o al margen de la escritura matriz, por medio de nota, que deberá ser transcrita en cuantas copias de cualquier clase sean libradas en lo sucesivo:

1º. La escritura o escrituras por las cuales se cancelen, rescindan, modifiquen, revoquen, anulen o queden sin efecto otras anteriores, de conformidad con lo

Artículo 178

Se hará constar al final o al margen de la escritura matriz, por medio de nota, que deberá ser transcrita en cuantas copias de cualquier clase sean libradas en lo sucesivo:

1.º La escritura o escrituras por las cuales se cancelen, rescindan, modifiquen, revoquen, anulen o queden sin efecto otras anteriores, de conformidad con lo dispuesto en el artículo 1.219 del Código Civil.

TEXTO ANTERIOR	**TEXTO ACTUAL**

dispuesto en el artículo 1219 del Código Civil.

2º. Las de cesión de derechos o subrogación de obligaciones.

3º. Las de adhesión a que se refiere el párrafo 2º. del artículo 176 anterior, cuando aquélla conste en escritura independiente.

4º. Los endosos que constan en la primera copia del instrumento público de actos o contratos no inscribibles en el Registro de la Propiedad.

El Notario que autorice alguna de las escrituras comprendidas en los tres primeros números anteriores lo comunicará por medio de oficio al Notario en cuyo poder se encuentre esta matriz, quien lo hará constar al margen por nota indicativa de la fecha de la segunda escritura y el nombre y residencia del Notario autorizante. La firma del Notario en el oficio deberá estar legalizada si ha de producir efecto en distinto Colegio. Si la primitiva matriz obrase en el mismo protocolo del Notario autorizante del último documento, él mismo pondrá la nota.

Cuando al Notario que custodie el protocolo en el que obre la escritura matriz objeto de cualquiera de las notas previstas en los números 1º al 4º de este artículo se le presente una copia auténtica de dicha escritura y se

2.º Las de cesión de derechos o subrogación de obligaciones.

3.º Las de adhesión a que se refiere el párrafo 2.º del artículo 176 anterior, cuando aquélla conste en escritura independiente.

4.º Los endosos que constan en la primera copia del instrumento público de actos o contratos no inscribibles en el Registro de la Propiedad.

El notario que autorice alguna de las escrituras comprendidas en los tres primeros números anteriores lo comunicará telemáticamente al notario en cuyo protocolo se hallen las matrices que contengan los negocios a que la nueva escritura afecte mediante el sistema de información Central del Consejo General del Notariado. El notario que reciba la comunicación lo hará constar al margen por nota indicativa de la fecha de la segunda escritura y el nombre y residencia del notario autorizante. Si la primitiva matriz obrase en el mismo protocolo del notario autorizante del último documento, él mismo pondrá la nota.

Cuando al notario que custodie el protocolo en el que obre la escritura matriz objeto de cualquiera de las notas previstas en los números primero al cuarto de este artículo se le presente una copia auténtica de dicha escritura y se le requiera para ello por persona interesada, se

TEXTO ANTERIOR	TEXTO ACTUAL

le requiera para ello por persona interesada, se transcribirá por él, al final de dicha copia, la nota correspondiente.

transcribirá por él, al final de dicha copia, la nota correspondiente.

Tratándose de una escritura de revocación de poder el notario autorizante de la revocación comunicará telemáticamente la misma mediante el sistema de información Central del Consejo General del Notariado al Archivo de Revocación de Poderes del Consejo General del Notariado. Dicha comunicación deberá efectuarse en el mismo día o hábil siguiente al de autorización de dicha escritura. Asimismo, el notario comunicará telemáticamente y a través del mismo sistema de información al Consejo General y para dicho Archivo cualquier supuesto de extinción de poderes que le conste fehacientemente.

Artículo 179

Los Notarios que autoricen o eleven a escritura pública testamentos en los cuales conste alguna disposición de carácter benéfico o benéfico-docente, que tenga por objeto la enseñanza, educación e instrucción, el incremento de las Ciencias, Letras y Artes, remitirán a la Junta de Beneficencia de la provincia a que pertenezcan y a la Dirección

Artículo 179

Los notarios que autoricen o eleven a escritura pública testamentos en los cuales conste alguna disposición de carácter benéfico o benéfico-docente, o que tenga por objeto fines de interés general, como los de asistencia social, cívicos, educativos, culturales, científicos, deportivos, sanitarios, de cooperación para el desarrollo, de defensa del medio ambiente o

TEXTO ANTERIOR	TEXTO ACTUAL

General del Ramo, en el primer caso, y al Ministerio de Educación Nacional en los demás, una copia simple de la cláusula o cláusulas testamentarias correspondientes, tan luego como llegue a su conocimiento el fallecimiento del testador.

De igual modo los Notarios que autoricen o eleven a escritura pública particiones o manifestaciones de herencia fundadas en testamentos que contengan alguna disposición de las expresadas en el párrafo anterior, notificarán mediante acta, al Ministerio de la Gobernación o al de Educación Nacional, según los casos, el texto íntegro del testamento, con cargo a la herencia; siendo responsables, si no lo hicieren, de los perjuicios que puedan ocasionar con su negligencia. No se admitirán en ningún Registro u oficina dichas particiones si no aparecen otorgadas precisamente en escritura pública, y en ésta no consta el cumplimiento de lo dispuesto anteriormente.

de fomento de la economía o de la investigación, de promoción del voluntariado, o cualesquiera otros de naturaleza análoga, remitirán a los órganos administrativos competentes que ejerzan el protectorado sobre las fundaciones creadas para el cumplimiento de dichos fines, una copia simple de la cláusula o cláusulas testamentarias correspondientes, tan luego como llegue a su conocimiento el fallecimiento del testador.

De igual modo los notarios que autoricen o eleven a escritura pública particiones o manifestaciones de herencia fundadas en testamentos que contengan alguna disposición de las expresadas en el párrafo anterior, notificarán mediante acta, a los órganos administrativos competentes a que se refiere el apartado anterior, el texto íntegro del testamento, con cargo a la herencia, siendo responsables, si no lo hicieren, de los perjuicios que puedan ocasionar con su negligencia. No se admitirán en ningún Registro u oficina dichas particiones si no aparecen otorgadas precisamente en escritura pública, y en ésta no consta el cumplimiento de lo dispuesto anteriormente.

TEXTO ANTERIOR	**TEXTO ACTUAL**

d) Testigos

Artículo 180

En la autorización de las escrituras públicas no será necesaria la intervención de testigos instrumentales, salvo que la reclamen el Notario autorizante o cualquiera de las partes, o cuando alguno de los otorgantes no sepa o no pueda leer ni escribir. Esta disposición se aplicará a los protestos sin perjuicio de las normas que sobre esta materia se dicten en lo sucesivo. Se exceptúan de esta disposición los testamentos, que se regirán por lo establecido en la legislación civil.

Son testigos instrumentales los que presencien el acto de lectura, consentimiento, firma y autorización de una escritura pública.

Los testigos instrumentales pueden ser a la vez, incluso en los testamentos, testigos de conocimiento.

No será necesario en los testamentos que los testigos tengan vecindad o domicilio en el lugar del otorgamiento cuando aseguren que conocen al testador, y el Notario conozca a éste y a aquéllos.

TEXTO ANTERIOR	**TEXTO ACTUAL**

Artículo 181

Para ser testigo instrumental en los documentos intervivos se requiere ser español, hombre o mujer, mayor de edad o emancipado o habilitado legalmente y no estar comprendido en los casos de incapacidad que establece el artículo siguiente.

Las personas sujetas a régimen foral podrán ser testigos, si son mayores de edad, por su legislación.

También podrán ser testigos los extranjeros domiciliados en España que comprendan y hablen suficientemente el idioma español.

Artículo 182

Son incapaces o inhábiles para intervenir como testigos en la escritura:

1º Los locos o dementes, los ciegos, los sordos y los mudos.

2º Los parientes del Notario autorizante, dentro del cuarto grado de consanguinidad o segundo de afinidad.

3º Los escribientes o amanuenses, dependientes o criados del Notario que presten sus servicios

Artículo 182

Son incapaces o inhábiles para intervenir como testigos en la escritura:

1.º Las personas con discapacidad psíquica, los invidentes, los sordos y los mudos.

2.º El cónyuge o persona con análoga relación de afectividad y los parientes dentro del cuarto grado de consanguinidad o segundo de afinidad, del Notario autorizante o del Notario autorizado para actuar

TEXTO ANTERIOR	**TEXTO ACTUAL**
mediante un salario o retribución y vivan en su compañía.	en su mismo despacho de conformidad con el artículo 42 de este Reglamento.
4º Los parientes de los otorgantes, dentro del cuarto grado de consanguinidad o segundo de afinidad.	3.º Los empleados del notario autorizante o del autorizado para actuar en su mismo despacho de conformidad con el artículo 42 de este Reglamento.
5º Los que hayan sido condenados por delitos de falsificación de documentos públicos o privados o por falso testimonio y los que estén sufriendo pena de interdicción civil.	4.º Los cónyuges y los parientes de los otorgantes, dentro del cuarto grado de consanguinidad o segundo de afinidad.
	5.º Los que hayan sido condenados por falsedad en documento público o mercantil o por falso testimonio.

Artículo 183

Los testigos instrumentales serán designados por los otorgantes o, si éstos no lo hiciesen, por el Notario; pero tanto éste, en el primer caso, como aquéllos, en el segundo, podrán oponerse a que lo sean por mandato judicial o por disposiciones especiales se establezca lo contrario.

No obstante, cuando el otorgante fuese ciego o sordo, deberá designar por lo menos unos de los testigos.

Artículo 183

Los testigos instrumentales serán designados por los otorgantes o, si éstos no lo hiciesen, por el notario; pero tanto éste, en el primer caso, como aquéllos, en el segundo, podrán oponerse a que lo sean determinadas personas, salvo los casos en que por mandato judicial o por disposiciones especiales se establezca lo contrario.

TEXTO ANTERIOR	**TEXTO ACTUAL**

Artículo 184

Los testigos llamados de conocimiento sólo tienen como misión identificar a los otorgantes a quienes no conozca directamente el Notario, y sólo les afectan las incapacidades a que se refieren los números 1 y 5 del artículo 182.

Los testigos de conocimiento sólo podrán ser a la vez instrumentales cuando reúnan los requisitos de capacidad antes expresados.

Artículo 185

Cuando los testigos instrumentales conozcan al otorgante u otorgantes que no conociese el Notario, podrán, a la vez, ser testigos de conocimiento, en cuyo caso uno, cuando menos, deberá saber firmar y firmará. El Notario deberá dar fe de que conoce a los testigos de conocimiento.

Artículo 186

Por regla general, todos los testigos deberán firmar el instrumento. Si alguno de los testigos instrumentales no supiere o no *pudiere, firmará el otro por sí y a nombre del que por tal causa no lo hiciese; y si, por último, ninguno de estos testigos supiere o pudiere firmar, bastará la firma de los otorgantes y la autorización del Notario, expresando éste que los testigos no firman por no poder o no saber hacerlo.*

Cuando concurriesen, además, testigos de conocimiento, con arreglo al artículo 23 de la Ley, uno cuando menos deberá saber firmar, y firmará por sí y por el que no sepa, expresándose en ambos casos las circunstancias que prescribe el artículo 24 de la Ley respecto de los testigos.

En ningún caso será preciso que el testigo que firme escriba de propio puño la antefirma; la cualidad con que lo haga la expresará claramente el Notario en el instrumento mismo.

e) Fe de conocimiento

Artículo 187

La identidad de las personas podrá constar al Notario directamente o acreditarse por cualquiera de los medios supletorios previstos en el artículo 23 de la Ley.

TEXTO ANTERIOR	**TEXTO ACTUAL**

Cuando la identificación se haga con referencia a carnets o documentos de identidad con fotografía, pero sin firma, en los que conste la huella digital, el Notario exigirá que ésta se imponga en el instrumento.

La fe de conocimiento afecta a la identidad del otorgante, pero no garantiza sus circunstancias de edad, profesión o vecindad, que consignará el Notario por lo que resulte de la declaración del propio interesado o por referencia de sus documentos de identidad, sin perjuicio de que, en caso de duda, pueda exigir las certificaciones del Registro del estado civil y cuantos documentos estime necesarios o convenientes.

Artículo 188

No es preciso que el Notario dé fe en cada cláusula de las estipulaciones o circunstancias que, según las leyes, necesiten este requisito. Bastará que consigne al final de la escritura la siguiente o parecida fórmula: Y yo, el Notario, doy fe de conocer a los otorgantes (o a los testigos de conocimiento, en su caso, etcétera) y de todo lo contenido en este instrumento pú-

TEXTO ANTERIOR	**TEXTO ACTUAL**

blico. Con ésta o parecida fórmula final se entenderá dada fe en el instrumento de todas las cláusulas, condiciones, estipulaciones y demás circunstancias que exijan este requisito según las leyes.

Artículo 189

Para los efectos del artículo anterior, bastará que el Notario dé fe de todo lo contenido en el documento para entender que la da expresa del conocimiento de los otorgantes cuando en el curso del documento haya asegurado que los conoce.

Si no hubiera dado fe del conocimiento de los otorgantes en las formas prevenidas, podrá, no tratándose de testamentos, subsanar la falta por medio de acta, en la que el mismo Notario que autorizó la escritura dé fe de que los conocía al tiempo de su otorgamiento.

Artículo 190

En los casos del párrafo tercero del artículo 23 de la Ley, cuando a un Notario le sea imposible dar fe de conocimiento de

TEXTO ANTERIOR	**TEXTO ACTUAL**

los otorgantes por no conocerlos, ni puedan éstos presentar testigos de conocimiento, lo expresará así en la escritura, y en ella reseñará los documentos que le presenten para identificar su persona.

Tendrán entre éstos preferencia los carnets y demás documentos de identidad que estén expedidos por el Estado.

También podrá el Notario pedir la fotografía del interesado, incorporándola al protocolo.

Artículo 191

Siempre que el Notario no conozca a cualquiera de los otorgantes y cuando, aun conociéndolos, éstos no sepan o no puedan firmar, podrá exigir que pongan en el documento la impresión digital, preferentemente de uno o de los dos índices, antes de la firma de los testigos, haciendo constar el Notario en el mismo documento las circunstancias del caso.

Artículo 192

No será necesario que el Notario dé fe de conocimiento de las

TEXTO ANTERIOR	**TEXTO ACTUAL**

personas con quienes efectúe los protestos de letras de cambio, ni, en general, de aquellas a quienes haga alguna notificación o requerimiento, salvo los casos en que la naturaleza de la notificación o requerimiento exijan la identificación del notificado o requerido.

f) Otorgamiento y autorización

Artículo 193

Los Notarios darán fe de haber leído a las partes y a los testigos instrumentales la escritura íntegra o de haberles permitido que la lean, a su elección, antes de que la firmen, y a los de conocimiento lo que a ellos se refiera, y de haber advertido a unos y a otros que tienen el derecho de leerla por sí.

Después de la lectura, los otorgantes deberán constar su consentimiento al contenido de la escritura.

Si alguno de los otorgantes fuese completamente sordo, deberá leerla por sí; si fuese ciego, será suficiente que preste su conformidad a la lectura hecha por el Notario.

Artículo 193

Los notarios darán fe de haber leído a las partes y a los testigos instrumentales la escritura íntegra o de haberles permitido qu la lean, a su elección, antes de que la firmen, y a los de conocimiento lo que a ellos se refiera, y de haber advertido a unos y a otros que tienen el derecho de leerla por sí.

A los efectos del artículo 25 de la Ley del Notariado, y con independencia del procedimiento de lectura, se entenderá que ésta es íntegra cuando el notario hubiera comunicado el contenido del instrumento con la extensión necesaria para el cabal conocimiento de su alcance y efectos, atendidas las circunstancias de los comparecientes.

TEXTO ANTERIOR	**TEXTO ACTUAL**
	Igualmente darán fe de que después de la lectura los comparecientes han hecho constar haber quedado debidamente informados del contenido del instrumento y haber prestado a éste su libre consentimiento.
	Si alguno de los otorgantes fuese completamente sordo o sordomudo, deberá leerla por sí; si no pudiere o supiere hacerlo será precisa la intervención de un intérprete designado al efecto por el otorgante conocedor del lenguaje de signos, cuya identidad deberá consignar el notario y que suscribirá, asimismo, el documento; si fuese ciego, será suficiente que preste su conformidad a la lectura hecha por el notario.

Artículo 194

Los Notarios harán de palabra, en el acto del otorgamiento de los instrumentos que autoricen, las reservas y advertencias legales establecidas en los Códigos Civil y de Comercio, Ley Hipotecaria y su Reglamento y en otras leyes especiales, haciéndolo constar en esta o parecida forma: Se hicieron a los comparecientes las reservas y advertencias legales.

Esto no obstante, se consignarán en el documento aquellas

TEXTO ANTERIOR	**TEXTO ACTUAL**

advertencias que requieran una contestación inmediata de uno de los comparecientes y aquellas otras en que por su importancia deban, a juicio del Notario, detallarse expresamente, bien para mayor y más permanente instrucción de las partes, bien para salvaguardia de la responsabilidad del propio Notario.

Artículo 195

Se firmarán las escrituras matrices con arreglo al párrafo segundo del artículo 17 de la ley, y con la presencia del número de testigos que señala para actos intervivos el artículo 20 de la misma, en los casos en que conforme al artículo 180 sea necesaria su intervención, y salvo que por leyes especiales se exija otro número; pero si los otorgantes o alguno de ellos no supiese o no pudiere firmar, lo expresará así el Notario y firmará por el que no lo haga la persona que él designe para ello o un testigo, sin necesidad de que escriba en la antefirma que lo hace por sí y como testigo, o por el otorgante u otorgantes que no sepan o no puedan verificarlo, siendo el Notario quien cuidará

Artículo 195

Se firmarán las escrituras matrices con arreglo al párrafo segundo del artículo 17 de la Ley, pero si los otorgantes o alguno de ellos no supiese o no pudiere firmar, lo expresará así el notario y firmará por el que no lo haga la persona que él designe para ello o un testigo, sin necesidad de que escriba en la antefirma que lo hace por sí y como testigo, o por el otorgante u otorgantes que no sepan o no puedan verificarlo, siendo el notario quien cuidará de expresar estos conceptos en el mismo instrumento.

Los que suscriban un instrumento público, en cualquier concepto, lo harán firmando en la forma que habitualmente empleen.

El notario, a continuación de las firmas de otorgantes y testigos,

TEXTO ANTERIOR	TEXTO ACTUAL

de expresar estos conceptos en el mismo instrumento.

autorizará la escritura y en general los instrumentos públicos, signando, firmando y rubricando. Deberá estampar al lado del signo el sello oficial de su Notaría.

A ningún notario se concederá autorización ni para signar, ni firmar con estampilla.

Artículo 196

Los que suscriban un instrumento público, en cualquier concepto, lo harán firmando en la forma que habitualmente empleen.

El Notario, a continuación de las firmas de otorgantes y testigos, autorizará la escritura y en general los instrumentos públicos, signando, firmando y rubricando. Deberá estampar al lado del signo el sello oficial de su Notaría.

A ningún Notario se concederá autorización para signar ni firmar con estampilla.

Artículo 196

Salvo indicación expresa en contrario de los interesados, los documentos susceptibles de inscripción en los Registros de la Propiedad, Mercantiles o de Bienes muebles podrán ser presentados en éstos por vía telemática y con firma electrónica reconocida del notario autorizante, interviniente o responsable del protocolo. El notario deberá inexcusablemente remitir tal documento a través del Sistema de Información central del Consejo General del Notariado debidamente conectado con el Sistema de Información corporativo del Colegio de Registradores de la Propiedad y Mercantiles de España.

El notario deberá dejar constancia de ello en la matriz así como, en su caso, de la correspondiente comunicación del registro destinatario.

TEXTO ANTERIOR	TEXTO ACTUAL
	Esta regla será de aplicación respecto de los documentos susceptibles de inscripción en otros Registros Públicos con efectos jurídicos cuando sus Sistemas de Información estén debidamente conectados con el del Consejo General del Notariado.

SECCIÓN 3ª
Actas notariales

SECCIÓN 3ª
De las pólizas

Artículo 197

Podrán ser intervenidas las pólizas que documenten los actos y contratos a que se refiere el artículo 144 de este Reglamento, y reúnan los requisitos y consignen las circunstancias legalmente exigidas, en general o para el contrato que contengan.

El notario sólo intervendrá el original de la póliza que conservará en el Libro Registro de Operaciones y, en su caso, en el protocolo ordinario. Se prohibe que el notario se desprenda del original de la póliza, salvo los supuestos legalmente previstos.

Salvo en los casos de sustitución reglamentaria, respecto de la intervención del mismo supuesto negocial ante distintos notarios,

TEXTO ANTERIOR	**TEXTO ACTUAL**
	podrá utilizarse el sistema de póliza desdoblada consistente en extender tantas pólizas completas como notarios competentes existan. Cada notario conservará la póliza que haya intervenido en su Libro Registro y, en su caso, en el protocolo ordinario.

La póliza para ser intervenida deberá expresar, al menos, los siguientes extremos:

a) El lugar y fecha de la misma, salvo que tales circunstancias figuren ya en el texto de la póliza.

b) El nombre, apellidos, residencia y Colegio del notario autorizante, con las oportunas indicaciones de sustitución, habilitación, requerimiento especial exigido en ciertos casos y designación en turno oficial, así como el nombre y apellidos del notario a quien, en su caso, sustituya y a cuyo Libro-Registro o protocolo se incorporará la póliza intervenida.

c) El nombre y apellidos o la denominación de los contratantes o intervinientes, y su domicilio, y cuantos otros datos exija la ley en orden a la identificación de aquellos. En el supuesto de representación o de apoderamiento se indicará el nombre y apellidos de las personas físicas intervinientes. La reseña identificativa del documento auténtico que se haya aportado

TEXTO ANTERIOR	**TEXTO ACTUAL**

para acreditar la representación y el juicio de suficiencia de las facultades representativas, en su caso, regulado por el artículo 166 de este Reglamento. El notario podrá hacer constar cuantos otros datos considere oportunos.

d) La calificación del acto o contrato con el nombre conocido que tenga en derecho o le atribuyan los usos mercantiles, salvo que no tuviera denominación especial.

e) El contenido del acto o negocio jurídico de que se trate según las manifestaciones y acuerdos de los otorgantes.

f) La conformidad y aprobación de los otorgantes al contenido de la póliza tal como aparece redactada, y sus firmas. Los otorgantes suscribirán la póliza con su propia firma, sin que sea necesario que el representante anteponga el nombre, ni use la firma o razón social de la entidad que represente. Tampoco será necesario que firme más de una vez el otorgante que intervenga en la póliza en varios conceptos.

g) Si constare de varias hojas, y también salvo que tales circunstancias figuren ya en el texto de la póliza, el número total de hojas, incluidos los anexos, que componen el texto contractual, incluyendo los documentos unidos, en su caso, que numerará, rubricará y sellará.

TEXTO ANTERIOR	**TEXTO ACTUAL**
	En lo relativo a la consulta al Archivo de Revocación de Poderes se estará a lo dispuesto en el artículo 164 del presente Reglamento.

En lo relativo a la consulta al Archivo de Revocación de Poderes se estará a lo dispuesto en el artículo 164 del presente Reglamento.

Si la póliza presentada al notario para su intervención no consignara alguno de los requisitos cuya constancia en la misma sea exigida por la Ley o por este Reglamento, los hará constar el notario antes de la diligencia de intervención.

Las pólizas deberán extenderse con caracteres perfectamente legibles de manera que los tipos resulten marcados en el papel de forma indeleble. A los efectos de los márgenes de los lados izquierdo y derecho, necesarios para su encuadernación y posterior reproducción, serán aplicables a las mismas las normas contenidas en los tres primeros párrafos del artículo 155 de este Reglamento. Igualmente deberá dejarse un espacio en blanco de, al menos, 10 centímetros al principio de la primera hoja de la póliza a los efectos de escribir en el mismo las determinaciones que sean procedentes y, especialmente y de manera visible, el número del asiento.

El notario podrá redactar las circunstancias relativas al otorgamiento de la póliza por las partes y a la intervención notarial.

La intervención de la póliza se verificará por diligencia, mediante

TEXTO ANTERIOR	TEXTO ACTUAL
	la fórmula "Con mi intervención", que el notario autorizará con su signo, firma, rúbrica, estampando su sello. Dicha diligencia podrá incorporar de modo sucinto los extremos previstos en las letras a) a g) precedentes.

El notario, podrá anexar a la póliza folios de uso exclusivo notarial de papel de uso exclusivo para documentos notariales, identificándose en los mismos la póliza a la que se anexan.

Si la póliza constase de varias hojas bastará con que los otorgantes firmen al final del texto contractual. El notario deberá expresar en la diligencia de intervención el número total de hojas que componen el texto contractual y en su caso los documentos unidos, debiendo numerar todas ellas, que el notario rubricará y sellará.

Sin perjuicio de lo dispuesto en los artículos 272 y 283 de este Reglamento, la póliza se incorporará al protocolo o al libro registro indicando en la cabecera de la misma el número de protocolo o de libro registro. También se podrá incorporar mediante diligencia extendida en folio anexado donde constará el número de protocolo o de libro registro y además incluirá una exposición sucinta de la póliza que se incorpora al mismo.

TEXTO ANTERIOR	TEXTO ACTUAL

Intervenida e incorporada la póliza al protocolo o al libro registro de operaciones, el notario podrá expedir traslados de la misma con solos efectos informativos, con sujeción a lo dispuesto en el artículo 224 de este Reglamento respecto de las copias simples.

Artículo 197 bis

Las pólizas objeto de intervención deberán suscribirse en presencia del notario.

No obstante, en los contratos realizados por representantes de entidades financieras, en lo que atañe exclusivamente a los otorgamientos por dichas entidades de operaciones propias de su tráfico ordinario referidas en el párrafo tercero del artículo 144 de este Reglamento, bastará con que el notario, si no concurren personalmente, se asegure, previamente a la intervención, de la legitimidad de las firmas, y de la suficiencia de los poderes de tales representantes, dejando constancia en la póliza de estas circunstancias.

Mientras no se haga constar otra cosa, se entenderá que la firma ha sido puesta en presencia del

TEXTO ANTERIOR	**TEXTO ACTUAL**
	notario, en el mismo lugar y en la misma fecha de la intervención.

Artículo 197 ter

En las pólizas objeto de intervención no se requerirá la concurrencia simultánea ante el notario de los distintos otorgantes, pudiendo, tener lugar en momentos diferentes, salvo que una disposición legal o reglamentaria, o el notario o cualquiera de los interesados la exija.

En el caso de otorgamientos sucesivos, en cada uno de ellos el notario bajo la rúbrica "con mi intervención" indicará el nombre del otorgante, fecha del otorgamiento y cualquier otra circunstancia que considere necesario y signará, firmará y sellará. La incorporación al protocolo o al libro registro se produce con la primera intervención del notario.

Entre la fecha del primer otorgamiento y la del último, no podrá mediar nunca un plazo superior a dos meses. Transcurrido dicho plazo sin concurrir las circunstancias precisas para formalizar e intervenir la operación, no podrá el notario intervenirla, debiendo en su caso,

TEXTO ANTERIOR	**TEXTO ACTUAL**

volverse a otorgar y firmar por los interesados un nuevo documento.

Artículo 197 quater

Como consecuencia del artículo 17 bis de la Ley del Notariado, la expresión "Con mi intervención" implica el control de legalidad por el notario y, en particular:

a) La identificación por el notario de los contratantes por sus documentos de identidad reseñados, salvo que se consigne otro medio de identificación de los establecidos en el artículo 23 de la Ley del Notariado.

b) La reseña de las circunstancias de los otorgantes conforme a lo prevenido en el artículo 197 bis, párrafo segundo, de este Reglamento.

c) El juicio de capacidad de los otorgantes para el acto o contrato intervenido y, en su caso, que los poderes relacionados son suficientes para el acto o contrato intervenido. Será de aplicación lo previsto en el segundo párrafo del artículo 164 de este Reglamento.

d) Que la calificación del acto o contrato es la que figura en el mismo, con el nombre conocido que tenga en derecho o le atribuyan

TEXTO ANTERIOR	TEXTO ACTUAL
	los usos mercantiles, salvo que no tuviera denominación especial.

(columna derecha)

los usos mercantiles, salvo que no tuviera denominación especial.

e) Que el contenido del negocio jurídico de que se trate se realiza de acuerdo con las declaraciones de voluntad de los intervinientes.

f) Haber hecho a los otorgantes las reservas y advertencias legales en la forma exigida por las leyes o por este Reglamento. No obstante el notario podrá incluir las reservas y advertencias legales que juzgue oportunas.

g) La conformidad y aprobación del contenido de la póliza tal como aparece redactada, por los otorgantes, y de haber estampado los mismos o los testigos instrumentales, en su caso, la firma ante el notario, o juicio de legitimidad de la misma tratándose de representantes de entidades financieras, cuando legalmente se halle permitido.

Si fuera requerida la actuación de un notario y éste se negara motivadamente a intervenir, los interesados si consideran injustificada la negativa, podrán ponerlo en conocimiento de la Dirección General de los Registros y del Notariado, la cual, oído el notario, resolverá en el plazo de quince días. La resolución será susceptible de recurso de alzada ante el Ministro de Justicia.

TEXTO ANTERIOR	**TEXTO ACTUAL**

Artículo 197 quinquies

Serán aplicables a las pólizas intervenidas las disposiciones de la Sección 1.ª y 2.ª anteriores sobre el instrumento público, a salvo lo establecido en el artículo 152, párrafo segundo de este Reglamento y las especialidades contenidas en esta Sección y las derivadas de su respectiva naturaleza.

Se faculta a la Dirección General de los Registros y del Notariado para que, mediante Instrucción, pueda establecer o modificar las determinaciones físicas que en cuanto a papel, numeración o forma de redacción, confección y configuración formal, deban tener las pólizas a los efectos del mejor funcionamiento de protocolos y Libros-Registros o para la expedición de copias, testimonios o traslados de las mismas con solos efectos informativos.

Artículo 197 sexies

Los notarios podrán intervenir o autorizar las distintas declaraciones cambiarias, asegurándose de la identidad, capacidad y declaración de voluntad de los otorgantes, así como de sus facultades si actuasen en

TEXTO ANTERIOR

TEXTO ACTUAL

representación de otras personas, y velarán por que se extiendan, en su caso, en el modelo oficial y con el timbre correspondiente.

La diligencia de intervención será del siguiente o parecido tenor: "con mi intervención respecto del... (libramiento, aceptación, endoso, aval) de don/ doña... lugar, fecha, signo, firma y rúbrica del notario y sello de su notaría".

SECCIÓN 4ª
Actas notariales

Artículo 198

Las actas notariales a instancia de parte se firmarán por los interesados y se signarán y rubricarán por el Notario, salvo que alguno de aquéllos no pudiere, no supiere o no quisiere firmar, en cuyo caso se hará constar así.

Los Notarios no darán fe de incidencias ocurridas en actos públicos presididos por autoridad competente sin ponerlo en conocimiento de la misma; pero ésta no podrá oponerse a que aquéllos, después de cumplido este requisito, ejerzan las funciones propias de su ministerio.

Artículo 198

1. Los notarios, previa instancia de parte en todo caso, extenderán y autorizarán actas en que se consignen los hechos y circunstancias que presencien o les consten, y que por su naturaleza no sean materia de contrato.

Serán aplicables a las actas notariales los preceptos de la sección segunda, relativos a las escrituras matrices, con las modificaciones siguientes:

1.º En la comparecencia no se necesitará afirmar la capacidad de los requirentes, ni se precisará otro requisito para requerir al notario al

TEXTO ANTERIOR	**TEXTO ACTUAL**

Los Notarios sólo podrán consignar en acta las manifestaciones que se hagan por personas a las que previamente haya dado a conocer su condición de fedatario.

efecto, que el interés legítimo de la parte requirente y la licitud de la actuación notarial, salvo que por tratarse del ejercicio de un derecho el notario deba hacer constar de modo expreso la capacidad y legitimación del requirente a los efectos de su control de legalidad.

2.º No exigen tampoco la dación de fe de conocimiento, con las excepciones previstas en el párrafo anterior, y salvo el caso de que la identidad de las personas fuere requisito indispensable en consideración a su contenido.

3.º No requieren unidad de acto ni de contexto, pudiendo ser extendidas en el momento del acto o posteriormente. En este caso se distinguirá cada parte del acta como diligencia diferente, con expresión de la hora y sitio, y con cláusula de suscripción especial y separada.

4.º Las diligencias, salvo que, habiendo medios para ello, la persona con quien se entiendan pida que se redacten en el lugar, las podrá extender el notario en su estudio con referencia a las notas tomadas sobre el terreno, haciéndolo constar así, y podrá aquella persona comparecer en la Notaría para enterarse del contenido de la diligencia. Cuando se extienda la diligencia en el lugar donde se practique, invitará el notario a que la suscriban los que en ella tengan interés, así como a cualquier otra persona que esté presente en el acto.

5.º Las manifestaciones contenidas en una notificación o requerimiento y en su contestación tendrán el valor que proceda conforme a la legislación civil o procesal, pero el acta que las recoja no adquirirá en ningún caso la naturaleza ni los efectos de la escritura pública. No será necesario que el notario dé fe de conocimiento de las personas con quienes entienda la diligencia ni de su identificación, salvo en los casos en que la naturaleza del acta exija la identificación del notificado o requerido.

6.º En todo caso y cualquiera que sea el tipo de acta, el notario deberá comprobar que el contenido de la misma y de los documentos a que haga referencia, con independencia del soporte utilizado, no es contrario a la ley o al orden público.

7.º Las manifestaciones verbales percibidas por el notario durante la realización de un acta sólo podrán ser recogidas en ésta previa advertencia por el Notario al autor de la existencia y finalidad del acta, del carácter potestativo de la manifestación y de la posibilidad de diferirla a la comparecencia en la notaría en los dos días hábiles siguientes a la entrega de la cédula

TEXTO ANTERIOR	**TEXTO ACTUAL**

o copia del acta que las insta. El requerimiento para levantar el acta no podrá referirse en ningún caso a conversaciones telefónicas, ni comprender la realización de preguntas por parte del notario.

Cuando el acta deba ser realizada en el interior de un establecimiento el notario deberá advertir a la persona responsable, o que juzgue más idónea, de su condición y del objeto del acta y no consignará hecho alguno sino los que compruebe una vez autorizada su actuación. Si le fuere negada se limitará a hacerlo constar así.

8.º Las actas notariales se firmarán por los requirentes y se signarán y rubricarán por el notario, salvo que alguno de aquéllos no pudiere o no supiere firmar, en cuyo caso se hará constar así. Quedarán a salvo aquellos supuestos de urgencia libremente apreciados por el notario.

9.º Los notarios se abstendrán de dar fe de incidencias ocurridas en actos públicos sin ponerlo en conocimiento de la persona que los presida, pero ésta no podrá oponerse a que aquellos, después de cumplido este requisito, ejerzan las funciones propias de su ministerio; si ésta se opusiere, se limitará a hacerlo constar así.

2. Cuando un notario sea requerido para dejar constancia de

TEXTO ANTERIOR	**TEXTO ACTUAL**
	cualquier hecho relacionado con un archivo informático, no será necesaria la transcripción del contenido de éste en soporte papel, bastando con que en el acta se indique el nombre del archivo y la identificación del mismo con arreglo a las normas técnicas dictadas por el Ministerio de Justicia. Las copias que se expidan del acta deberán reproducir únicamente la parte escrita de la matriz, adjuntándose una copia en soporte informático no alterable según los medios tecnológicos adecuados del archivo relacionado. La Dirección General de los Registros y del Notariado, de conformidad con el artículo 113.2 de la Ley 24/2001, de 27 de diciembre, determinará los soportes en que deba realizarse el almacenamiento, y la periodicidad con la que su contenido debe ser trasladado a un soporte nuevo, tecnológicamente adecuado, que garantice en todo momento su conservación y lectura.

SUBSECCIÓN 1ª
Actas de presencia

Artículo 199

Las atas notariales de presencia acreditan la realidad o

Artículo 199

Las actas notariales de presencia acreditan la realidad o verdad del hecho que motiva su autorización.

TEXTO ANTERIOR	**TEXTO ACTUAL**

verdad del hecho que motiva su autorización.

El Notario redactará el concepto general en uno o varios actos, según lo que presencie o perciba por sus propios sentidos, en los detalles que interesen al requirente.

En la autorización de actas de presencia que consten hechos susceptibles de publicidad comercial, el Notario, al expresar el alcance concreto de la fe pública notarial, hará constar que ésta no puede extenderse a cosas o hechos distintos de los que han sido objeto de su percepción personal.

Se prohíbe el uso publicitario de toda acta que no se haya instado expresamente con la finalidad de tal uso, y en su caso, será necesaria la aprobación previa, por parte del Notario autorizante, de los textos e imágenes en que la publicidad se concrete. El nombre del Notario no deberá aparecer en la publicación autorizada de dichos textos e imágenes.

El notario redactará el concepto general en uno o varios actos, según lo que presencie o perciba por sus propios sentidos, en los detalles que interesen al requirente, si bien no podrá extenderse a hechos cuya constancia requieran conocimientos periciales.

En la autorización de actas de presencia que consten hechos susceptibles de publicidad comercial, el notario, al expresar el alcance concreto de la fe pública notarial, hará constar que ésta no puede extenderse a cosas o hechos distintos de los que han sido objeto de su percepción personal.

Se prohíbe el uso publicitario de toda acta que no se haya instado expresamente con la finalidad de tal uso y, en su caso, será necesaria la aprobación previa, por parte del notario autorizante, de los textos e imágenes en que la publicidad se concrete. El nombre del notario no deberá aparecer en publicación autorizada de dichos textos e imágenes. Deberá el notario, igualmente, denegar la autorización cuando pueda inducir a confusión a los consumidores y usuarios sobre el alcance de la intervención notarial. El Consejo General del Notariado creará un archivo telemático de libre consulta por los notarios y los usuarios en que conste la inter-

TEXTO ANTERIOR	**TEXTO ACTUAL**
	vención notarial y las bases de los concursos para los que se requiera aquélla. El notario requerido advertirá al requirente de la incorporación de ese acta al archivo telemático indicado a los efectos del ejercicio de los derechos a que se refiere la Ley Orgánica 15/1999, de 13 de diciembre, de protección de datos de carácter personal. Si se negare, no podrá hacer constar la intervención notarial en dicho archivo.

Artículo 200

Serán también materia de las actas de presencia.

1.º La entrega de documentos, efectos, dinero u otras cosas y toda clase de requerimientos, así como los ofrecimientos de pago. El texto de estas actas comprenderá, en lo pertinente, la transcripción del documento entregado, la descripción completa de la cosa, la naturaleza, características y notas individuales de los efectos, las palabras del requerimiento y, en su caso, la contestación del requerido.

2.º El hecho de la existencia de una persona, previa su identificación por el Notario.

3.º La exhibición al Notario de documentos o de cosas con el fin

Artículo 200

Serán también materia de las actas de presencia:

1.º La entrega de documentos, efectos, dinero u otras cosas, así como los ofrecimientos de pago. El texto de estas actas comprenderá, en lo pertinente, la trascripción del documento entregado, la descripción completa de la cosa, la naturaleza, características y notas individuales de los efectos.

2.º El hecho de la existencia de una persona, previa su identificación por el notario.

3.º La exhibición al notario de documentos o de cosas con el fin de que, examinados, los describa en el acta tal y como resulten de su percepción.

TEXTO ANTERIOR	**TEXTO ACTUAL**
de que, examinados, los describa en el acta tal y como resulten de su percepción.	4.º Conforme a lo establecido en el artículo 114.2 de la Ley 24/2001, de 27 de diciembre, los notarios deberán dejar constancia en acta, a solicitud de los interesados, tanto de las comunicaciones electrónicas recibidas de éstos como de las que, a requerimiento de los mismos, envíen los Notarios a terceros. La Dirección General de los Registros y del Notariado queda habilitada para regular mediante Instrucción la forma en que el notario debe almacenar en su archivo electrónico el contenido de las actas a que se refiere este párrafo, determinando los soportes en que debe realizarse el almacenamiento y la periodicidad con que su contenido debe ser trasladado a un soporte nuevo, tecnológicamente adecuado, que garantice en todo momento su conservación y lectura.
	a) Actas de remisión de documentos por correo

Artículo 201

El simple hecho del envío de cartas u otros documentos por correo podrá hacerse constar mediante acta, que solamente acreditará el contenido de la carta o documento, la fecha de su en-

Artículo 201

El simple hecho del envío de cartas u otros documentos por correo ordinario, procedimiento telemático, telefax o cualquier otro medio idóneo podrá hacerse constar mediante acta, que acreditará el

TEXTO ANTERIOR	**TEXTO ACTUAL**

trega en la oficina postal o al funcionario de correos y, en su caso, la expedición del correspondiente resguardo de imposición como certificado y la recepción por el Notario del aviso de recibo.

El Notario únicamente estará obligado a comprobar que el contenido de la carta o del documento no es contrario a la Ley penal, al orden público o a las buenas costumbres.

En la carta o documentos remitidos quedará siempre constancia de la intervención notarial.

Las sucesivas actuaciones notariales a que se refiere el párrafo primero se harán constar por diligencias.

contenido de la carta o documento, y según el medio utilizado la fecha de su entrega, o su remisión por procedimiento técnico adecuado y, en su caso, la expedición del correspondiente resguardo de imposición como certificado, entrega o remisión, así como la recepción por el notario del aviso de recibo, o del documento o comunicación de recepción.

En la carta o documentos remitidos quedará siempre constancia de la intervención notarial.

Las sucesivas actuaciones notariales a que se refiere este artículo se harán constar por diligencias.

Las actas de remisión de documentos no confieren derecho a contestar en la misma acta y a costa del requirente.

El notario no admitirá requerimientos para envío de sobres cerrados cuyo contenido no aparezca reproducido en el acta.

b) Actas de notificación y requerimiento

Artículo 202

Las actas de notificación tienen por objeto dar a conocer a la persona notificada una información o una decisión del que solicita

Artículo 202

Las actas de notificación tienen por objeto transmitir a una persona una información o una decisión del que solicita la intervención notarial,

TEXTO ANTERIOR	**TEXTO ACTUAL**

la intervención notarial, y las de requerimiento, además, intimar al requerido para que adopte una determinada actitud.

A tal fin el Notario se personará en el domicilio o lugar en que la notificación o el requerimiento deba practicarse, según la designación efectuada por el requirente, dando a conocer su condición de Notario y el objeto de su presencia. En el caso de no hallar al destinatario, entenderá la diligencia con cualquier persona que allí encuentre, y, en su defecto, podrá practicarla con el portero o conserje del inmueble o con un vecino del mismo o de los más próximos, si se prestare a ello.

La diligencia se cumplimentará mediante entrega de cédula, copia o carta que, suscrita por el Notario con media firma al menos, contendrá el texto literal de la notificación o el requerimiento y expresará el derecho de contestación del destinatario y su plazo, conforme al artículo 204. Si la diligencia se entendiera con persona distinta de éste, la cédula, copia o carta podrá entregarse bajo sobre cerrado, y el Notario advertirá en todo caso al receptor de su obligación legal de hacer llegar a poder del destinatario el documento que le entrega, consignando en la dili-

y las de requerimiento, además, intimar al requerido para que adopte una determinada conducta.

El notario, discrecionalmente, y siempre que de una norma legal no resulte lo contrario, podrá efectuar las notificaciones y los requerimientos enviando al destinatario la cédula, copia o carta por correo certificado con aviso de recibo.

Siempre que no se utilice el procedimiento a que hace referencia el párrafo anterior, el notario se personará en el domicilio o lugar en que la notificación o el requerimiento deban practicarse, según la designación efectuada por el requirente, dando a conocer su condición de notario y el objeto de su presencia. De no hallarse presente el requerido, podrá hacerse cargo de la cédula cualquier persona que se encuentre en el lugar designado y haga constar su identidad. Si nadie se hiciere cargo de la notificación, se hará constar esta circunstancia. Cuando el edificio tenga portero podrá entenderse la diligencia con el mismo.

La diligencia se cumplimentará mediante entrega de cédula que, suscrita por el notario con media firma al menos, contendrá el texto literal de la notificación o el requerimiento y expresará el derecho de contestación del destinatario y su plazo, conforme al artículo 204. Si la diligencia

TEXTO ANTERIOR	**TEXTO ACTUAL**

gencia este hecho, la advertencia y la respuesta que recibiere.

La cédula, copia o carta podrá ir extendida en papel común, y no será necesario dejar en la matriz nota de su expedición; bastará indicar el carácter con que se expide y su fecha y la de su entrega.

El Notario, discrecionalmente, y siempre que de una norma legal no resulte lo contrario, podrá efectuar las notificaciones y los requerimientos enviando al destinatario la cédula, copia o carta por correo certificado con aviso de recibo.

Cuando, por excepción, la diligencia sólo haya podido practicarse mediante la lectura al destinatario del contenido íntegro del acta, la cédula, copia o carta se remitirán a aquél por correo, en la forma prevista en el párrafo que precede. En ambos casos, el plazo de contestación previsto en el artículo 204 correrá desde el recibo del envío postal.

La diligencia podrá practicarse en cualquier lugar distinto del designado, siempre que el destinatario se preste a ello y sea identificado por el Notario.

En el acta se expresará la manera en que la notificación o el requerimiento se haya realizado; si la persona con la que se hubiere entendido la diligencia se

se entendiera con persona distinta de éste, la cédula deberá entregarse en sobre cerrado en el que se hará constar la identidad del notario y el domicilio de la Notaría. El notario advertirá, en todo caso, al receptor de la obligación de hacer llegar a poder del destinatario el documento que le entrega, consignando en la diligencia este hecho, la advertencia y la respuesta que recibiere.

La cédula podrá ir extendida en papel común y no será necesario dejar en la matriz nota de su expedición; bastará indicar el carácter con que se expide y la fecha de su entrega.

El notario siempre que no pueda hacer entrega de la cédula deberá enviar la misma por correo certificado con acuse de recibo, tal y como establece el Real Decreto 1829/1999, de 3 de diciembre, o por cualquier otro procedimiento que permita dejar constancia fehaciente de la entrega.

La diligencia podrá practicarse en cualquier lugar distinto del designado, siempre que el destinatario se preste a ello y sea identificado por el notario.

Si se hubiere conseguido cumplimentar el acta, se hará constar así, la manera en que se haya producido la notificación y la identidad de la persona con la que se haya entendido la diligencia; si ésta se

TEXTO ANTERIOR	TEXTO ACTUAL

negare a dar su nombre, a indicar su relación con el destinatario o a hacerse cargo de la cédula, copia o carta, se hará constar así; y si se hubiere utilizado el correo, se consignarán sucesivamente las diligencias correspondientes.

En cualquiera de las formas expresadas en este artículo quedarán igualmente cumplimentados y se tendrán por hechos la notificación o el requerimiento.

negare a manifestar su identidad o su relación con el destinatario o a hacerse cargo de la cédula, se hará igualmente constar. Si se hubiere utilizado el correo, o cualquier otro medio de envío de los previstos en este artículo, se consignarán sucesivamente las diligencias correspondientes.

La notificación o el requerimiento quedarán igualmente cumplimentados y se tendrán por hechos en cualquiera de las formas expresadas en este artículo.

Artículo 203

Cuando por no encontrar el lugar, hallar cerrado el portal, no serle permitida la entrada en el domicilio o sitio designado, no encontrar en él a nadie o por resistencia activa o pasiva de la persona con quien haya de entenderse la diligencia, no le fuere posible al Notario entregar la cédula, copia o carta, lo hará constar así.

No obstante podrá el Notario, en tales supuestos y a instancia del interesado, utilizar el procedimiento de remisión por correo a que se refiere el artículo anterior, salvo que la resistencia procediere del mismo destinatario.

Artículo 203

Cuando el interesado, su representante o persona con quien se haya entendido la diligencia se negare a recoger la cédula o prestase resistencia activa o pasiva a su recepción, se hará constar así, y se tendrá por realizada la notificación. Igualmente se hará constar cualquier circunstancia que haga imposible al notario la entrega de la cédula; en este caso se procederá en la forma prevista en el párrafo sexto del artículo 202.

Artículo 204

El requerido o notificado tiene derecho a contestar ante el Notario dentro de la misma acta, pero sin introducir en su contestación otros requerimientos o notificaciones que deban ser objeto de acta separada.

La contestación deberá hacerse de una sola vez, bajo la firma del que contesta, y en el plazo improrrogable de los dos días laborales siguientes a aquel en que se haya practicado la diligencia o recibido el envío postal. No se consignará en el acta ninguna contestación que diere el destinatario antes de haber sido advertido por el Notario de su derecho a contestar y del plazo reglamentario para ello.

Las manifestaciones contenidas en una notificación o requerimiento y en su contestación tendrán el valor que proceda conforme a la legislación civil o procesal, pero el acta que las recoja no adquirirá en ningún caso la naturaleza ni los efectos de la escritura pública.

Los derechos y gastos notariales de la contestación serán de cargo del requirente, pero si su extensión excediera del doble del requerimiento o notificación

Artículo 204

El requerido o notificado tiene derecho a contestar ante el notario dentro de la misma acta, pero sin introducir en su contestación otros requerimientos o notificaciones que deban ser objeto de acta separada.

La contestación deberá hacerse de una sola vez, bajo la firma del que contesta, y en el plazo improrrogable de los dos días hábiles siguientes a aquel en que se haya practicado la diligencia o recibido el envío postal. No se consignará en el acta ninguna contestación que diere el destinatario antes de haber sido advertido por el notario de su derecho a contestar y del plazo reglamentario para ello.

A estos efectos no se considerarán días laborables los sábados.

Los derechos y gastos notariales de la contestación serán de cargo del requirente, pero si su extensión excediera del doble del requerimiento o notificación iniciales, el exceso será de cargo del que contesta.

El notario no podrá librar copia de un acta de notificación o requerimiento sin hacer constar en aquélla la contestación, si la hubiere. Tampoco podrá expedir, antes de caducar el plazo, copia del acta pendiente de contestación, salvo que lo solicite, bajo su responsabi-

TEXTO ANTERIOR	TEXTO ACTUAL

iniciales, el exceso será de cargo del que contesta.

El Notario no podrá librar copia de un acta de notificación o requerimiento sin hacer constar en aquella la contestación, si la hubiere. Tampoco podrá expedir, antes de caducar el plazo, copia del acta pendiente de contestación, salvo que lo solicite, bajo su responsabilidad, quien tenga interés legítimo para ejercitar desde luego cualquier acción o derecho, todo lo cual se hará constar en la cláusula de suscripción de la copia y en la nota de expedición que ha de consignarse en la matriz, entendiéndose reservado el derecho a contestar mientras no caduque el plazo.

lidad, quien tenga interés legítimo para ejercitar desde luego cualquier acción o derecho, todo lo cual se hará constar en la cláusula de suscripción de la copia y en la nota de expedición que ha de consignarse en la matriz, entendiéndose reservado el derecho a contestar mientras no caduque el plazo.

Artículo 205

En caso de tratarse de requerimientos o notificaciones de carácter urgente, por referirse a plazos próximos terminar, revocación de poderes u otros de carácter perentorio el Notario, si fuere requerido por medio de carta cuya firma le sea conocida o aparezca legitimada, podrá prestar su intervención.

TEXTO ANTERIOR	**TEXTO ACTUAL**

Si la aceptare, levantará el acta correspondiente, uniendo la carta recibida a la matriz, actuando en los términos que resulten de su texto, pero sin responsabilidad alguna por lo que se refiere a la identidad del firmante de la carta y a su capacidad.

Artículo 206

Las notificaciones o requerimientos previstos por las Leyes o Reglamentos sin especificar sus requisitos o trámites se practicarán en la forma que determinen los artículos precedentes. Pero cuando aquellas normas establezcan una regulación específica o señalen requisitos o trámites distintos en cuanto a domicilio, lugar, personas con quienes deban entenderse las diligencias, o cualesquiera otros, se estará a lo especialmente dispuesto en tales normas, sin que sean aplicables las reglas del artículo 202 y concordantes de este Reglamento.

Artículo 206

Las notificaciones o requerimientos previstos por las Leyes o Reglamentos sin especificar sus requisitos o trámites se practicarán en la forma que determinen los artículos precedentes. Pero cuando aquellas normas establezcan una regulación específica o señalen requisitos o trámites distintos en cuanto a domicilio, lugar, personas con quienes deban entenderse las diligencias, o cualesquiera otros, se estará a lo especialmente dispuesto en tales normas, sin que sean aplicables las reglas del artículo 202 y concordantes de este Reglamento.

Los notarios, salvo en los casos taxativamente previstos en la ley, no aceptarán requerimientos dirigidos a Autoridades Públicas, Judiciales, Administrativas y funcionarios, sin perjuicio de que puedan dejar constancia en acta notarial de presencia

TEXTO ANTERIOR	TEXTO ACTUAL
	de la realización por los particulares de acciones o actuaciones que les competan conforme a las normas administrativas.

c) Actas de exhibición de cosas o documentos

Artículo 207

En las actas de exhibición de cosas, el Notario describirá o relacionará las circunstancias que las identifiquen, diferenciando lo que resulte de su percepción de lo que manifiesten peritos y otras personas presentes en el acto, y podrá completar la descripción mediante planos, diseños, certificaciones, fotografías o fotocopias que incorporará a la matriz. En las actas de exhibición de documentos, además, transcribirá o relacionará aquéllos o concretará su narración a determinados extremos de los mismos, indicados por el requirente, observando en este caso, si a su parecer procede, lo dispuesto en el párrafo último del artículo 237.

Este tipo de acta será utilizable, entre otros supuestos:

1. Para dejar constancia en el protocolo de la existencia de cosas o documentos en poder de

Artículo 207

una persona o en un determinado lugar.

2. Para hacer constar la existencia de un documento no notarial cuyas firmas legitime el propio Notario autorizante, que vaya a surtir efectos solamente fuera de España en país que prevea o exija dicha forma documental.

En estas actas, el Notario identificará a los interesados, quienes comparecerán ante él, y en el mismo acto firmarán el documento no notarial o declararán que las firmas estampadas son las suyas, y, en todo caso, que conocen el contenido del documento y que, libre y voluntariamente, quieren que produzca los efectos que le sean aplicables conforme a lo previsto por las leyes extranjeras. El Notario, además, deberá emitir en cuanto le sea posible el juicio de capacidad legal o civil a que se refiere el artículo 156.8 de este Reglamento, y cumplir lo dispuesto en el mismo respecto de la intervención y representación de los otorgantes.

El documento, o un ejemplar del mismo, original o por fotocopia, quedará incorporado a la matriz del acta en la que se expresará, literalmente o en relación, el texto del testimonio de legitimación.

En dicho texto, a continuación de las firmas legitimadas, se

TEXTO ANTERIOR

consignarán, abreviadamente, los particulares contenidos en el acta que sean pertinentes.

3. Para efectuar, conforme al artículo 262 de este Reglamento, el reconocimiento de la propia firma puesta con anterioridad en un documento que, a juicio del Notario, quedará suficientemente reseñado en el acta, o unido a ésta, original o por fotocopia.

Para fijar el saldo líquido exigible en los préstamos o créditos en cuenta corriente concedidos por entidades de crédito, ahorro o financiación siempre que tales operaciones y esta modalidad de fijación hayan sido pactadas en escritura pública. En virtud de la documentación exhibida por la entidad acreedora y de su concordancia con certificación de ésta, que se unirá a la matriz, el Notario levantará el acta en la que quede determina el saldo de la cuenta.

TEXTO ACTUAL

SUBSECCIÓN 2ª
Actas de referencia

Artículo 208

En las actas de referencia se observarán iguales requisitos que

Artículo 208

TEXTO ANTERIOR	**TEXTO ACTUAL**

en las de presencia, pero el texto será redactado por el Notario de la manera más apropiada a las declaraciones de los que en ellas intervengan, usando las mismas palabras, en cuanto fuere posible, una vez advertido el declarante por el Notario del valor jurídico de las mismas en los casos en que fuese necesario.

SUBSECCIÓN 3ª
Actas de notoriedad

Artículo 209

Las actas de notoriedad tienen por objeto la comprobación y fijación de hechos notorios sobre los cuales puedan ser fundados y declarados derechos y legitimadas situaciones personales o patrimoniales, con trascendencia jurídica.

En las actas de notoriedad se observarán los requisitos siguientes:

1.º El requerimiento para instrucción del acta será hecho al Notario por persona que demuestre interés en el hecho cuya notoriedad se pretende establecer, la cual deberá aseverar, bajo su responsabilidad, la certeza del mismo, bajo pena de falsedad en documento público.

Artículo 209

Las actas de notoriedad tienen por objeto la comprobación y fijación de hechos notorios sobre los cuales puedan ser fundados y declarados derechos y legitimadas situaciones personales o patrimoniales, con trascendencia jurídica.

En las actas de notoriedad se observarán los requisitos siguientes:

1.º El requerimiento para instrucción del acta será hecho al Notario por persona que demuestre interés en el hecho cuya notoriedad se pretende establecer, la cual deberá aseverar, bajo su responsabilidad, la certeza del mismo, bajo pena de falsedad en documento público.

2.º El Notario practicará, para comprobación de la notoriedad pretendida, cuantas pruebas estime

TEXTO ANTERIOR

2.º El Notario practicará, para comprobación de la notoriedad pretendida, cuantas pruebas estime necesarias, sean o no propuestas por el requirente. Y deberá hacer requerimientos y notificaciones personales o por edictos cuando el requirente lo pida o él lo juzgue necesario.

En el caso de que fuera presumible, a juicio del Notario, perjuicio para terceros, conocidos o ignorados, se notificará la iniciación del acta por cédula o edictos, a fin de que en el plazo de veinte días puedan alegar lo que estimen oportuno en defensa de sus derechos, debiendo el Notario interrumpir la instrucción del acta, cuando así proceda, por aplicación del número quinto de este artículo.

3.º Constarán necesariamente en las actas de notoriedad todas las pruebas practicadas y requerimientos hechos con sus contestaciones; los justificantes de citaciones y llamamientos; la indicación de las reclamaciones presentadas por cualquier interesado, y la reserva de los derechos correspondientes al mismo ante los Tribunales de Justicia.

4.º El Notario, si del examen y calificación de las pruebas y del resultado de las diligencias estimare justificada la notoriedad

TEXTO ACTUAL

necesarias, sean o no propuestas por el requirente. Y deberá hacer requerimientos y notificaciones personales o por edictos cuando el requirente lo pida o él lo juzgue necesario.

En el caso de que fuera presumible, a juicio del Notario, perjuicio para terceros, conocidos o ignorados, se notificará la iniciación del acta por cédula o edictos, a fin de que en el plazo de veinte días puedan alegar lo que estimen oportuno en defensa de sus derechos, debiendo el Notario interrumpir la instrucción del acta, cuando así proceda, por aplicación del número quinto de este artículo.

3.º Constarán necesariamente en las actas de notoriedad todas las pruebas practicadas y requerimientos hechos con sus contestaciones; los justificantes de citaciones y llamamientos; la indicación de las reclamaciones presentadas por cualquier interesado, y la reserva de los derechos correspondientes al mismo ante los Tribunales de Justicia.

4.º El Notario, si del examen y calificación de las pruebas y del resultado de las diligencias estimare justificada la notoriedad pretendida, lo expresará así, con lo cual quedará conclusa el acta.

Cuando además de comprobar la notoriedad se pretenda el reco-

TEXTO ANTERIOR	TEXTO ACTUAL

pretendida, lo expresará así, con lo cual quedará conclusa el acta.

Cuando además de comprobar la notoriedad se pretenda el reconocimiento de derechos o la legitimación de situaciones personales o patrimoniales, se pedirá así en el requerimiento inicial, y el Notario emitirá juicio sobre los mismos, declarándolos formalmente, si resultaren evidentes por aplicación directa de los preceptos legales atinentes al caso.

5.º La instrucción del acta se interrumpirá si se acreditare al Notario haberse entablado demanda en juicio declarativo, con respecto al hecho cuya notoriedad se pretenda establecer. La interrupción se levantará, y el acta será terminada a petición del requirente, cuando la demanda haya sido expresamente desistida, cuando no se haya dado lugar a ella por sentencia firme o cuando se haya declarado caducada la instancia del actor.

Por acta de notoriedad podrán legitimarse hechos y situaciones de todo orden, cuya justificación, sin oposición de parte interesada, pueda realizarse por medio de cualquier otro procedimiento no litigioso. La declaración que ponga fin al acta de notoriedad será firme y eficaz, por sí sola, e inscribible donde corresponda,

nocimiento de derechos o la legitimación de situaciones personales o patrimoniales, se pedirá así en el requerimiento inicial, y el Notario emitirá juicio sobre los mismos, declarándolos formalmente, si resultaren evidentes por aplicación directa de los preceptos legales atinentes al caso.

5.º La instrucción del acta se interrumpirá si se acreditare al Notario haberse entablado demanda en juicio declarativo, con respecto al hecho cuya notoriedad se pretenda establecer. La interrupción se levantará, y el acta será terminada a petición del requirente, cuando la demanda haya sido expresamente desistida, cuando no se haya dado lugar a ella por sentencia firme o cuando se haya declarado caducada la instancia del actor.

Por acta de notoriedad podrán legitimarse hechos y situaciones de todo orden, cuya justificación, sin oposición de parte interesada, pueda realizarse por medio de cualquier otro procedimiento no litigioso. La declaración que ponga fin al acta de notoriedad será firme y eficaz, por sí sola, e inscribible donde corresponda, sin ningún trámite o aprobación posterior. El requerimiento a que se refiere el requisito primero se formalizará mediante acta con la fecha y número de protocolo del día del requerimiento. Concluida la

TEXTO ANTERIOR	**TEXTO ACTUAL**
sin ningún trámite o aprobación posterior.	tramitación del acta se incorporará al protocolo como instrumento independiente en la fecha y bajo el número que corresponda en el momento de su terminación, dejando constancia de la misma en el acta que recoja el requerimiento.

Artículo 209 bis

En la tramitación de las actas de notoriedad a que se refiere el artículo 979 de la Ley de Enjuiciamiento Civil se observarán las siguientes reglas:

1.ª Será Notario hábil para autorizarla cualquiera que sea competente para actuar en la población donde el causante hubiera tenido su último domicilio en España. A tal efecto, dicho domicilio se acreditará preferentemente, y sin perjuicio de otros medios de prueba, mediante el Documento Nacional de Identidad del causante.

De no haber tenido nunca domicilio en España, será competente el Notario correspondiente al lugar de su fallecimiento y, si hubiere fallecido fuera de España, al lugar donde estuviere parte considerable de los bienes o de las cuentas bancarias.

Artículo 209 bis

En la tramitación de las actas de notoriedad a que se refiere el artículo 979 de la Ley de Enjuiciamiento Civil se observarán las siguientes reglas:

1.ª Será Notario hábil para autorizarla cualquiera que sea competente para actuar en la población donde el causante hubiera tenido su último domicilio en España. A tal efecto, dicho domicilio se acreditará preferentemente, y sin perjuicio de otros medios de prueba, mediante el Documento Nacional de Identidad del causante.

De no haber tenido nunca domicilio en España, será competente el Notario correspondiente al lugar de su fallecimiento y, si hubiere fallecido fuera de España, al lugar donde estuviere parte considerable de los bienes o de las cuentas bancarias.

2.ª Está legitimada para formular el requerimiento inicial del

TEXTO ANTERIOR	TEXTO ACTUAL

2.ª *Está legitimada para formular el requerimiento inicial del acta cualquier persona con interés legítimo.*

3.ª *Requerido uno de los Notarios competentes, quedará excluida la competencia de los demás. El Notario requerido habrá de poner en conocimiento del Decanato del respectivo Colegio Notarial, en el mismo día que hubiese admitido el requerimiento, la iniciación de la tramitación del acta, especificando el nombre del causante y demás datos de identificación consignados en el artículo 4.º del anexo segundo del Reglamento Notarial, a fin de que de tal iniciación quede constancia en el Registro Particular del Decanato y en el General de Actos de Ultima Voluntad, conforme a lo previsto en los artículos 12 y 13 del anexo segundo.*

Si, recibida una comunicación, se recibieren posteriormente otras relativas a la sucesión del mismo causante, el Decano, o el Jefe del Registro si los Notarios pertenecieren a distinto Colegio, lo comunicará inmediatamente a los Notarios que hubiesen iniciado el acta en segundo o posterior lugar para que suspendan la tramitación de la misma.

Hasta que hayan transcurrido veinte días hábiles desde la comu-

acta cualquier persona con interés legítimo.

3.ª Requerido uno de los Notarios competentes, quedará excluida la competencia de los demás. El Notario requerido habrá de poner en conocimiento del Decanato del respectivo Colegio Notarial, en el mismo día que hubiese admitido el requerimiento, la iniciación de la tramitación del acta, especificando el nombre del causante y demás datos de identificación consignados en el artículo 4.º del anexo segundo del Reglamento Notarial, a fin de que de tal iniciación quede constancia en el Registro Particular del Decanato y en el General de Actos de Ultima Voluntad, conforme a lo previsto en los artículos 12 y 13 del anexo segundo.

Si, recibida una comunicación, se recibieren posteriormente otras relativas a la sucesión del mismo causante, el Decano, o el Jefe del Registro si los Notarios pertenecieren a distinto Colegio, lo comunicará inmediatamente a los Notarios que hubiesen iniciado el acta en segundo o posterior lugar para que suspendan la tramitación de la misma.

Hasta que hayan transcurrido veinte días hábiles desde la comunicación al Decanato, el Notario no podrá expedir ningún tipo de copias del acta.

TEXTO ANTERIOR	**TEXTO ACTUAL**

nicación al Decanato, el Notario no podrá expedir ningún tipo de copias del acta.

4.ª El interesado habrá de aseverar la certeza de los hechos positivos y negativos en que se deba fundar el acta, y acreditar documentalmente:

a) La apertura de la sucesión intestada mediante la presentación de las certificaciones de fallecimiento y del Registro General de Actos de Ultima Voluntad del causante y, en su caso, el documento auténtico del que resulte indubitadamente que, a pesar del testamento o del contrato sucesorio, procede la sucesión «abintestato» o la sentencia firme que declare la invalidez de las instituciones de herederos.

b) La relación de parentesco de las personas que el requirente designe como herederos del causante.

Habrá de presentar el libro de familia del causante o las certificaciones correspondientes del Registro Civil acreditativas del matrimonio y filiaciones. Los documentos presentados o testimonio de los mismos quedarán incorporados al acta.

5.ª En el acta habrá de constar necesariamente, al menos, la declaración de dos testigos que aseveren que de ciencia propia

. 4.ª El interesado habrá de aseverar la certeza de los hechos positivos y negativos en que se deba fundar el acta, y acreditar documentalmente:

a) La apertura de la sucesión intestada mediante la presentación de las certificaciones de fallecimiento y del Registro General de Actos de Ultima Voluntad del causante y, en su caso, el documento auténtico del que resulte indubitadamente que, a pesar del testamento o del contrato sucesorio, procede la sucesión «abintestato» o la sentencia firme que declare la invalidez de las instituciones de herederos.

b) La relación de parentesco de las personas que el requirente designe como herederos del causante.

Habrá de presentar el libro de familia del causante o las certificaciones correspondientes del Registro Civil acreditativas del matrimonio y filiaciones. Los documentos presentados o testimonio de los mismos quedarán incorporados al acta.

5.ª En el acta habrá de constar necesariamente, al menos, la declaración de dos testigos que aseveren que de ciencia propia o por notoriedad les constan los hechos positivos y negativos cuya declaración de notoriedad se pretende. Dichos testigos podrán ser, en su caso, parientes del fallecido, *o por notoriedad les constan los hechos positivos y negativos cuya declaración de notoriedad se pretende. Se practicarán, también, las pruebas propuestas por el requirente, así como las que se estimen oportunas, en especial las dirigidas a acreditar la nacionalidad y vecindad civil y, en su caso, la ley extranjera aplicable.*

6.ª Ultimadas las anteriores diligencias hará constar el Notario su juicio de conjunto sobre si quedan acreditados por notoriedad los hechos en que se funda la declaración de herederos.

En caso afirmativo declarará qué parientes del causante son los herederos «abintestato», siempre que todos ellos sean de aquéllos en que la declaración corresponde al Notario. En la declaración se expresarán las circunstancias de identidad de cada uno y los derechos que por Ley le corresponden en la herencia.

Artículo 210

Las actas de notoriedad no requieren unidad de acto ni de contexto y se incorporarán al protocolo en la fecha y bajo el número que corresponda en el momento de su terminación. Cuando se

sea por consanguinidad o afinidad, cuando no tengan interés directo en la declaración. Se practicarán, también, las pruebas propuestas por el requirente así como las que se estimen oportunas, en especial las dirigidas a acreditar la nacionalidad y vecindad civil y, en su caso, la ley extranjera aplicable.

6.ª Ultimadas las anteriores diligencias, y transcurrido el plazo previsto en la regla 3.ª, hará constar el notario su juicio de conjunto sobre si quedan acreditados por notoriedad los hechos en que se funda la declaración de herederos.

En caso afirmativo declarará qué parientes del causante son los herederos "abintestato", siempre que todos ellos sean de aquellos en que la declaración corresponde al notario. En la declaración se expresarán las circunstancias de identidad de cada uno y los derechos que por Ley le corresponden en la herencia.

Artículo 210

En la tramitación de las actas de notoriedad complementarias del título público conforme a los artículos 205 de la Ley Hipotecaria y 298 de su Reglamento se observarán los siguientes requisitos:

TEXTO ANTERIOR

interrumpiere su tramitación, en el supuesto del número 5º del artículo anterior, se incorporarán asimismo al protocolo. sin perjuicio de que puedan terminarse, si procediere, en fecha y bajo número posterior.

TEXTO ACTUAL

1.º Con carácter previo, el notario requerido deberá obtener del Colegio Notarial o Consejo General del Notariado documento acreditativo de haberse autorizado o no otra acta de notoriedad complementaria de título público de adquisición, relativa a la misma finca. Dicho documento podrá obtenerse en soporte papel o electrónica mediante la correspondiente aplicación telemática. En caso de ser positiva la información, el notario deberá abstenerse de aceptar él, haciendo saber al interesado la causa de la denegación.

2.º El acta tendrá por objeto comprobar y declarar la notoriedad de que el transmitente o causante de las fincas que se pretenden inmatricular es tenido como dueño de ellas en el término municipal donde radiquen las mismas.

3.º Será notario hábil para cumplimentarla cualquiera que sea competente para actuar en la población en cuyo término municipal se halle la finca objeto de inmatriculación, y en caso de pertenecer a más de uno, a cualquiera de los Notarios con competencia en alguno de ellos, indistintamente.

4.º El requerimiento para la instrucción del acta será hecho al notario por persona que demuestre interés legítimo en acreditar los hechos que constituyen su objeto.

TEXTO ANTERIOR	**TEXTO ACTUAL**
	5.º El notario practicará, para comprobación de la notoriedad pretendida, cuantas pruebas estime necesarias, sean o no propuestas por el requirente, y especialmente las siguientes:

a) Documental. El interesado deberá presentar al notario:

1.º El título público de adquisición que el acta ha de complementar.

2.º Los documentos que posea relativos a la titularidad de la finca por el transmitente o causante, tales como certificaciones catastrales, recibos, acreditación del pago del impuesto de bienes inmuebles, documentos privados, y otros, de cualquier naturaleza.

3.º Cuando fuere exigible, la certificación catastral descriptiva y gráfica de las fincas, en términos totalmente coincidentes con la descripción de éstas en el título público que ha de complementarse, y de las que resulte además que la finca está catastrada a favor del transmitente o adquirente.

4.º Certificación o nota simple informativa del Registro de la Propiedad acreditativa de que la finca cuya inmatriculación se pretende no se halla inscrita en el Registro de la Propiedad.

b) Testifical. Asimismo, en el acta habrá de constar necesariamente, al menos, la declaración

TEXTO ANTERIOR	**TEXTO ACTUAL**
	de dos testigos, vecinos del lugar, que aseveren que de ciencia propia o por notoriedad les consta que el transmitente o causante es tenido como dueño en el término municipal en que radica la finca.

de dos testigos, vecinos del lugar, que aseveren que de ciencia propia o por notoriedad les consta que el transmitente o causante es tenido como dueño en el término municipal en que radica la finca.

c) Edictos. Se publicarán edictos comunicando la tramitación del acta, su objeto y la finca o fincas a que la misma se refiere, con el fin de que cualquier interesado en el plazo de veinte días naturales pueda alegar lo que estime oportuno en defensa de sus derechos, debiendo el notario interrumpir la instrucción del acta, cuando así proceda, por aplicación del número quinto del artículo 209 del Reglamento Notarial.

Los edictos se fijarán en el tablón de anuncios del Ayuntamiento de la población a que corresponda la finca.

6.º El notario autorizante del acta de notoriedad a que se refiere el presente artículo deberá poner en conocimiento del respectivo Colegio Notarial o Consejo General del Notariado, en el mismo día en que hubiese admitido el requerimiento, la iniciación de la tramitación del acta, mediante comunicación, en soporte papel o electrónico, en el que se indicará:

a) Fecha del requerimiento.

b) Datos personales del transmitente o causante que supuestamente es tenido como dueño.

TEXTO ANTERIOR	TEXTO ACTUAL
	c) Descripción de la finca a que se refiere el acta.
	Asimismo y del mismo modo, deberá el notario autorizante comunicar al Colegio Notarial o al Consejo General del Notariado la conclusión del acta, con expresión de su resultado.
	En los Colegios Notariales o en el Consejo General del Notariado, se llevará un fichero o archivo informatizado de las actas de notoriedad complementarias de título público de adquisición, integrado por las comunicaciones remitidas por los notarios.

SUBSECCIÓN 4ª
Actas de protocolización

Artículo 211

Las actas de protocolización tendrán las características generales de las de presencia, pero el texto hará relación al hecho de haber sido examinado por el Notario el documento que deba ser protocolado, a la declaración de la voluntad del requirente para la protocolización o cumplimiento de la providencia que la ordene, al de quedar unido el expediente al protocolo, expresando el número

TEXTO ANTERIOR	**TEXTO ACTUAL**

de folios que contenga y los rein-tegros que lleve unidos.

Artículo 212

Los documentospúblicos auto-rizados en el extranjero, una vez legalizados en forma, podrán ser protocolados en España mediante acta que suscribirá el interesado, si se hallare presente.

En otro caso, bastará la afir-mación del Notario de haberle sido entregado el documento a tales efectos.

Artículo 213

La protocolización de los ex-pedientes judiciales se efectuará por medio de un acta extendida y suscrita por el Notario a requeri-miento de cualquier persona que entregue el expediente con el auto judicial en que se ordene la protocolización.

Artículo 214

También pueden ser protocoli-zados mediante acta los documen-

tos públicos de todas clases, los impresos, planos, fotograbados, fotografías o cualesquiera gráficos cuya medida y naturaleza lo consienta, al efecto de asegurar su respectiva identidad y su existencia respecto de tercero en la fecha de la protocolización.

Artículo 215

Los documentos privados cuyo contenido sea materia de contrato podrán protocolizarse por medio de acta cuando alguno de los contratantes desee evitar su extravío y dar autenticidad a su fecha, expresándose en tal caso que tal protocolización se efectúe sin ninguno de los efectos de la escritura pública y sólo a los efectos del artículo 1227 del Código Civil.

Cuando no sean materia de acto o contrato se podrán protocolizar mediante acta a los efectos que manifiesten los interesados.

Artículo 215

Los documentos privados cuyo contenido sea materia de contrato podrán protocolizarse por medio de acta cuando alguno de los contratantes desee evitar su extravío y dar autenticidad a su fecha, expresándose en tal caso que tal protocolización se efectúa sin ninguno de los efectos de la escritura pública y sólo a los efectos del artículo 1.227 del Código Civil.

Cuando no sean materia de acto o contrato se podrán protocolizar mediante acta a los efectos que manifiesten los interesados.

Los documentos privados sujetos al Impuesto de Transmisiones Patrimoniales y Actos Jurídicos Documentados, y al Impuesto de Sucesiones y Donaciones, no podrán ser objeto de acta de protocolización si no consta en ellos la nota que corresponda de la Oficina

TEXTO ANTERIOR	**TEXTO ACTUAL**
	liquidadora o entidad bancaria colaboradora.

SUBSECCIÓN 5ª
Actas de depósito ante notario

Artículo 216	**Artículo 216**
Los Notarios pueden recibir en depósito los objetos, valores, documentos y cantidades que por particulares y corporaciones se les confíen, bien como prenda de sus contratos, bien para su custodia.	Los notarios pueden recibir en depósito los objetos, valores, documentos y cantidades que se les confíen, bien como prenda de contratos, bien para su custodia.
La admisión de depósitos es voluntaria por parte del Notario, quien podrá imponer condiciones al depositante.	La admisión de depósitos es voluntaria por parte del notario, quien podrá imponer condiciones al depositante, salvo que el depósito notarial se halle establecido en alguna ley, en cuyo caso se estará a lo que en ella se disponga.
	El depósito notarial de documentos que estén extendidos en soporte informático se regirá además por las siguientes normas:
	1.º El soporte digital que contenga un documento electrónico se entregará en depósito al notario, por el plazo y condiciones que convenga éste con el requirente o requirentes; en el acta de depósito, o en el documento en que deba quedar unido, bastará con hacer referencia depósito con reseña de las características del documento electrónico y de su soporte, tales

TEXTO ANTERIOR	**TEXTO ACTUAL**
	como su fecha, formato y su extensión, si las tiene, la unidad de medida, en su caso, así como las demás características técnicas que permitan identificarlos.

como su fecha, formato y su extensión, si las tiene, la unidad de medida, en su caso, así como las demás características técnicas que permitan identificarlos.

2.º La Dirección General de los Registros y del Notariado en los términos previstos en el artículo 113.3 de la Ley 24/2001, de 27 de diciembre, podrá acordar, cuando innovaciones técnicas lo hagan aconsejable, el traslado sistemático del contenido de documentos informáticos depositados a un nuevo soporte, más adecuado para su conservación, lectura o reproducción, dictando las normas que garanticen la fiabilidad de las copias. En todo caso, deberá citarse a los interesados, quienes podrán oponerse retirando el documento.

También podrá realizarse, con la misma finalidad, el traslado a un nuevo soporte a instancia de la persona que depositó el documento o sus causahabientes. El traslado del contenido del documento deberá hacerse por medios técnicos adecuados que aseguren la fiabilidad de la copia.

Cuando proceda la devolución de un depósito se extenderá en la misma acta nota expresiva de haberlo efectuado, firmada por la persona que haya impuesto el depósito o por quien traiga de ella su derecho

TEXTO ANTERIOR	**TEXTO ACTUAL**
	u ostente su representación legal o voluntaria.
	Cuando el depósito estuviese constituido bajo alguna condición convenida con un tercero, el notario no efectuará la devolución mientras no se le acredite suficientemente el cumplimiento de la condición estipulada.
	Para la devolución del depósito el solicitante tendrá que acreditar al notario el derecho que le asiste.
	El notario rechazará todo depósito que pretenda constituirse en garantía de un acto o contrato contrario a las leyes o al orden público.
	Si el objeto depositado fuera un programa informático cuyo contenido no pueda ser razonablemente conocido por el notario, éste sólo admitirá el depósito si el requirente depositante manifiesta que el contenido de aquel programa no es contrario a la ley o al orden público.
Artículo 217	**Artículo 217**
Cuando los Notarios aceptaren los depósitos en metálico, valores, efectos y documentos a los que se refiere el artículo anterior, se extenderá un acta que	Cuando los notarios aceptaren los depósitos en metálico, valores, efectos y documentos a los que se refiere el artículo anterior, se extenderá un acta que habrán de firmar el

TEXTO ANTERIOR	TEXTO ACTUAL

habrá de firmar el depositante o persona a su ruego, si no supiera o no pudiera firmar, y el Notario. En dicha acta se consignarán las condiciones impuestas por el Notario al depositante para la constitución y devolución del depósito, así como también todo cuanto fuere preciso para la identificación del mismo.

Los depósitos en metálico y los de los objetos en que fuese necesaria su identificación se entregarán al Notario, cerrándolos y sellándolos a su presencia en forma que ofrezca garantía de no ser abiertos.

depositante o persona a su ruego, si no supiera o no pudiera firmar, y el notario. En dicha acta se consignarán las condiciones propuestas por el notario y aceptadas por el depositante para la constitución y devolución del depósito, así como también todo cuanto fuere preciso para la identificación del mismo.

Los depósitos de los objetos en que fuese necesaria su identificación se entregarán al notario, cerrándolos y sellándolos a su presencia en forma que ofrezca garantía de no ser abiertos. Respecto de los depósitos en efectivo a que se refiere este artículo, el notario no podrá obtener para sí, el depositante o tercero rendimiento de las cantidades depositadas. A tal fin, deberá abrir una cuenta específica no remunerada, sin que el notario pueda desempeñar funciones de gestión respecto de dicho efectivo, cheque o fondos.

Siempre que el notario lo considere conveniente para su seguridad, podrá conservar los depósitos que se le confíen en un Banco, y en caja de alquiler arrendada a su nombre como tal notario, advirtiéndolo así al depositante y consignándolo en el acta. Dicha caja sólo podrá ser abierta por el notario o su sustituto legal, o mediante orden escrita de la Junta Directiva del Colegio Notarial respectivo o de la Dirección

TEXTO ANTERIOR	**TEXTO ACTUAL**

General, en su caso. Queda a salvo lo anteriormente previsto.

SUBSECCIÓN 6ª
Documento fehaciente de
liquidación

Artículo 218

Cuando proceda la devolución de un depósito se extenderá en la misma acta nota expresiva de haberlo efectuado, firmada por la persona que haya impuesto el depósito o por quien tenga de ella su derecho u ostente su representación legal o voluntaria, o por un testigo a su ruego si la que recogiese el depósito no supiere o no pudiere firmar; por un testigo de conocimiento, si el Notario no conociese al depositante o a quien le represente, y por el Notario mismo.

Cuando el depósito estuviese constituido bajo alguna condición convenida con un tercero, el Notario no efectuará la devolución mientras no se le acredite suficientemente el cumplimiento de la condición estipulada.

Cuando la devolución se solicite por persona distinta de la que constituyó el depósito, la que sea tendrá que acreditar al Notario

Artículo 218

Cuando para despachar ejecución por el importe del saldo resultante de las operaciones derivadas de contratos formalizados en escritura pública o en póliza intervenida, conforme al artículo 572.2 de la Ley de Enjuiciamiento Civil, sea necesario acompañar a la demanda ejecutiva, además del título ejecutivo el documento fehaciente que acredite haberse practicado la liquidación en la forma pactada por las partes en dicho título, tal como establece el artículo 573.1.2.ª de la Ley de Enjuiciamiento Civil, el notario lo hará constar mediante documento fehaciente en el que se exprese la liquidación, que se regirá por las normas generales y especialmente, por las siguientes:

1.º Junto con el requerimiento, que podrá efectuarse mediante carta dirigida al notario quien legitimará la firma del remitente e incorporará al acta, la entidad acreedora entregará o remitirá al notario el título con *el derecho que le asiste para la devolución o la representación legal o voluntaria que tenga del depositante.*

El Notario rechazará todo depósito que pretenda constituirse en garantía de un acto o contrato contrario a las leyes, a la moral o a las buenas costumbres.

efectos ejecutivos de la escritura pública o de la póliza intervenida que haya de servir de titulo para la ejecución o, en su caso, testimonio notarial de dichos documentos, salvo que el contenido del título ejecutivo resulte de su protocolo o libro registro, así como una certificación por ella expedida, en la que se especifique el saldo exigible al deudor, además de los extractos contables correspondientes, debidamente firmados, que permitan al notario efectuar las verificaciones técnicas oportunas. Quedará incorporada al documento fehaciente la certificación del saldo y se insertará o unirá testimonio literal o en relación de los documentos contables que han servido para su determinación.

2.º Si en el contrato no se hubieren reflejado, de forma explícita, los tipos de interés o comisiones aplicables, la entidad requirente deberá acreditar al notario cuáles han sido estos, haciéndose constar todo ello en el acta de liquidación.

3.º El notario deberá comprobar, y expresar en el documento fehaciente, que en el título ejecutivo las partes acordaron emplear el procedimiento establecido en el artículo 572.2 de la Ley de Enjuiciamiento Civil para fijar la cuantía líquida de la deuda.

4.º Con los documentos contables presentados el notario comprobará si la liquidación se ha

TEXTO ANTERIOR	**TEXTO ACTUAL**
	practicado, a su juicio, en la forma pactada por las partes en el título ejecutivo.
	Si el saldo fuere correcto, el notario hará constar por diligencia el resultado de su comprobación, expresando:
	a) Los datos y referencias que permitan identificar a las personas interesadas, al título ejecutivo y a la documentación examinada por el notario.
	b) Que, a su juicio, la liquidación se ha efectuado conforme a lo pactado por las partes en el título ejecutivo. Asimismo podrá hacer constar cualquier precisión de carácter jurídico, contable o financiero que el notario estime oportuno.
	c) Que el saldo especificado en la certificación expedida por la entidad acreedora, que se incorporará al acta de liquidación, coincide con el que aparece en la cuenta abierta al deudor.
	d) Que el documento fehaciente comprensivo de la liquidación se extiende a los efectos previstos en los artículos 572.2 y 573.1.2.º de la Ley de Enjuiciamiento Civil.
Artículo 219	**Artículo 219**
Siempre que el Notario lo considere conveniente para su	Los notarios, a requerimiento de parte interesada, podrán auto-

TEXTO ANTERIOR

seguridad, podrá conservar los depósitos que se le confíen en un Banco, y en caja de alquiler arrendada a su nombre como tal Notario, advirtiéndolo así al depositante y consignándolo en el acta. Dicha caja sólo podrá ser abierta por el Notario o su sustituto legal, o mediante orden escrita de la Junta directiva del Colegio Notarial respectivo o de la Dirección General, en su caso.

TEXTO ACTUAL

rizar actas de liquidación relativas a cualesquiera cuentas o contratos no comprendidos en el artículo anterior. Esta clase de actas, según el alcance del requerimiento, deberán contener los apuntes contables y el saldo final, así como la expresión de las condiciones en que se ha practicado la liquidación.

Estas actas de liquidación se acomodarán a los requisitos formales, materiales y de registro, establecidos en el artículo anterior, con las especialidades derivadas del requerimiento.

SUBSECCIÓN 6ª
Actas de subastas

Artículo 220

También podrán recibir los Notarios cantidades en metálico, o valores, o documentos, o resguardos u otros objetos en depósito retribuido o gratuito, con los requisitos de forma que los interesados tengan por conveniente, o por simples recibos privados que el Notario suscriba por sí mismo o por otra persona con poder notarial bastante.

Tanto para la devolución del depósito como para el caso de cesar el Notario en el desempeño

Artículo 220

1. Las actas notariales de subasta se regirán por las normas generales y por las siguientes reglas:

1.ª El requerimiento al notario se hará por el propietario del bien o derecho a subastar, por persona legitimada para disponer de ella, o por el representante de aquél o de éste.

El requirente presentará al notario el pliego de condiciones a que haya de sujetarse la subasta, que se unirá al acta, y en el que necesariamente se consignarán: la

TEXTO ANTERIOR	**TEXTO ACTUAL**

de la Notaría, se estará a lo previsto por ambas partes al tiempo de constituirlo.

descripción de la cosa a subastar y su estado de cargas y de arrendamientos; el tipo de subasta; el depósito que sea necesario para tomar parte en la misma; el procedimiento de subasta; el plazo para presentar los sobres cerrados; el lugar, día y hora de celebración de la subasta; la posibilidad de celebrar, en su caso, una segunda y una tercera subasta, sus tipos, lugar y fechas; los lugares o periódicos en que haya de anunciarse la subasta, y su duración o antelación; si se admiten posturas a calidad de ceder a un tercero; el plazo en el que haya de completarse el pago del precio; y cuantas condiciones u otros extremos lícitos se estimen oportunos. El pliego de condiciones deberá respetar las mínimas establecidas en el presente artículo.

El requirente aseverará bajo su responsabilidad, y acreditará al notario, la propiedad de la cosa a subastar o su legitimación para disponer de ella; su libertad o estado de cargas; situación arrendaticia y posesoria; estado físico en que se encuentra; obligaciones pendientes; y cuantas circunstancias tengan influencia en el valor de la misma; así como, en su caso, la representación, voluntaria, orgánica o legal con que el requirente actúe. Para todo ello, y para su constancia en el acta, el notario aplicará las normas que

TEXTO ANTERIOR	**TEXTO ACTUAL**

contiene este Reglamento para los instrumentos públicos.

El notario no aceptará el requerimiento hasta que, estudiada la documentación presentada, y subsanada o completada en su caso, haya identificado al requirente, apreciado su capacidad legal para el requerimiento que efectúa, comprobado la concurrencia de las autorizaciones, consentimientos o requisitos necesarios y estimado, conforme al artículo 145 de este Reglamento, que no concurre ninguna otra causa de denegación de funciones.

2.ª La subasta deberá ser anunciada con diez días de antelación como mínimo respecto del señalado para su celebración y, en su caso, para la presentación de los pliegos conteniendo las posturas.

El anuncio se llevará a cabo como mínimo en la forma siguiente, según la cuantía del tipo de la primera subasta:

a) Hasta 6.000 euros en el tablón de anuncios del Ayuntamiento en que se encuentren situados todos o la mayoría de los bienes.

b) Hasta 60.000 euros en uno de los periódicos de mayor circulación de la respectiva localidad, y en su defecto, de la provincia.

c) Hasta 120.000 euros en el Boletín Oficial de la provincia o, en su defecto, de la Comunidad Autónoma respectiva.

TEXTO ANTERIOR	**TEXTO ACTUAL**
	d) Y de más de 120.000 euros en el Boletín Oficial del Estado.

d) Y de más de 120.000 euros en el Boletín Oficial del Estado.

El anuncio contendrá, cuanto menos, la expresión sucinta del objeto de la subasta; local, día, hora y notario autorizante de la subasta; tipo de licitación; local en que están de manifiesto al público la documentación y el pliego de condiciones, y aquel en que, en su caso, podrá ser visitada la cosa subastada. Podrán añadirse la indicación del local, día y hora en que tendría lugar la segunda y la tercera subasta, si fueren procedentes, y sus tipos.

Iniciada la publicación de la subasta, no podrá el requirente desistir de su rogación.

3.ª Siempre que el requirente de la subasta no fuera el propietario de la cosa a subastar o su representante, el requerimiento deberá ser efectuado a notario competente territorialmente por razón del domicilio de dicho propietario o de la situación del bien o de la mayor parte de los bienes objeto de la subasta.

El tipo de la licitación en la primera subasta que no estuviere contractualmente establecido, será fijado en este caso por perito oficial designado por el requirente; en su defecto, se tomará como tipo el mayor valor de los dictaminados por dos peritos prácticos, igualmente designados por el requirente. En todo caso los peritos deberán com-

TEXTO ANTERIOR	**TEXTO ACTUAL**

parecer ante el notario para entregar sus dictámenes y ratificarse en ellos, así como para acreditar, en su caso, su titulación. El tipo de la segunda subasta será el setenta y cinco por ciento del tipo de la primera; la tercera subasta, cuando proceda, se efectuará sin sujeción a tipo.

El notario notificará al propietario del bien, salvo que sea el propio requirente, la tramitación de la subasta y todo el contenido que, conforme a la regla anterior, debe tener el anuncio, así como el procedimiento seguido para la fijación del tipo de subasta; y le requerirá para que comparezca en el acta en defensa de sus intereses. La diligencia se practicará conforme al artículo 202 de este Reglamento, en el domicilio fijado contractualmente o, en su defecto, en el habitual del notificado, y si no fuere conocido, en el que resulte de documento o registro público.

4.ª Si el propietario de la cosa o un tercero que se considerara con derecho a ello, comparecieran oponiéndose a la celebración de la subasta, el notario hará constar sucintamente en la correspondiente diligencia su petición y las razones y documentos que para ello aduzcan y les reservará sus posibles derechos para que los ejerciten judicialmente.

TEXTO ANTERIOR	TEXTO ACTUAL

5.ª La subasta se celebrará por el procedimiento de sobres cerrados, que deberán ser entregados al notario con tres días laborables de antelación al señalado para el acto de subasta, junto con el depósito necesario para tomar parte en ella o resguardo de haberlo consignado en una Entidad de Crédito.

Este depósito ascenderá al diez por ciento del tipo de licitación que no exceda de tres mil euros, más el cinco por ciento del exceso en su caso.

6.ª La subasta se celebrará ante el notario en el lugar, día y hora, y por el procedimiento anunciado, con estricta sujeción al pliego de condiciones.

El notario extenderá la correspondiente diligencia, en la que sintéticamente se recogerán los aspectos de trascendencia jurídica; las reclamaciones que se hayan presentado y la reserva de los derechos correspondientes ante los Tribunales de Justicia; la persona del mejor postor y el precio ofrecido por ella; el juicio del notario de que en la subasta se han observado las normas legales que la regulan y el pliego de condiciones bajo el que ha sido convocada; y la adjudicación de la cosa subastada por el requirente o por la Mesa.

Si éstos no concurrieren, bastará el juicio del notario para que la

TEXTO ANTERIOR	**TEXTO ACTUAL**
	subasta quede concluida, y la cosa adjudicada.

subasta quede concluida, y la cosa adjudicada.

El adjudicatario firmará la diligencia, después de que el notario le haya identificado y apreciado su capacidad conforme a la legislación notarial.

7.ª La tramitación y el acto de subasta sólo podrán ser interrumpidos por mandato judicial.

8.ª En diligencias sucesivas, y dentro de los plazos señalados en el pliego de condiciones, se harán constar la devolución de los depósitos hechos para tomar parte en la subasta por personas que no hayan resultado adjudicatarias; la cesión del remate a un tercero, en su caso; el pago del resto del precio por el adjudicatario; y la entrega por el notario al requirente de las cantidades que hubiere percibido del adjudicatario.

9.ª Si la cosa subastada fuera inmueble, el requirente, conforme a lo dispuesto en el artículo 1280.1.º del Código Civil, otorgará ante el notario escritura pública de venta a favor del adjudicatario al tiempo de completar éste el pago del precio. Lo mismo se hará en los demás casos en los que la Ley exige documento público como requisito de validez o eficacia de la transmisión, así como en cualquier otro caso en que el adjudicatario lo solicite. En los demás supuestos, la copia

TEXTO ANTERIOR	**TEXTO ACTUAL**
	autorizada del acta servirá de título al rematante.

autorizada del acta servirá de título al rematante.

2. Las subastas voluntarias podrán convocarse con la reserva del derecho del requirente a aprobar el remate a su libre arbitrio, o bajo otras condiciones especiales, debiendo consignarse todo ello en los anuncios.

El requirente, en el pliego de condiciones, podrá incrementar o disminuir los anuncios de la subasta o su antelación; fijar libremente el tipo de subasta; aumentar, disminuir o suprimir el depósito previo; ordenar un procedimiento distinto de subasta; reducir a una sola, o a dos, el número de subastas; y tomar cualesquiera otras determinaciones análogas a las expresadas.

En todo lo demás, se aplicarán a las subastas voluntarias las reglas generales establecidas para las subastas notariales en el número anterior de este artículo.

3. Las subastas que se hicieren en cumplimiento de una disposición legal, de una resolución judicial o administrativa, o de cláusula contractual o testamentaria, se regirán en primer lugar por las normas que respectivamente establezcan, y en su defecto por las del presente artículo.

4. Las subastas podrán encomendarse a los Colegios Notariales, en cuyo caso éstos designarán, por

TEXTO ANTERIOR	TEXTO ACTUAL
	turno, a los notarios que deban llevarlas a cabo, pudiendo celebrarse en los locales habilitados al efecto por dichos Colegios Notariales.

SECCIÓN 4ª *De las copias*	SECCIÓN 5ª *De las copias*

Artículo 221

Se consideran escrituras públicas, además de la escritura matriz, las copias de esta misma expedidas con las formalidades de derecho.

Artículo 221

Se consideran escrituras públicas, además de la matriz, las copias de esta misma expedidas con las formalidades de derecho. Igualmente, tendrán el mismo valor las copias de pólizas incorporadas al protocolo. Las copias deberán reproducir o trasladar fielmente el contenido de la matriz o póliza. Los documentos incorporados a la matriz podrán hacerse constar en la copia por relación o transcripción.

Las copias autorizadas pueden ser totales o parciales, pudiendo constar en soporte papel o electrónico. Las copias autorizadas en soporte papel deberán estar signadas y firmadas por el notario que las expide; si estuvieran en soporte electrónico, deberán estar autorizadas con la firma electrónica reconocida del notario que la expide.

TEXTO ANTERIOR	**TEXTO ACTUAL**

Artículo 222

Sólo el Notario en cuyo poder se halle legalmente el protocolo, estará facultado para expedir copias u otros traslados o exhibirlo a los interesados.

Ni de oficio ni a instancia de parte interesada decretarán los Tribunales que los Secretarios judiciales extiendan, por diligencia o testimonio, copias de actas y escrituras matrices, sino que las exigirán del Notario que deba darlas, con arreglo a la Ley y el Reglamento, es decir, justificando ante el Notario, y a juicio de éste, con la documentación necesaria, el derecho de los interesados a obtenerlas, y siempre que la finalidad de la petición sea la prescrita en el artículo 497 de la Ley de Enjuiciamiento Civil. Para los cotejos o reconocimientos de estas copias se observará lo dispuesto en el párrafo tercero del artículo 32 de la Ley.

Artículo 223

Para expedir primeras o posteriores copias, con arreglo al artículo 31 de la Ley, se entiende que el protocolo está legalmente

Artículo 222

Sólo el notario en cuyo poder se halle legalmente el protocolo, estará facultado para expedir copias u otros traslados o exhibirlo a los interesados.

Ni de oficio ni a instancia de parte interesada decretarán los Tribunales que los Secretarios judiciales extiendan, por diligencia o testimonio, copias de actas, escrituras matrices y pólizas, sino que bajo su responsabilidad las exigirán del notario que deba darlas, con arreglo a la Ley del Notariado y el presente Reglamento, es decir, justificando ante el notario, y a juicio de éste con la documentación necesaria, el derecho de los interesados a obtenerlas, y siempre que la finalidad de la petición sea la prescrita en el artículo 256 de la Ley de Enjuiciamiento Civil. Para los cotejos o reconocimientos de estas copias se observará lo dispuesto en el párrafo tercero del artículo 32 de la Ley.

TEXTO ANTERIOR	**TEXTO ACTUAL**

en poder del titular de la Notaría, de su sustituto o del Archivero de protocolos, en su caso.

Artículo 224

Además de cada uno de los otorgantes, según el artículo 17 de la Ley, tienen derecho a obtener copia, en cualquier tiempo, todas las personas a cuyo favor resulte de la escritura algún derecho, ya sea directamente, ya adquirido por acto distinto de ella, y quienes acrediten, a juicio del Notario, tener interés legítimo en el documento.

Artículo 224

1. Además de cada uno de los otorgantes, según el artículo 17 de la Ley, tienen derecho a obtener copia, en cualquier tiempo, todas las personas a cuyo favor resulte de la escritura o póliza incorporada al protocolo algún derecho, ya sea directamente, ya adquirido por acto distinto de ella, y quienes acrediten, a juicio del notario, tener interés legítimo en el documento.

2. Los notarios darán también copias simples sin efectos de copia autorizada, pero solamente a petición de parte con derecho a ésta. En ningún caso podrá hacerse constar en la copia simple la firma de los otorgantes. Se habilita al Consejo General del Notariado para que establezca las características del papel para copia simple que deberá ser utilizado en su expedición, teniendo carácter de ingreso corporativo las cantidades que dicho Consejo obtenga por su utilización. A tal fin, el Consejo por sí o a través de los Colegios Notariales deberá proveer a los notarios de dicho papel.

TEXTO ANTERIOR	**TEXTO ACTUAL**
	El Consejo comunicará a la Dirección General de los Registros y del Notariado las características de dicho papel, así como de sus modificaciones, que se entenderán admitidas si la Dirección no resuelve lo contrario en el plazo de quince días computados desde esa comunicación.

El Consejo comunicará a la Dirección General de los Registros y del Notariado las características de dicho papel, así como de sus modificaciones, que se entenderán admitidas si la Dirección no resuelve lo contrario en el plazo de quince días computados desde esa comunicación.

3. Igualmente darán lectura del contenido de documentos de su Protocolo a quienes demuestren, a su juicio, interés legítimo.

4. Las copias electrónicas, autorizadas y simples, se entenderán siempre expedidas a todos los efectos incluso el arancelario por el notario titular del protocolo del que formen parte las correspondientes matrices y no perderán su carácter, valor y efectos por el hecho de que su traslado a papel lo realice el notario al que se le hubiese enviado. Dichas copias sólo podrán expedirse para su remisión a otro notario o a un registrador o a cualquier órgano judicial o de las Administraciones Públicas, siempre en el ámbito de su respectiva competencia y por razón de su oficio. El notario que expida la copia autorizada electrónica será el mismo que la remita.

En la expedición de las copias autorizadas electrónicas se hará constar expresamente la finalidad para la que se expide, siendo sólo válidas para dicha finalidad, y su

TEXTO ANTERIOR	**TEXTO ACTUAL**
	destinatario, debiendo dejarse constancia de estas circunstancias por nota en la matriz

Las copias autorizadas electrónicas una vez expedidas tendrán un plazo de validez de sesenta días a contar desde la fecha de su expedición. Transcurrido este plazo podrá expedirse nueva copia electrónica con igual finalidad que la caducada. La expedición de esta nueva copia autorizada electrónica con idéntico destinatario y finalidad no devengará arancel alguno.

El traslado a papel de las copias autorizadas expedidas electrónicamente, cuando así se requiera, sólo podrá hacerlo el notario al que se le hubiesen remitido, para que conserven la autenticidad y la garantía notarial. Dicho traslado se extenderá en folios timbrados de papel de uso exclusivo notarial, con expresión de su nombre, apellidos y residencia, notario que expide la copia, fecha de su expedición y de traslado a papel y números de los folios que comprende, bajo su firma, sello y rúbrica.

El notario destinatario de una copia autorizada electrónica podrá, según su finalidad:

1.º Incorporar a la matriz por él autorizada el traslado a papel de aquélla, haciéndolo constar en el cuerpo de la escritura o acta o en diligencia correspondiente.

TEXTO ANTERIOR	TEXTO ACTUAL
	2.º Trasladarla a soporte papel en los términos indicados, dejando constancia en el Libro Indicador, mediante nota expresiva del nombre, apellidos y residencia del notario autorizante de la copia electrónica, su fecha y número de protocolo, así como los folios en que se extiende el traslado y su fecha.

2.º Trasladarla a soporte papel en los términos indicados, dejando constancia en el Libro Indicador, mediante nota expresiva del nombre, apellidos y residencia del notario autorizante de la copia electrónica, su fecha y número de protocolo, así como los folios en que se extiende el traslado y su fecha.

3.º Reseñar su contenido en lo legalmente procedente en la escritura o acta matriz o póliza intervenida.

Una vez realizado el traslado a papel, el notario remitirá telemáticamente al que hubiese expedido la copia electrónica, el traslado a papel, para que aquel lo haga constar por nota en la matriz.

La coincidencia de la copia autorizada expedida electrónicamente, con el original matriz, será responsabilidad del notario que la expide electrónicamente, titular del protocolo del que forma parte la correspondiente matriz. La responsabilidad de la coincidencia de la copia autorizada electrónica con la trasladada al papel será responsabilidad del notario que ha realizado dicho traslado.

De conformidad con el artículo 17 bis de la Ley del Notariado, los registradores, así como los funcionarios competentes de los órganos jurisdiccionales y administrativos, destinatarios de las copias autoriza-

TEXTO ANTERIOR	**TEXTO ACTUAL**
	das electrónicas notariales podrán trasladarlas a soporte papel dentro de su plazo de vigencia, a los únicos y exclusivos efectos de incorporarlas a los expedientes o archivos que correspondan por razón de su oficio en el ámbito de su respectiva competencia. Al pie del traslado a papel, dichos funcionarios deberán indicar su nombre y apellidos, cargo, fecha del traslado, número de folios que lo integran y su limitado efecto a la citada incorporación al expediente o archivo.
	La Dirección General de los Registros y del Notariado podrá determinar el formato telemático en que deba expedirse la copia autorizada electrónica, utilizando para ello criterios de seguridad.
	En lo relativo a las copias simples electrónicas, éstas podrán remitirse a cualquier interesado cuando su identidad e interés legítimo le consten fehacientemente al notario, utilizando para su envío un procedimiento tecnológico adecuado que garantice su confidencialidad hasta el destinatario.

Artículo 225

Para obtener las copias de documntos en que tenga interés

Artículo 225

Las copias de testamentos solicitadas por las Administraciones

TEXTO ANTERIOR	**TEXTO ACTUAL**

legítimo, la persona casada no necesitará el consentimiento de su consorte.

públicas, con ocasión de expedientes o informes sobre solvencia o en procedimientos de apremio sobre bienes de determinadas personas a las que el testamento reconozca derechos hereditarios, se expedirán sólo parcialmente, limitadas a las cláusulas patrimoniales en las que aquellas sean beneficiarias, y previa justificación fehaciente del fallecimiento del testador y de la existencia de los citados expedientes y procedimientos.

Las notificaciones previstas en el artículo 223 del Código Civil se efectuarán mediante testimonio en relación relativo a la designación de tutores.

Artículo 226

En vida del otorgante, sólo éste o su apoderado especial, podrán obtener copia del testamento.

Fallecido, tendrán derecho a ella, además de los herederos instituidos o sus representantes, los legatarios, albaceas, contadores y dmás personas a quienes se reconozca algún derecho o facultad; los parientes que, de no existir el testamento o ser nulo o en que no haya instituidos herede-

Artículo 226

En vida del otorgante, sólo éste o su apoderado especial podrán obtener copia del testamento.

Fallecido el testador, tendrán derecho a copia:

a) Los herederos instituidos, los legatarios, albaceas, contadores partidores, administradores y demás personas a quienes en el testamento se reconozca algún derecho o facultad.

b) Las personas que, de no existir el testamento o ser nulo,

TEXTO ANTERIOR	**TEXTO ACTUAL**

ros forzosos, serían los llamados en todo o en parte a la herencia del causante, y los instituidos en testamento revocado.
 	
    Este derecho es aplicable a la representación del Estado.
 	
    Se entiende por herederos forzosos, a tales efectos, únicamente a los comprendidos en los dos primeros números del artículo 807 del Código Civil.
	serían llamados en todo o en parte en la herencia del causante en virtud de un testamento anterior o de las reglas de la sucesión intestada, incluidos, en su caso, el Estado o la Comunidad Autónoma con derecho a suceder.
	
	    c) Los legitimarios.
	
	    Las copias de testamentos revocados sólo podrán ser expedidas a los efectos limitados de acreditar su contenido, dejando constancia expresa de su falta de vigor.

Artículo 227

El mandatario solo podrá obtener copias del poder si del mismo o de otro documento resulta autorizado para ello; y también de la escritura en que aparezca la revocación, omitiéndose por el Notario cuanto sea ajeno a ella.

Lo dispuesto en el párrafo anterior aplicable a los consentimientos, generales o especiales, prestados por un cónyuge al otro, y a su revocación.

El cónyuge autorizado para obtener copias del poder o del consentimiento que le hubiere conferido el otro, hará constar, bajo su responsabilidad, en cualquier solicitud de aquéllas, que no me-

TEXTO ANTERIOR	**TEXTO ACTUAL**

dia entre los cónyuges separación legal, aunque solo sea en virtud de medidas provisionales, ni tampoco separación de hecho.

De los poderes o consentimientos recíprocos entre dos o más personas sólo se podrán expedir copias cuando lo soliciten, actuando de consuno, todos los otorgantes. salvo que en el propio documento o en otro posterior esté autorizado alguno de ellos para obtenerlas.

Artículo 228

Cuando se trate de copias de testamentos autorizados por los Párrocos de Cataluña, serán libradas por el Notario más próximo a la parroquia en que esté archivada la disposición testamentaria de entre los pertenecientes al distrito notarial en que se halle enclavada aquélla. Cuando los Notarios que se encontraren en dicha circunstancia fuesen varios, la elección corresponderá a los interesados. Para la expedición de dichas copias el Notario que deba autorizarlas se constituirá en el Archivo parroquial donde se conserva la matriz de la disposición testamentaria, salvo el caso

Artículo 228

Cuando se trate de copias de testamentos autorizados por los Párrocos de Cataluña, no se librarán las copias, aunque se trate de segundas o ulteriores, sin la previa protocolización de la matriz con arreglo a la legislación civil que corresponde.

| **_TEXTO ANTERIOR_** | **TEXTO ACTUAL** |

de que los interesados soliciten expresamente que se autorice en el despacho del Notario.

Cuando se trate de copias que hayan de expedirse en virtud de mandamiento judicial, será el Notario competente para autorizarlas aquel a quien le corresponda según el turno oficial de la población.

Artículo 229

Todo el que solicite copia de algún acta o escritura a nombre de quien pueda legalmente obtenerla, acreditará ante el Notario que haya de expediría el derecho o la representación legal o voluntaria que para ello ostente.

Artículo 230

Cuando la persona que solicite una copia no sea conocida del Notario, será identificada por un testigo de conocimiento, que juntamente con el solicitante y con el Notario firmará la oportuna nota, que éste extenderá en la matriz de que se trate e insertará en la copia que expida.

Artículo 230

Podrá pedirse copia por carta u otra comunicación dirigida al notario, y si a éste consta la autenticidad de la solicitud o aparece la firma legitimada y, en su caso, legalizada, expedirá la copia para entregarla a la persona designada o remitirla por correo y certificada al solicitante, sin responsabilidad por la remisión.

TEXTO ANTERIOR	**TEXTO ACTUAL**

Cuando el Notario conozca a quien solicite la copia, no se pondrá en la matriz dicha nota.

Podrá pedirse copia por carta u otra comunicación dirigida al Notario, y si a éste consta la autenticidad de la solicitud o aparece la firma legitimada y, en su caso, legalizada, expedirá la copia para entregarla a la persona designada o remitirla por correo y certificada al solicitante, sin responsabilidad por la remisión.

Artículo 231

Contra la negativa del Notario a expedir una copia, se dará recurso de queja ante la Dirección General, la cual, oyendo al propio Notario y a la Junta directiva del Colegio respectivo, dictará la resolución que proceda.

Si la resolución fuese ordenando la expedición de la copia, el Notario lo hará constar en las notas de expedición y suscripción de la misma copia.

Artículo 232

Cuando por algún Juez o Tribunal se ordenare al Notario

TEXTO ANTERIOR

la expedición de una copia que éste no pueda librar con arreglo a las leyes y Reglamentos, lo hará saber, con exposición de la razón legal que para ello tenga, a la Autoridad judicial de quien emane el mandamiento, y lo pondrá en conocimiento de la Dirección General.

TEXTO ACTUAL

Artículo 233

A los solos efectos del artículo 1429 de la Ley de Enjuiciamiento Civil, las copias de las escrituras se dividirán en primeras y segundas.

Las personas de quien conste re en el protocolo haber obtenido primera copia, o los sucesores de las mismas que obren con tal carácter, no podrán obtener, sin las formalidades determinadas en el artículo 18 de la Ley, otro traslado de las escrituras cuando éstas contengan obligación exigible en juicio ejecutivo.

Si se expidiere si tal requisito segunda o posterior copia de escritura que contuviere tal obligación, se hará constar en la suscripción que la copia carece de efectos ejecutivos.

Con excepción del juicio ejecutivo y de la regulación del Timbre, todas las copias expedidas por No-

Artículo 233

A los efectos del artículo 517.2. 4.º de la Ley 1/2000, de 7 de enero, de Enjuiciamiento Civil, se considera título ejecutivo aquella copia que el interesado solicite que se le expida con tal carácter. Expedida dicha copia el notario insertará mediante nota en la matriz su fecha de expedición e interesado que la pidió. En todo caso, en la copia de toda escritura que contenga obligación exigible en juicio, deberá hacerse constar si se expide o no con eficacia ejecutiva y, en su caso y de tener este carácter, que con anterioridad no se le ha expedido copia con eficacia ejecutiva.

Expedida una copia con eficacia ejecutiva sólo podrá obtener nueva copia con tal eficacia el mismo interesado con sujeción a lo dispuesto en el artículo 517.2.4.º de la Ley de Enjuiciamiento Civil.

TEXTO ANTERIOR	**TEXTO ACTUAL**

tario competente se considerarán con igual valor, sin más limitación que la derivada del artículo 1220, del Código Civil cuando fueren impugnadas en el juicio declarativo correspondiente, por los trámites de los artículos 597 y 599 de la Ley de Enjuiciamiento Civil.

Artículo 234

Cuando los otorgantes de una escritura en cuya virtud pueda exigirse de ellos ejecutivamente el cumplimiento de una obligación o sus sucesores estén conformes con la expedición de segundas o posteriores copias, comparecerán ante el Notario que legalmente tenga en su poder el protocolo, el cual extenderá en la matriz de que se trate una nota suscrita por dichos otorgantes, sus sucesores o quienes los representen y por el propio Notario, en la que se haga constar dicha conformidad.

La conformidad puede mostrarse también en otro documento auténtico o en la forma prevenida en el artículo 230, haciéndose de ello referencia en la nota.

La nota se insertará en la copia que se expida.

Cuando todos o algunos de los interesados no sean conocidos del

TEXTO ANTERIOR	**TEXTO ACTUAL**

Notario, se procederá a su identificación en la forma prevenida en el mismo artículo 230.

Artículo 235

Para la obtención de segundas o posteriores copias, cuando sea necesario mandamiento judicial, el interesado deberá solicitarla del Juez de primera instancia del distrito donde radique el protocolo, o del Juez que en su caso conozca de los autos a que la copia debe aportarse. En este último caso se procederá según lo dispuesto en la Ley procesal correspondiente.

Cuando la copia no se solicite del Juez que actúe en pleito o causa, el interesado que la reclame deberá presentar un escrito, sin necesidad de Letrado ni Procurador, expresando el documento de que se trata, la razón de pedirla, y el protocolo donde se encuentre. El Juez, dentro de una audiencia, dará traslado al Ministerio fiscal cuando no deban ser citados los demás interesados en el documento, por ignorarse su paradero o por estar ausentes del pueblo donde radique la Notaría o Archivo de protocolos correspondientes. Cuando los interesados deban ser citados, lo serán dentro de los tres

TEXTO ANTERIOR	**TEXTO ACTUAL**

días siguientes a la presentación del escrito incoando el procedimiento.

Transcurridos otros tres días con o sin impugnación del Fiscal o de los interesados citados, el Juez resolverá, expidiendo en su caso, dentro del tercer día, el oportuno mandamiento al Notario o Archivero.

Artículo 236

Las copias se encabezarán con el número que en el protocolo tenga la matriz, y han de ser literalmente reproducción de ella tal como aparezca después de las correcciones hechas, sin que haya de consignarse el particular referente a la salvadura de las mismas.

Si el documento fuere defectuoso por carecer de firma o tener lagunas el texto, se hará constar en caracteres destacados por el subrayado o diverso color o tipo de letra.

Cuando existan en la matriz como documentos complementarios de una escritura o acta los documentos a que se refiere el artículo 214, en la copia hará constar simplemente el Notario que la expida, que hay un plano, fotografía,

TEXTO ANTERIOR

dibujo, etcétera, como documento complementario o unido, con el número que le corresponda. Si el interesado en la expedición de la copia o en el ejercicio de los derechos que de ella deriven presenta una reproducción del documento de que se trate, el Notario, previo cotejo y caso de coincidencia, hará constar en dicha reproducción por diligencia que corresponde al documento de que se trate y sus circunstancias en el protocolo.

Artículo 237

Los Notarios podrán, a instancias de parte, expedir copias parciales de aquellos documentos como particiones de bienes, permutas, división de comunidad y otros análogos, en los cuales insertarán todo el contenido del documento, con excepción de la parte o partes del mismo que hagan relación a la descripción de los bienes adjudicados o adquiridos por otros interesados.

Se omitirá, cuanto no interese al peticionario, en las copias extendidas para el legatario o la persona a cuyo favor haya alguna disposición, no siendo albacea o contador; y en los testamentos

TEXTO ACTUAL

Artículo 237

Es copia parcial la que expide el notario a instancia de parte legitimada para solicitarla reproduciendo o trasladando parte de la matriz, atendido su contenido, el requerimiento y el interés del solicitante

Se omitirá, cuanto no interese al peticionario, en las copias extendidas para el legatario o la persona a cuyo favor haya alguna disposición, no siendo albacea o contador; y en los testamentos mancomunados cuando sea disposición especial del otorgante que sobreviva.

En toda copia parcial se hará constar, bajo la responsabilidad del Notario, que en lo omitido no hay nada que amplíe, restrinja,

TEXTO ANTERIOR	**TEXTO ACTUAL**

mancomunados cuando sea disposición especial del otorgante que sobreviva.

En toda copia parcial se hará constar, bajo la responsabilidad del Notario, que en lo omitido no hay nada que amplíe, restrinja, modifique o condicione lo inserto, sin perjuicio de que también pueda hacerse extracto o relación breve de aquello.

modifique o condicione lo inserto, sin perjuicio de que también pueda hacerse extracto o relación breve de aquello.

Artículo 238

Las primeras copias se expedirán siempre expresando el carácter de tales, y lo mismo se hará con las segundas o posteriores.

Cada vez que se expidan segundas o posteriores copias se anotarán éstas del mismo modo prescrito para las primeras, y se insertarán antes de la suscripción todas las notas que aparezcan en la escritura matriz.

También se mencionará el mandamiento judicial en cuya virtud se expidiesen las segundas o posteriores copias.

TEXTO ANTERIOR	**TEXTO ACTUAL**

Artículo 239

Cuando se expidan segundas o posteriores copias, la numeración ordenada se hará por el Notario con relación a las obtenidas por cada interesado.

Artículo 240

El Notario podrá no expresar el carácter o numeración de las copias:

a) En las de los poderes y testamentos.

b) En las de las transmisiones de dominio si no hubiere precios o sumas aplazados.

c) En la de los negocios jurídicos que no contengan obligación exigible en juicio ejecutivo.

De las actas notariales, se expedirán a los interesados, signadas, firmadas y rubricadas, cuantas copias pidiesen, sin determinar su calidad de primeras, segundas, etcétera, y en la clase de papel sellado que corresponda, sin perjuicio de los requisitos exigidos para determinadas clases de actas.

Artículo 241

En el pie o suscripción de la copia se hará constar, además de las circunstancias expresadas en los artículos 238 y 244, su correspondiente con el protocolo, el concepto en que la tiene quien la expide, si no es el mismo autorizante; la persona a cuya instancia se libra y, en su caso, el fundamento de su interés legítimo, el número de pliegos, clase, serie y numeración de su Timbre o de los móviles con que vayan reintegrados los anteriores al de la autorización, lugar y fechas, e irán autorizadas con el signo, firma, rúbrica y sello del Notario, que impondrá los dos últimos en las hojas anteriores.

Igualmente se reseñarán, rubricarán y sellarán el folio o pliego que se agregue a la copia para la consignación de notas por los Registros y oficinas públicas.

La numeración de los pliegos podrá consignarse en cifras.

En las copias de testamento no pedidas por el otorgante o apoderado especial se hará mención de haberse acreditado al Notario o constarle de ciencia propia el fallecimiento del testador y, en su caso, el parentesco de los peticionarios o su derecho a obtenerlas,

Artículo 241

En el pie o suscripción de la copia se hará constar, además de las circunstancias expresadas en los artículos 233, 238 y 244, su correspondencia con el protocolo, el concepto en que la tiene quien la expide, si no es el mismo autorizante; la persona a cuya instancia se libra y, en su caso, el fundamento de su interés legítimo, el número de pliegos, o folios, clase, serie y numeración, lugar y fecha, e irán autorizadas con el signo, firma, rúbrica y sello del notario, que rubricará todas las hojas, en las que constará su sello.

Igualmente se reseñarán, rubricarán y sellarán el folio o pliego que se agregue a la copia para la consignación de notas por los Registros y oficinas públicas.

En las copias de testamento no pedidas por el otorgante o apoderado especial se hará mención de haberse acreditado al notario o constarle de ciencia propia el fallecimiento del testador y, en su caso, el parentesco de los peticionarios o su derecho a obtenerlas, caso de que no resulte justificado en el testamento.

Cuando se trate de copias autorizadas de pólizas expedidas al efecto de su ejecución, además

TEXTO ANTERIOR	TEXTO ACTUAL

caso de que no resulte justificado en el testamento.

de las menciones previstas en el primer párrafo de este artículo, se hará constar al pie que las mismas coinciden exactamente con el original, entendiéndose así cumplido el requisito de conformidad de la póliza a que hace referencia el artículo 517.2.5.º de la Ley de Enjuiciamiento Civil, todo ello sin perjuicio de acompañar, si así se hubiera pactado, la certificación a que se refiere el artículo 572.2 de la Ley de Enjuiciamiento Civil.

Tanto en el pie de copia de escrituras y actas como en los testimonios, además de su sello, el notario impondrá el sello de seguridad creado a tal efecto por el Consejo General del Notariado.

Artículo 242

Las copias que se expidan de los poderes para cobrar haberes pasivos llevarán después del signo y firma del Notario, la del otorgante, legitimada por el propio Notario autorizante o su sustituto o sucesor.

TEXTO ANTERIOR	**TEXTO ACTUAL**

Artículo 243

Los errores que se padezcan en las copias se subsanarán en la forma prevenida para los de las matrices, salvándolos en la nota de suscripción de la misma copia, antes del signo, firma y rúbrica del Notario, o bien por nota posterior autorizada de igual modo que la copia.

Artículo 243

Las copias en soporte papel no podrán contener interpolaciones, tachaduras, raspaduras o enmiendas, ni siquiera en su pie o suscripción. Cuando fueran advertidos errores u omisiones, se subsanarán mediante diligencia posterior autorizada de igual modo que la copia haciendo constar, además, por nota al margen de ésta, la rectificación.

Artículo 244

Al pie o margen de la matriz o en la siguiente si no quedase espacio, se anotará la expedición de la copia, haciendo constar su clase, persona para quien se ha expedido, fecha y número de los pliegos o folios, autorizándose la nota con media firma del Notario.

A continuación de la nota de expedición de copia, y siempre que los interesados lo soliciten, el Notario hará constar las notas acreditativas de haberse pagado los impuestos del Timbre y Derechos reales e inscrito en el Registro correspondiente.

Artículo 244

Al pie o margen de la matriz o en la siguiente si no quedase espacio, se anotará la expedición de la copia, haciendo constar su clase, carácter, persona para quien se ha expedido, fecha y número de los pliegos o folios, autorizándose la nota con media firma del notario.

Se harán constar por nota en matriz, a solicitud de los interesados o cuando al notario le conste, las circunstancias de haberse pagado los impuestos y los datos de inscripción en el registro correspondiente.

TEXTO ANTERIOR	TEXTO ACTUAL

Artículo 245

Cuando en la misma fecha se expidieran varias copias primeras, segundas o posteriores del mismo documento, se registrará la expedición de todas en una sola nota.

Artículo 246

Asimismo, podrán los Notarios librar testimonios a instancia de los que tuvieren derecho a copia, de determinados particulares de las matrices, ya literales, en relación o mixtos, conforme al señalamiento hecho por los legítimos interesados, haciendo constar el Notario que la parte no testimoniada no altera, desvirtúa o de algún modo modifica o condiciona la que sea objeto de testimonio; y de existir o no determinados instrumentos en la fecha que se indique y de que aquéllos pudieran pedir copia, haciendo constar en el pie del testimonio el carácter con que se expida.

Artículo 247

Las copias y testimonios deberán extenderse en caracteres

| **TEXTO ANTERIOR** | **TEXTO ACTUAL** |

perfectamente legibles, pudiendo escribirse a mano, a máquina o por cualquier medio de reproducción. sin otra limitación que la impuesta por la facilidad de su lectura, el decoro de su aspecto y su buena conservación.

En su expedición se observarán las disposiciones relativas a líneas y sílabas que para las matrices contiene el artículo 155 de este Reglamento.

Artículo 248

Podrán los Notarios negarse a la autorización de documentos y expedición de copias de los mismos si los interesados no le entregan previamente el papel en que, con arreglo a la legislación del Timbre y sello del Estado, deban ser extendidos, o su importe.

Los Notarios están obligados a expedir las copias que soliciten los que sean parte legítima para ello, aun cuando no les hayan sido satisfechos los honorarios devengados por la matriz, sin perjuicio de que para hacer efectivos estos honorarios utilicen la acción que les corresponda con arreglo a las leyes.

Artículo 248

Los notarios están obligados a expedir las copias que soliciten los que sean parte legítima para ello, aun cuando no les hayan sido satisfechos los honorarios devengados por la matriz, sin perjuicio de que para hacer efectivos estos honorarios utilicen la acción que les corresponda con arreglo a las leyes.

TEXTO ANTERIOR	**TEXTO ACTUAL**

Artículo 249

1. Las copias deberán ser libradas por los Notarios en el plazo más breve posible, dando preferencia a las más urgentes. En todo caso, la copia se expedirá dentro del plazo en que ha de ser presentada a liquidación del Impuesto de Transmisiones Patrimoniales y Actos Jurídicos Documentados y General sobre las Sucesiones y Donaciones.

Transcurrido éste, el interesado podrá acudir al Delegado de la Junta o a esta misma para que señale un término prudencial que no podrá ser superior a diez días; pero de todos modos el Notario quedará incurso en la responsabilidad civil correspondiente, aparte la disciplinaria.

Deberá quedar a disposición del adquirente, dentro de los cinco días hábiles siguientes al otorgamiento, copia autorizada de cualquier escritura que contenga actos susceptibles de inscripción en el Registro de la Propiedad.

2. El Notario, por su propia voluntad o necesariamente cuando así lo solicite el interesado, remitirá el mismo día del otorgamiento, por telefax o por cualquier otro medio, al Registro de la Propiedad competente,

Artículo 249

1. Las copias deberán ser libradas por los notarios en el plazo más breve posible, dando preferencia a las más urgentes. En todo caso, deberá expedirse en los cinco días hábiles posteriores a la autorización.

2. Tratándose de copias autorizadas que contengan actos susceptibles de inscripción en el Registro de la Propiedad o en el Registro Mercantil, de conformidad con el artículo 112 de la Ley 24/2001, de 27 de diciembre, a salvo de que el interesado manifieste lo contrario deberán presentarse telemáticamente.

En consecuencia, el notario deberá expedir y remitir la copia autorizada electrónica en el plazo más breve posible y, en todo caso, en el mismo día de autorización de la matriz o, en su defecto, en el día hábil siguiente. Se exceptúa el supuesto de imposibilidad técnica del que deberá quedar constancia en la copia que se expida en soporte papel de la causa o causas que justifican esa imposibilidad, en cuyo caso podrá presentarse mediante telefax en los términos previstos en el apartado siguiente. El notario deberá hacer constar en la matriz mediante diligencia la fecha y hora

TEXTO ANTERIOR	**TEXTO ACTUAL**
comunicación, suscrita y sellada, de haber autorizado escritura susceptible de ser inscrita, que dará lugar al correspondiente asiento de presentación, y en la que constarán testimoniados en relación, al menos, los siguientes datos:	del acuse de recibo digital del Registro correspondiente, sin perjuicio de hacer constar tales extremos, en su caso, en el Libro Indicador.

a) La fecha de la escritura matriz y su número de protocolo.

b) La identidad de los otorgantes y el concepto en el que intervienen.

c) El derecho a que se refiera el título que se pretende inscribir.

d) La reseña identificadora del inmueble haciendo constar su naturaleza y el término municipal de su situación, con expresión, según los casos, del sitio o lugar en que se hallare si es rústica, nombre de la localidad, calle, plaza o barrio, el número si lo tuviere, y el piso o local, si es urbana, y, salvo en los supuestos de inmatriculación, los datos registrales.

El Notario hará constar en la escritura matriz, o en la copia si ya estuviese expedida ésta, la confirmación de la recepción y la decisión de practicar o no el asiento de presentación, que el Registrador deberá enviar el mismo día o en el siguiente hábil.

El notario será responsable de los daños y perjuicios que se cause al interesado como consecuencia del retraso en la expedición de copia electrónica y su presentación telemática, excepto en los supuestos de imposibilidad técnica.

3. A salvo de lo dispuesto en el apartado precedente, el notario podrá remitir por telefax el mismo día del otorgamiento al Registro de la Propiedad competente comunicación sellada y suscrita, en su caso, de haber autorizado escritura susceptible de ser inscrita por la que se adquieran bienes inmuebles o se constituya un derecho real sobre ellos, y en los demás casos en que lo solicite algún otorgante, o lo considere conveniente el notario. En su caso, el notario será responsable de los daños y perjuicios que se causen como consecuencia de la presentación telemática de cualquier título relativo al mismo bien y derecho con anterioridad a la presentación por telefax de la comunicación, a salvo de que se hubiera utilizado esta vía por imposibilidad técnica o como consecuencia de que así lo hubiera solicitado el interesado. Dicha comunicación dará lugar al correspondiente asiento de presen-

TEXTO ANTERIOR	**TEXTO ACTUAL**
	tación y en ella constarán testimoniados en relación, al menos, los siguientes datos:

a) La fecha de la escritura matriz y su número de protocolo.

b) La identidad de los otorgantes y el concepto en el que intervienen.

c) El derecho a que se refiera el título que se pretende inscribir.

d) La reseña identificadora del inmueble haciendo constar su naturaleza y el término municipal de su situación, con expresión de su referencia catastral y, según los casos, del sitio o lugar en que se hallare si es rústica, nombre de la localidad, calle, plaza o barrio, el número si lo tuviere, y el piso o local, si es urbana, y, salvo en los supuestos de inmatriculación, los datos registrales.

El notario hará constar en la escritura matriz, o en la copia si ya estuviese expedida ésta, la confirmación de la recepción por el Registrador y su decisión de practicar o no el asiento de presentación, que éste deberá enviar el mismo día o en el siguiente hábil.

TEXTO ANTERIOR	**TEXTO ACTUAL**
	SECCIÓN 6ª *Testimonios del Libro-Registro*

Artículo 250

Los Notarios darán copias simples sin garantía por la transcripción de los documentos de su protocolo, pero solamente a petición de parte legítima. Igualmente podrán dar lectura del contenido de documentos de su protocolo a quienes demuestren, a su juicio, interés legítimo.

Artículo 250

A los efectos de lo dispuesto en el artículo 517.2.5.º de la Ley 1/2000, de 7 de enero, de Enjuiciamiento Civil, se considera título ejecutivo el testimonio expedido por el notario del original de la póliza debidamente conservada en su Libro Registro acompañada, si así se hubiera pactado, de la certificación a que se refiere el artículo 572.2 de dicha Ley de Enjuiciamiento Civil.

Los testimonios del Libro Registro se expedirán previa petición de persona con derecho a solicitarla y en un plazo no superior a diez días hábiles. Tienen derecho a ellas los contratantes u otorgantes, sus causahabientes, sus apoderados con poder bastante y la autoridad judicial, así como las personas a cuyo favor resulte de la póliza o del documento algún derecho, ya sea directamente, ya adquirido por acto distinto de ella y quienes acrediten, a juicio del notario, tener interés legítimo.

Los testimonios sólo podrán ser expedidos por el notario, respecto de los libros registros de su notaría, por su sustituto, sucesor, habilitado o por el archivero de protocolos

TEXTO ANTERIOR	**TEXTO ACTUAL**

tratándose de libros depositados en el archivo del Colegio Notarial.

En todo testimonio de póliza y, en su caso, de asiento del Libro Registro se hará constar:

1.º El nombre y apellidos del notario que la expide así como, en su caso, el carácter con el que actúe.

2.º La indicación del solicitante a cuya petición se expide.

3.º La referencia al número y fecha a que corresponde el asiento del Libro Registro objeto de testimonio.

4.º El contenido literal, total o parcial, o en extracto, del asiento a que se refiera el testimonio, según proceda, pudiendo utilizarse cualquier procedimiento de reproducción.

5.º Su finalidad o no ejecutiva. Si se solicitara con efecto ejecutivo se hará constar en la póliza mediante nota y, asimismo, en el testimonio que dicho interesado no ha solicitado otro con tal carácter.

6.º El lugar, fecha de su expedición, dación de fe pública y signo, firma, rúbrica y sello del notario.

La expedición del testimonio se hará constar en el asiento del Libro Registro y con expresión de la persona para quien se haya expedido y la fecha, autorizándose la nota con media firma. Cuando en la misma fecha se expidieran varios

TEXTO ANTERIOR	**TEXTO ACTUAL**

testimonios del mismo documento se registrará la expedición de todas en una sola nota.

Sin perjuicio de sus efectos prevenidos en la Ley de Enjuiciamiento Civil, el testimonio del Libro Registro relativo a la incorporación de un documento intervenido, tendrá el mismo valor y eficacia que éste, salvo que las leyes dispongan otra cosa.

Los testimonios en extracto acreditan los extremos que en ellas se comprendan, a instancia del solicitante, debiendo el Notario indicar si en lo omitido existe algún elemento que pudiere afectar, modificar o alterar los efectos de los extremos certificados.

En ningún caso incluirán los testimonios firmas de los otorgantes, siendo de aplicación a los mismos, en cuanto sean compatibles con su naturaleza relativas a documentos no matrices, las disposiciones referentes a las copias contenidas en la Sección 4.ª anterior. Los testimonios se extenderán en folios de papel exclusivo para documentos notariales debiendo superponerse el sello de seguridad. Si no fuera posible expedir testimonio en folio de papel exclusivo notarial, se podrá extender en papel común, en cuyo caso y además de los extremos previstos en este artículo, se firmarán

TEXTO ANTERIOR	**TEXTO ACTUAL**
	y sellarán todos y cada uno de los folios empleados.

y sellarán todos y cada uno de los folios empleados.

Tratándose de Libros registros depositados en los Colegios Notariales, los testimonios de las pólizas, serán expedidas por los notarios Archiveros.

Las Juntas Directivas de los Colegios en orden a un mejor cumplimiento de su función podrán disponer que, en Distritos notariales, distintos del de residencia del Colegio, los Libros Registro que tengan en depósito sean custodiados por un notario en ejercicio en aquellos. Dichas disposiciones de las Juntas Directivas podrán ser revocadas en cualquier momento. Tanto las disposiciones como las revocaciones deberán ser puestas en conocimiento del Consejo General. Los notarios a quienes se les encomiende la custodia de los Libros Registro estarán facultados para expedir por designación de la Junta Directiva testimonios de los documentos contenidos en los mismos.

El importe arancelario a percibir por estos testimonios se considerará ingreso del Colegio.

TEXTO ANTERIOR	**TEXTO ACTUAL**

CAPÍTULO III
DE OTROS DOCUMENTOS NOTARIALES

SECCIÓN 1ª
Testimonios por exhibición

a) Testimonio por exhibición en relación y de vigencia de leyes

---

Artículo 251

Además de las facultades que con relación al protocolo otorga a los Notarios el artículo 17 de la Ley, y de las que se expresan en los artículos anteriores, tienen aquéllos las de expedir en relación o copia, total o parcial, testimonios de documentos que no sean matrices autorizadas por ellos o sus antecesores, ya estén anexos a matrices o se les presenten por los interesados, certificar de existencia y autenticar firmas de otros Notarios, autoridades, empleados públicos y toda clase de personas.

Sin embargo, no se podrán testimoniar los documentos privados, salvo aquéllos cuyas firmas puedan ser legitimadas conforme a este Reglamento.

Podrá también los Notarios expedir testimonios cuyo objeto sea acreditar en el extranjero la legislación vigente en España y el

Artículo 251

Mediante los testimonios por exhibición los notarios efectúan la reproducción auténtica de los documentos originales que les son exhibidos a tal fin o dan fe de la coincidencia de los soportes gráficos que les son entregados con la realidad que observen.

El testimonio por exhibición no implica el juicio del notario sobre la autenticidad o autoría del documento testimoniado. Si el original testimoniado fuese a su vez copia de otro documento, el testimonio tampoco implicará la concordancia entre ambos, salvo que el notario la haga constar expresamente.

También podrán ser utilizados estos testimonios para dar fe de la presencia de una persona ante el notario.

TEXTO ANTERIOR	**TEXTO ACTUAL**

estatuto personal del requirente.

En los testimonios se observarán las reglas dadas para las copias.

Asimismo podrán testimoniar al pie o al dorso de fotografías, fotocopias, u otras reproducciones gráficas análogas, que éstas corresponden a personas, cosas o documentos identificados por el Notario, si bien, en cuanto a los privados, con las limitaciones establecidas en el párrafo segundo de este artículo.

Artículo 252

Podrán los Notarios testimoniar, por exhibición, documentos en lengua o dialecto que no conozcan, pero en este caso se entenderá que su fe se refiere solamente a la exactitud de la copia material de las palabras y no a su contenido.

Artículo 252

No podrán ser testimoniados:

1.° Los documentos matrices que conforman el protocolo, sin más excepciones que las previstas en este Reglamento. Los documentos unidos a una matriz podrán ser objeto de testimonio identificando en éste la matriz a la que se hallan incorporados.

2.° Los redactados en lengua que no sea oficial en el lugar de expedición del testimonio y que el notario desconozca, salvo que les acompañe su traducción oficial.

Los documentos privados que deban ser obligatoriamente presentados ante la Administración Tribu-

TEXTO ANTERIOR	TEXTO ACTUAL
	taria sólo podrán ser testimoniados cuando conste su presentación.

Artículo 253

También podrán los Notarios traducir, respondiendo de la fidelidad de la traducción, los documentos no redactados en idioma español que deban surtir electos en el Registro de la Propiedad y Oficinas liquidadoras del impuesto de Derechos reales, aunque dichos documentos no hayan de insertarse o incorporarse a una escritura o acta matriz.

Artículo 253

Los notarios podrán testimoniar en soporte papel, bajo su fe, las comunicaciones o notificaciones electrónicas recibidas o efectuadas conforme a la legislación notarial, debiendo almacenar en soporte informático adecuado las procedentes de otros notarios, registradores de la propiedad y mercantiles y otros órganos de la Administración estatal, autonómica, local y judicial.

La Dirección General de los Registros y del Notariado determinará los soportes en que deba realizarse el almacenamiento y la periodicidad con la que su contenido deba ser trasladado a un soporte nuevo, tecnológicamente adecuado, que garantice en todo momento su conservación y lectura.

Artículo 254

Los Notarios expedirán testimonio de los reconocimientos de hijos no matrimoniales hechos en testamento para su anotación marginal en el Registro Civil.

Artículo 254

Cuando en una escritura matriz o en una póliza haya de servir como documento complementario alguno que se halle en el Protocolo o Libro Registro a cargo del notario

TEXTO ANTERIOR	**TEXTO ACTUAL**

autorizante o de sus antecesores, podrá éste insertarlo, relacionarlo o reproducirlo total o parcialmente en aquélla, refiriéndose a la correspondiente matriz o asiento sin necesidad de obtener copia o testimonio independiente del mismo, y bastará que así lo haga constar en el original.

También podrá el notario hacer referencia en el documento que autorice o intervenga a la existencia del documento complementario en el Protocolo o Libro-Registro y reproducirlo únicamente en las copias que expida.

SECCIÓN 2ª
Testimonio por vigencia de leyes

Artículo 255

Cuando en una escritura matriz haya de servir como documento complementario alguno que se halle en protocolo a cargo del Notario autorizante, podrá éste insertarlo o relacionarlo, total o parcialmente, refiriéndose a la correspondiente matriz o documento protocolado, sin necesidad de obtener copia o testimonio independiente del mismo, y bastará que haga constar que lo inserto o relacionado se halla conforme con el original.

Artículo 255

Los notarios podrán expedir testimonios cuyo objeto sea acreditar en el extranjero la legislación vigente en España o el estatuto personal del requirente.

TEXTO ANTERIOR

También podrá referirse en la matriz que autorice a la otra o al documento protocolado, para luego hacen en las copias las oportunas transcripciones.

b) Legitimación de firmas

Artículo 256

La legitimación de firmas es un testimonio que acredita el hecho de que una firma ha sido puesta a presencia del Notario, o el juicio de éste sobre su pertenencia a persona determinada.

El Notario no asumirá responsabilidad alguna por el contenido del documento cuyas firmas legitime.

Artículo 257

La nota de "Visto y legitimado", con la fecha y todos los elementos de autorización notariales puestas al pie de cualquier documento oficial, es testimonio de que el Notario considera como auténticas, por conocimiento

TEXTO ACTUAL

SECCIÓN 3ª
Testimonios de legitimación de firmas

Artículo 256

Artículo 257

La nota de Visto y legitimado, con la fecha y todos los elementos de autorización notariales puestas al pie de cualquier documento oficial, o expedido por funcionario público en el ejercicio de su cargo es testimonio de que el notario considera

TEXTO ANTERIOR	**TEXTO ACTUAL**
directo o identidad con otras indubitadas, las firmas de los funcionarios autorizantes, y hallarse éstos, según sus noticias, en el ejercicio de sus cargos a la fecha del documento.	como auténticas, por conocimiento directo o identidad con otras indubitadas, las firmas de los funcionarios autorizantes, y hallarse éstos, según sus noticias, en el ejercicio de sus cargos a la fecha del documento.

Artículo 258

Están autorizados los Notarios para dar testimonio de legitimación de firmas de toda clase de personas y en cualquier concepto puestas al pie de documentos o de certificaciones que hayan cumplido los requisitos establecidos por la legislación fiscal, siempre que esos documentos no sean de los comprendidos en el artículo 1280 del Código Civil, o en cualquier otro precepto que exija la escritura pública como requisito de existencia o de eficacia.

Artículo 258

Sólo podrán ser objeto de testimonios de legitimación de firmas los documentos y las certificaciones que hayan cumplido los requisitos establecidos por la legislación fiscal, siempre que estos documentos no sean de los comprendidos en el artículo 1280 del Código Civil, o en cualquier otro precepto que exija la escritura pública como requisito de existencia o de eficacia. Queda a salvo lo dispuesto en el artículo 207 de este Reglamento.

No podrán ser objeto de dichos testimonios la prestación unilateral de garantías, ni los contratos de carácter mercantil que el artículo 144 de este Reglamento define como propios de las pólizas cuando exista pluralidad de partes con intereses contrapuestos.

TEXTO ANTERIOR	**TEXTO ACTUAL**

Artículo 259

No obstante lo dispuesto en el artículo anterior, podrá el Notario dar testimonio de legitimación de firmas de toda clase de documentos, siempre que se trate de los comprendidos en el número segundo del párrafo segundo del artículo 207 y el mismo Notario cumpla los requisitos que en él se establecen.

Artículo 259

El notario podrá basar el testimonio de legitimación en el hecho de haber sido puesta la firma en su presencia, en el reconocimiento hecho en su presencia por el firmante, en su conocimiento personal, en el cotejo con otra firma original legitimada o en el cotejo con otra firma que conste en el protocolo o Libro Registro a su cargo, debiendo reseñar expresamente en la diligencia de testimonio el procedimiento utilizado.

Dentro del ámbito de los documentos susceptibles de testimonio, sólo podrán ser legitimadas cuando sean puestas o reconocidas en presencia del notario las firmas de letras de cambio y demás documentos de giro, de pólizas de seguro y reaseguro y, en general, las de los documentos utilizados en la práctica comercial o que contengan declaraciones de voluntad.

Artículo 260

Al efecto de asegurar el cumplimiento de lo contenido en el artículo 258, así como de que el documento no contiene nada contrario a las leyes, a la moral o a

Artículo 260

Si el que hubiere de suscribir un documento que haya de ser legitimado no sabe o no puede firmar, o en cualquier otro supuesto en el que proceda la legitimación de la

TEXTO ANTERIOR	TEXTO ACTUAL
las buenas costumbres, el Notario tendrá derecho a enterarse de él y a negarse a dar el testimonio solicitado si los interesados no le consienten su lectura.	huella dactilar, el interesado, previa su identificación, imprimirá la huella dactilar en la forma prevenida en el artículo 191 de este Reglamento a presencia del notario, quien lo hará constar así en la diligencia de testimonio.

Artículo 261

Las firmas de los simples recibos podrán ser legitimadas con tal de que no contengan ninguna clase de declaraciones o estipulaciones, ni produzcan, otra eficacia que ser justificantes de los pagos a que se refieran.

Artículo 261

1. El notario podrá legitimar las firmas electrónicas reconocidas puestas en los documentos en formato electrónico comprendidos en el ámbito del artículo 258. Esta legitimación notarial tendrá el mismo valor que la que efectúe el Notario respecto de documentos en soporte papel. La legitimación notarial de firma electrónica queda sujeta a las siguientes reglas:

1.ª El notario identificará al signatario y comprobará la vigencia del certificado reconocido en que se base la firma electrónica generada por un dispositivo seguro de creación de firma.

2.ª El notario presenciará la firma por el signatario del archivo informático que contenga el documento.

3.ª La legitimación se hará constar mediante diligencia en formato electrónico, extendido por

TEXTO ANTERIOR

TEXTO ACTUAL

el notario con firma electrónica reconocida.

2. La legitimación a que se refiere el apartado anterior se entenderá sin perjuicio de aquellos otros procedimientos de legitimación, distintos del notarial, previstos en la legislación vigente.

Artículo 262

Sólo podrán ser legitimadas cuando sean puestas a presencia del Notario o reconocidas conforme al número tercero del párrafo segundo del artículo 207 las firmas de letras de cambio y demás documentos de giro, de pólizas de seguro y de reaseguro, talones de ferrocarril y, en general, las de los documentos utilizados en la práctica comercial o regidos por disposiciones especiales, así como las firmas de los que, pudiendo ser legitimados conforme a los artículos 258 y 259, contengan declaraciones de voluntad.

Artículo 262

Para realizar testimonios o legitimaciones el notario deberá apreciar en los solicitantes interés legítimo en su pretensión. Igualmente deberá conocer el contenido de los documentos testimoniados a efectos de apreciar el interés legítimo y que dicho contenido no es contrario a las Leyes o al orden público. En caso contrario, o si no apreciare el interés legítimo, denegará fundadamente lo solicitado, resultando de aplicación lo previsto en el último párrafo del artículo 145 de este Reglamento.

La diligencia del testimonio se extenderá en el propio documento testimoniado. De no ser posible se unirá a éste un folio de papel exclusivo para documentos notariales en el que se realizará la diligencia, reseñando en el documento testimoniado la numeración del folio que la contiene. En uno y otro caso,

TEXTO ANTERIOR	**TEXTO ACTUAL**
	si el documento contuviere varios folios objeto de testimonio, sea de exhibición o de legitimación de las firmas que éstos contienen, en todos deberá constar la identificación del folio que contiene la diligencia o la referencia al asiento correspondiente en el Libro Indicador. Si el testimonio se hallare totalmente extendido en folios de papel exclusivo para documentos notariales, bastará con reseñar su numeración en la diligencia.
	Los testimonios por exhibición deberán realizarse en papel de uso exclusivo para documento notarial, salvo que el formato del documento testimoniado lo impida.
	En la diligencia de testimonio se hará constar lugar, fecha, signo, firma rubrica y sello del notario y el de seguridad creado por el Consejo General del Notariado. Si el documento constare en el Libro Indicador se reseñará el número que le corresponda.

Artículo 263

Si el que hubiere de suscribir un documento de los expresados en los artículos 258 y 259 que haya de ser legitimado no sabe o no puede firmar, previa su identifi-

Artículo 263

También tienen la consideración de testimonios las reproducciones obtenidas por el notario de documentos exhibidos para su incorporación a un instrumento público, así

TEXTO ANTERIOR	**TEXTO ACTUAL**
cación, imprimirá su huella digital en la forma prevenida en el artículo 191 de este Reglamento, a presencia del Notario, quien lo hará constar así en el testimonio.	como las legitimaciones de firmas practicadas en el cuerpo de dicho instrumento. Dichos testimonios no se incorporarán al Libro Indicador.

SECCIÓN 4ª

Disposiciones comunes a las secciones anteriores

Artículo 264

De conformidad con lo prevenido en el Convenio Internacional de Telecomunicaciones y su Reglamento, los Notarios podrán legitimar las firmas de los expedidores de telegramas con la misma fórmula usualmente empleada para la legitimación de firmas a que se refiere el artículo 257, estampando igualmente su signo, firma y rúbrica y sello de la Notaría a continuación de la firma del expedidor del telegrama.

Artículo 264

Los notarios llevarán un libro indicador para cada año natural, integrado por dos secciones, en la primera página de cada una de las cuales pondrán nota de apertura y en la final otra de cierre, ambas autorizadas con firma entera.

La sección primera de este libro se llevará mediante asientos numerados con carácter consecutivo para cada anualidad, autorizados con media firma, que contendrán la fecha y las circunstancias necesarias para la debida identificación de la actuación que motive el asiento.

No será necesaria la inclusión en los supuestos en los que el traslado a papel de una copia electrónica haya quedado incorporado a una escritura o acta matriz, así como de los acuses de recibo digitales que consten por nota en una escritura o acta matriz.

TEXTO ANTERIOR	**TEXTO ACTUAL**
	En dicha sección se anotarán:
a) La fecha de traslado a papel de las copias electrónicas indicando la identidad del notario que expide la copia autorizada electrónica, conforme a los párrafos cuarto y quinto del artículo 17 bis de la Ley del Notariado.
b) Los testimonios en soporte papel de las comunicaciones o notificaciones electrónicas recibidas o efectuadas por los notarios conforme a la legislación notarial que se relacionen directamente con un determinado documento autorizado o intervenido
c) Las legitimaciones de firmas electrónicas reconocidas en los documentos en formato electrónico, previstas en el artículo 261 de este reglamento. En estos casos el notario dejará constancia de la identidad de los particulares cuyas firmas electrónicas reconocidas han sido legitimadas y, en su caso, la fecha de remisión del archivo informático a un registro público y los datos de presentación que sean remitidos por el registrador al notario amparados con su firma electrónica reconocida; cuando tales actuaciones se realicen en la fecha del testimonio se harán constar mediante asiento complementario, con numeración propia, relacionado con el principal.
La sección segunda de este libro se llevará mediante la incorporación

TEXTO ANTERIOR	TEXTO ACTUAL

de hojas numeradas en las que se reproduzcan los documentos testimoniados que constituyen su ámbito. Esta sección comprenderá los testimonios por exhibición, de vigencia de leyes, de legitimación de firmas, las certificaciones de saldo y de asiento que se realicen en soporte papel.

El Notario podrá, bajo su responsabilidad, excluir la incorporación de los testimonios por exhibición que tengan por objeto documentos suficientemente identificables.

La incorporación de la reproducción al libro indicador presupondrá la dación de fe de coincidencia respecto del testimonio correspondiente por parte del notario.

Transcurrido un año desde el cierre anual de cada una de las secciones el Notario podrá reproducirlas en un archivo informático que garantice su conservación y reproducción, procediendo en tal caso a la destrucción del soporte papel correspondiente.

c) Legalizaciones

SECCIÓN 5ª
Legalizaciones

Artículo 265

Para los efectos del artículo 30 de la Ley, se legalizará la firma del

Artículo 265

Por la legalización se declara que el signo, firma y rúbrica de un

TEXTO ANTERIOR	**TEXTO ACTUAL**
Notario autorizante, siempre que el documento deba hacer fe fuera del territorio del Colegio a que pertenezca aquél.	notario extendido en un documento coincide con el que habitualmente usa y figura registrado en el Colegio Notarial. Es competente para efectuar la legalización el Decano del Colegio Notarial, el o los miembros de la Junta Directiva a quien a estos efectos expresamente faculte y el Delegado o subdelegado de aquélla a quien expresamente el Decano le atribuya esta competencia.

Artículo 266

Entiéndase por legalización la comprobación extendida al final de un documento autorizado por Notario colegiado, fechada, signada, firmada, rubricada y sellada por otros dos Notarios del mismo Colegio.

Para la legalización se empleará la siguiente fórmula: «Los infrascritos. Notarios del Colegio de ...., distrito notarial de ...., legalizamos el signo, firma y rúbrica que anteceden del Notario don........... N. N. (Aquí la fecha.)».

Esta fórmula se empleará siempre que la firma legalizada sea igual, al parecer, a la que el Notario acostumbra a usar, y que a la fecha del documento se halle

Artículo 266

Para la legalización se utilizarán las fórmulas previstas en los Tratados internacionales o la siguiente: "El Decano del Ilustre Colegio Notarial legalizó el signo, firma y rúbrica que anteceden, del notario. N.N. (Aquí la fecha)".

Esta fórmula se empleará siempre que la firma legalizada sea igual, al parecer, a la que el notario acostumbra a usar, y que a la fecha del documento se halle en ejercicio del cargo, sin que le conste nada en contrario.

Cuando la legalización se ponga o concluya en pliego o folio distinto, se hará en ella sucinta relación del documento, cuyo signo, firma y rúbrica se haya legalizado, y, en su caso, el número del pliego o

TEXTO ANTERIOR	**TEXTO ACTUAL**
en ejercicio del cargo, sin que les conste nada en contrario.	folio en que aparezcan las firmas legalizadas.
Cuando la legalización se ponga o concluya en pliego distinto, se hará en ella sucinta relación del documento, cuyo signo, firma y rúbrica se haya legalizado, y el número de pliego en que aparezcan las firmas legalizadas.	

Artículo 267

Las legalizaciones llevarán sobrepuesto un sello del Colegio Notarial.

Las Juntas directivas dispondrán las tiradas de estos sellos de conformidad con lo prevenido en el número 15 de los Aranceles notariales, únicos sellos que podrán unirse a las legalizaciones y de que estarán provistos los Notarios; pero si de momento no los hubiere en la localidad, lo certificará así el Delegado, si en ella residiere, y en otro caso el mismo legalizante, que remitirá el importe al Decano, el cual acusará recibo, al que irá adherido el sello.

Esto podrá suprimirse en los documentos de oficio y de pobres.

Cada emisión de sellos llevará una numeración correlativa.

Artículo 267

Las legalizaciones llevarán sobrepuesto un sello de los Colegios Notariales, así como el sello de seguridad creado por el Consejo General del Notariado, con las características que determine dicho órgano.

La Junta Directiva dispondrá las tiradas de estos dos tipos de sellos, únicos que podrán unirse a las legalizaciones y de que estará provisto el Colegio Notarial.

TEXTO ANTERIOR	**TEXTO ACTUAL**

Las Juntas darán cuenta a la Dirección General del número de sellos que pongan en circulación.

Artículo 268

Cuando no existan dos Notarios en la capital del distrito, podrá legalizar sólo el Delegado o Subdelegado de la Junta directiva en el mismo distrito, los de uno inmediato y, en todo caso, un miembro cualquiera de ésta con relación a todo el territorio de su Colegio, haciendo constar todos su carácter y la circunstancia expresada.

En el mismo caso podrá hacerlo el Juez de primera instancia, con su Visto Bueno y el sello del Juzgado, sin intervención del Secretario ni exacción de derechos, no otro sello que el de legalización susodicho, salvo que se trate de documentos notariales que hayan de surtir efectos en el Registro civil.

Si se tratase de documentos notariales que hayan de surtir efectos en el Registro civil, se legalizarán en la forma establecida en el artículo 27 de la Ley del Registro civil y 26 de su Reglamento y demás disposiciones legales,

Artículo 268

Cuando se trate de documentos que hayan de surtir efecto en el extranjero y el Cónsul del país respectivo no legalice directamente la firma del notario autorizante, el Decano del Colegio Notarial, o quien le sustituya, haciendo constar necesariamente, en este caso, su cualidad de Decano accidental, legalizará la firma del notario.

La firma de los Decanos será legalizada por la Dirección General.

A este efecto, las Juntas Directivas remitirán a la Dirección General la firma del Decano y de quien legalmente le sustituya, para que puedan ser comprobadas.

TEXTO ANTERIOR

con intervención del Secretario judicial y sin ninguna clase de dispendios.

Cualquiera persona puede presentar en el Juzgado documentos a legalizar, incluso el propio Notario autorizante de los mismos, quien deberá en el acto desvanecer las dudas que pudiera tener el Juez acerca de la autenticidad del signo y firma.

Artículo 269

Cuando se trate de documentos que hayan de surtir efecto en el extranjero y el Cónsul del país respectivo no legalice directamente la firma del Notario autorizante, el Decano del Colegio Notarial, o quien le sustituya, legalizará la firma del Notario, haciendo constar necesariamente, en este caso, su cualidad de Decano accidental.

La firma de los Decanos será legalizada por la Dirección General.

A este efecto, las Juntas Directivas remitirán a la Dirección General la firma del Decano y de quien legalmente le sustituya, para que puedan ser comprobadas.

Lo dispuesto en este artículo se entiende sin perjuicio de la

TEXTO ACTUAL

Artículo 269

Lo dispuesto en el artículo anterior se entiende sin perjuicio de la legalización realizada mediante la apostilla establecida en el Real Decreto 2433/1978, de 2 de octubre, dictada en aplicación del Convenio Internacional de La Haya de 5 de octubre de 1961.

TEXTO ANTERIOR	**TEXTO ACTUAL**

legalización realizada mediante la apostilla establecida en el Real Decreto 2433/1978, de 2 de octubre dictada en aplicación del Convenio Internacional de La Haya de 5 de octubre de 1961.

Artículo 270

Ningún Notario podrá negarse a legalizar sin justa causa; pero si prudentemente dudase del signo y firma, podrá diferir su legalización por veinticuatro horas, a fin de desvanecer sus dudas.

Si no lo consiguiese, podrá negarse a legalizar, reteniendo el documento y dando parte inmediatamente a la Junta directiva, con expresión de la causa, para que adopte con urgencia las medidas que procedan.

Artículo 270

Ningún Decano o sustituto a efectos de legalizaciones podrá negarse a legalizar sin justa causa; pero si prudentemente dudase del signo y firma, podrá diferir su legalización por veinticuatro horas, a fin de desvanecer sus dudas.

Si no lo consiguiese, podrá negarse a legalizar, reteniendo el documento y dando parte inmediatamente a la Junta Directiva, con expresión de la causa, para que adopte con urgencia las medidas que procedan.

Artículo 271

Podrán usarse cajetines o medio de impresión adecuado para los testimonios de legitimidad de firmas de funcionarios y particulares y legalizaciones notariales.

TEXTO ANTERIOR	**TEXTO ACTUAL**

CAPÍTULO IV
DE LA CONSERVACIÓN DE LOS
INSTRUMENTOS PÚBLICOS

SECCIÓN 1ª	SECCIÓN 1ª *De los protocolos, del libro-* *registro y de los índices*
	SUBSECCIÓN 1ª «De los protocolos»
a) De los protocolos	

Artículo 272

El protocolo notarial comprenderá los instrumentos públicos y demás documentos incorporados al mismo en cada año, contado desde 1 de enero a 31 de diciembre, ambos inclusive, aunque en su transcurso haya vacado la Notaría y se haya nombrado nuevo Notario.

Las Juntas directivas de los Colegios Notariales, dando cuenta a la Dirección General, podrán autorizar a los Notarios de aquellas poblaciones en que se autorice habitualmente un número de instrumentos elevado, para abrir, además del protocolo ordinario, uno especial de protestos de letras de cambio y de otros documentos mercantiles, con numeración propia y con apertura y cierre en las mismas fechas indicadas en el párrafo anterior. La Dirección

Artículo 272

El protocolo notarial comprenderá los instrumentos públicos y demás documentos incorporados al mismo en cada año, contado desde primero de enero a treinta y uno de diciembre, ambos inclusive, aunque en su transcurso haya vacado la Notaría y se haya nombrado nuevo Notario.

Asimismo se incorporarán al protocolo las pólizas siempre que el notario así lo hubiera comunicado al Colegio Notarial en los plazos y modo previsto en el artículo 283 de este Reglamento.

Las pólizas incorporadas al protocolo se numerarán conforme a lo previsto en la normativa notarial.

Las Juntas directivas de los Colegios Notariales, dando cuenta a la Dirección General, podrán autorizar a los Notarios de aquellas poblaciones en que se autorice habi-

TEXTO ANTERIOR	**TEXTO ACTUAL**
General podrá dar instrucciones especiales sobre la conservación y encuadernación de este protocolo.	tualmente un número de instrumentos elevado, para abrir, además del protocolo ordinario, uno especial de protestos de letras de cambio y de otros documentos mercantiles, con numeración propia y con apertura y cierre en las mismas fechas indicadas en el párrafo anterior. La Dirección General podrá dar instrucciones especiales sobre la conservación y encuadernación de este protocolo.

Artículo 273

El primer día de cada año se abrirá el protocolo, extendiendo una nota que diga así: Protocolo de los instrumentos públicos correspondientes al año... (Fecha en letra, firma y rúbrica del Notario).

Una nota análoga pondrá el nuevo Notario en cualquier día del año en que empiece a ejercer el cargo.

El último día del año se cerrará el protocolo con la siguiente nota: Concluye el protocolo del año ... que contiene (tantos) instrumentos y (tantos) folios autorizados durante el mismo en esta Notaría. Y fechará en letra, firmará y rubricará.

TEXTO ANTERIOR	**TEXTO ACTUAL**

Artículo 274

Los protocolos son secretos. Con los protocolos especialmente reservados de que tratan los artículos 34 y 35 de la Ley se observarán las formalidades descritas para los protocolos generales en la parte que les corresponda cumpliendo las prescripciones de los citados artículos de la Ley.

Se encuadernarán al final del año en que se haya autorizado el número 100, o antes, a juicio del Notario, si su volumen lo exigiera, y el rótulo especial del tomo será:

Para los protocolos a que se refiere el artículo 34 de la Ley: Protocolo reservado testamentario. Año de... (en guarismo).

Para los protocolos de que trata el artículo 35 de la Ley: Protocolo reservado. Filiaciones. Año de.... (en guarismo).

Artículo 275

Cuando el protocolo anual lo requiera por su volumen, a juicio del Notario podrá encuadernarse en más de un tomo, en cuyo caso se cerrará el primero y se empezará el segundo con la nota antes

TEXTO ANTERIOR	**TEXTO ACTUAL**

expresada modificada en la parte precisa para designar los meses que contenga cada tomo.

Los diferentes tomos no se considerarán como distintos protocolos, por lo cual no se interrumpirá ni volverá a empezar en el segundo la foliación del primero, debiendo expresarse en la nota final del último tomo de cada protocolo, además del número de instrumentos y folios del tomo, el número de instrumentos y folios de tomo, reunidos, que forman el protocolo.

Las notas de apertura y cierre del protocolo se pondrán en pliego separado de la clase última. Este pliego no se foliará.

Artículo 276

En los dos primeros meses de cada año deberán quedar encuadernados los protocolos en pergamino o en piel; la encuadernación se hará a pasta entera, con una caja de cartón, piel o pergamino, que impida el deterioro de su contenido.

Se pondrán también unas correas para que pueda abrocharse la cubierta exterior.

En el lomo del protocolo se pondrá la siguiente inscripción:

TEXTO ANTERIOR	TEXTO ACTUAL

Protocolo. Año de... (en guarismo), y expresión de la residencia del Notario.

La encuadernación de los protocolos, cuando no haya sido hecha por el Notario, se verificará por el Colegio Notarial, reintegrándose éste de su importe con cargo a la fianza del Notario.

Cuando se trate de Notarías incongruas o de escaso rendimiento y los fondos del Colegio lo permitan, los Notarios titulares de las mismas podrán solicitar de la Junta directiva, y ésta conceder, la encuadernación a expensas del Colegio.

Artículo 277

Vacante una Notaría, el Delegado o Subdelegado de las Juntas en el distrito correspondiente, y donde no le hubiera, el Juez de primera instancia o el municipal, en su caso, pondrán a continuación de la ultima escritura del protocolo corriente de instrumentos públicos la siguiente nota: Queda vacante esta Notaría de ..., por (fallecimiento, renuncia o lo que sea), resultando en este protocolo autorizados hasta hoy (tantos) instrumentos públicos y (tantos)

TEXTO ANTERIOR	**TEXTO ACTUAL**

folios. Fecha en letra y firma del Delegado o Subdelegado, o del Juez, con la de su respectivo Secretario.

El funcionario que haya autorizado esta diligencia dará cuenta inmediatamente a las Juntas de haberse cumplido el servicio.

Artículo 278

Puesta la nota a que se refiere el artículo anterior en el protocolo de una Notaría vacante, no podrá incorporarse al mismo ningún otro documento, a no ser por el Notario sucesor en quien la misma vacante hubiese sido provista.

Mientras la Notaría no esté provista definitivamente, todos los documentos autorizados por el Notario sustituto se incorporarán al protocolo de éste.

Artículo 279

Los Notarios y Archiveros serán responsables de la integridad y conservación de los protocolos.

En el caso de inutilizarse todo o parte de un protocolo, además de las obligaciones del artículo 39

TEXTO ANTERIOR	**TEXTO ACTUAL**

de la Ley, el Notario tendrá la de comunicarlo a la Junta directiva del Colegio, y ésta a la Dirección. Si el Notario interesado no pudiese cumplir con lo dispuesto en el citado artículo y en el presente, lo verificará cualquier otro de la misma residencia a cuyo conocimiento llegase el hecho. En su defecto, estará obligado a hacerlo el Juez de Primera Instancia o, en su caso, el Municipal.

Si se deteriorasen por falta de diligencia, los Notarios y Archiveros los repondrán a sus expensas, incurriendo además en responsabilidad disciplinaria.

Si resultase motivo racional para sospechar que hubo delito, se pondrá en conocimiento de los Tribunales a los efectos procedentes.

Artículo 280

La reconstitución de protocolos notariales deteriorados o destruidos total o parcialmente se ajustará a las siguientes normas:

1. El Notario titular y el Delegado de la Junta directiva del Colegio Notarla practicarán una visita extraordinaria a la Notaría y levantarán un acta haciendo constar:

TEXTO ANTERIOR	TEXTO ACTUAL

a) Las circunstancias y extensión del siniestro, en su caso, y daños causados.

b) El número de protocolos o de instrumentos, en su caso, y de libros inutilizados, consignando el mayor número posible de circunstancias y detalles necesarios para que pueda llegarse al conocimiento exacto de cuáles son los documentos o libros deteriorados o inutilizados. En el caso de ser pocos los documentos destruidos, deberá especificarse el número y clase de éstos, y en otro caso, bastará referirse al contenido de los índices. Del acta se remitirá una copia autorizada por ambos Notarios al Colegio Notarial, y la Junta directiva de éste adoptará las medidas de publicidad que estime necesarias para que la destrucción o deterioro de protocolos llegue a conocimiento de los interesados para que éstos puedan incoar el oportuno expediente.

2. Los documentos que se hayan salvado deberán encuadernarse aun cuando falten algunos de numeración intermedia, interpolándose, en tal caso, en sustitución de los que falten, una hoja, en la que se hará constar que tales números intermedios desaparecieron o se inutilizaron, haciéndose referencia al acta en que así se acredite. Tal hoja se co-

TEXTO ANTERIOR	TEXTO ACTUAL

locará en el lugar correspondiente al número o números inutilizados, y podrá emplearse una sola hoja para varios números o instrumentos, si éstos fuesen correlativos. En la misma se hará constar por nota suscrita por el Notario el hecho de la reconstitución, cuando ésta se verificare, con expresión de la fecha y número del acta de protocolización.

3. Los documentos que no sean susceptibles de encuadernación se conservarán en sendas carpetas, con la numeración que, conforme a los índices, les corresponda dentro del año respectivo.

4. Para la reconstitución de cada instrumento público inutilizado, deberá formalizarse un expediente al siguiente tenor:

a) Se incoará mediante instancia de parte interesada o de su representante, y se reconoce personalidad para este objeto a las personas que, de conformidad con lo dispuesto en los artículos 17 de la Ley de 28 de mayo de 1862, y 224 y siguientes de este Reglamento, tengan derecho a obtener copia autorizada del documento que se trate de reconstruir.

b) La instancia se presentará ante el Notario titular, el cual consignará con certificación, a continuación de la instancia, lo que resulte del acta expresada en

TEXTO ANTERIOR	**TEXTO ACTUAL**

la regla primera en lo que haga relación al instrumento que se trate de reconstituir; también certificará de lo que resulte en los índices respecto del mismo instrumento, y si éstos hubiesen desaparecido, se incorporará certificación de los del Colegio Notarial.

c) El solicitante presentará también los medios de prueba, expresará los nombres de las personas que hayan de declarar y manifestará los nombres y domicilios de las que sepa que tienen su domicilio en España y están interesadas en el documento.

d) Los medios de prueba serán: las copias autorizadas con las formalidades de derecho, las demás copias y los testimonios, los documentos que hagan referencia a las mismas copias o a los originales o sean consecuencia o efecto de unas y otros, los certificados y documentos expedidos en los Registros y oficinas públicas, las declaraciones de los testigos, los informes periciales, la declaración jurada de los interesados o de sus representantes y cualquier otro medio que se estime pertinente.

e) Si se presentare copia del documento inutilizado expedida con las formalidades de derecho, el Notario la remitirá a la Junta directiva del Colegio Notarial, la cual acordará su protocolización

TEXTO ANTERIOR	**TEXTO ACTUAL**

si la considera auténtica, después de cotejar el signo, firma y rúbrica con los que obran en el correspondiente libro del mismo o de otro Colegio, consignándose como resultado de tal cotejo una legalización por el Decano y el Secretario del Colegio Notarial a continuación de la copia misma, expresando en ella que se hace para los efectos de protocolización y devolverá el expediente, que podrá ser ampliado con otras pruebas, tramitándose en la forma que se expresa en los apartados siguientes.

f) En los demás casos, el Notario citará, con la mayor urgencia, a los interesados en el documento, señalándoles un plazo no menor a treinta días para que comparezcan en la Notaría. También se citará al Notario autorizante del documento inutilizado, si no fuera el mismo titular, para que remita declaración detallada, autorizada con su signo, firma y sello, o concurra el día que se haya de examinar la prueba.

g) El examen y desarrollo de prueba se consignará en un acta, en la cual el Notario titular hará constar el resultado de las declaraciones y reseñará con detalle las copias y documentos presentados, y si el Notario autorizante del documento fuera el mismo titular de la Notaría hará constar, además, lo que conozca directamente sobre dicho documento. La prueba deberá dirigirse a demostrar el contenido y la forma del instrumento que se trate de reconstruir o los detalles que falten (en los casos de deterioro parcial) y, por tanto, se dirá su clase y se expresará fielmente su contenido. En el desarrollo de la prueba, el Notario que interviene deberá cerciorarse de la firmeza de las declaraciones, y requerirá al solicitante y a los declarantes para que manifiesten si conocen el domicilio en España de alguno o algunos de los interesados en el documento que no hubiesen sido citados personalmente, y en tal caso, se les notificará la existencia del expediente y el trámite en que se halle. Al levantar el acta hará constar, razonándolo, el juicio que la prueba le merezca.

h) Todas las citaciones y notificaciones se practicarán con la máxima urgencia, y se expresarán por diligencia en el expediente, bajo la responsabilidad del Notario que lo instruya.

i) Aportada y ultimada la prueba, se remitirá el expediente a la Junta directiva del Colegio Notarial, la cual emitirá informe razonando y, a su vez, lo remitirá al Juzgado de primera instancia

TEXTO ANTERIOR	TEXTO ACTUAL

del partido donde radique la Notaría cuyo protocolo se trate de reconstituir.

j) El Juez de primera instancia examinará el expediente, apreciará la prueba que, en caso necesario, podrá ampliar para mejor proveer, y si la encontrare bastante y eficaz, aprobará el expediente y ordenará que se protocolice.

k) La protocolización se concretará al auto judicial y al documento mismo que, según lo acreditado en el expediente, ha de sustituir al original destruido, y los demás documentos del expediente se conservarán en la Notaría en legajo especial, al cual se hace referencia a formalizarse la protocolización.

5. El instrumento público así reconstituido tendrá la eficacia jurídica correspondiente al original destruido.

6. En el caso de que se impugnare por quien justifique interés legítimo la reconstitución del instrumento durante la tramitación del expediente, éste quedará en suspenso hasta que termine el juicio declarativo que el impugnante promueva. Si no se promoviere en el plazo de treinta días, se levantará la suspensión, así como en el caso de caducidad de la instancia.

TEXTO ANTERIOR	**TEXTO ACTUAL**

7. Cualquier inexactitud sustantiva en las declaraciones juradas que formulen los interesados o sus representantes, será considerada como falsedad en documento público.

8. Los derechos de los Notarios y de los demás funcionarios que intervengan en la reconstitución de protocolos, se regularán por sus respectivos aranceles, reduciéndolos al 10 %.

9. En su actuación profesional referente a la reconstitución de protocolos, los Notarios quedan exentos de pagar la contribución de utilidades y las cantidades por folio protocolado correspondientes a la Mutualidad Notarial.

Artículo 281

La protocolización de toda clase de actos y contratos corresponde exclusivamente a los Notarios. Queda prohibida la formación de protocolos a toda entidad o persona que no sea Notario público con arreglo a la Ley y al presente Reglamento.

TEXTO ANTERIOR	**TEXTO ACTUAL**

Artículo 282

Cuando con arreglo al artículo 32 de la Ley proceda que el Notario deje examinar por las partes interesadas con derechos adquiridos, sus herederos o causahabientes, un instrumento contenido en el protocolo, cuidará, bajo su más estrecha responsabilidad, que la lectura se limite al documento en que tengan aquéllos interés y que no pueda sufrir el protocolo el menor daño o deterioro, y a tales efectos, el Notario buscará personalmente la escritura señalada y la pondrá de manifiesto a los interesados, no consistiendo se saquen notas o extractos de ella, ni que sea hojeado el protocolo, sino en cuanto sea indispensable para la lectura de la matriz de que se trate, debiendo verificarse la exhibición ante dos testigos y extendiéndose de ella la oportuna acta.

SUBSECCIÓN 2ª
Del Libro-Registro

Artículo 283

Los Notarios llevarán un libro indicador foliado, en cuya primera página pondrán nota de apertura

Artículo 283

Los notarios estarán obligados a llevar y conservar un Libro-Registro de Operaciones Mercantiles con los *y en la final otra de cierre, ambas autorizadas con firma entera.*

Se abrirá un nuevo libro indicador, comenzando nuevamente la numeración, una vez terminado el anterior y sin periodicidad anual.

Los libros indicadores se numerarán correlativamente.

En este libro se anotarán:

a) Los testimonios se legitimidad de firmas de documentos que puedan tener acceso al Registro de Ventas de Bienes Muebles a Plazos.

b) Los de legitimidad de firmas de los particulares y razones sociales en documentos que no se protocolicen con un instrumento público, y las legitimaciones, legalizaciones y testimonios por exhibición, que por el Notario o por el interesado se estimen pertinentes.

Los asientos se harán brevemente, y cada uno llevará un número diferente y correlativo, que se hará constar en el documento que lo hubiere motivado.

Bastará que los asientos sean autorizados por el Notario con media firma, consignándose siempre su fecha. Cuando en un mismo día se extendieren diversos asientos, podrán formalizarse bajo una misma rúbrica que exprese la fecha.

requisitos establecidos en las leyes y en el presente Reglamento. El Libro-Registro consta de dos Secciones. En la Sección A está constituida por la colección, ordenada por fechas, de las pólizas originales de contratos mercantiles intervenidas durante un año, que habrá de encuadernarse por años en uno o más tomos. A tal fin, se presume que las pólizas se incorporan al Libro Registro, salvo que el notario comunique al Colegio Notarial que opta por incorporarlas al protocolo. Dicha comunicación deberá realizarse en el mes de diciembre, para la totalidad del año inmediato posterior, no pudiendo ser modificada durante éste. En la Sección B se asentarán por orden de fecha y correlativamente las intervenciones de aquellos documentos originales que por su naturaleza no pueda conservarse en poder del notario el original.

Las condiciones de confección, llevanza y conservación del Libro Registro serán las mismas establecidas para el protocolo, en cuanto no se opongan a la naturaleza y requisitos de los documentos incorporados.

El Libro-Registro tendrá carácter de Registro Oficial.

El contenido del libro-registro no podrá ser revelado por el notario salvo en los mismos supuestos que el protocolo.

TEXTO ANTERIOR	**TEXTO ACTUAL**
La Junta de Decanos y la Dirección General unificarán la práctica en esta materia.	El notario custodiará en su oficina, bajo su responsabilidad, su libro-registro, debiendo realizarse, precisamente en dicha oficina, los cotejos procedentes con los mismos requisitos que se establecen para el cotejo de protocolo.

El notario custodiará en su oficina, bajo su responsabilidad, su libro-registro, debiendo realizarse, precisamente en dicha oficina, los cotejos procedentes con los mismos requisitos que se establecen para el cotejo de protocolo.

Los documentos y, en su caso, asientos a que se refiere el párrafo primero de este artículo se incorporarán o practicarán en el libro-registro por orden cronológico en cada una de sus Secciones numerados correlativamente, empezando cada año natural por el número uno, sin que el cese del Notario y la toma de posesión de su sustituto interrumpa la numeración. El paso de un tomo a otro se hará respetando la correlación de números y fechas.

Al principio de cada año natural se efectuará una diligencia de apertura del libro registro y al final del último documento y, en su caso, asiento de cada año natural una diligencia de cierre.

Al final del tomo del Libro Registro de Operaciones correspondiente a la Sección A se expresará el número de pólizas y de folios de que constare. En el tomo relativo a la Sección B se expresará el número de asientos y de folios de que constare.

Cuando proceda, se podrán realizar anotaciones en las hojas

del libro-registro, manualmente, en forma mecanográfica o utilizando cualquier otro procedimiento de reproducción. Las anotaciones deberán autorizarse por el notario con media firma.

El libro registro se llevará al día, sin hacer interpolaciones, tachaduras, raspaduras o enmiendas. Cuando fueran advertidos errores u omisiones, se extenderán asientos de rectificación o complementarios, con fecha corriente, efectuándose la correspondiente nota al margen del asiento originario.

Los tomos se numerarán correlativamente a partir de la unidad. Cada tomo no podrá exceder de seiscientas hojas.

La encuadernación se efectuará por los procedimientos técnicos que impidan que, en un uso normal de los libros, las hojas que los componen puedan llegar a soltarse o separarse del mismo.

Las Secciones A y B del Libro Registro de Operaciones se encuadernarán en tomos separados, dando a cada póliza o asiento el número correlativo que en la respectiva Sección corresponda.

En todo lo no regulado en este artículo, será de aplicación al Libro Registro las normas establecidas sobre los aspectos materiales del Protocolo ordinario, incluida las

TEXTO ANTERIOR	TEXTO ACTUAL

relativas a la confección y remisión de índices, en cuanto lo permita su respectiva naturaleza.

b) De los índices

SUBSECCIÓN 3ª
De los Índices

Artículo 284

Dentro de los ocho primeros días de cada mes, los Notarios remitirán índices de los documentos protocolizados en el mes anterior o certificación de no haber protocolizado ninguno a las Juntas directivas, las que los archivarán bajo su más estricta responsabilidad.

Igual obligación tendrán los Notarios de cumplir lo dispuesto en el artículo 30 de la Ley del impuesto de Derechos reales, con los requisitos que en el mismo se determinan, y de remitir índices a las Oficinas liquidadoras del impuesto provincial de Derechos reales de las provincias Vascongadas y Navarra.

De cada uno de los índices mensuales se harán dos ejemplares, quedándose el Notario con uno de ellos para encuadernarlo al final del protocolo, formándose de este modo el índice cronológico del mismo. Independientemente

Artículo 284

Los Notarios deberán remitir índices de los documentos protocolizados, intervenidos y demás asientos del Libro Registro a las Juntas Directivas, que los archivarán bajo su más estricta responsabilidad. Si no hubiera habido actividad durante el periodo de que se trate, el Notario enviará una certificación negativa. Tales índices se remitirán en soporte informático, mediante firma electrónica reconocida de los Notarios y a través de la red telemática que el Consejo General del Notariado tenga establecida conforme a lo dispuesto en el artículo 107 de la Ley 24/2001. Estos índices tendrán la misma consideración, en cuanto a la información que contienen, que el protocolo, del que se considerarán parte.

Asimismo, el notario deberá velar por la más estricta veracidad de dichos índices, así como por su correspondencia con los documentos públicos autorizados e de éste, los Notario deberán agregar un índice anual alfabético, en el que se exprese el nombre del otorgante, objeto del documento y el número del folio, percibiendo una peseta por otorgante como retribución de este servicio.

Los índices se extenderán en papel de la clase última, si no dispusiere otra cosa la Ley del Timbre (RCL 1932, 503).

Dentro de los quince primeros días de enero de cada año, los Notarios redactarán y remitirán a la Junta directiva una nota expresiva del número total de instrumentos públicos autorizados durante el año anterior y folios que comprenden.

Las Juntas formarán resúmenes estadísticos, que remitirán a la Dirección General dentro del mes de febrero, expresivos del resultado de las indicadas notas, clasificadas por distritos y Notarías.

intervenidos, siendo responsables de cualquier discrepancia que exista entre aquellos y estos. Igualmente, serán responsables del incumplimiento de los plazos de remisión de tales índices.

El notario confeccionará un índice en soporte papel para encuadernarlo al final del protocolo, formándose de este modo el índice cronológico del mismo. Dicho índice y su encuadernación deberá efectuarse en el mes de enero de cada año, respecto de los documentos autorizados o intervenidos en el año precedente.

El notario conservará los correspondientes ficheros electrónicos comprensivos de los índices, en un soporte tecnológicamente seguro, con sujeción a las mismas obligaciones y responsabilidades del Protocolo. Se habilita al Consejo General del Notariado para que acuerde las características técnicas de conservación.

Los índices en soporte informatizado se remitirán a las Juntas Directivas quincenalmente. A tal fin, los del día 1 al 15 de cada mes se remitirán antes del día 22 del mismo y los del día 16 a 30 antes del 7 del mes siguiente. Se habilita a la Dirección General de los Registros y del Notariado para que mediante Instrucción pueda reducir el plazo antes indicado. Estos índices se

TEXTO ANTERIOR	**TEXTO ACTUAL**
	remitirán mediante firma electrónica reconocida de los Notarios y a través de la red telemática que el Consejo General del Notariado tenga establecida conforme a lo dispuesto en el artículo 107 de la Ley 24/2001.
	Sin perjuicio de lo dispuesto en el artículo 286 de este Reglamento, los Colegios Notariales conservarán los índices bajo su más estricta responsabilidad.

Artículo 285

En los índices se expresará, respecto de cada instrumento, el número de orden, el lugar del otorgamiento, la fecha, el nombre y apellidos de los otorgantes o requirentes y de los testigos cuando los hubiere y el domicilio de aquéllos; el objeto y la cuantía del documento y el número de folios que comprende, y, en su caso, el nombre del Notario autorizante que actúe por sustitución del titular del protocolo.

También se expresarán en ellos los datos relativos a la sujeción del documento al turno de reparto, en su caso, y a las aportaciones corporativas y mutualistas.

Artículo 285

El Ministerio de Justicia determinará el contenido básico de los índices con independencia de su soporte, pudiendo delegar en el Consejo General del Notariado el desarrollo de tal contenido, así como la incorporación de nuevos datos que deban expresarse respecto de cada instrumento.

En cualquier caso, en los índices se expresará, respecto de cada instrumento, el número de orden, el lugar del otorgamiento, la fecha, el nombre y apellidos o denominación social de todos los otorgantes o requirentes y de los testigos cuando los hubiere y el domicilio de aquéllos; el objeto y la cuantía del documento y el número de folios que comprende

TEXTO ANTERIOR	TEXTO ACTUAL

y, en su caso, el nombre del notario autorizante que actúe por sustitución del titular del protocolo. También se expresarán en ellos los datos relativos a la sujeción del documento al turno de reparto, en su caso, y a las aportaciones corporativas.

En la formalización del índice anual en soporte papel, los notarios se acomodarán al modelo que determine el Consejo General del Notariado. Respecto de los índices informatizados, compete, igualmente, al Consejo General del Notariado la determinación de las características técnicas de elaboración, remisión y conservación.

En toda esta materia se observará lo dispuesto en la legislación especial en materia de protección de datos.

Artículo 286

En la formalización de los índices, los Notarios se acomodarán al modelo oficial que, a propuesta de la Junta de Decanos, oída la Junta de Patronato de la Mutualidad Notarial, apruebe el Ministro de Justicia.

Artículo 286

A los efectos de la debida colaboración con las Administraciones Públicas, se crea el índice único informatizado notarial. Es titular y responsable del mismo el Consejo General del Notariado, como consecuencia de su dependencia jerárquica respecto de la Dirección General de los Registros y del Notariado, de conformidad con el artículo 336

TEXTO ANTERIOR	**TEXTO ACTUAL**
	del Reglamento Notarial, así como de la dependencia de los notarios respecto del Consejo a través de las Juntas Directivas de los Colegios Notariales, en virtud de lo dispuesto en el artículo 307 del Reglamento Notarial.

del Reglamento Notarial, así como de la dependencia de los notarios respecto del Consejo a través de las Juntas Directivas de los Colegios Notariales, en virtud de lo dispuesto en el artículo 307 del Reglamento Notarial.

Dicho índice único informatizado es la agregación de los índices informatizados que deben confeccionar y remitir los notarios a sus Juntas Directivas. Los Colegios Notariales deberán remitir tales índices informatizados al Consejo General del Notariado en la tercera semana de cada mes los del precedente.

Se habilita al Consejo General del Notariado a que trate el índice único informatizado a los efectos de la remisión de la información de que se trate a las autoridades judiciales y Administraciones Públicas que conforme a la ley tengan derecho a ello, como consecuencia del deber de colaboración del notario en su condición de funcionario.

En todo caso, el Consejo General del Notariado podrá acceder a esa información a efectos estadísticos.

Artículo 287

El sustituto que, con arreglo al artículo 38 de la Ley, deba en-

TEXTO ANTERIOR	**TEXTO ACTUAL**

cargarse de una Notaría vacante, formará y remitirá dentro de los ocho días siguientes, los índices o certificaciones negativas, en su caso, de los documentos protocolados en el mes que ocurrió la vacante, y aun en el anterior si el Notario que la produjo no lo hubiera verificado.

Artículo 288

Los Notarios que no cumplan debidamente las prescripciones reglamentarias relativas al servicio de índices serán corregidos disciplinariamente.

SECCIÓN 2ª
Del archivo de protocolos

Artículo 289

Habrá un Archivo general de protocolos en la cabeza de cada distrito notarial.

TEXTO ANTERIOR	**TEXTO ACTUAL**

Artículo 290

Ninguna persona que no sea Notario podrá tener a su cargo el Archivo de protocolos.

Artículo 291

Los Archivos generales de protocolos se formarán con los protocolos generales de más de veinticinco años de fecha, con los especiales y libros de que tratan los artículos 34 y 35 de la Ley que cuenten el mismo tiempo desde que aquéllos se hubiesen cerrado y con los de las Notarías amortizadas o suprimidas.

Los demás protocolos y libros quedarán formando el Archivo de la Notaría, a cargo del Notario que la desempeñe.

Se exceptúan de lo dispuesto en el párrafo primero de este artículo los casos en que aún viviese el Notario autorizante, que conservará mientras viva todos los protocolos que hubiese autorizado.

Sin embargo, los Notarios podrán solicitar autorización de la Junta directiva para depositar parte de su protocolo en el local del Archivo, siempre que la capaci-

TEXTO ANTERIOR	TEXTO ACTUAL

dad y demás circunstancias de éste lo permitan. La Junta resolverá discrecionalmente y, en su caso, fijarán las condiciones y obligaciones que estime oportunas.

Artículo 292

Los protocolos de las Notarías amortizadas permanecerán en los respectivos archivos generales y sólo pasarán al archivo de las Notarías creadas en la misma demarcación en otra posterior si, por razones de servicio, lo dispusiere así la Dirección General.

Cuando por virtud de una demarcación notarial, dentro de un mismo distrito notarial, se suprima alguna Notaría y se creen otras, si alguna de éstas fuese desempeñada por el Notario de las suprimidas, podrá conservar los protocolos que constituyan su archivo.

Cuando con motivo de una demarcación se traslade una Notaría de una población a otra distinta, dentro del mismo distrito se trasladarán asimismo la totalidad de los protocolos que constituyan su archivo.

El Notario que solicite una vacante distinta de la que venga

TEXTO ANTERIOR	**TEXTO ACTUAL**

desempeñando, pero dentro de una misma población, con arreglo al párrafo primero del artículo 96 de este Reglamento, con el fin de obtener la nueva categoría asignada a la Notaría por haber sido modificada su clasificación, conservará los protocolos que constituyan su archivo y no se hará cargo de los de la Notaría solicitada.

Cuando se produzca la vacante de una Notaría, el que deba sustituirla, o el Archivero de Protocolos, en su caso, se harán cargo, por su cuenta y bajo su responsabilidad, de aquellos que respectivamente les corresponda custodiar.

Artículo 293

El cargo de Archivero de protocolos es obligatorio cuando recaiga el nombramiento en el Notario único de cabeza de partido, o en el más moderno en la localidad si fueren dos o más los residentes en ella, y estará siempre provisto, a no ser que estén vacantes todas las Notarías del punto en que se hallen establecidos los Archivos; pero tan pronto como se provea una, la Dirección General

TEXTO ANTERIOR	**TEXTO ACTUAL**

elevará al Ministro de Justicia la correspondiente propuesta para el nombramiento.

Artículo 294

De cada uno de los Archivos generales de protocolos estará encargado un Notario elegido por el Ministro de Justicia, a propuesta de la Dirección General del Ramo, de entre los que residan en el lugar del Archivo. El sustituto del Notario será, en su caso, el sustituto del Archivo. Cuando en la cabeza del distrito notarial exista un solo Notario, que forzosamente ha de ejercer el cargo de Archivero de protocolos, no será necesario que sea nombrado expresamente.

Cuando vacare un Archivo de protocolos se hará cargo del mismo, con carácter interino, mientras no se designe titular por el Ministro de Justicia, el Notario más antiguo de la localidad. Las Juntas directivas, en casos extraordinarios, tendrán facultades para asegurar la prestación del servicio en los Archivos Notariales.

Sin embargo, en las capitales de Colegio las Juntas directivas organizarán el Archivo general de protocolos del distrito notarial

TEXTO ANTERIOR	TEXTO ACTUAL

correspondiente, proporcionando local adecuado para su depósito, nombrando y separando el personal auxiliar, satisfaciendo, con cargo a los fondos del Colegio, sus nóminas y los demás gastos que ocasione el servicio, y percibiendo con destino al mismo fondo, los honorarios que corresponda. Para atender al mejor servicio público, propondrá al Ministro de Justicia el nombramiento de un Notario Archivero que podrá ser o no Vocal de la Junta directiva.

Artículo 295

Los Notarios Archiveros serán corregidos disciplinariamente por iguales causas y en la misma forma que pueden serlo los Notarios.

Artículo 296

En todo Archivo de protocolos existirá un inventario de los libros y papeles que lo constituyan, cuyo original quedará en el Archivo, y del que se remitirá copia a la Junta del Colegio Notarial.

Los inventarios de los Archivos contendrán la relación de todos los papeles del mismo, y respecto

TEXTO ANTERIOR	**TEXTO ACTUAL**

de los protocolos expresarán el número de éstos, folios de cada volumen, Notario autorizante y años a que corresponda.

Artículo 297

Cuando un Notario se encargue del Archivo de protocolos, extenderá un acta firmada por él mismo y por las personas que le hagan entrega, acreditando haber recibido todos los protocolos, libros y papeles comprendidos en el inventario general y sus adiciones, expresando las fechas de uno y otras, y en el caso de que después de la última de éstas hayan ingresado otros protocolos y libros, los determinará con las circunstancias exigidas. De dicha acta, que quedará en el Archivo, sacará y remitirá copia literal a la Junta directiva dentro de los quince días siguientes a su fecha.

Artículo 298

Los Notarios y sus sustitutos, así como los sustitutos de las Notarías vacantes, entregarán durante el mes de enero de cada

TEXTO ANTERIOR	**TEXTO ACTUAL**

año, al Archivo del distrito a que pertenezcan, los protocolos y libros que obren en su poder y que cada año deban depositar en aquél; si no tuvieran ninguno, remitirán en su lugar certificación negativa, expresando el motivo de la no existencia.

Cuando un Notario remitiere al Archivo certificación negativa por llevar veinticinco años de residencia y no corresponder la remisión de acuerdo con el párrafo tercero del artículo 291 de este Reglamento, bastará esta certificación por sí sola, sin que el Notario hubiera de hacer otra alguna en lo sucesivo mientras ocupe la misma Notaría.

Artículo 299

En el mes de febrero, los Notarios Archiveros o sus sustitutos adicionarán el inventario general que debe existir de su Archivo, con los protocolos, libros y papeles que hayan sido entregados por los Notarios en el mes anterior, expresando respecto a los primeros su número, folios de cada volumen, Notarios autorizantes y años que comprendan.

Artículo 300

Los Archiveros de protocolos, o sus sustitutos, remitirán a las respectivas Juntas directivas, en los ocho primeros días del mes de marzo de cada año, una copia de la adición de inventario a que se refiere el artículo precedente y una relación de los Notarios que no hubiesen cumplido la obligación que les impone el artículo 298. Las Juntas corregirán disciplinariamente a dichos Notarios, sin perjuicio de adoptar los acuerdos conducentes al exacto cumplimiento de lo establecido en el artículo 298, antes citado.

Antes del 1 de abril de cada año remitirán las Juntas a la Dirección General una relación de los Notarios morosos, de las sanciones que les hayan impuesto y de las medidas adoptadas para el cumplimiento de su deber en este servicio.

Artículo 301

Los Archivos generales de protocolos estarán sujetos a la inspección y vigilancia de las Juntas directivas de los Colegios de Notarios y de la Dirección General, que

TEXTO ANTERIOR	TEXTO ACTUAL

podrán decretar todas las visitas que estimaren convenientes.

Artículo 302

Los Archiveros y Notarios que no cumplan las disposiciones anteriores en los plazos señalados serán corregidos disciplinariamente por las Juntas directivas por cada falta en que incurran. La Dirección General impondrá asimismo a las Juntas directivas una corrección disciplinaria por cada falta que cometieren por incumplimiento de lo prevenido en esta Sección.

Artículo 303

Dentro de los límites establecidos en el artículo 32 de la Ley de Notariado, los Archiveros de protocolos, en los días y horas hábiles que tengan señalados, deberán facilitar a las personas de notoria competencia en los estudios de investigación histórica la consulta de documentos que cuenten más de cien años de antigüedad y ofrezcan indudable valor para dichos estudios, adoptando en todo caso las medidas necesarias para

TEXTO ANTERIOR	**TEXTO ACTUAL**

la conservación de los documentos que estén bajo su custodia.

Artículo 304

Los Ayuntamientos facilitarán un local a propósito para el Archivo general de protocolos en la población en que éste radique.

En donde el Ayuntamiento no facilitase dicho local, o mientras no se consiga de él, lo establecerá el Archivero en el edificio que juzgue conveniente y que ofrezca las oportunas garantías para el objeto a que se destina.

Los gastos que se ocasionen a los Notarios Archiveros desde el instante en que se incauten de los protocolos, los de inventarios y los demás referentes a la instalación de los Archiveros, así como los de entretenimiento y servicio de oficina, serán de su cuenta.

En casos especiales y de interés público, serán de cuenta de los Colegios los gastos de instalación y reparaciones extraordinarias de los Archivos.

Cuando el Ayuntamiento de una cabeza de distrito no proporcionare local adecuado para la instalación del Archivo, la Dirección General, a propuesta de la Junta directiva, y de los Notarios

Artículo 304

Los Ayuntamientos facilitarán un local a propósito para el Archivo general de protocolos en la población en que éste radique.

En donde el Ayuntamiento no facilitase dicho local, o mientras no se consiga de él, lo establecerá el Archivero en el edificio que juzgue conveniente y que ofrezca las oportunas garantías para el objeto a que se destina.

Los gastos que se ocasionen a los Notarios Archiveros desde el instante en que se incauten de los protocolos, los de inventarios y los demás referentes a la instalación de los Archiveros, así como los de entretenimiento y servicio de oficina, serán de su cuenta.

En casos especiales y de interés público, serán de cuenta de los Colegios los gastos de instalación y reparaciones extraordinarias de los Archivos.

Cuando el Ayuntamieto de una cabeza de distrito no proporcionare local adecuado para la instalación del Archivo, la Junta Directiva, a propuesta del Archivero, podrá acordar su traslado a la capital

TEXTO ANTERIOR	TEXTO ACTUAL
del distrito, podrá acordar su traslado a la capital de Colegio, de la provincia o a otra población del territorio donde se disponga de local suficiente para la conservación de los protocolos. A tal efecto, las Juntas directivas podrán construir, adquirir o arrendar edificios en tales poblaciones, a fin de instalar debidamente los Archivos, y solicitar de los Ayuntamientos y otras Corporaciones públicas la ayuda económica necesaria para ello.	del Colegio, a la de la provincia, o a otra población del territorio del Colegio donde se disponga de local suficiente para la conservación de los protocolos. A tal efecto, las Juntas Directivas podrán construir, adquirir o arrendar edificios en tales poblaciones, a fin de instalar debidamente los Archivos, y solicitar de los Ayuntamientos y otras Corporaciones públicas la ayuda económica necesaria para ello.

Artículo 305

Las Juntas directivas de los Colegios, por medio de uno de sus individuos o de alguno de los colegiados, podrán girar visitas de inspección a las Notarías y Archivos del mismo Colegio, a fin de corregir los defectos u omisiones subsanables en la manera de escribir y conservar los instrumentos y protocolos y uniformar la práctica, asegurándose del exacto cumplimiento de las obligaciones notariales en todo el territorio y si hubiere lugar a ello imponer correcciones disciplinarias.

TEXTO ANTERIOR	TEXTO ACTUAL

Artículo 306

La Dirección General ejerce la alta inspección de las Notarías y Archivos y puede decretar cuantas visitas extraordinarias crea convenientes.

Estas visitas podrán practicarse por el Director general, el Subdirector o alguno de los Oficiales o Auxiliares facultativos o Notarios colegiados, debiendo el funcionario que la practique ir acompañado de un Secretario, que nombrará dicho Centro directivo.

Al acordarse la práctica de una visita extraordinaria, se expresará si ha de ser general o especial, designándose, en el primer caso, el período de tiempo que ha de abrazar, y en el segundo, los libros y documentos que han de examinarse o los demás particulares a que se considere oportuno extender la visita.

TEXTO ANTERIOR	**TEXTO ACTUAL**

TÍTULO V
DE LA ORGANIZACIÓN DEL NOTARIADO

CAPÍTULO I
DEL MINISTRO DE JUSTICIA

Artículo 307

Los Notarios, en su organización jerárquica, dependen del Ministerio de Justicia, de la Dirección General de los Registros y del Notariado y de las Juntas Directivas de los Colegios Notariales.

Artículo 307

Los notarios, en su organización jerárquica, dependen del Ministro de Justicia, de la Dirección General de los Registros y del Notariado, de las Juntas Directivas de los Colegios Notariales y, a través de estos, del Consejo General del Notariado.

Artículo 308

El Ministerio de Justicia es el órgano de la Administración del Estado encargado de la acción del Gobierno en cuanto afecte a la fe pública notarial. Su titular, además de las facultades que respecto del Notariado le otorgan las leyes, tiene la condición de Notario Mayor del Reino, con la significación y atribuciones tradicionales.

TEXTO ANTERIOR	TEXTO ACTUAL

CAPÍTULO II
DE LA DIRECCIÓN GENERAL DE LOS REGISTROS Y DEL NOTARIADO

Artículo 309

A la Dirección General de los Registros y del Notariado competen, como Centro superior directivo y consultivo, todos los asuntos referentes al Notariado.

Artículo 310

La estructura de la Dirección General de los Registros y del Notariado se ajustará a lo dispuesto en la legislación hipotecaria y en el Reglamento Orgánico del Ministerio de Justicia.

Artículo 311

El Director dependerá inmediatamente del Ministro de Justicia, someterá directamente a su resolución todos los asuntos que deban decidirse con su acuerdo, y dictará por sí, o a propuesta del Servicio correspondiente, las resoluciones que sean de su competencia.

TEXTO ANTERIOR	**TEXTO ACTUAL**

Artículo 312

Por vacante, ausencia, en-fermedad u otra justa causa de imposibilidad del Director, hará sus veces el Subdirector y, a falta de éste, el Oficial primero o el que reglamentariamente le sustituya, sin necesidad de designación ni nombramiento especial.

Artículo 313

Corresponderá a la Dirección General de los Registros y del Notariado:

1.º Proponer al Ministro de Justicia, o adoptar por sí en los casos que sean de su competen-cia, las disposiciones necesarias para la observancia de la Ley del Notariado y de los Reglamentos y Ordenes para su ejecución.

2.º Instruir los expedientes que se formen para la provisión de las Notarías vacantes y para celebrar las oposiciones en los casos en que fueren necesarias, proponiendo la resolución defini-tiva que en cada caso proceda con arreglo a las Leyes.

3.º Resolver en consulta las dudas que se ofrezcan a las Jun-tas directivas de los Colegios

Artículo 313

Corresponderá a la Dirección General de los Registros y del Notariado:

1.º Proponer al Ministro de Justicia, o adoptar por sí en los casos que sean de su competencia, las disposiciones necesarias para la observancia de la Ley del Notariado y de los Reglamentos y Ordenes para su ejecución.

2.º Instruir los expedientes que se formen para la provisión de las Notarías vacantes y para celebrar las oposiciones en los casos en que fueren necesarias, proponiendo la resolución definitiva que en cada caso proceda con arreglo a las Leyes.

3.º Resolver en consulta las dudas que se ofrezcan a las Juntas directivas de los Colegios Notariales

Notariales o a los Notarios sobre la aplicación, inteligencia y ejecución de la Ley del Notariado, de su Reglamento y disposiciones complementarias, en cuanto no exijan disposiciones de carácter general que deban adoptarse por el Ministro de Justicia.

4.º Dictar, conforme a las Leyes y Reglamentos, las Resoluciones que estime procedentes en los asuntos de su competencia.

5.º Resolver las alzadas contra los acuerdos de las Juntas directivas en materia de impugnación de las cuentas o minutas notariales por aplicación del Arancel, y sin que contra sus resoluciones se dé recurso alguno, en vía administrativa.

6.º Resolver igualmente con el mismo alcance y en última instancia los recursos gubernativos contra las calificaciones que de los títulos inscribibles hagan los Registradores.

7.º Ejercer la alta inspección y vigilancia en todas las Notarías, así como en los Colegios Notariales y Archivos generales de protocolos.

8.º Comunicar las órdenes que dicte en cualquier forma el Ministro de Justicia relativas al Notariado.

9.º Tramitar e informar las resoluciones que estime procedentes

o a los Notarios sobre la aplicación, inteligencia y ejecución de la Ley del Notariado, de su Reglamento y disposiciones complementarias, en cuanto no exijan disposiciones de carácter general que deban adoptarse por el Ministro de Justicia.

4.º Dictar, conforme a las Leyes y Reglamentos, las Resoluciones que estime procedentes en los asuntos de su competencia.

5.º Resolver las alzadas contra los acuerdos de las Juntas directivas en materia de impugnación de las cuentas o minutas notariales por aplicación del Arancel, y sin que contra sus resoluciones se dé recurso alguno, en vía administrativa.

6.º Resolver igualmente con el mismo alcance y en última instancia los recursos gubernativos contra las calificaciones que de los títulos inscribibles hagan los Registradores.

7.º Ejercer la alta inspección y vigilancia en todas las Notarías, Colegios Notariales, Consejo General del Notariado y Archivos generales de protocolos.

8.º Comunicar las órdenes que dicte en cualquier forma el Ministro de Justicia relativas al Notariado.

9.º Tramitar e informar las resoluciones que estime procedentes en las alzadas o recursos de apelación interpuestos contra resoluciones de la Dirección General en los asuntos del Notariado.

TEXTO ANTERIOR

en las alzadas o recursos de apelación interpuestos contra resoluciones de la Dirección General en los asuntos del Notariado.

10. Proponer asimismo al Ministro de Justicia todas las reformas y alteraciones que sean necesarias en la organización de la Dirección.

11. Convocar y celebrar las oposiciones para ingreso en el Cuerpo Facultativo e instruir los expedientes para el nombramiento, ascenso, suspensión y separación de los funcionarios de la Dirección, así como los de corrección disciplinaria en los casos que proceda.

12. Formar y publicar los estados de la contratación notarial con arreglo a los datos que suministren los Notarios.

TEXTO ACTUAL

10. Proponer asimismo al Ministro de Justicia todas las reformas y alteraciones que sean necesarias en la organización de la Dirección.

11. Convocar y celebrar las oposiciones para ingreso en el Cuerpo Facultativo e instruir los expedientes para el nombramiento, ascenso, suspensión y separación de los funcionarios de la Dirección, así como los de corrección disciplinaria en los casos que proceda.

12. Formar y publicar los estados de la contratación notarial con arreglo a los datos que suministren los Notarios.

CAPÍTULO III

De los colegios notariales y del consejo general del notariado

SECCIÓN 1ª

De los colegios notariales

Artículo 314

Los Colegios Notariales son Corporaciones de Derecho público, amparadas por la Ley y

Artículo 314

Los Colegios Notariales son Corporaciones de Derecho público, amparadas por la Ley y reconocidas

TEXTO ANTERIOR	**TEXTO ACTUAL**

reconocidas por el Estado, con personalidad jurídica propia y plena capacidad para el cumplimiento de sus fines.

Son fines esenciales de estas Corporaciones la ordenación del ejercicio de la profesión, sin perjuicio de las atribuciones del Gobierno, del Ministro de Justicia y de la Dirección General de los Registros y del Notariado, la representación exclusiva de aquélla, la defensa de los intereses profesionales de los colegiados y el cumplimiento de la función social que al Notario corresponde.

Los Colegios Notariales, para el ejercicio de sus fines, tienen atribuidas con carácter general en su ámbito territorial, las funciones de colaborar con la Administración, a solicitud de la misma o por propia iniciativa; estar representados en sus Consejos u Organismos consultivos cuando proceda; organizar actividades y servicios comunes de interés para los colegiados en el orden formativo, cultural, asistencial, de previsión y otros análogos. Especialmente les corresponde:

1. Ostentar en su ámbito la representación y defensa de la profesión notarial ante la Administración, Instituciones, Tribunales, Entidades y particulares, con legitimación para ser parte

por el Estado, con personalidad jurídica propia y plena capacidad para el cumplimiento de sus fines. En el ejercicio de las funciones públicas atribuidas respecto de la prestación de la función pública notarial quedan subordinados jerárquicamente al Ministro de Justicia y a la Dirección General de los Registros y del Notariado.

Son fines esenciales de estas Corporaciones la ordenación del ejercicio de la profesión, sin perjuicio de las atribuciones del Gobierno, del Ministro de Justicia, de la Dirección General de los Registros y del Notariado y del Consejo General del Notariado, la representación exclusiva de aquélla, la defensa de los intereses profesionales de los colegiados y el cumplimiento de la función social que al notario corresponde.

Los Colegios Notariales, para el ejercicio de sus fines, tienen atribuidas con carácter general en su ámbito territorial, las funciones de colaborar con la Administración, a solicitud de la misma o por propia iniciativa; estar representados en sus Consejos u Organismos consultivos cuando proceda; organizar actividades y servicios comunes de interés para los colegiados en el orden formativo, cultural, asistencial, de previsión y otros análogos. Especialmente les corresponde:

TEXTO ANTERIOR	**TEXTO ACTUAL**
en cuantos litigios afecten a los intereses profesionales y ejercitar el derecho de petición conforme a la Ley.	1. Ostentar en su ámbito la representación y defensa de la profesión notarial ante la Administración, Instituciones, Tribunales, Entidades y particulares, con legitimación para ser parte en cuantos litigios afecten a los intereses profesionales y ejercitar el derecho de petición conforme a la Ley.

en cuantos litigios afecten a los intereses profesionales y ejercitar el derecho de petición conforme a la Ley.

2. Ordenar el ejercicio de la actividad profesional de los colegiados, velando por la ética y dignidad profesional, por el correcto ejercicio de la función y por el respeto debido a los derechos de los particulares y ejercer la facultad disciplinaria en el ámbito de su competencia y, por tanto, dejando a salvo las facultades del Ministro de Justicia y de la Dirección General de los Registros y del Notariado.

3. Adoptar las medidas conducentes a evitar el intrusismo profesional.

4. Conciliar y, siendo necesario, dirimir las cuestiones que por motivos profesionales se susciten entre los colegiados.

5. Encargarse del cobro de las minutas arancelarias siempre que el Colegio tenga creados los servicios adecuados y en los casos y condiciones que se determinen en los Reglamentos de régimen interior de cada Colegio.

6. Cumplir y hacer cumplir a los colegiados las Leyes generales y especiales, el Reglamento Notarial, los Reglamentos de régimen interior, así como las normas y

1. Ostentar en su ámbito la representación y defensa de la profesión notarial ante la Administración, Instituciones, Tribunales, Entidades y particulares, con legitimación para ser parte en cuantos litigios afecten a los intereses profesionales y ejercitar el derecho de petición conforme a la Ley.

2. Ordenar en su respectivo ámbito territorial la actividad profesional de los notarios en las siguientes materias: correcta atención al público, tiempo y lugar de su prestación, concurrencia leal y publicidad, continuidad de la prestación de funciones, incluso en días festivos y períodos de vacaciones. No obstante, en el ejercicio de esta competencia la Junta Directiva deberá cumplir con los acuerdos y circulares del Consejo General del Notariado, así como con lo que disponga éste cuando la materia objeto de dicha ordenación por su trascendencia o interés afecte a un ámbito territorial superior al del Colegio respectivo. Asimismo, y en los términos legalmente previstos corregirán las infracciones disciplinarias de sus colegiados, dejando a salvo las facultades del Ministro de Justicia y de la Dirección General de los Registros y del Notariado.

3. Adoptar las medidas conducentes a evitar el intrusismo profesional.

TEXTO ANTERIOR	**TEXTO ACTUAL**

decisiones adoptadas por los Organos jerárquicos competentes.

Los Colegios Notariales se regirán por la Legislación Notarial y por la de Colegios Profesionales en lo que no constituya especialidad establecida por aquélla. El Reglamento Notarial tendrá el carácter de regulador de la actividad pública notarial y de Estatuto General de la profesión.

Cada uno de los Notarios de España habrá de estar integrado, con carácter exclusivo, en el Colegio a cuyo territorio pertenezca la población donde tenga su residencia reglamentaria.

Son órganos de los Colegios la Junta general, la Junta directiva y el Decano.

El Decano ostenta la representación del Colegio.

4. Conciliar las posturas de los colegiados. Igualmente y, en su caso, dirimir las cuestiones que por motivos profesionales se susciten entre los colegiados cuando así se lo soliciten. No obstante, se excluye de ambas actuaciones aquellas cuestiones que por afectar a la función pública notarial deba decidir los Colegios Notariales en el ejercicio de las competencias que la legislación notarial les atribuye.

5. Cumplir y hacer cumplir a los colegiados las Leyes generales y especiales, el Reglamento Notarial, los Reglamentos de régimen interior, así como las normas y decisiones adoptadas por los Órganos jerárquicos competentes, incluidas las Circulares de orden interno del Consejo General del Notariado que se refieran a aspectos de ordenación de la función pública notarial.

Los Colegios Notariales se regirán por la Legislación Notarial y en lo que no esté previsto en aquella y no constituya especialidad derivada del ejercicio de la función pública notarial atribuida a los notarios o a los Colegios por la de Colegios Profesionales. El Reglamento Notarial tendrá el carácter de regulador de la actividad pública notarial y de Estatuto General de la profesión.

Cada uno de los notarios de España habrá de estar integrado, con carácter exclusivo, en el Cole-

TEXTO ANTERIOR	**TEXTO ACTUAL**

gio a cuyo territorio pertenezca la población donde tenga su residencia reglamentaria.

Son órganos de los Colegios la Junta general, la Junta Directiva y el Decano.

El Decano ostenta la representación del Colegio.

Artículo 315

La Junta general se reunirá en la capital del Colegio cuando la convoque la Junta directiva, que deberá hacerlo, por lo menos, una vez al año para aprobar las cuentas del año anterior y el presupuesto del corriente. También deberá convocarla, siempre que lo solicite más de la décima parte de los colegiados, expresando en la solicitud los asuntos a tratar y la información que sobre tales asuntos haya de dar la Junta directiva. En este último caso, la Junta general deberá ser convocada para celebrarse dentro del plazo máximo de un mes, contado desde la solicitud.

El anuncio de la convocatoria, con expresión del orden del día, deberá hacerse por escrito con quince días, al menos, de antelación, salvo casos de urgencia

Artículo 315

La Junta general se reunirá en la capital del Colegio cuando la convoque la Junta directiva, que deberá hacerlo, por lo menos, una vez al año para aprobar las cuentas del año anterior y el presupuesto del corriente. También deberá convocarla, siempre que lo solicite más de la décima parte de los colegiados, expresando en la solicitud los asuntos a tratar y la información que sobre tales asuntos haya de dar la Junta directiva. En este último caso la Junta general deberá ser convocada para celebrarse dentro del plazo máximo de un mes, contado desde la solicitud.

El anuncio de la convocatoria, con expresión del orden del día, deberá hacerse por escrito con quince días, al menos, de antelación, salvo casos de urgencia en que se hará por telegrama remitido cuarenta y

TEXTO ANTERIOR

en que se hará por telegrama remitido cuarenta y ocho horas antes. En dicho anuncio podrá indicarse que, a falta de quórum, se celebrará la Junta en segunda convocatoria, una hora después, como mínimo, de la fijada para la primera.

Presidirá la Junta general el Decano y, con él, constituirán la Mesa los miembros de la Junta directiva, la cual podrá designar escrutadores, si lo estima procedente, en cualquier momento de la sesión. Actuará de Secretario el que lo sea de la Junta directiva, que levantará acta de la sesión y la firmará con el Presidente.

Todos los Notarios del Colegio tendrán derecho de asistir, con voz y voto, procurando que no quede desatendido el servicio público. También tendrán el derecho de conferir su representación por escrito a otro colegiado.

Para que se considere legalmente constituida la Junta general hará falta la concurrencia, en primera convocatoria de la mitad, al menos, de los colegiados en ejercicio. En segunda convocatoria, quedará constituida la Junta cualquiera que sea el número de Notarios concurrentes.

Compete a la Junta general:

1.º La aprobación de cuentas y presupuestos.

TEXTO ACTUAL

ocho horas antes. Igualmente, dicha remisión podrá hacerse por medios telemáticos en cuyo caso deberá ser firmada electrónicamente y remitida a las direcciones de correo corporativo de los miembros del Colegio. En dicho anuncio podrá indicarse que, a falta de quórum, se celebrará la Junta en segunda convocatoria, una hora después, como mínimo, de la fijada para la primera.

Presidirá la Junta general el Decano y, con él, constituirán la Mesa los miembros de la Junta directiva, la cual podrá designar escrutadores, si lo estima procedente, en cualquier momento de la sesión. Actuará de Secretario el que lo sea de la Junta directiva, que levantará acta de la sesión y la firmará con el Presidente.

Todos los Notarios del Colegio tendrán derecho de asistir, con voz y voto, procurando que no quede desatendido el servicio público. También tendrán el derecho de conferir su representación por escrito a otro colegiado.

Para que se considere legalmente constituida la Junta general hará falta la concurrencia, en primera convocatoria, de la mitad, al menos, de los colegiados en ejercicio. En segunda convocatoria, quedará constituida la Junta cualquiera que sea el número de Notarios concurrentes.

TEXTO ANTERIOR	**TEXTO ACTUAL**

2.º La aprobación de los actos de adquisición, enajenación y cuantos signifiquen constitución, modificación o extinción de derechos reales sobre bienes inmuebles.

3.º Apreciar la justificación de las causas invocadas por los miembros de la Junta directiva para admitir su renuncia al desempeño del cargo.

4.º Adoptar acuerdos sobre censura de la gestión de la Junta directiva. La censura podrá ser simple o cualificada, llevando esta última aparejada el cese de la Junta.

La petición de la convocatoria se hará por escrito firmado por los solicitantes, expresando la causa de la moción. La Junta deberá ser convocada a este solo efecto y en ella se podrán consumir los turnos en pro y en contra que se consideren necesarios.

5.º Adoptar acuerdos sobre mociones de confianza que les someta la Junta directiva sobre aprobación o rechazo de actuaciones específicas ya realizadas, en curso o meramente proyectadas, que no hubieren sido votadas anteriormente por la Junta general. La no aprobación tendrá el carácter de censura simple.

6.º Proponer a la Junta de Decanos la adopción de acuerdos

Compete a la Junta general:

1.º La aprobación de cuentas y presupuestos.

2.º La aprobación de los actos de adquisición, enajenación y cuantos signifiquen constitución, modificación o extinción de derechos reales sobre bienes inmuebles.

3.º Apreciar la justificación de las causas invocadas por los miembros de la Junta directiva para admitir su renuncia al desempeño del cargo.

4.º Adoptar acuerdos sobre censura de la gestión de la Junta Directiva. La censura podrá ser simple o cualificada, llevando esta última aparejada el cese de la Junta. Tratándose de censura simple se exigirá para su inclusión en el orden del día la firma de, al menos, el cinco por Ciento de los notarios con derecho a voto. Si fuera cualificada ese porcentaje será, al menos, del diez por Ciento.

La petición de la convocatoria se hará por escrito firmado por los solicitantes que en el caso de censura simple deberá ser el cinco por Ciento de los colegiados y en el de cualificada el diez por Ciento, expresando la causa de la moción. La Junta deberá ser convocada a este solo efecto y en ella se podrán consumir los turnos en pro y en contra que se consideren necesarios.

TEXTO ANTERIOR	**TEXTO ACTUAL**

sobre materias de interés general para el Notariado en cuanto sean de su competencia, o proponer su elevación a la Dirección General, o al Ministro de Justicia cuando sean de la competencia de éstos.

7.º Elaborar los Reglamentos o Estatutos de régimen interior del Colegio.

8.º Acordar el aumento o reducción del número de Censores de la Junta Directiva en los términos previstos por el artículo 318.

9.º Adoptar los acuerdos sobre asuntos que sometan a su consideración la Junta directiva y cualesquiera otros previstos en las Leyes y Reglamentos.

Los acuerdos se adoptarán por mayoría simple de votos, salvo los de los números cuarto, quinto y séptimo de este artículo, para los que se requerirá el voto favorable de un tercio, al menos, de los colegiados.

5.º Adoptar acuerdos sobre mociones de confianza que les someta la Junta directiva sobre aprobación o rechazo de actuaciones específicas ya realizadas en curso o meramente proyectadas, que no hubieren sido votadas anteriormente por la Junta general. La no aprobación tendrá el carácter de censura simple.

6.º Proponer a la Junta de Decanos la adopción de acuerdos sobre materias de interés general para el Notariado en cuanto sean de su competencia, o proponer su elevación a la Dirección General, o al Ministro de Justicia cuando sean de la competencia de éstos.

7.º Elaborar los Reglamentos o Estatutos de régimen interior del Colegio.

8.º Acordar el aumento o reducción del número de Censores de la Junta Directiva en los términos previstos por el artículo 318.

9.º Adoptar los acuerdos sobre asuntos que someta a su consideración la Junta directiva y cualesquiera otros previstos en las Leyes y Reglamentos.

Los acuerdos se adoptarán por mayoría simple de votos, salvo los de los números 4.º y 5.º de este artículo, para los que se requerirá el voto favorable de un tercio, al menos, de los colegiados.

TEXTO ANTERIOR	**TEXTO ACTUAL**

Artículo 316

Constituyen ingresos de los Colegios Notariales:

1.º Los derivados de sus patrimonios respectivos, y las donaciones, subvenciones y legados que se les hicieren.

2.º La participación en el importe íntegro de los sellos de legitimaciones y legalizaciones, conforme establezca la legislación vigente, y el total importe de las legalizaciones y apostillas que efectúen los miembros de la Junta directiva con este carácter.

3.º La cuota fija anual con que cada uno de los colegiados debe contribuir, y que consistirá en el pago, que las Juntas directivas podrán fraccionar, de las siguientes cantidades:

Notarios de Madrid o Barcelona, 12.000 pesetas.

Notarios de las demás capitales de Colegio, 8.400 pesetas.

Notarios de las demás capitales de provincia, 6.000 pesetas.

Notarios de las restantes poblaciones, 4.200 pesetas.

5.º La cantidad de 25 céntimos de peseta por folio protocolado, que los Notarios percibirán en el acto del otorgamiento e ingresarán en los Colegios mensualmente.

Artículo 316

Constituyen ingresos de los Colegios Notariales:

1.º Los derivados de sus patrimonios respectivos, y las donaciones, subvenciones y legados que se les hicieren.

2.º La participación en el importe íntegro de los sellos de legitimaciones y legalizaciones, conforme establezca la legislación vigente, y el total importe de las legalizaciones y apostillas que efectúen los miembros de la Junta Directiva con este carácter.

3.º La cuota fija anual que deba aportar cada colegiado, pudiendo las Juntas Directivas fraccionar su pago. No obstante, y respecto de notarías de entrada esta cuota podrá bonificarse previo acuerdo de la Junta Directiva en un porcentaje no superior al 50%. Excepcionalmente y previa solicitud fundada del interesado, podrá la Junta Directiva mediante acuerdo motivado eximir del pago de la cuota fija.

En todo caso, la Junta Directiva podrá acordar la modificación de la cuota fija anual atendiendo a la evolución de los costes a los que va destinada.

Si se pretendiera una elevación superior a estos, la Junta Directiva deberá someterlo a aprobación

TEXTO ANTERIOR	**TEXTO ACTUAL**

7.º Las cantidades que los Notarios deberán aportar por folio o por instrumento protocolado, que tendrán, en cada caso, un importe análogo a las que, por los mismos conceptos, correspondan al Colegio como gastos de administración de los fondos recaudados por la Mutualidad Notarial.

Las Juntas Generales, al aprobar el presupuesto ordinario de acuerdo con sus previsiones, podrán modificar, en más o en menos, las cantidades por folio o por instrumento ya señaladas si la variación no rebasa el 10 por 100. Para que la variación sea mayor será preciso el voto favorable de la mayoría de todos los colegiados.

8.º Las cuotas suplementarias precisas para costear el sostenimiento de servicios específicos.

Cuando el coste de estos servicios absorba de modo desproporcionado los ingresos ordinarios del Colegio y, por su naturaleza o por la población en que se presten beneficien solamente a parte de los colegiados, las cuotas serán de cargo exclusivo de éstos.

9.º Las cantidades que las Juntas Generales determinen al aprobar un presupuesto extraordinario conforme a la facultad segunda del artículo 328.

10. Cualquier otro ingreso reconocido por la legislación en

de la Junta General del Colegio Notarial.

4.º Una cantidad mensual que en ningún caso podrá tener carácter progresivo, ni podrá determinarse con arreglo al volumen de ingresos de los notarios. En la determinación de esta cuota será preciso que la Junta Directiva del Colegio identifique el servicio y financiación que el mismo exija.

5.º Las cuotas suplementarias precisas para costear el sostenimiento de servicios específicos.

Cuando estos servicios, por su naturaleza o por la población en que se presten, beneficien solamente a parte de los colegiados, las cuotas serán de cargo exclusivo de éstos.

6.º Las cantidades que las Juntas Generales determinen al aprobar un presupuesto extraordinario conforme a la facultad segunda del artículo 328.

7.º Cualquier otro ingreso reconocido por la legislación en vigor o la que la sustituya, sin perjuicio de su adscripción a fines determinados legalmente.

TEXTO ANTERIOR	**TEXTO ACTUAL**
vigor o la que la sustituya, sin perjuicio de su adscripción a fines determinados legalmente.	

Artículo 317

Los Colegios de Notarios podrán elaborar, en Junta General, Reglamentos de régimen interior en las materias que sean de su competencia. Estos Reglamentos habrán de ser aprobados por la Junta de Decanos de los Colegios Notariales de España, la cual deberá hacerlo en el plazo de treinta días, siempre que aquéllos estén de acuerdo con el presente Reglamento. Una vez aprobados, las Juntas Directivas darán cuenta del texto de los mismos a la Dirección General de los Registros y del Notariado.

Artículo 317

Los Colegios Notariales podrán elaborar, en Junta General, Reglamentos de régimen interior en las materias que sean de su competencia. Estos Reglamentos habrán de ser aprobados por el Consejo General del Notariado, que deberá hacerlo en el plazo de treinta días, siempre que aquéllos estén de acuerdo con el presente Reglamento. Una vez aprobados, las Juntas Directivas darán cuenta del texto de los mismos a la Dirección General de los Registros y del Notariado. El Consejo General del Notariado deberá denegar motivadamente su autorización, siendo recurrible su acuerdo en los plazos y modo previsto para el de alzada ante la Dirección General de los Registros y del Notariado en cuanto a la interpretación y aplicación de la legislación notarial. En la votación relativa a la aprobación del Reglamento de Régimen Interior no deberá participar el Decano del Colegio al que se refiera tal Reglamento.

TEXTO ANTERIOR	**TEXTO ACTUAL**

SECCIÓN 2ª
De las juntas directivas

Artículo 318

La Junta Directiva de cada Colegio funcionará en la población que sea capital del mismo y estará compuesta por un Decano-Presidente, dos Censores, un Tesorero y un Secretario. La Junta General del Colegio, por razones de servicio, podrá acordar la ampliación del número de Censores hasta un total máximo de cinco o su reducción hasta el mínimo de uno, así como el nombramiento de un Vicedecano, dando cuenta de ello a la Dirección General.

Al Decano le sustituirá el Vicedecano; a ambos, los Censores por su orden; éstos se sustituirán mutuamente; al Tesorero, un Censor, el Vicedecano o el Decano, y al Secretario, un Censor o el Tesorero. No obstante, en todo caso, el Decano podrá delegar las funciones de su cargo, para actuaciones concretas, en cualquier miembro de la Junta Directiva.

Todos los cargos de la Junta serán gratuitos, honoríficos y obligatorios; por excepción, cabe la renuncia con alegación de justa causa, que será apreciada en la Junta General.

Artículo 318

La Junta Directiva de cada Colegio estará integrada por un mínimo de tres y un máximo de nueve miembros. Estará compuesta necesariamente de un Decano-Presidente, un Censor y un Secretario. La Junta General del Colegio determinará el número de miembros de la Junta Directiva, así como la existencia de un Vicedecano, número de Censores, Tesorero y Vicesecretarios, dando cuenta de ello a la Dirección General.

Al Decano le sustituirá el Vicedecano; a ambos, los Censores por su orden; éstos se sustituirán mutuamente; al Tesorero, un Censor, el Vicedecano o el Decano, y al Secretario, un Vicesecretario y, de no existir éste, un Censor o el Tesorero. No obstante, y en todo caso, el Decano podrá delegar las funciones de su cargo, para actuaciones concretas, en cualquier miembro de la Junta Directiva.

Todos los cargos de la Junta serán gratuitos, honoríficos y voluntarios. Los miembros de la Junta Directiva cesarán en el ejercicio de su cargo por el transcurso de su mandato, por renuncia que deberá

TEXTO ANTERIOR	**TEXTO ACTUAL**
Los miembros de la Junta Directiva formarán parte de ella durante el plazo de tres años y podrán ser reelegidos por igual período.	ser aceptada por la Junta General, por pérdida de la cualidad de colegiado y por elección para otro cargo de la misma Junta, así como por la establecida en el penúltimo párrafo del artículo 353 y las que lo sean de suspensión en el ejercicio del cargo de notario conforme a este Reglamento.

La renovación de la Junta será parcial. En general, se realizará por mitad, computándose ésta por defecto, en su caso, en la primera renovación. Por excepción, la renovación será total en el caso de cese por causa de censura cualificada. En tal supuesto, la Junta cesante seguirá desempeñando sus funciones básicas hasta que la renovación se produzca.

Son causas de cese, además del transcurso del tiempo de duración del cargo, la renuncia en los casos y condiciones previstas en este artículo, la pérdida de la cualidad de colegiado y la elección para otro cargo de la misma Junta, así como la establecida en el penúltimo párrafo del artículo 363 y las que lo sean de suspensión en el ejercicio del cargo de Notario conforme a este Reglamento.

Artículo 319	**Artículo 319**
Todos los cargos de la Junta Directiva se proveerán mediante elección, por mayoría de votos,	El mandato de la Junta Directiva es de cuatro años, pudiendo ser reelegidos sus miembros por iguales

TEXTO ANTERIOR	TEXTO ACTUAL

siendo elegibles cualquiera de los miembros de las diversas candidaturas.

En elección ordinaria y para el indicado plazo de tres años, se proveerán las vacantes producidas por el transcurso del tiempo.

Las vacantes que se produzcan por cualquier otra causa serán provistas en elección extraordinaria, pero únicamente por el tiempo que reste hasta completar el período normal de tres años.

Serán electores y podrán ser candidatos todos los Notarios que estén colegiados el día de la convocatoria de las elecciones. El Decano o el Secretario habrá de ser Notario de la capital del Colegio, pero el Reglamento de régimen interior podrá dispensar de este requisito.

No podrá ser candidato quien en los seis años anteriores a la elección hubiere sido elegido consecutivamente dos veces en elecciones ordinarias.

No obstante, quien por haber sido elegido para desempeñar cargos diferentes en la misma Junta en dos elecciones ordinarias consecutivas no hubiese completado el plazo máximo de seis años ininterrumpidos podrá ser de nuevo candidato, por una sola vez, si lo presenta al menos una quinta parte de los colegiados.

períodos, sea para el mismo o para distinto cargo.

La renovación de la Junta será total o parcial. Será total en los supuestos de transcurso del mandato previsto o por haberse aprobado su censura cualificada. En ambos casos, la Junta cesante seguirá desempeñando sus funciones básicas hasta la toma de posesión de la nueva Junta. La renovación será parcial cuando afecte a uno o varios de los miembros de la Junta. En caso de renovación parcial, el elegido desempeñará su función por el tiempo que reste hasta completar el período normal de cuatro años.

Todos los cargos de la Junta Directiva se proveerán mediante elección, por mayoría de votos, siendo elegidos como miembros de la Junta Directiva los integrantes de aquella candidatura que obtenga más votos. No podrá incluirse en más de una candidatura a un mismo notario sea para el mismo o para distinto cargo de la Junta Directiva.

La elección podrá ser ordinaria o extraordinaria. Será ordinaria la elección que se produzca como consecuencia del transcurso del mandato. En cualquier otro supuesto, la elección será extraordinaria.

Serán electores y podrán ser candidatos todos los notarios que estén colegiados el día de la convocatoria de las elecciones.

TEXTO ANTERIOR	**TEXTO ACTUAL**

El Notario que tenga sesenta años o más, así como el que haya desempeñado cargos en la Junta durante un plazo de tres años al menos dentro de los seis inmediatamente anteriores, podrá renunciar a la cualidad de elegible excusándose para ser propuesto como candidato. Si algún Notario fuere incluido en más de una candidatura tendrá derecho a optar por una sola de ellas, antes de que la Dirección General se haya pronunciado sobre la eventual falta de aptitud de los candidatos.

Artículo 320

Compete a las Juntas Directivas la convocatoria de elecciones para proveer las vacantes que se produzcan en su seno.

El anuncio de la convocatoria expresará todos los cargos que hayan de proveerse. El de la elección ordinaria se hará dentro de la segunda decena del mes de octubre del año que corresponda, y si se tratare de elección extraordinaria, dentro de los veinte días siguientes a la fecha en que la vacante se hubiere producido. Este último plazo podrá ampliarse hasta un máximo de tres meses si la previsible proxi-

Artículo 320

Compete a las Juntas Directivas la convocatoria de elecciones para proveer su renovación, sea total o parcial. Si la renovación fuera parcial, el anuncio de la convocatoria expresará todos los cargos que hayan de proveerse.

El anuncio de la convocatoria para elección ordinaria se efectuará en los diez primeros días de septiembre del año en que expire el mandato de la Junta Directiva. Si se tratara de elección extraordinaria, el anuncio se efectuará dentro de los veinte días siguientes a la fecha en que se hubiera acordado la censura

TEXTO ANTERIOR	TEXTO ACTUAL

midad de otras u otras vacantes aconsejaren la provisión conjunta y mediare acuerdo expreso de la Junta Directiva en tal sentido, del que se dará conocimiento inmediato a todos los colegiados y a la Dirección General.

Durante los diez días siguientes al del anuncio de la convocatoria se procederá a la formación de las candidaturas y a su presentación a la Junta Directiva con la firma de cinco colegiados al menos. Las candidaturas expresarán el nombre del candidato o candidatos y el cargo para el que se les proponga.

Si durante el anterior plazo se hubiere presentado una sola candidatura se abrirá otro extraordinario de cinco días, a contar desde la expiración de aquél, a fin de que, bajo la firma de diez colegiados o más, puedan presentarse otras candidaturas.

La Junta Directiva, en el plazo de otros cinco días, las elevará a la Dirección General para que ésta se manifieste sobre la eventual falta de aptitud de los candidatos en el plazo de diez días.

La elección ordinaria tendrá lugar el segundo domingo del mes de diciembre siguiente y la extraordinaria, el tercer domingo siguiente a la fecha en que el Centro directivo se haya manifestado

cualificada de la Junta o en que se hubiere producido la vacante, con la sola excepción de que restaran tres meses o menos para la elección ordinaria, en cuyo caso se estará a ésta debiendo ponerlo en conocimiento de la Dirección General de los Registros y del Notariado.

Durante los diez días siguientes al del anuncio de la convocatoria se procederá a la formación de las candidaturas y a su presentación a la Junta Directiva. Cuando el Decano pretendiera su reelección por tercero o ulterior mandato consecutivo la candidatura en la que esté incluido deberá ser presentada por, al menos, el veinticinco por ciento de los colegiados. Las candidaturas expresarán el nombre del candidato o candidatos y el cargo para el que se les proponga. Las candidaturas deberán incluir todos los cargos objeto de elección; en otro caso, serán rechazadas.

Si durante el anterior plazo se hubiere presentado una sola candidatura se abrirá otro extraordinario de cinco días, a contar desde la expiración de aquél para que puedan presentarse otras candidaturas.

La Junta Directiva concluido el plazo de presentación de candidaturas hará pública éstas, pudiendo utilizarse a tal fin medios telemáticos o cualquier otro procedimiento que permita su difusión y conocimiento

TEXTO ANTERIOR	**TEXTO ACTUAL**

sobre el punto mencionado en el párrafo anterior.

El programa de actuación de las candidaturas sólo podrá ponerse de manifiesto en el período comprendido entre la fecha de la declaración de aptitud y el día anterior al domingo fijado para la elección.

Fijado el domingo en que ha de celebrarse una elección extraordinaria, si antes de iniciarse la semana precedente a dicho día se produjese una vacante imprevista, podrá aplazarse la elección por un período máximo de dos meses, con los mismos fines y requisitos que se establecen en el párrafo segundo de este artículo.

entre los colegiados. En cualquier caso, la Junta Directiva en el día hábil inmediato posterior comunicará al Consejo General del Notariado las candidaturas, ya se trate de elección ordinaria o extraordinaria, debiendo publicarse en el mismo día o inmediato hábil posterior en el sitio web del Consejo General del Notariado.

Publicadas las candidaturas en el sitio web del Consejo podrán recurrirse las mismas ante éste en los dos días hábiles siguientes. El Consejo dará traslado del recurso a la candidatura recurrida para que por ésta se alegue lo que a su derecho convenga en el plazo de un día hábil. La resolución del Consejo agota la vía administrativa.

La elección ordinaria tendrá lugar el tercer domingo del mes de noviembre siguiente y la extraordinaria, el tercer domingo siguiente a aquél en que se publicite la candidatura en el sitio web del Consejo.

El programa de actuación de las candidaturas sólo podrá ponerse de manifiesto en el período comprendido entre la publicación de las candidaturas en el sitio web del Consejo el día anterior al domingo fijado para la elección.

Fijado el domingo en que ha de celebrarse una elección extraordinaria, si antes de iniciarse la semana precedente a dicho día se produjese una vacante imprevista,

TEXTO ANTERIOR

TEXTO ACTUAL

podrá aplazarse la elección por un período máximo de dos meses, a los efectos de cumplir con lo dispuesto en este artículo.

Se habilita a la Dirección General de los Registros y del Notariado para que determine mediante Instrucción las reglas y requisitos a los que debe quedar sujeta la emisión del voto electrónico.

Artículo 321

Todas las elecciones se celebrarán en la capital del Colegio. Las ordinarias, en el día, hora y local señalados en la convocatoria, y en las extraordinarias la Junta Directiva anunciará estas circunstancias a la mayor brevedad posible, conforme a lo previsto en el artículo anterior.

La Mesa estará constituida, al menos, por tres miembros de la Junta Directiva y la presidirá el Decano o quien legalmente le sustituya.

Quien encabece cada una de las candidaturas presentadas podrá designar un escrutador, ya por escrito dirigido al Decano, ya en forma verbal en el momento de constituirse la Mesa. En cualquier caso habrá, como mínimo, dos escrutadores, que serán nombrados

Artículo 321

Todas las elecciones se celebrarán en la capital del Colegio. Las ordinarias, en el día, hora y local señalados en la convocatoria, y en las extraordinarias la Junta Directiva anunciará estas circunstancias a la mayor brevedad posible, conforme a lo previsto en el artículo anterior.

La Mesa estará constituida, al menos, por tres miembros de la Junta Directiva y la presidirá el Decano o quien legalmente le sustituya.

Quien encabece cada una de las candidaturas presentadas podrá designar un escrutador, cuya identidad deberá ser puesta en conocimiento de la Junta Directiva, al menos dos días hábiles antes del día de la elección. En cualquier caso habrá, como mínimo, dos escrutadores, que serán nombrados por la Mesa en defecto de dicha designación.

TEXTO ANTERIOR

por la Mesa en defecto de dicha designación.

Los escrutadores habrán de ostentar la cualidad de electores.

La Mesa tendrá papeletas de todas las candidaturas y otras en blanco, en número suficiente, a disposición de los electores. Las papeletas se confeccionarán con arreglo a un modelo externamente uniforme para todas las candidaturas presentadas, aprobado por la Junta Directiva, de modo que, una vez dobladas aquéllas, no puedan distinguirse unas de otras.

La Votación, siempre secreta, se realizará personalmente o por correo. El voto emitido por correo se enviará bajo doble sobre. El exterior se dirigirá al Decano y el sobre interior, conteniendo la papeleta doblada, expresará el nombre y residencia del elector e irá autorizado con su firma y rúbrica. Comprobadas éstas por un miembro de la Junta Directiva, previo cotejo en su caso con el libro a que se refiere el artículo 36, el Secretario de la misma Junta o quien haga sus veces relacionará los sobres recibidos hasta las catorce horas del día anterior al de la votación, únicos que serán admitidos a ésta.

Durante una hora votarán los electores presentes mediante pa-

TEXTO ACTUAL

Los escrutadores habrán de ostentar la cualidad de electores.

La Mesa tendrá papeletas de todas las candidaturas. Las papeletas se confeccionarán con arreglo a un modelo externamente uniforme para todas las candidaturas presentadas, aprobado por la Junta Directiva, de modo que, una vez dobladas aquéllas, no puedan distinguirse unas de otras.

La votación, siempre secreta, se realizará personalmente o por correo. El voto emitido por correo se enviará bajo doble sobre. El exterior se dirigirá al Decano y el sobre interior, conteniendo la papeleta doblada, expresará el nombre y residencia del elector e irá autorizado con su firma y rúbrica. Comprobadas éstas por un miembro de la Junta Directiva, previo cotejo en su caso con el libro a que se refiere el artículo 36, el Secretario de la misma Junta o quien haga sus veces relacionará los sobres recibidos hasta las catorce horas del día anterior al de la votación, únicos que serán admitidos a ésta.

Durante una hora votarán los electores presentes mediante papeleta que entregarán doblada al Presidente, quien, ante el propio votante, depositará aquélla en la urna destinada al efecto, situada a la vista de todos.

TEXTO ANTERIOR	**TEXTO ACTUAL**

peleta que entregarán doblada al Presidente, quien, ante el propio votante, depositará aquélla en la urna destinada al efecto, situada a la vista de todos.

Terminada la votación de los presentes, el Presidente de la Mesa abrirá los sobres remitidos por correo y depositará las papeletas en la urna.

Terminada la votación de los presentes, el Presidente de la Mesa abrirá los sobres remitidos por correo y depositará las papeletas en la urna.

Artículo 322

Para realizar el escrutinio, el Presidente extraerá las papeletas de la urna y las leerá en voz alta, una por una, de lo que los escrutadores tomarán nota. Serán nulas las papeletas que no contengan el nombre del candidato o el cargo para el que es votado, o se refieran a personas que no hubieren sido declaradas aptas por la Dirección General.

Hecho el escrutinio y publicado su resultado, si hubiere conformidad y no se suscitase reclamación alguna, se inutilizarán todas las papeletas extraídas de la urna. No habiendo conformidad, se repetirá el escrutinio, consignando su resultado y las diferencias que hubiere.

Artículo 322

Para realizar el escrutinio, el Presidente extraerá las papeletas de la urna y las leerá en voz alta, una por una, de lo que los escrutadores tomarán nota. Serán nulas las papeletas que no contengan el nombre del candidato o el cargo para el que es votado.

Hecho el escrutinio y publicado su resultado, si hubiere conformidad y no se suscitase reclamación alguna, se inutilizarán todas las papeletas extraídas de la urna. No habiendo conformidad, se repetirá el escrutinio, consignando su resultado y las diferencias que hubiere.

En caso de empate se entenderá ganadora aquella candidatura que incluya como candidato a Decano al de mayor antigüedad en la carrera.

TEXTO ANTERIOR	**TEXTO ACTUAL**
En caso de empate quedará elegido el candidato de mayor antigüedad en la carrera.	Si se tratara de elección extraordinaria para cubrir otro puesto de la Junta se aplicará el mismo criterio.
Las dudas sobre la inteligencia o validez de votos o sobre el resultado del escrutinio se resolverán en el acto por la Mesa.	Las dudas sobre la inteligencia o validez de votos o sobre el resultado del escrutinio se resolverán en el acto por la Mesa.
No se admitirá discusión sobre ninguna de las protestas o reclamaciones que durante la elección se hicieren, pero la Mesa, sin embargo, acordará sobre ellas lo que juzgue conveniente, antes o después de verificado el escrutinio.	No se admitirá discusión sobre ninguna de las protestas o reclamaciones que durante la elección se hicieren, pero la Mesa, sin embargo, acordará sobre ellas lo que juzgue conveniente, antes o después de verificado el escrutinio.
El Presidente proclamará los nombres de los candidatos electos y el cargo para que hayan sido elegidos.	El Presidente proclamará los nombres de los candidatos electos y el cargo para que hayan sido elegidos.
De todo ello se levantará acta, en la que se consignarán los acuerdos sobre la inteligencia y validez de los votos, el resultado del escrutinio y las reclamaciones o protestas que se hubieren hecho.	De todo ello se levantará acta, en la que se consignarán los acuerdos sobre la inteligencia y validez de los votos, el resultado del escrutinio y las reclamaciones o protestas que se hubieren hecho.

Artículo 323

Quienes hubieren elevado protesta o reclamación en el acto de la votación podrán impugnar su resultado mediante escrito dirigido a la Dirección General, el cual, en unión de las pruebas que tenga

TEXTO ANTERIOR	TEXTO ACTUAL

a bien aducir el impugnante, será presentado dentro de los dos días siguientes a la Junta Directiva y ésta, al siguiente día, lo trasladará al Centro directivo. Dicho Centro, en el plazo de quince días a contar desde aquel en que hubiere recibido el escrito de impugnación, decidirá lo que estime oportuno en resolución razonada que pondrá fin a la vía administrativa.

Artículo 324

El día siguiente al de la elección, la Junta Directiva participará el resultado a la Dirección General y fijará la fecha de la toma de posesión de los elegidos, que habrá de tener lugar dentro del plazo de treinta días, contados desde la fecha de la elección.

Una vez posesionados de sus cargos los elegidos, se comunicará a la Dirección General, al Presidente de la Audiencia Territorial, al Presidente de la Junta de Decanos de los Colegios Notariales de España y a todos los Notarios del Colegio.

Artículo 324

El día siguiente al de la elección, la Junta Directiva participará el resultado a la Dirección General y al Consejo General del Notariado y fijará la fecha de la toma de posesión de los elegidos, que habrá de tener lugar dentro del plazo de treinta días, contados desde la fecha de la elección.

Una vez posesionados de sus cargos los elegidos, se comunicará a la Dirección General y al Presidente del Consejo General del Notariado y a todos los notarios del Colegio.

TEXTO ANTERIOR	**TEXTO ACTUAL**

Artículo 325

La Junta Directiva se reunirá cuando el Decano estime que lo requiere la necesidad del despacho de los asuntos pendientes, siempre por lo menos una vez al mes y cuando lo soliciten dos Vocales de la misma.

Artículo 325

La Junta Directiva se reunirá cuando el Decano estime que lo requiere la necesidad del despacho de los asuntos pendientes, siempre por lo menos una vez al mes, y cuando lo soliciten dos Vocales de la misma.

La Junta Directiva de cada Colegio se reunirá ordinariamente en la población que sea capital del mismo, sin perjuicio de la posibilidad de celebrar sus reuniones en cualquier localidad del Colegio Notarial cuando así lo acuerde por mayoría.

Artículo 326

Los acuerdos de las Juntas Directivas se adoptarán por mayoría y se consignarán en acta. Una vez aprobada ésta, será suscrita al menos por el Secretario y el Presidente asistentes a la sesión en que se tomaron los acuerdos.

Artículo 326

Será precisa para la válida constitución de la Junta la presencia del Decano, Secretario y, al menos uno o dos censores, dependiendo de si el número de los miembros de la Junta es de tres o más. El Decano y el Secretario podrán ser sustituidos por quienes legalmente corresponda.

Los acuerdos de las Juntas Directivas se adoptarán por mayoría y se consignarán en acta, resolviendo en caso de empate el voto de calidad del Presidente. Una vez aprobada

TEXTO ANTERIOR	**TEXTO ACTUAL**
	ésta, será suscrita al menos por el Secretario y el Presidente asistentes a la sesión en que se tomaron los acuerdos.
	Las deliberaciones de la Junta serán secretas. Sus acuerdos sólo podrán hacerse públicos cuando esté legalmente previsto o lo decida la Junta Directiva que, asimismo, determinará el medio y ámbito de dicha publicidad.

Artículo 327

Corresponde a la Junta Directiva, como órgano de gobierno y ejecución, el ejercicio de todas las funciones atribuidas al Colegio para el cumplimiento de sus fines, salvo las que están reservadas a la Junta General.

Especialmente son obligaciones de la Junta Directiva:

1.ª Velar por la más estricta disciplina de los Notarios en el cumplimiento de sus deberes funcionales, colegiales y corporativos, corrigiendo sus infracciones.

2.ª Disponer lo conveniente sobre la práctica documental a fin de que, sin menoscabar la libertad de los Notarios, se procure alcanzar la mayor seguridad jurídica y el más correcto equilibrio contractual.

Artículo 327

Corresponde a la Junta Directiva, como órgano de gobierno y ejecución, el ejercicio de todas las funciones atribuidas al Colegio para el cumplimiento de sus fines, salvo las que están reservadas a la Junta General.

Especialmente son obligaciones de la Junta Directiva:

1.ª Velar por la más estricta disciplina de los notarios en el cumplimiento de sus deberes funcionales, colegiales y corporativos, corrigiendo sus infracciones, de conformidad con lo dispuesto en el régimen disciplinario.

2.ª Ordenar en su respectivo ámbito territorial la actividad profesional de los notarios en las siguientes materias: correcta atención al público, tiempo y lugar de su prestación,

TEXTO ANTERIOR	**TEXTO ACTUAL**

3.ª Ordenar la actividad profesional de los Notarios en materias relativas a la correcta atención al público, tiempo y lugar de su prestación, concurrencia leal y publicidad, continuidad de la prestación de funciones, incluso en días festivos y períodos de vacaciones, y cualesquiera otros comprendidos en el ámbito de su competencia.

4.ª Organizar los servicios necesarios para la ejecución de los fines del Colegio e impulsar y vigilar su actividad.

5.ª Gestionar, administrar y disponer de los bienes del Colegio en general y proponer a la Junta General la inversión y disposición sobre inmuebles.

6.ª Representar los derechos y administrar los intereses del Colegio. A este fin, antes del 31 de marzo de cada año, formalizará y someterá a la aprobación de la Junta General el presupuesto ordinario de ingresos y gastos del Colegio para el ejercicio corriente y las cuentas del anterior. El ejercicio económico coincidirá con el año natural.

En el presupuesto ordinario se consignarán en partidas separadas las diferentes clases de ingresos, y serán expresadas, también separadas unas de otras, las partidas de gastos que se autoricen, con la

concurrencia leal y publicidad, continuidad de la prestación de funciones, incluso en días festivos y períodos de vacaciones. No obstante, en el ejercicio de esta competencia la Junta Directiva deberá cumplir con los acuerdos y circulares del Consejo General del Notariado, así como con lo que disponga éste cuando la materia objeto de dicha ordenación por su trascendencia o interés afecte a un ámbito territorial superior al del Colegio respectivo.

3.ª Organizar los servicios necesarios para la ejecución de los fines del Colegio e impulsar y vigilar su actividad.

4.ª Gestionar, administrar y disponer de los bienes del Colegio en general y proponer a la Junta General la inversión y disposición sobre inmuebles.

5.ª Representar los derechos y administrar los intereses del Colegio. A este fin, antes del 31 de marzo de cada año, formalizará y someterá a la aprobación de la Junta General el presupuesto ordinario de ingresos y gastos del Colegio para el ejercicio corriente y las cuentas del anterior. El ejercicio económico coincidirá con el año natural.

En el presupuesto ordinario se consignarán en partidas separadas las diferentes clases de ingresos, y serán expresadas, también separadas unas de otras, las partidas de

TEXTO ANTERIOR	TEXTO ACTUAL

cantidad asignada para cada una de ellas. Entre las partidas de gastos se consignarán necesariamente cantidades para bibliotecas y organización de archivos, sin que el concepto de «Imprevistos» pueda exceder del 15 por 100 del total de aquél.

La Junta Directiva, con autorización de la General, podrá hacer transferencias de unas a otras partidas cuando lo considere conveniente a las necesidades del Colegio.

7.ª Informar a los colegiados que lo soliciten acerca de las cuestiones en que tengan interés legítimo y, asimismo, informar a todos los colegiados asistentes, en Junta General, por lo menos una vez al año, de cuantas cuestiones de interés colectivo puedan afectarles a ellos o al Colegio en el orden corporativo, colegial, profesional o cultural y de las que la Junta tenga conocimiento.

8.ª Suministrar al público, incluso a través de los medios de comunicación social, información general sobre materias directamente relacionadas con la actividad notarial y, en particular, aquella información que, según las circunstancias, resulte adecuada para el mejor conocimiento y salvaguarda de los derechos de los particulares.

gastos que se autoricen, con la cantidad asignada para cada una de ellas. Entre las partidas de gastos se consignarán necesariamente cantidades para bibliotecas y organización de archivos, sin que el concepto de «Imprevistos» pueda exceder del 15 por 100 del total de aquél.

La Junta Directiva podrá hacer transferencias de unas a otras partidas cuando lo considere conveniente a las necesidades del Colegio.

6.ª Informar a los colegiados que lo soliciten acerca de las cuestiones en que tengan interés legítimo y, asimismo, informar a todos los colegiados asistentes, en Junta General, por lo menos una vez al año, de cuantas cuestiones de interés colectivo puedan afectarles a ellos o al Colegio en el orden corporativo, colegial, profesional o cultural y de las que la Junta tenga conocimiento.

7.ª Suministrar al público, incluso a través de los medios de comunicación social, información general sobre materias directamente relacionadas con la actividad notarial y, en particular, aquella información que, según las circunstancias, resulte adecuada para el mejor conocimiento y salvaguarda de los derechos de los particulares.

8.ª Cumplir y ejecutar los acuerdos de la Junta General.

TEXTO ANTERIOR	**TEXTO ACTUAL**

9.ª Adoptar las disposiciones y, en su caso, ejercitar las acciones oportunas contra quiénes publiquen expresiones o signos que atribuyen el amparo de la fe pública a cosas o hechos distintos de los realmente comprobados en las actas notariales de presencia utilizadas con fines de publicidad comercial.

10. Cumplir y ejecutar los acuerdos de la Junta General.

Artículo 328

Las Juntas Directivas, además de las facultades contenidas en otras disposiciones, tendrán las siguientes:

1.ª Acordar la comparecencia en juicio del Colegio y el otorgamiento de poderes.

2.ª Formalizar y someter a la aprobación de la Junta General presupuesto extraordinario para atender gastos colegiales excepcionales, fijando con precisión la forma en que hayan de financiarse y el plazo previsto para su amortización, así como la justa aportación de los colegiados para satisfacer aquellos.

3.ª Determinar el sistema contable del Colegio.

Artículo 238

Las Juntas Directivas, además de las facultades contenidas en otras disposiciones, tendrán las siguientes:

1.ª Acordar la comparecencia en juicio del Colegio y el otorgamiento de poderes.

2.ª Formalizar y someter a la aprobación de la Junta General presupuesto extraordinario para atender gastos colegiales excepcionales, fijando con precisión la forma en que hayan de financiarse y el plazo previsto para su amortización, así como la justa aportación de los colegiados para satisfacer aquellos.

3.ª Determinar el sistema contable del Colegio.

TEXTO ANTERIOR	**TEXTO ACTUAL**
4.ª *Organizar, dirigir y administrar el servicio de legalizaciones y apostillas.*	4.ª Organizar, dirigir y administrar el servicio de legalizaciones y apostillas.
5.ª *Adoptar las medidas que estime necesarias y de carácter urgente para asegurar la prestación de las funciones notariales cuando circunstancias excepcionales de la localidad así lo exijan, pudiendo el Decano, en iguales casos, disponer lo conveniente para garantizar la normalidad en el reparto de letras, pagarés, y demás documentos de crédito, y sin perjuicio de dar cuenta de ello a la Dirección General.*	5.ª Adoptar las medidas que estime necesarias y de carácter urgente para asegurar la prestación de las funciones notariales cuando circunstancias excepcionales de la localidad así lo exijan, pudiendo el Decano, en iguales casos, disponer lo conveniente para garantizar la normalidad en el reparto de letras, pagarés, y demás documentos de crédito, y sin perjuicio de dar cuenta de ello a la Dirección General.
6.ª *Acordar el pago en todo o en parte, según los fondos de que disponga el Colegio, de las expensas que hubiere hecho un Notario para salvar su protocolo, o el de otro Notario, de inundación, incendio u otra fuerza mayor. Si se hubiere producido muerte, inutilidad o lesión, se podrá acordar, además, la concesión a aquél o a sus familiares, por una sola vez, de auxilios extraordinarios complementarios de las prestaciones que correspondan con arreglo al Estatuto de la Mutualidad Notarial.*	6.ª Acordar el pago en todo o en parte, según los fondos de que disponga el Colegio, de las expensas que hubiere hecho un notario para salvar su protocolo, o el de otro notario, de inundación, incendio u otra fuerza mayor. Si se hubiere producido muerte, inutilidad o lesión, se podrá acordar, además, la concesión a aquél o a sus familiares, por una sola vez, de auxilios extraordinarios complementarios en la cuantía que determine la Junta atendidas las circunstancias.

Artículo 329

El Decano, además de su carácter representativo y de las

Artículo 329

El Decano, además de su carácter representativo y de las funciones

TEXTO ANTERIOR	**TEXTO ACTUAL**

funciones previstas en otros artículos del Reglamento, tendrá las de convocar la Junta Directiva y presidir ésta, la General y las Comisiones especiales a que asista dirigiendo las deliberaciones y discusiones; impulsará y coordinará las actividades de la Junta Directiva y vigilará el cumplimiento de todos los servicios. Cuidará de la buena conservación de los bienes del Colegio y será el ordenador de pagos, si bien podrá delegar con carácter general en el Tesorero este último cometido.

Ningún pago podrá hacerse sin que sea ordenado por el Decano o su Delegado y esté conforme con la partida correspondiente del presupuesto.

El Vicedecano ejercerá las funciones que le delegue el Decano, asumiendo las de éste en casos de ausencia, enfermedad, incompatibilidad o vacante.

El Secretario llevará y custodiará la documentación oficial del Colegio y los libros de actas, extenderá éstas, expedirá certificaciones con el visto bueno del Decano y remitirá comunicaciones bajo la dirección de éste.

El Tesorero llevará la contabilidad, formalizará anualmente las cuentas y redactará el presupuesto, haciendo constar en tantas cuentas separadas cuantos sean

previstas en otros artículos del Reglamento, tendrá las de convocar la Junta Directiva y presidir ésta, la General y las Comisiones especiales a que asista, dirigiendo las deliberaciones y discusiones; impulsará y coordinará las actividades de la Junta Directiva y vigilará el cumplimiento de todos los servicios. Cuidará de la buena conservación de los bienes del Colegio y será el ordenador de pagos, si bien podrá delegar con carácter general en el Tesorero este último cometido.

Ningún pago podrá hacerse sin que sea ordenado por el Decano o el Tesorero o quienes legalmente le sustituyan.

El Vicedecano ejercerá las funciones que le delegue el Decano, asumiendo las de éste en casos de ausencia, enfermedad, incompatibilidad o vacante.

El Secretario llevará y custodiará la documentación oficial del Colegio y los libros de actas, extenderá éstas, expedirá certificaciones con el visto bueno del Decano y remitirá comunicaciones bajo la dirección de éste.

El Tesorero llevará la contabilidad, formalizará anualmente las cuentas, redactará el presupuesto, haciendo constar en tantas cuentas separadas cuantos sean los diferentes conceptos que tengan los ingresos del Colegio y los gastos

TEXTO ANTERIOR	**TEXTO ACTUAL**

los diferentes conceptos que tengan los ingresos del Colegio y los gastos relativos a cada concepto; confeccionará el inventario de bienes y verificará la Caja.

Los Censores actuarán como Vocales de la Junta y desempeñarán las funciones que el Decano les delegue y las demás previstas en el Reglamento.

relativos a cada concepto y, en su caso, ordenará los pagos; confeccionará el inventario de bienes y verificará la Caja.

Los Censores actuarán como Vocales de la Junta y desempeñarán las funciones que el Decano les delegue y las demás previstas en el Reglamento.

Los Vicesecretarios sustituirán al Secretario, pudiendo ejercer asimismo las funciones que les delegue el Decano y la Junta Directiva.

Artículo 330

Cuando en el archivo de un Notario fallecido existan instrumentos que no reúnan las solemnidades legales o que adolezcan de otra clase de defectos, las Juntas Directivas de los Colegios Notariales adoptarán las medidas necesarias para su subsanación, si fuere posible, procurando poner en conocimiento de los interesados dichas circunstancias a fin de que puedan, si les conviniere, extender un nuevo documento en sustitución del defectuoso, haciendo los llamamientos por lo periódicos oficiales en términos que se respete el secreto de protocolo, pero con las indicaciones necesarias para que se identifiquen

TEXTO ANTERIOR	**TEXTO ACTUAL**

los documentos y aplicando, en cuanto sea posible, lo dispuesto en los artículos 146, 153 y 280.

Los gastos que se ocasionen con motivo de lo prevenido en el párrafo anterior, lo mismo que los del otorgamiento de los nuevos instrumentos y cualesquiera otras responsabilidades serán siempre a cargo de la fianza y sin perjuicio, si ésta no bastara, del derecho de los perjudicados o sus herederos contra los bienes del Notario responsable.

Artículo 331

Las Juntas Directivas y el Decano tendrán también la facultad de acordar inspecciones a las Notarías siempre que lo consideren conveniente a los fines prevenidos en este Reglamento, debiendo practicarlas de inmediato cuando existan indicios racionales de anomalías que deban ser corregidas. Al menos cada dos años serán inspeccionadas todas las Notarías del territorio. A tal efecto designarán por cada inspección dos Notarios, uno de los cuales actuará como Secretario. Los Inspectores, siempre que sea posible, habrán de pertenecer a la Junta Directiva o ser más antiguo en el escalafón que el

Artículo 331

Las Juntas Directivas y el Decano tendrán también la facultad de acordar inspecciones a las Notarías siempre que lo consideren conveniente a los fines prevenidos en este Reglamento, debiendo practicarlas de inmediato cuando existan indicios racionales de anomalías que deban ser corregidas. Las Juntas Directivas elaborarán cada año un Plan de inspección de notarías del territorio, que deberá ser aprobado por la Dirección General. A tal efecto designarán para cada inspección dos notarios, uno de los cuales actuará como Secretario. Cualquier forma de resistencia a una inspección dará lugar a la in-

TEXTO ANTERIOR	**TEXTO ACTUAL**

inspeccionado. Cualquier forma de resistencia a una inspección dará lugar a la inmediata apertura de expediente de corrección disciplinaria, sin perjuicio de que la Junta adopte cuantas medidas estime pertinentes para que la inspección se lleve a efecto.

mediata apertura de expediente de corrección disciplinaria, sin perjuicio de que la Junta adopte cuantas medidas estime pertinentes para que la inspección se lleve a efecto.

Previo acuerdo de la Junta Directiva, el Decano podrá solicitar de otros Colegios Notariales que le permitan designar a notarios de su Colegio como inspectores. El Colegio Notarial donde ejerza su función el notario inspeccionado podrá acordar el abono de indemnizaciones por razón de servicio a aquellos notarios colegiados de otro Colegio, como consecuencia de los gastos en que incurran en el ejercicio de su función. A tal fin, en cada Colegio Notarial se establecerá una lista de notarios que puedan ser designados como inspectores. Dicha lista no podrá ser inferior a cinco y será renovada cada año. Los inspectores podrán servirse del auxilio de peritos, incluso de notarios jubilados, para desempeñar su función.

Artículo 332

En cada distrito notarial y para facilitar el cumplimiento de sus funciones, las Juntas Directivas designarán un Notario con el

Artículo 332

En cada distrito notarial y para facilitar el cumplimiento de sus funciones, las Juntas Directivas designarán un Notario con el carácter de

TEXTO ANTERIOR	**TEXTO ACTUAL**

carácter de Delegado y otro como Subdelegado, y podrán nombrar varios Subdelegados cuando lo estimen necesario para el servicio. De estos nombramientos las Juntas darán cuenta a la Dirección General.

Los cargos de Delegado y Subdelegado durarán tres años, pero la Junta podrá reelegir a los mismos Notarios.

Estos cargos son igualmente honoríficos, gratuitos y obligatorios para los Notarios menores de sesenta años de edad y también para los mayores cuando no haya más que uno en el distrito.

Las Juntas Directivas podrán, cuando existiere motivo para ello y dando cuenta a la Dirección, separar de sus cargos a los Delegados y Subdelegados.

A instancia del Delegado, y previo informe de los Notarios afectados, podrán las Juntas Directivas autorizar la apertura de una oficina especial para que en ella quede instalada la Delegación, siempre que las necesidades del servicio o de la organización notarial así lo aconsejen. El acuerdo razonado de la Junta incluirá, caso de ser favorable a dicha apertura, todas las medidas que considere oportunas en orden a su régimen.

Delegado y otro como Subdelegado, y podrán nombrar varios Subdelegados cuando lo estimen necesario para el servicio. De estos nombramientos las Juntas darán cuenta a la Dirección General.

Los cargos de Delegado y Subdelegado durarán cuatro años, pero la Junta podrá reelegir a los mismos notarios.

Estos cargos son honoríficos, gratuitos y obligatorios para los notarios menores de sesenta años de edad y también para los mayores cuando no haya más que uno en el distrito.

Las Juntas Directivas podrán, cuando existiere motivo para ello y dando cuenta a la Dirección, separar de sus cargos a los Delegados y Subdelegados.

A instancia del Delegado, y previo informe de los Notarios afectados, podrán las Juntas Directivas autorizar la apertura de una oficina especial para que en ella quede instalada la Delegación, siempre que las necesidades del servicio o de la organización notarial así lo aconsejen. El acuerdo razonado de la Junta incluirá, caso de ser favorable a dicha apertura, todas las medidas que considere oportunas en orden a su régimen.

TEXTO ANTERIOR	TEXTO ACTUAL

Artículo 333

Los Notarios de un distrito podrán reunirse en Junta a fin de emitir los informes que se les soliciten por la Junta Directiva y formular a ésta, sin carácter vinculante, las proposiciones que crean oportunas. La Junta del Distrito en que radique la capital del Colegio será convocada por el Decano y presidida por él. Las demás Juntas de Distrito serán convocadas, previo aviso al Decanato, por el respectivo Delegado, quien las presidirá, salvo que la Junta Directiva hubiere designado para hacerlo a alguno de sus miembros.

En defecto de Delegado, le sustituirá a estos fines el Subdelegado más antiguo en la carrera. Ejercerá las funciones de Secretario el Notario más moderno.

Artículo 334

Contra las resoluciones de las Juntas en asuntos de su competencia no habrá otro recurso que el de alzada ante la Dirección General, salvo los casos en que se disponga legalmente otra cosa.

Artículo 334

Las resoluciones o acuerdos de las Juntas podrán ser recurribles en los plazos y forma previstos para el de alzada ante la Dirección General cuando se refieran a la interpretación y aplicación de la regulación notarial.

TEXTO ANTERIOR	**TEXTO ACTUAL**

Artículo 335

Las Juntas Directivas, lo mismo que los Colegios Notariales y sus Decanos, tendrán el tratamiento de Ilustres.

SECCIÓN 3ª
Del consejo general del notariado

Artículo 336

La Junta de Decanos de los Colegios Notariales de España se constituye en Consejo General del Notariado y tiene la condición de Corporación de Derecho Público, con personalidad jurídica propia y plena capacidad. Son sus fines esenciales: Colaborar con la Administración, mantener la organización colegial, coordinar las funciones de los Colegios Notariales, asumiéndolas en los casos legalmente establecidos, y ostentar la representación unitaria del Notariado español.

Formar parte del Consejo General todos los Decanos de los Colegios Notariales de España. En caso de vacante del cargo de Decano de algún Colegio Notarial

Artículo 336

El Consejo General del Notariado tiene la condición de Corporación de Derecho público, con personalidad jurídica propia y plena capacidad. En el ejercicio de las funciones públicas atribuidas respecto de la prestación de la función pública notarial queda subordinado jerárquicamente al Ministro de Justicia y a la Dirección General de los Registros y del Notariado. Son sus fines esenciales: colaborar con la Administración, mantener la organización colegial, coordinar las funciones de los Colegios Notariales, asumiéndolas en los casos legalmente establecidos, dictar Circulares de orden interno de obligado cumplimiento para los Colegios y los notarios en las materias a que se refiere el artículo 344 de este Regla-

TEXTO ANTERIOR	TEXTO ACTUAL

será miembro de la Junta quien haga sus veces.

Se relacionará con el Ministerio de Justicia por medio de la Dirección General de los Registros y del Notariado.

El Consejo General tiene su sede en Madrid.

mento, y ostentar la representación unitaria del Notariado español.

Forman parte del Consejo General todos los Decanos de los Colegios Notariales de España. En caso de vacante del cargo de Decano de algún Colegio Notarial será miembro del Consejo General quien haga sus veces.

Se relacionará con el Ministerio de Justicia por medio de la Dirección General de los Registros y del Notariado.

El Consejo General tiene su sede en Madrid.

Artículo 337

El Consejo General funcionará en Pleno, en Comisión Permanente y por medio de la actuación de su Presidente, que ostenta la representación legal del mismo. En defecto o imposibilidad del Presidente será sustituido por el Vicepresidente.

El Presidente y el Vicepresidente serán designados por el Pleno del Consejo General mediante elección entre sus miembros. El Pleno podrá también acordar su remoción y aceptar su renuncia. Todos estos acuerdos se pondrán en conocimiento del Ministerio

Artículo 337

El Consejo General funcionará en Pleno, en Comisión Permanente y por medio de la actuación de su Presidente, que ostenta la representación legal del mismo. En defecto o imposibilidad del Presidente será sustituido por el Vicepresidente.

El Presidente y el Vicepresidente serán designados por el Pleno del Consejo General mediante elección entre sus miembros. El Pleno podrá también acordar su remoción y aceptar su renuncia. Todos estos acuerdos se pondrán en conocimiento del Ministerio de Justicia dentro del plazo de cinco días.

TEXTO ANTERIOR	TEXTO ACTUAL

de Justicia dentro del plazo de cinco días.

El tiempo de duración de los cargos de Presidente y de Vicepresidente coincidirá con el de su mandato como Decano. La condición de Presidente y de Vicepresidente no es delegable en ningún caso.

Artículo 338

El Pleno se reunirá cuando así lo acuerde el mismo y, además, siempre que lo determine el Presidente, por propia iniciativa o a petición fundada de cualquier Decano. Quedará válidamente constituido si concurre la mayoría absoluta de los miembros.

A las sesiones del Pleno asistirán los Decanos personalmente. En caso de imposibilidad podrán designar como su delegado, precisamente por escrito, con expresión de causa y para la sesión particular de que se trate, a un miembro de la Junta Directiva de su Colegio.

Artículo 338

El Pleno se reunirá cuando así lo acuerde el mismo y, además, siempre que lo determine el Presidente, por propia iniciativa o a petición fundada de cualquier Decano. Deberá convocarse el Pleno, al menos, con dos días hábiles de antelación a la fecha de su celebración. En dicha convocatoria se incluirá el orden del día. El Presidente podrá por motivos de urgencia modificar el orden del día hasta el día inmediato hábil al de su celebración comunicando inmediatamente dicha modificación a los miembros del Pleno. Quedará éste válidamente constituido si concurre la mayoría absoluta de sus miembros.

A las sesiones del Pleno asistirán los Decanos personalmente. En caso de imposibilidad podrán designar como su delegado, precisamente por escrito, con expresión de causa y para la sesión particular de que se trate, a un miembro de

TEXTO ANTERIOR	TEXTO ACTUAL

la Junta Directiva de su Colegio. El Pleno podrá delegar en la Comisión Permanente el ejercicio de aquellas competencias que entienda oportunas, a excepción de la aprobación de Circulares de orden interno que sólo compete al Pleno.

Artículo 339

La Comisión Permanente estará integrada por el Presidente, el Vicepresidente y tres Decanos designados por el Pleno. Se reunirá cuantas veces fuere necesario, previa convocatoria por el Presidente, por propia iniciativa o a petición fundada de cualquiera de sus miembros. Quedará válidamente constituida para su actuación en cada caso con la asistencia de la mayoría absoluta de sus componentes. De sus acuerdos se dará cuenta inmediata a todos los Decanos.

El tiempo de duración de los cargos de Presidente y de Vicepresidente coincidirá con el de su mandato como Decano. La condición de Presidente y de Vicepresidente no es delegable en ningún caso. Tampoco es delegable la condición de miembro de la Comisión Permanente, que se os-

Artículo 339

La Comisión Permanente estará integrada por el Presidente, el Vicepresidente y tres Decanos designados por el Pleno. Se reunirá cuantas veces fuere necesario, previa convocatoria por el Presidente, por propia iniciativa o a petición fundada de cualquiera de sus miembros. Quedará válidamente constituida para su actuación en cada caso con la asistencia de la mayoría absoluta de sus componentes. De sus acuerdos se dará cuenta inmediata a todos los Decanos.

Podrá ejercer aquellas competencias que le delegue el Pleno del Consejo, asumiendo las funciones de éste en casos de urgencia. Los acuerdos adoptados por la Comisión Permanente en virtud de delegación del Consejo deberán expresar tal carácter y se entenderán adoptados por el órgano delegante, pudiendo ser objeto de recurso en

TEXTO ANTERIOR	**TEXTO ACTUAL**
tentará con carácter personal por todo el tiempo que el designado desempeñe el cargo de Decano.	los términos previstos en el artículo 343 de este Reglamento. Del resto de sus acuerdos dará cuenta a todos los Decanos.
	No es delegable la condición de miembro de la Comisión Permanente, que se ostentará con carácter personal por todo el tiempo que el designado desempeñe el cargo de Decano.

Artículo 340

El Consejo General o Junta de Decanos elegirá un Secretario, a propuesta del Presidente. El nombramiento deberá recaer en un Notario de Madrid. Su cese se producirá por acuerdo del Consejo, a propuesta asimismo del Presidente. Designación y cese serán comunicados al Ministerio de Justicia a la mayor brevedad.

Son funciones del Secretario levantar acta de las sesiones del Pleno y de la Comisión Permanente, expedir certificaciones con el visto bueno del Presidente, custodiar la documentación de la Junta, auxiliar al Presidente en la ejecución de los acuerdos y en la preparación del orden del día de las sesiones y dirigir la labor del personal del Consejo, tanto

Artículo 340

El Consejo General elegirá un Secretario, a propuesta del Presidente. El Secretario deberá ser notario. Su cese se producirá por acuerdo del Consejo, a propuesta asimismo del Presidente. Su designación y cese serán comunicados al Ministerio de Justicia a la mayor brevedad.

Son funciones del Secretario levantar acta de las sesiones del Pleno y de la Comisión Permanente, expedir certificaciones con el visto bueno del Presidente, custodiar la documentación de la Junta, auxiliar al Presidente en la ejecución de los acuerdos y en la preparación del orden del día de las sesiones y dirigir la labor del personal del Consejo, tanto de secciones técnicas como de la oficina administrativa.

TEXTO ANTERIOR

de secciones técnicas como de la oficina administrativa.

A propuesta conjunta del Presidente y del Secretario, el Consejo designará uno o varios Vicesecretarios y los removerá, en su caso. Cualquiera de las funciones del Secretario puede ser delegada por éste en un Vicesecretario, siempre en cuestiones determinadas. El Vicesecretario, o uno de los Vicesecretarios, actuará como Tesorero.

A propuesta del Presidente, el Consejo podrá encomendar servicios determinados a Secciones Delegadas del mismo, integradas por Notarios. El Director de cada una de ellas utilizará la denominación de Delegado de la Sección correspondiente y rendirá cuenta de su actuación y formulará propuestas al Consejo por conducto del Presidente.

TEXTO ACTUAL

A propuesta conjunta del Presidente y del Secretario, el Consejo designará uno o varios Vicesecretarios y los removerá, en su caso. Cualquiera de las funciones del Secretario puede ser delegada por éste en un Vicesecretario, siempre en cuestiones determinadas. El Vicesecretario, o uno de los Vicesecretarios, actuará como Tesorero.

El Consejo podrá encomendar servicios determinados a Secciones Delegadas del mismo, integradas por notarios o personal especializado. El Director de cada una de ellas utilizará la denominación de Delegado o Director de la Sección correspondiente, y rendirá cuenta de su actuación al Consejo a través del Presidente.

Igualmente, podrá crear la unidad especializada prevista en el artículo 17.6 de la Ley del Notariado a los efectos de colaborar eficazmente con las Administraciones Públicas, y especialmente, con las autoridades judiciales, administrativas y policiales competentes en lo relativo a la lucha contra el fraude tributario pudiendo a estos efectos recabar del notario la información y datos precisos. Creada dicha unidad el notario le prestará auxilio en el ejercicio de sus funciones, debiendo facilitar a dicha unidad especializada cualquier información que ésta

TEXTO ANTERIOR	**TEXTO ACTUAL**

les requiera para el ejercicio de su función de examen.

Artículo 341

Para la adopción de acuerdos del Pleno será suficiente el voto favorable de la mayoría de los asistentes, resolviendo en caso de empate el voto de calidad del Presidente.

No se podrán adoptar acuerdos sobre asuntos no incluidos en el orden del día, salvo que, hallándose presentes o representados las tres cuartas partes de sus miembros, sea declarada la urgencia de su tratamiento por unanimidad de los asistentes.

Todas las sesiones del Pleno y de la Comisión Permanente se celebrarán en Madrid, a menos que se decida por unanimidad otra cosa para la celebración de una sesión determinada.

Artículo 341

Para la válida adopción de acuerdos se exige la presencia de la mitad más uno de los Decanos debiendo asistir el Presidente o Vicepresidente en su sustitución y el Secretario o Vicesecretario que le sustituya.

Los acuerdos del Pleno deberán ser adoptados con el voto favorable de la mayoría de los asistentes, resolviendo en caso de empate el voto de calidad del Presidente.

Las deliberaciones del Pleno serán secretas. Sus acuerdos sólo podrán hacerse públicos cuando esté legalmente previsto o lo decida el Pleno que, asimismo, determinará el medio y ámbito de dicha publicidad. Respecto de la Comisión Permanente se estará a lo dispuesto en el artículo 339 de este Reglamento.

Todas las sesiones del Pleno y de la Comisión Permanente se celebrarán en el lugar en que por mayoría simple acuerden sus miembros.

|

Artículo 342

Los acuerdos adoptados por el Consejo General son inmediatamente ejecutivos. La ejecución corresponde al Presidente, salvo que, en casos especiales, se hubiese acordado que se lleve a efecto por uno o varios Decanos o bien por el Secretario.

Artículo 342

Los acuerdos adoptados por el Consejo General son inmediatamente ejecutivos. La ejecución corresponde al Presidente o a la Comisión Permanente, salvo que, en casos especiales, se hubiese acordado que se lleve a efecto por uno o varios Decanos o bien por el Secretario.

Artículo 343

Los acuerdos del Consejo General serán impugnables ante el Ministro de Justicia, salvo los casos en que proceda otro tipo de recursos.

Artículo 343

Los acuerdos o resoluciones del Consejo General, hayan sido adoptados por el Pleno o por la Comisión Permanente previa delegación de aquél, serán impugnables ante el Ministro de Justicia, cuando se refieran a la interpretación y aplicación de la regulación notarial en los plazos y forma previstos para el de alzada.

Artículo 344

Son funciones del Consejo General las siguientes:

A) 1. Facilitar y organizar la comunicación entre Colegios Notariales; coordinar sus actuaciones

Artículo 344

Son funciones del Consejo General las siguientes:

A) 1. Facilitar y organizar la comunicación entre Colegios Notariales; coordinar sus actuaciones

TEXTO ANTERIOR	**TEXTO ACTUAL**

y dirimir, dentro de sus facultades, proponiendo en otro caso su resolución, los conflictos que puedan surgir entre ellos.

2. Adoptar las medidas necesarias para que los Colegios cumplan las resoluciones del Consejo General dictadas en materia de su competencia.

3. Completar provisionalmente con los colegiados más antiguos las Juntas Directivas de los Colegios cuando se produzcan las vacantes de más de la mitad de los cargos de aquéllas. La Junta Provisional, así constituida, ejercerá sus funciones hasta que tomen posesión los designados en virtud de elección.

4. Adoptar las medidas necesarias para procurar la unificación de la práctica notarial y colaborar con la Dirección General de los Registros y del Notariado en los supuestos legalmente establecidos en esta materia.

5. Visar los Reglamentos especiales de régimen interior de los Colegios.

6. Organizar actividades y servicios comunes de interés para los Notarios, y entre ellos los culturales, asistenciales, de previsión y otros análogos, y proveer, en su caso, a su sostenimiento económico. En este sentido, regulará todos los aspectos relativos a la

y dirimir, dentro de sus facultades, proponiendo en otro caso su resolución, los conflictos que puedan surgir entre ellos.

2. Adoptar las medidas necesarias para que los Colegios cumplan las resoluciones del Consejo General dictadas en materia de su competencia.

3. Completar provisionalmente con los colegiados más antiguos las Juntas Directivas de los Colegios cuando se produzcan las vacantes de más de la mitad de los cargos de aquéllas. La Junta provisional, así constituida, ejercerá sus funciones hasta que tomen posesión los designados en virtud de elección.

Igualmente, el Consejo podrá designar una Junta Gestora para aquellos Colegios en los que no se presentara candidatura válida para cubrir todos los puestos de la Junta Directiva. Dicha Junta estará integrada por tres notarios del ámbito territorial del Colegio respectivo y sus cargos serán obligatorios para los notarios designados. Constituida esa Junta el Consejo comunicará a la Dirección General la identidad de sus integrantes y cargos. En todo caso, dicha Junta deberá convocar elecciones tan pronto sea posible

4. Velar por el exacto cumplimiento de las disposiciones vigentes por parte de los Colegios y de los notarios. A estos efectos, y en el

TEXTO ANTERIOR	TEXTO ACTUAL

«Revista de Derecho Notarial», organizará el servicio de pago de indemnizaciones por las responsabilidades civiles contraídas por los Notarios en el ejercicio de su cargo y el denominado Servicio Quirúrgico en tanto no se haga cargo del mismo la Mutualidad Notarial, y llevará a cabo de modo continuado estudios sociológicos sobre la implantación del servicio notarial en la sociedad nacional y, en función de sus resultados, propondrá o adoptará, según los casos, las medidas conducentes a procurar el grado óptimo de aquélla en cada circunstancia.

7. Estimular, proteger y vigilar, conforme a las competencias atribuidas por las leyes, la mejor organización y conservación de los archivos.

8. Procurar la armonía y colaboración entre todos los Notarios a fin de evitar conflictos entre Notarios de Colegios diferentes.

9. Ejercitar el derecho a mostrarse parte en la causa contra cualquier Notario que el artículo 62 del Reglamento Notarial concede a la Junta Directiva, si la Junta correspondiente no lo ejercitase y siempre previo informe de la misma.

10. Organizar cursos para la formación de posgraduados o de práctica notarial.

ámbito de las disposiciones que rigen la función pública notarial podrá dictar circulares de orden interno de obligado cumplimiento para los Colegios y notarios. El Proyecto de circular deberá ser sometido a consulta previa de la Dirección General de los Registros y del Notariado. Transcurridos diez días hábiles desde su remisión sin que dicha Dirección General practique objeción se entenderá aprobada la misma. Este plazo podrá reducirse a dos días hábiles por razones de urgencia que motivará el Consejo en su comunicación a la Dirección General y apreciará ésta. En todo caso, las circulares deberán publicarse en la página web del Consejo.

5. Aprobar los Reglamentos de régimen interior de los Colegios.

6. Organizar actividades y servicios comunes de interés para los notarios, y entre ellos los culturales, asistenciales, de previsión y otros análogos, y proveer, en su caso, a su sostenimiento económico. En este sentido, regulará todos los aspectos relativos a la «Revista de Derecho Notarial», organizará el servicio de pago de indemnizaciones por las responsabilidades civiles contraídas por los notarios en el ejercicio de su cargo y el denominado Servicio Quirúrgico, y llevará a cabo de modo continuado estudios sociológicos sobre la implantación del servicio

TEXTO ANTERIOR	**TEXTO ACTUAL**

11. *Determinar su régimen económico-financiero mediante la aprobación de sus propios presupuestos y la fijación equitativa de las aportaciones de todos los Colegios Notariales.*

B) 1. Ostentar la representación y defensa de la profesión notarial ante la Administración, Instituciones, Tribunales, Entidades y particulares, con legitimación para ser parte en cuantos litigios afecten a los intereses profesionales, y ejercitar el derecho de petición conforme a la Ley.

2. Asumir la representación del Notariado español ante las Entidades similares en otras naciones, designando asimismo las personas y Delegaciones que corresponda.

3. Informar en todos aquellos casos en que el Ministerio de Justicia lo estime conveniente y en especial en las reformas que afecten al ingreso en el Notariado y al régimen de las oposiciones y, en particular, al programa o temario de las oposiciones libres.

4. Designar o proponer, en su caso, los Decanos y Notarios que hayan de figurar como vocales de la Junta de Patronato de la Mutualidad Notarial y de los órganos rectores de otras Entidades en los supuestos legalmente establecidos.

notarial en la sociedad nacional y, en función de sus resultados, propondrá o adoptará, según los casos, las medidas conducentes a procurar el grado óptimo de aquélla en cada circunstancia.

7. Estimular, proteger y vigilar, conforme a las competencias atribuidas por las leyes, la mejor organización y conservación de los archivos.

8. Procurar la armonía y colaboración entre todos los notarios a fin de evitar conflictos entre notarios de Colegios diferentes.

9. Ejercitar el derecho a mostrarse parte en la causa contra cualquier notario que el artículo 62 del Reglamento Notarial concede a la Junta Directiva, si la Junta correspondiente no lo ejercitase y siempre previo informe de la misma.

10. Organizar cursos para la formación de posgraduados o de práctica notarial, primando especialmente la formación continua y sistemática de los empleados de notarías.

11. Determinar su régimen económico-financiero mediante la aprobación de sus propios presupuestos y la fijación equitativa de las aportaciones de todos los Colegios Notariales. Igualmente, establecerá, en su caso, las compensaciones institucionales que estime procedente, para aquellos cargos del Consejo

TEXTO ANTERIOR	TEXTO ACTUAL

5. Participar en los Consejos u Organismos consultivos de la Administración en las materias de competencia de la profesión notarial.

C) 1. Informar preceptivamente todo proyecto de modificación de la legislación sobre Colegios Profesionales, así como los proyectos de Ley o de disposiciones de cualquier rango que se refieran a las condiciones generales de la función notarial.

2. Informar los proyectos de disposiciones generales de carácter fiscal que afecten directa y concretamente a la profesión notarial en los términos señalados en el número 4 del artículo 130 de la Ley de Procedimiento Administrativo (RCL 1958, 1258, 1469, 1504 y RCL 1959, 585).

3. Informar en los recursos gubernativos contra calificaciones de los Registradores de la Propiedad o Mercantiles, siempre que la Dirección General lo solicite y se trate de materias que afecten al Notariado o a la función notarial.

4. Informar, a petición de las Juntas Directivas de los Colegios Notariales o de la Dirección General de los Registros y del Notariado, en las impugnaciones de honorarios hechas con arreglo a los Aranceles Notariales y en

que se entienda oportuno, a fin de garantizar la debida dedicación de los mismos a sus obligaciones corporativas.

B) 1. Ostentar la representación y defensa de la profesión notarial ante la Administración, Instituciones, Tribunales, Entidades y particulares, con legitimación para ser parte en cuantos litigios afecten a los intereses profesionales, y ejercitar el derecho de petición conforme a la Ley.

2. Asumir la representación del Notariado español ante las Entidades similares en otras naciones, designando asimismo las personas y Delegaciones que corresponda.

3. Informar en todos aquellos casos en que el Ministerio de Justicia lo estime conveniente y en especial en las reformas que afecten al ingreso en el Notariado y al régimen de las oposiciones y, en particular, al programa o temario de las oposiciones libres.

4. Designar o proponer, en su caso, los Decanos y notarios que hayan de figurar como vocales de la Junta de Patronato de la Mutualidad Notarial y de los órganos rectores de otras Entidades en los supuestos legalmente establecidos.

5. Participar en los Consejos u Organismos consultivos de la Administración en las materias de competencia de la profesión notarial.

TEXTO ANTERIOR

los supuestos de consultas a los que se refiere el artículo 70 del Reglamento Notarial.

5. Ejercer cuantas funciones le sean encomendadas por la Administración y colaborar con ésta mediante la realización de estudios, emisión de informes, elaboración de estadísticas y otras actividades relacionadas con sus fines que puedan serle solicitadas o acuerde formular por propia iniciativa, y especialmente colaborar con el Ministerio de Justicia y con la Dirección General de los Registros y del Notariado en todo lo que se refiera a la función notarial.

6. Proponer a la Administración, y en especial a la Dirección General de los Registros y del Notariado, la adopción de medidas o las resoluciones y disposiciones de carácter general que estime convenientes para el Notariado.

7. Colaborar con la Administración para que se cumplan las condiciones exigidas en orden a la presentación y proclamación de candidatos para los cargos de las Juntas directivas de los Colegios Notariales.

8. Consultar a la Dirección General las dudas que tenga sobre la aplicación de las disposiciones de carácter notarial, y elevar consultas a los Organismos competentes sobre la aplicación de las

TEXTO ACTUAL

C) 1. Informar preceptivamente todo proyecto de modificación de la legislación sobre Colegios Profesionales, así como los proyectos de Ley o de disposiciones de cualquier rango que se refieran a las condiciones generales de la función notarial.

2. Informar los proyectos de disposiciones generales de carácter fiscal que afecten directa y concretamente a la profesión notarial en los términos previstos en la legislación estatal o autonómica correspondiente.

3. Informar en los recursos gubernativos contra calificaciones de los Registradores de la Propiedad o Mercantiles, siempre que la Dirección General lo solicite y se trate de materias que afecten al Notariado o a la función notarial.

4. Informar, a petición de las Juntas Directivas de los Colegios Notariales o de la Dirección General de los Registros y del Notariado, en las impugnaciones de honorarios hechas con arreglo a los Aranceles Notariales y en los supuestos de consultas a los que se refiere el artículo 70 del Reglamento Notarial.

5. Ejercer cuantas funciones le sean encomendadas por la Administración y colaborar con ésta mediante la realización de estudios, emisión de informes, elaboración de estadísticas y otras actividades relacionadas con sus fines que puedan

TEXTO ANTERIOR	TEXTO ACTUAL

Leyes cuando se relacionen directamente con la actuación notarial, verificándolo por mediación del Ministerio de Justicia si se refieren a la función.

D) 1. Velar por la ética y dignidad profesional en la práctica de la función notarial y por el respeto debido a los derechos de los particulares, promoviendo la corrección de cuanto pueda atentar a tales principios, a cuyos fines estará facultada para girar visitas de inspección a los Colegios Notariales y para proponer a la Dirección General de los Registros y del Notariado, si procediere, la apertura de expedientes disciplinarios.

2. Instruir los expedientes de corrección disciplinaria promovidos contra las Juntas directivas por causa de infracciones mutualistas.

3. Adoptar las medidas conducentes a evitar el intrusismo profesional.

E) Velar por el cumplimiento de los deberes que incumben a los Notarios respecto de la Mutualidad Notarial adoptando las medidas que estime pertinentes y ejerciendo las facultades disciplinarias que se le atribuyen en este Reglamento.

F) Cualquier otra establecida en las Leyes y Reglamentos.

serle solicitadas o acuerde formular por propia iniciativa, y especialmente colaborar con el Ministerio de Justicia y con la Dirección General de los Registros y del Notariado en todo lo que se refiera a la función notarial.

6. Proponer a la Administración, y en especial a la Dirección General de los Registros y del Notariado, la adopción de medidas o las resoluciones y disposiciones de carácter general que estime convenientes para el Notariado.

7. Colaborar con la Administración para que se cumplan las condiciones exigidas en orden a la presentación y proclamación de candidatos para los cargos de las Juntas Directivas de los Colegios Notariales.

8. Consultar a la Dirección General las dudas que tenga sobre la aplicación de las disposiciones de carácter notarial, y elevar consultas a los Organismos competentes sobre la aplicación de las Leyes cuando se relacionen directamente con la actuación notarial, verificándolo por mediación del Ministerio de Justicia si se refieren a la función.

9. Elevar consulta vinculante a la Dirección General de los Registros y del Notariado, respecto de aquellos actos o negocios susceptibles de inscripción en los Registros de la Propiedad, Mercantil y de Bienes

TEXTO ANTERIOR	TEXTO ACTUAL

El ejercicio de todas las funciones establecidas en los apartados anteriores corresponde al Pleno del Consejo General, si bien por acto expreso de delegación, general o específica, de aquél podrán ser ejercitadas por la Comisión Permanente. En casos de urgencia, ésta asumirá cualquiera de las funciones del Pleno.

Muebles, de conformidad con el artículo 103 de la Ley 24/2001, de 27 de diciembre.

10. Evacuar las consultas que los Colegios o los notarios le formulen sobre asuntos técnicos de la profesión. La resolución de las consultas deberá ser objeto de publicación en el sitio web del Consejo.

D) 1. Velar por la ética y dignidad profesional en la práctica de la función notarial y por el respeto debido a los derechos de los particulares, promoviendo la corrección de cuanto pueda atentar a tales principios, a cuyos fines estará facultado para girar visitas de inspección a los Colegios Notariales y para proponer a la Dirección General de los registros y del Notariado, si procediere, la apertura de expedientes disciplinarios.

2. Instruir los expedientes de corrección disciplinaria promovidos contra las Juntas Directivas por causa de infracciones mutualistas.

3. Adoptar las medidas conducentes a evitar el intrusismo profesional.

E) Cualquier otra establecida en las Leyes y Reglamentos.

El ejercicio de todas las funciones establecidas en los apartados anteriores corresponde al Pleno del Consejo General, si bien por acto expreso de delegación, general o específica, de aquél podrán ser

TEXTO ANTERIOR	TEXTO ACTUAL

ejercitadas por la Comisión Permanente, de conformidad con lo previsto en el artículo 339 de este Reglamento. Igualmente, y mediante acuerdo de las dos terceras partes de sus miembros el Pleno podrá delegar la ejecución de alguna de sus competencias en uno o varios de sus integrantes.

Artículo 345

Corresponde al Presidente del Consejo General ostentar la representación legal de éste; convocar, preparar el orden del día en el que se incluirán obligatoriamente las materias solicitadas por cualquiera de los miembros del Consejo, y presidir las sesiones del Pleno y de la Comisión Permanente; ejecutar los acuerdos adoptados; llevar a cabo los actos de administración del patrimonio de la Junta, entre ellos los de abrir, seguir y extinguir cuentas bancarias, efectuar cobros y pagos y comprar y vender valores mobiliarios; comparecer en juicio por sí o por medio de Procuradores; resolver los asuntos de tramitación ordinaria y cuantas atribuciones le sean encomendadas por el Pleno o la Comisión Permanente. En relación con ésta,

TEXTO ANTERIOR	**TEXTO ACTUAL**

apreciará, en su caso, la urgencia de los asuntos que motive la convocatoria de la misma.

TÍTULO VI
DE LAS CORRECCIONES DISCIPLINARIAS

Artículo 346

Los Notarios estarán sujetos a responsabilidad disciplinaria, que solamente podrá ser exigida mediante el procedimiento regulado en este título por órgano competente, y se iniciará por decisión de éste tomada por su propia iniciativa, a instancia de agraviado o en virtud de orden del órgano jerárquicamente superior.

La exigencia de dicha responsabilidad corresponde al Ministro de Justicia, a la Dirección General de los Registros y del Notariado y a las Juntas directivas de los Colegios Notariales.

Artículo 346

El régimen disciplinario de los notarios se regirá por lo establecido en el artículo 43.Dos de la Ley 14/2000, de 29 de diciembre, de Medidas Fiscales, Administrativas y del Orden Social, y por lo previsto en el presente Reglamento. Supletoriamente, a falta de normas especiales, se aplicará lo dispuesto en las normas reguladoras del régimen disciplinario de los funcionarios civiles del Estado, excepto en lo referente a la tipificación de las infracciones.

La Dirección General de los Registros y del Notariado podrá acordar las visitas de inspección que estime necesarias en relación con la actuación de los Colegios Notariales.

TEXTO ANTERIOR	TEXTO ACTUAL

Artículo 347

Las faltas cometidas por los Notarios en el ejercicio de su actividad pública podrán ser leves, graves y muy graves.

Las faltas leves prescribirán a los dos meses; las graves, al año, y las muy graves, a los dos años, contados desde la fecha de su comisión.

La prescripción se interrumpirá por el inicio del procedimiento disciplinario o de la información reservada prevista en este título siempre que ésta sea notificada al interesado.

Artículo 347

Las faltas cometidas por los notarios en el ejercicio de su actividad pública se considerarán infracciones muy graves, graves o leves, conforme se establece en los artículos siguientes.

Las infracciones prescribirán a los cuatro meses, en el caso de infracciones leves; a los dos años las infracciones graves y a los cuatro años las infracciones muy graves, computados desde su comisión.

Los mismos plazos serán necesarios en los mismos supuestos para la prescripción de las sanciones, computados desde el día siguiente al que adquiera firmeza la resolución en que se impongan.

La incoación de procedimiento penal no será obstáculo para la iniciación de un expediente disciplinario por los mismos hechos, mas no se dictará resolución en éste en tanto no haya recaído sentencia o auto de sobreseimiento firmes en la causa penal.

En todo caso, la declaración de hechos probados contenida en la resolución que pone término al procedimiento penal vinculará a la que se dicte en el expediente disciplinario, sin perjuicio de la distinta calificación jurídica que pueda merecer en una u otra vía.

TEXTO ANTERIOR	**TEXTO ACTUAL**
	Sólo podrá recaer sanción penal y disciplinaria sobre los mismos hechos cuando no hubiere identidad de fundamento jurídico y de bien jurídico protegido.

Artículo 348

Son faltas muy graves de los Notarios:

1. El abandono del servicio.

2. La ausencia injustificada por más de diez días del lugar de su residencia.

3. La negativa injustificada y reiterada a la prestación de funciones requeridas.

4. La competencia ilícita reiterada en cualquiera de sus formas, así como la conducta abusiva y reiterada en la formulación y percepción de cuentas arancelarias.

5. La conducta que dé lugar al desmerecimiento en el concepto público.

6. La incompatibilidad personal del Notario en el lugar, zona o distrito donde desarrolle su actividad debida a actitudes de aquél que provoquen enfrentamientos graves y reiterados.

7. En general, el incumplimiento continuado o reiterado de deberes reglamentarios o mutua-

Artículo 348

Son infracciones muy graves:

a) Las conductas constitutivas de delito doloso relacionadas con la prestación de la fe pública que causen daño a la Administración o a los particulares declaradas en sentencia firme.

b) Las conductas que hayan acarreado sanción administrativa, en resolución firme, por infracción grave de disposiciones en materia de prevención de blanqueo de capitales, tributaria, de mercado de valores u otras previstas en la legislación especial que resulte aplicable, siempre que dicha infracción esté directamente relacionada con el ejercicio de su profesión.

c) La autorización o intervención de documentos contrarios a lo dispuesto en las leyes o sus reglamentos, a sus formas y reglas esenciales siempre que se deriven perjuicios graves para clientes, para terceros o para la Administración.

listas con grave menoscabo de la función notarial o perjuicio para terceros.

d) La actuación del notario sin observar las formas y reglas de la presencia física.

e) La reincidencia por la comisión de infracciones graves en el plazo de dos años siempre que hubieran sido sancionadas por resolución firme.

f) El incumplimiento grave de las normas sobre incompatibilidades contenidas en la Ley 5/2006, de 10 de abril de Regulación de los Conflictos de intereses de los miembros del Gobierno y Altos cargos de la Administración General del Estado y en la Ley 53/1984, de 26 de diciembre, de Incompatibilidades del Personal al Servicio de las Administraciones Públicas.

g) La percepción de derechos arancelarios con infracción de las disposiciones por las que aquellos se rijan.

h) El incumplimiento del deber de fidelidad a la Constitución en el ejercicio de su profesión.

i) Toda actuación profesional que suponga discriminación por razón de raza, sexo, religión, lengua, opinión, lugar de nacimiento, vecindad o cualquier otra condición o circunstancia personal o social.

j) La violación de neutralidad o independencia políticas, utilizando las facultades atribuidas para influir en procesos electorales de cualquier naturaleza y ámbito, así como

TEXTO ANTERIOR	TEXTO ACTUAL

la obstaculización al ejercicio de las libertades públicas y derechos sindicales.

k) El incumplimiento de las obligaciones de custodia y uso de la firma electrónica reconocida del notario, así como la obligación de denunciar la pérdida, extravío o deterioro o situación que ponga en riesgo el secreto o la unicidad del dispositivo seguro de creación de firma de acuerdo con lo dispuesto en la legislación sobre el uso de firma electrónica de notarios y Registradores de la Propiedad, Mercantiles y de Bienes Muebles.

Artículo 349

Son faltas graves:

1. La desobediencia a los superiores jerárquicos y la falta al respeto debido a los mismos, realizadas de modo ostensible de palabra, en escrito que se les dirija o de obra.

2. Las invasiones ilegales y subrepticias en distritos notariales ajenos o en el término municipal donde tenga su residencia otro Notario, cuando no constituyan competencia ilícita.

3. El ejercicio no personal de la profesión y el acaparamiento de asuntos por medios reprobables.

Artículo 349

Son infracciones graves:

a) Las conductas que hayan acarreado sanción administrativa, en resolución firme, por infracción de disposiciones en materia de prevención de blanqueo de capitales, tributaria, de mercado de valores, u otras previstas en la legislación especial que resulte aplicable, siempre que dicha infracción esté directamente relacionada con el ejercicio de su profesión y no constituyan falta muy grave.

b) La negativa injustificada a la prestación de funciones requeridas, así como la ausencia injustificada

TEXTO ANTERIOR	**TEXTO ACTUAL**
4. *La ausencia injustificada por más de tres días del lugar de residencia cuando no constituya falta muy grave.* 5. *La utilización de procedimientos contrarios a la buena fe en la contratación del personal con manifiesta insolidaridad respecto de otros compañeros.* 6. *La desconsideración reiterada con los compañeros, con los particulares que soliciten sus servicios o en el trato con sus propios empleados.* 7. *La negligencia o la morosidad reiteradas en la prestación de las funciones requeridas.*	por más de dos días del lugar de su residencia, siempre que cause daño a terceros; en particular, se considerará a los efectos de esta infracción de negativa injustificada a la prestación de funciones requeridas, la denegación injustificada por parte del notario a autorizar un instrumento público. c) Las conductas que impidan prestar con imparcialidad, dedicación y objetividad las obligaciones de asistencia, asesoramiento y control de legalidad que la vigente legislación atribuya a los notarios o que pongan en peligro los deberes de honradez e independencia necesarios para el ejercicio público de su función. d) Los enfrentamientos graves y reiterados del notario con autoridades, clientes u otros notarios, en el lugar, zona o distrito donde ejerce su función, debida a actitudes no justificadas de aquél. e) El incumplimiento grave y reiterado de cualesquiera deberes impuestos por la legislación notarial o por acuerdo corporativo vinculante, así como el impago de los gastos colegiales acordados reglamentariamente. f) La reincidencia por la comisión de infracciones leves en el plazo de dos años siempre que hubieran sido sancionadas por resolución firme.

TEXTO ANTERIOR	**TEXTO ACTUAL**
	g) La falta de rendimiento que afecte al normal funcionamiento del servicio y no constituya falta muy grave.
	h) La falta de obediencia debida a las Juntas Directivas y al Consejo General del Notariado.
	i) El incumplimiento y la falta de obediencia a las Instrucciones y Resoluciones de carácter vinculante de la Dirección General de los Registros y del Notariado, así como la falta de respeto o menosprecio a dicho Centro Directivo.

Artículo 350

Son faltas leves:

1. La falta ostensible de respeto a los superiores jerárquicos que no constituya falta grave.

2. La desconsideración con los compañeros y con los particulares que solicitaren sus servicios, cuando no constituya falta grave.

3. El incumplimiento o la morosidad respecto de deberes reglamentarios o mutualistas, cuando no constituyan falta muy grave.

Artículo 350

Es infracción disciplinaria leve, si no procediere calificarla como grave o muy grave, el incumplimiento de los deberes y obligaciones impuestos por la legislación notarial o, con base en ella, por resolución administrativa o acuerdo corporativo. Tratándose del incumplimiento de un acuerdo corporativo, será necesario que el notario previamente haya sido requerido para su observancia por el órgano corporativamente competente.

El requerimiento citará expresamente el precepto, dará un plazo para cumplirlo y apercibirá al notario de que, si no lo hace, podrá

TEXTO ANTERIOR	TEXTO ACTUAL

incurrir en infracción disciplinaria leve.

Artículo 351

Las correcciones disciplinarias que pueden ser impuestas a los Notarios, sin perjuicio de la sanción especial prevista en el artículo 135 de este Reglamento, son las siguientes:

1. Apercibimiento.
2. Multa.
3. Suspensión de los derechos reglamentarios de ausencia, licencia o traslación voluntaria.
4. Postergación en la antigüedad en la carrera o en la clase.
5. Traslación forzosa simple.
6. Traslación forzosa cualificada.

La imposición de una sanción por falta grave o muy grave llevará aneja, como pena accesoria, la privación de la aptitud para ser elegido miembro de las Juntas Directivas mientras no se haya obtenido rehabilitación.

Las sanciones prescribirán a los cuatro meses en el caso de faltas leves; las graves, a los dos años, y las muy graves, a los cuatro años, computados a partir del día siguiente al que adquiera

Artículo 351

Tendrán la consideración de infracción grave las siguientes infracciones en que pudieren incurrir los miembros o delegados del Consejo General del Notariado, los de las Juntas Directivas de los Colegios Notariales, así como los archiveros de protocolos:

a) El incumplimiento grave o reiterado de sus deberes, siempre que suponga infracción de un precepto legal, reglamentario o corporativo.

b) La negativa o resistencia a cumplir instrucciones, circulares, resoluciones o actos administrativos de obligado cumplimiento y las graves insuficiencias o deficiencias en su cumplimiento.

c) El incumplimiento o cumplimiento defectuoso de acuerdos corporativos regularmente adoptados, si mediara dolo o negligencia grave.

Si la infracción fuera reiterada en el transcurso de su mandato, tendrá la calificación de muy grave.

Sin perjuicio de lo dispuesto en el artículo 354 de este Reglamento, la sanción a los miembros de

TEXTO ANTERIOR	**TEXTO ACTUAL**

firmeza la resolución en que se impongan.

la Junta Directiva de los Colegios Notariales o del Consejo General sólo podrá ser impuesta por el Director General de los Registros y del Notariado.

Artículo 352

Las faltas leves sólo podrán ser sancionadas con apercibimiento, con multa del grado menor de la escala prevista en el párrafo último del artículo 353 o con suspensión de los derechos reglamentarios de ausencia, licencia o traslación voluntaria.

Las graves, con multa a partir del grado medio de la escala, con suspensión de los derechos reglamentarios o con postergación.

Las muy graves, con multa a partir del grado mayor de la escala, postergación o traslación forzosa en cualquiera de sus modalidades.

Las sanciones de suspensión de derechos reglamentarios sólo se podrán aplicar a faltas relativas al deber de residencia o ausencias injustificadas y podrán comprender cumulativamente los tres derechos mencionados en el número 3 del artículo anterior para sancionar una misma falta.

Artículo 352

Las sanciones que pueden ser impuestas a los notarios, sin perjuicio de lo previsto en la Ley y en la reglamentación notarial en relación a la traba de su fianza, son las siguientes:

a) Apercibimiento.

b) Multa.

c) Suspensión de los derechos de ausencia, licencia o traslación voluntaria hasta dos años.

d) Postergación de la antigüedad en la carrera cien puestos o en la clase hasta cinco años.

e) Traslación forzosa.

f) Suspensión de funciones hasta cinco años.

g) Separación del servicio.

En la sanción de multa existirá una escala de tres tramos: menor, entre 601 y 3.005 euros; media entre 3.005 y 12.020 euros, y mayor entre 12.020 euros y 30.050 euros.

En caso de reiteración podrá multiplicarse dicha cuantía hasta

TEXTO ANTERIOR	**TEXTO ACTUAL**

Para calificar la gravedad de la falta y de la sanción, cuando éstas sean graduables, se atenderá al daño producido a la función notarial o a los terceros y a la existencia o no de desmerecimiento en el concepto público.

un máximo del cien por cien de la multa a pagar.

Artículo 353

Las Juntas Directivas solamente podrán imponer las sanciones de apercibimiento, multa hasta 100.000 pesetas y suspensión, durante el plazo máximo de un año, de los derechos reglamentarios de ausencia, licencia o traslación voluntaria.

La Dirección General, las de apercibimiento, multa hasta 250.000 pesetas y suspensión durante dos años, como máximo, de los derechos reglamentarios antes citados y postergación de 25 números, como mínimo, y 100, como máximo, en la antigüedad en la carrera, y 25 puestos, como mínimo, y 50, como máximo, en la antigüedad en la clase.

Sólo el Ministro podrá imponer multas, que rebasando las 250.000 pesetas, no excedan de 500.000, así como la postergación de más de 100 números, con el tope de 300, de antigüedad en la

Artículo 353

Las infracciones muy graves se sancionarán con multa en el último tramo, traslación forzosa, suspensión de funciones y separación del servicio.

Las infracciones graves se sancionarán con multa a partir del tramo medio de la escala, con suspensión de los derechos reglamentarios de ausencia, licencia o traslación voluntaria y con postergación.

Las infracciones leves sólo podrán ser sancionadas con apercibimiento, con multa de tramo menor o con suspensión de los derechos reglamentarios de ausencia, licencia o traslación voluntaria.

Las sanciones se graduarán atendiendo en cada caso concreto, esencialmente, a la trascendencia que para la prestación de la función notarial tenga la infracción cometida; la existencia de intencionalidad o reiteración y la entidad de los perjuicios ocasionados.

TEXTO ANTERIOR	TEXTO ACTUAL

carrera y de más de 50 puestos, con el tope de 100 de antigüedad en la clase, así como la sanción de traslación forzosa en cualquiera de sus modalidades.

En la sanción de multa existirá una escala de tres grados; menor, entre 10.000 y 50.000 pesetas; media, entre 50.000 y 200.000 pesetas, y mayor, entre 200.000 y 500.000 pesetas.

La imposición de una sanción por infracción grave o muy grave llevará aneja, como sanción accesoria, la privación de la aptitud para ser elegido miembro de las juntas Directivas mientras no se haya obtenido rehabilitación.

El notario separado del servicio causará baja en el escalafón y perderá todos sus derechos, excepto los derivados de la previsión notarial, en los casos en que corresponda.

Artículo 354

No obstante lo dispuesto en el artículo anterior, a las Juntas Directivas de los Colegios Notariales, como órgano inferior, y a la Junta de Decanos, en su carácter de Consejo General del Notariado, como órgano superior, competen el conocimiento y resolución de expedientes que tengan por objeto exclusivo la sanción de faltas relativas a incumplimiento de deberes mutualistas.

A tales efectos, y sin perjuicio de la aplicación de las normas de procedimiento establecidas en este título, la Junta de Decanos tendrá en estos expedientes, con carácter exclusivo, la misma competencia que la Dirección General tiene

Artículo 354

Son órganos competentes en la imposición de sanción las Juntas Directivas de los Colegios Notariales, la Dirección General de los Registros y del Notariado y el Ministro de Justicia.

Las Juntas Directivas podrán imponer las sanciones de apercibimiento y multa en los tramos menor y medio.

La Dirección General de los Registros y del Notariado será el órgano competente para imponer las sanciones no reservadas a las Juntas Directivas excepto la separación del servicio.

La separación del servicio sólo podrá ser impuesta por el Ministro de Justicia.

TEXTO ANTERIOR	**TEXTO ACTUAL**

respecto de los demás expedientes de corrección disciplinaria.

Artículo 355

Las correcciones disciplinarias se impondrán, con audiencia del interesado, en virtud de expediente tramitado por el Instructor y el Secretario nombrados al efecto por el órgano que ordene su incoación. Salvo los casos en los que actúe un Letrado de la Dirección General como Instructor, éste habrá de ser un Notario de igual o superior categoría o clase y, de ser posible, de mayor edad o mayor antigüedad en la carrera que el presunto infractor.

El expediente lo incoará el órgano que tuviere conocimiento de los hechos o el inferior en el que aquél delegue. En casos especiales, el órgano inferior que tuviere conocimiento de los hechos podrá proponer al superior que sea éste quien ordene la incoación del expediente, pero éste podrá declinar la competencia devolviéndola al inferior.

El órgano que ordenó la incoación del expediente no queda vinculado por la propuesta del Instructor, pero deberá resolver siempre acerca de su propia com-

Artículo 355

En todo lo no previsto en el presente título en orden al régimen disciplinario de los notarios se aplicará supletoriamente, a falta de normas especiales, lo dispuesto en las normas reguladoras del régimen disciplinario de los funcionarios civiles del Estado, salvo en lo referente a la tipificación de las infracciones y, específicamente, lo establecido en el Reglamento de Régimen Disciplinario de los Funcionarios de la Administración del Estado, aprobado por Real Decreto 33/1986, de 10 de enero, o norma que lo sustituya.

TEXTO ANTERIOR	**TEXTO ACTUAL**

petencia. *Consecuentemente, dicho órgano podrá aceptar la propuesta del Instructor, reducirla o ampliarla, e, incluso, apreciar que la sanción procedente rebasa su propia competencia, debiendo elevar el expediente, en este último caso, al órgano superior con su informe preceptivo.*

El órgano competente para imponer la sanción podrá devolver el expediente al Instructor para la práctica de aquellas diligencias que, habiendo sido omitidas, resulten imprescindibles para la decisión. En este caso, antes de remitir de nuevo el expediente a dicho órgano, se dará vista de lo actuado al Notario inculpado, a fin de que en el plazo de ocho días alegue cuanto estime conveniente.

En la tramitación de los expedientes de corrección disciplinaria se aplicarán las normas de la legislación sobre Procedimiento Administrativo.

Todo acuerdo de apertura de expediente sancionador adoptado por las Juntas Directivas, deberá ser comunicado inmediatamente por éstas a la Dirección General e igualmente lo serán los acuerdos que recaigan al finalizar el expediente en el momento mismo en que sean firmes.

TEXTO ANTERIOR	**TEXTO ACTUAL**
Artículo 356	**Artículo 356**
En todo caso, la sanción de apercibimiento podrá imponerse sin más trámite que la audiencia del interesado.	El procedimiento disciplinario se iniciará en virtud de acuerdo del órgano competente que tenga conocimiento de los hechos y que podrán ser las Juntas Directivas de los Colegios Notariales, la Dirección General de los Registros y del Notariado o el Ministro de Justicia. El órgano competente para incoar el procedimiento podrá acordar previamente la realización de una información reservada.
Lo dispuesto en este artículo será aplicable a los casos de infracción por el Notario de disposiciones de carácter administrativo ajenas a la legislación notarial, sin perjuicio de la responsabilidad en que haya podido incurrir conforme a lo previsto en el artículo 146 de este Reglamento.	En la resolución por la que se incoe el procedimiento se nombrará Instructor y, cuando la complejidad y trascendencia del mismo lo demanden, Secretario para que se encarguen de la tramitación del expediente.
	Si el órgano competente para incoar el expediente disciplinario fuera informado por otro de la existencia de hechos que revistan el carácter de infracción disciplinaria podrá ordenar al mismo la incoación del expediente. Igualmente, el órgano competente podrá recabar del inferior su parecer acerca de los hechos a los efectos de valorar su alcance.
	La incoación del procedimiento con el nombramiento del Instructor y del Secretario se notificará al notario sujeto a expediente, así

TEXTO ANTERIOR	TEXTO ACTUAL
	como los designados para ostentar dichos cargos.

Serán de aplicación al Instructor y al Secretario las normas relativas a la abstención y recusación establecidas en la Ley 30/1992, de 26 de noviembre, de Régimen Jurídico de las Administraciones Públicas y del Procedimiento Administrativo Común.

El Ministro de Justicia en el supuesto de la separación del servicio, o el Director General de los Registros y del Notariado, en los restantes casos, podrán suspender provisionalmente en el ejercicio de sus funciones a cualquier notario al que se haya ordenado incoar procedimiento disciplinario por infracción muy grave o grave, si ello fuere necesario para asegurar la debida instrucción del expediente o para impedir que continúe el daño al interés público o de terceros. La resolución acordando la suspensión provisional, que agotará la vía administrativa, será recurrible independientemente.

La suspensión de funciones, sea con carácter provisional, sea como sanción definitiva, llevará consigo el nombramiento de un habilitado para atender el servicio público.

TEXTO ANTERIOR	TEXTO ACTUAL

Artículo 357

El órgano competente para iniciar la tramitación de un expediente disciplinario que tenga conocimiento de una posible infracción podrá acordar la instrucción de una información reservada antes de ordenar la incoación del expediente o, en su caso, el archivo de las actuaciones.

Artículo 357

El Instructor ordenará la práctica de cuantas diligencias sean adecuadas para la determinación y comprobación de los hechos y en particular de cuantas pruebas puedan conducir a su esclarecimiento y a la determinación de las responsabilidades susceptibles de sanción. A este respecto, cuando las conductas a esclarecer tuvieran relación con aspectos económicos de la función pública notarial, el Instructor tanto en esta fase, como en la de información reservada, podrá servirse del auxilio de peritos en la forma establecida en el artículo 331 de este Reglamento.

Como primeras actuaciones, el Instructor procederá a recibir declaración al presunto inculpado y a evacuar cuantas diligencias se deduzcan de la comunicación o denuncia que motivó la incoación del expediente y de lo que aquél hubiera alegado en su declaración.

A la vista de las actuaciones practicadas y en un plazo no superior a tres meses contado a partir de la incoación del procedimiento, el Instructor formulará el correspondiente pliego de cargos, comprendiendo en el mismo los hechos imputados, con expresión, en su caso, de la falta presuntamente

TEXTO ANTERIOR	**TEXTO ACTUAL**

cometida, y de las sanciones que puedan ser de aplicación. El Instructor podrá por causa justificada solicitar la ampliación en un mes del plazo referido.

El pliego de cargos deberá redactarse de modo claro y preciso, en párrafos separados y numerados por cada uno de los hechos imputados al notario. También podrá proponer el levantamiento de la suspensión del notario en el ejercicio de sus funciones a que antes se ha hecho referencia.

El pliego de cargos se notificará al inculpado concediéndose un plazo de diez días para que pueda contestarlo con las alegaciones que considere convenientes a su defensa y con la aportación de cuantos documentos considere de interés. En este trámite deberá solicitar, si lo estima conveniente, la práctica de las pruebas que para su defensa crea necesarias.

Contestado el pliego o transcurrido el plazo sin hacerlo, el Instructor podrá acordar la práctica de las pruebas solicitadas que juzgue oportunas así como de todas aquellas que considere pertinentes. Para la práctica de las pruebas se dispondrá del plazo de un mes.

El Instructor cuidará de la tramitación del expediente podrá denegar motivadamente la admisión y práctica de las pruebas cuando las

TEXTO ANTERIOR	**TEXTO ACTUAL**
	estime improcedentes, sin que contra esta resolución quepa recurso del inculpado.

estime improcedentes, sin que contra esta resolución quepa recurso del inculpado.

Para la práctica de las pruebas propuestas, así como para las de oficio cuando así se estime oportuno, se notificará al notario el lugar, fecha y hora en que deberán realizarse, debiendo incorporarse al expediente la constancia de la notificación al domicilio oficial del notario.

El Secretario, en su caso, cuidará y dará fe de las diversas actuaciones del mismo.

Cumplimentadas las diligencias previstas, se dará vista del expediente al inculpado para que en el plazo de diez días alegue lo que estime pertinente a su defensa y aporte cuantos documentos considere de interés. Se facilitará copia completa del expediente al inculpado cuando éste así lo solicite y lo permita la específica naturaleza de los documentos.

El Instructor formulará dentro de los diez días siguientes la propuesta de resolución en la que fijará con precisión los hechos, motivando, en su caso, la denegación de las pruebas propuestas por el inculpado y hará la valoración jurídica de los mismos para determinar la falta que se estime cometida, señalando la responsabilidad del notario así como la sanción que procede imponer.

TEXTO ANTERIOR	**TEXTO ACTUAL**
	La propuesta de resolución se notificará por el Instructor al interesado para que, en el plazo de diez días, pueda alegar ante el instructor cuanto considere conveniente a su defensa.

La propuesta de resolución se notificará por el Instructor al interesado para que, en el plazo de diez días, pueda alegar ante el instructor cuanto considere conveniente a su defensa.

Oído el inculpado, o transcurrido el plazo sin alegación alguna, se remitirá con carácter inmediato el expediente completo al órgano que haya acordado la incoación del procedimiento. El órgano que ordenó la incoación del expediente no queda vinculado por la propuesta del Instructor, pero deberá resolver siempre acerca de su propia competencia. Consecuentemente, dicho órgano podrá aceptar la propuesta del Instructor, reducirla o ampliarla, e, incluso, apreciar que la sanción procedente rebasa su propia competencia, debiendo elevar el expediente, en este último caso, al órgano superior con su informe preceptivo.

El órgano competente para imponer la sanción podrá devolver el expediente al Instructor para la práctica de aquellas diligencias que, habiendo sido omitidas, resulten imprescindibles para la decisión. En este caso, antes de remitir de nuevo el expediente a dicho órgano, se dará vista de lo actuado al notario inculpado, a fin de que en el plazo

TEXTO ANTERIOR	**TEXTO ACTUAL**
	de diez días alegue cuanto estime conveniente.

Artículo 358

Las sanciones de apercibimiento, multa y suspensión de los derechos reglamentarios de ausencia y licencia serán ejecutivas desde el momento de su imposición, sin perjuicio de los recursos que prevé el artículo 361. Las demás no serán ejecutivas mientras no sean firmes.

Una vez que sea firme cualquiera de las sanciones previstas en este título, se hará constar en el expediente personal del Notario.

Artículo 358

La resolución que pone fin al procedimiento disciplinario deberá adoptarse en el plazo de diez días, salvo en el caso de separación del servicio y resolverá todas las cuestiones planteadas en el expediente.

La resolución habrá de ser motivada y en ella no se podrán aceptar hechos distintos de los que sirvieron de base al pliego de cargos y a la propuesta de resolución, sin perjuicio de su distinta valoración jurídica.

En la resolución que ponga fin al procedimiento disciplinario deberá determinarse con toda precisión la infracción que se estime cometida señalando los preceptos en que aparece recogida la misma, el funcionario responsable y la sanción que se impone, haciendo expresa declaración en orden a las medidas provisionales adoptadas durante la tramitación del procedimiento.

La resolución deberá ser notificada al inculpado con expresión del recurso o recursos que quepan contra la misma y el plazo para interponerlos.

TEXTO ANTERIOR	**TEXTO ACTUAL**
	La imposición de sanciones por infracción leve se hará en procedimiento abreviado que sólo requerirá la previa audiencia del inculpado y no exigirá el nombramiento de Secretario.

Artículo 359

La ejecución de las correcciones disciplinarias corresponde al órgano que las hubiere impuesto, salvo las acordadas por el Ministro de Justicia, que se harán efectivas por la Dirección General.

Si la corrección impuesta fuere la de multa, el Notario deberá ingresar el importe de la misma, en el plazo de quince días siguientes al requerimiento de pago, en su Colegio, con destino a la Mutualidad Notarial. Si no la abonare en el plazo indicado, se observarán las siguientes reglas:

Se enajenará la parte de la fianza del Notario corregido, suficiente a cubrir la multa impuesta y los gastos que ocasione su cumplimiento.

Si la fianza estuviere constituida en valores o efectos públicos, la enajenación se hará por Agente de Bolsa, si lo hubiere en la localidad; en su defecto, por Corredor

Artículo 359

El plazo máximo para dictar y notificar la resolución será de nueve meses, ampliables por otros tres mediante acuerdo del órgano que decidió la iniciación del procedimiento. No obstante, en los casos de procedimiento abreviado, el plazo máximo para dictar y notificar la resolución será de tres meses, salvo que se acuerde la transformación del procedimiento durante su instrucción.

Transcurridos los expresados plazos máximos el procedimiento quedará caducado, pero la caducidad no producirá por sí sola la prescripción de la infracción.

de Comercio y, a falta de ambos, por un Agente de Bolsa de otra residencia que el Decano designe bajo su responsabilidad.

Al efecto, la Dirección ordenará a la oficina en que estuviere constituida la fianza que entregue al Decano los títulos necesarios para cubrir la responsabilidad decretada. El Decano podrá autorizar a quien tenga por conveniente, siempre bajo su responsabilidad, para recoger los títulos cuando la entrega haya de efectuarse en localidad que no sea la de su residencia.

Si la fianza fuese de inmuebles, se enajenarán los suficientes en subasta pública, con sujeción a las disposiciones establecidas en la Ley de Enjuiciamiento Civil, y siempre a instancia del Decano del Colegio, el cual tendrá personalidad tanto para comparecer ante los Tribunales ordinarios como para sustituir legalmente su representación.

Todos los gastos serán de cuenta del Notario corregido y mientras no se hagan efectivos por éste, los suplirá el Colegio Notarial.

TEXTO ANTERIOR	**TEXTO ACTUAL**

Artículo 360

El Notario a quien se imponga la corrección disciplinaria de traslación forzosa simple será nombrado para Notaría de la misma categoría. Aquél a quien se imponga la sanción de traslación forzosa cualificada será nombrado para servir una Notaría de sección o clase inmediatamente inferior a la que tuviere el interesado y no siendo esto posible por ser el Notario sancionado de la tercera sección o clase, sin perjuicio del traslado a Notaría de esta misma sección o clase, el Ministro ordenará la postergación en su antigüedad en la carrera con no más de 25 números ni menos de 10.

A los efectos de este artículo se tendrá en cuenta la clasificación prevista en el artículo 88 de este Reglamento, si bien se considerarán refundidos en un solo grupo, por un lado, el primero y el segundo, y por otro, el tercero y el cuarto.

Artículo 360

A salvo de medidas cautelares que puedan adoptar los Juzgados o Tribunales competentes, las sanciones disciplinarias de apercibimiento y multa se ejecutarán cuando quede agotada la vía administrativa. Las sanciones de postergación, traslación, suspensión de funciones y separación del servicio, se ejecutarán cuando sean firmes.

Artículo 361

Contra las resoluciones de las Juntas imponiendo correcciones disciplinarias podrá entablarse

Artículo 361

La ejecución de las sanciones disciplinarias corresponde al órgano que las hubiere impuesto, salvo las *recurso de alzada en el plazo de quince días, contados a partir del siguiente al de la notificación, ante la Dirección General y, en su caso, cuando se trate de sanciones por infracciones mutualistas ante el Consejo General del Notariado. Contra las que imponga la Dirección General podrá recurrirse en alzada, en igual plazo, ante el Ministro de Justicia.*

Las resoluciones recaídas en cualquiera de los recursos de alzada previstos en este artículo agotan la vía administrativa, sin perjuicio del recurso potestativo de reposición, previo al contencioso-administrativo.

acordadas por el Ministro de Justicia, que se harán efectivas por la Dirección General.

Si la sanción impuesta fuere la de multa, el notario deberá ingresar el importe de la misma, en el plazo de quince días siguientes al requerimiento de pago en el Colegio Notarial al que pertenezca.

Si no lo abonare en el plazo indicado, se procederá a la ejecución de su fianza, o de las que sucesivamente vaya constituyendo de no ser suficiente la cuantía de la primitiva para afrontar las responsabilidades derivadas de la sanción, en la forma regulada en los artículos 24 y siguientes de este Reglamento y normativa complementaria para su desarrollo. Ejecutada la fianza, el notario no podrá ejercer la profesión hasta que no la reponga en toda su integridad.

Si con la fianza o fianzas no bastare para el cumplimiento de la sanción, se procederá a la ejecución de los bienes del sancionado por la vía administrativa de apremio.

Todos los gastos serán de cuenta del notario corregido y mientras no se hagan efectivos por éste, los suplirá el Colegio Notarial.

TEXTO ANTERIOR	TEXTO ACTUAL

Artículo 362

Los Archiveros de Protocolos serán corregidos por faltas cometidas en el ejercicio de sus cargos con las sanciones de apercibimiento y multa, impuestas por las Juntas Directivas, por la Dirección General o por el Ministro y con la separación del cargo impuesta por éste o por la Dirección General.

Artículo 362

Las sanciones se graduarán atendiendo en cada caso concreto, esencialmente, a la trascendencia que para la prestación de la función notarial tenga la infracción cometida; la existencia de intencionalidad o reiteración y la entidad de los perjuicios ocasionados.

Así, en el supuesto concreto de traslación forzosa el Órgano sancionador, esto es, la Dirección General de los Registros y del Notariado, ponderará si el sancionado debe ser nombrado directamente por la Dirección para servir una Notaría de sección o clase inmediatamente inferior a la que tuviera el interesado, siendo esto último posible, o si es suficiente obligarle a pedir traslado en el siguiente concurso, pudiendo optar en el mismo a una plaza de idéntica categoría.

Idénticos criterios se utilizarán para ponderar la sanción de postergación de puestos de antigüedad en la carrera o la de años de antigüedad en la clase.

Artículo 363

Las Juntas Directivas y cualquiera de sus miembros podrán

Artículo 363

Contra las resoluciones de la Junta imponiendo sanciones disci-

TEXTO ANTERIOR

ser corregidos por la Junta de Decanos, por la Dirección General y por el Ministro de Justicia.

En la incoación del expediente, en el que bastará la audiencia de la Junta Directiva o la de aquellos de sus miembros presuntamente infractores, se estará a lo dispuesto en el párrafo segundo del artículo 355.

Las sanciones imponibles serán las de apercibimiento y multa hasta 100.000 pesetas, y las faltas serán sancionables en los casos siguientes:

1. Cuando fueren morosos o negligentes en el cumplimiento de sus deberes oficiales.

2. Cuando en el ejercicio de sus funciones infringieren las disposiciones legales o reglamentarias.

3. Cuando faltaren al respeto debido a sus superiores jerárquicos o desobedecieran sus órdenes.

La doble sanción a un miembro de la Junta Directiva en el plazo de dos años determinará automáticamente su cese en el cargo. Este cese llevará aparejada como pena accesoria, la privación de aptitud para ser elegido miembro de las Juntas Directivas durante el plazo de los tres años siguientes.

Las sanciones impuestas por la Junta de Decanos serán recu-

TEXTO ACTUAL

plinarias, podrá entablarse recurso en los plazos y forma previsto para el de alzada, ante la Dirección General, en el plazo de un mes, contado a partir del día siguiente al de la notificación. Contra las que imponga la Dirección General podrá recurrirse en alzada, en igual plazo, ante el Ministro de Justicia.

Las resoluciones recaídas en cualquiera de los recursos de alzada previstos en este artículo agotan la vía administrativa.

TEXTO ANTERIOR	**TEXTO ACTUAL**

rribles en alzada ante la Dirección General y las impuestas por ésta lo serán asimismo ante el Ministro de Justicia.

Artículo 364

Los Notarios sancionados podrán obtener su rehabilitación y la cancelación en sus expedientes personales de las sanciones anotadas cuando haya transcurrido un año desde que ganó firmeza la orden, resolución o acuerdo sancionador si la falta fue leve, dos años si fue grave y cuatro años si fue muy grave, salvo si los efectos de la sanción se extendieran a plazos superiores, en cuyo caso será necesario el transcurso de éstos.

Artículo 364

Los notarios sancionados podrán obtener la cancelación en sus expedientes personales de las sanciones anotadas cuando haya transcurrido un año desde que ganó firmeza la orden, resolución o acuerdo sancionador si la falta fue leve, dos años si fue grave y cuatro años si fue muy grave, salvo si los efectos de la sanción se extendieren a plazos superiores, en cuyo caso será necesario el transcurso de éstos.

ÍNDICE ANALÍTICO

Debido a la referencia del Índice Analítico a tres tipos de Normas, se indicará con L.N. delante del artículo a aquellos que pertenezcan a la Ley Notarial; An., para aquellos que sean del Anexo del Reglamento y el resto (sin acrónimo) para los artículos del Reglamento Notarial.

D

P

R

S

Data-SIC:
Base de Datos Jurídica

Para acceder a la base de datos en línea para notarios Data-SIC, donde encontrará toda la información jurídica que necesite, entre en:

https://sic.notariado.org

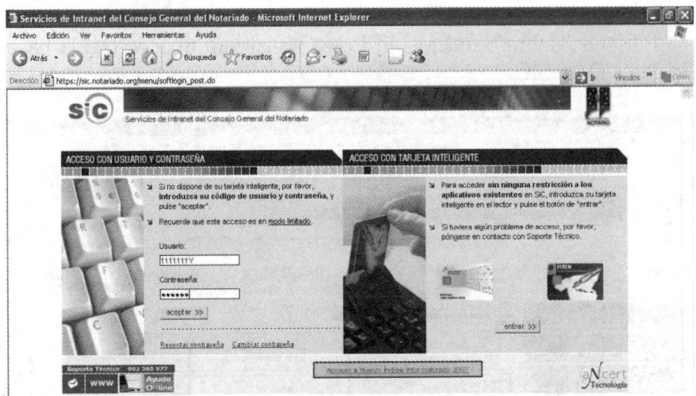

Introduciendo su usuario y contraseña accederá a la página de inicio de SIC, la intranet del Consejo General del Notariado:

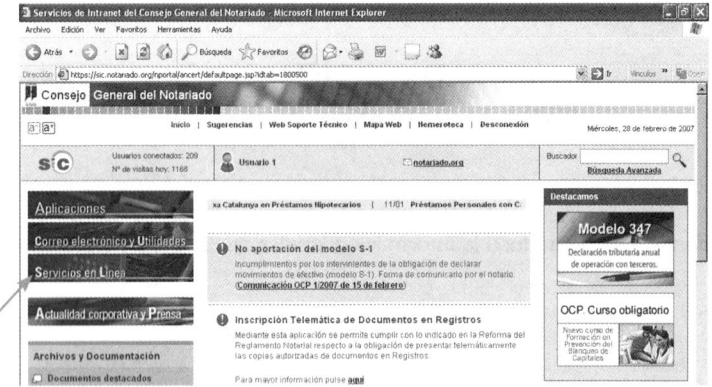

Pulsando sobre Servicios en Línea visualizará al acceso a la base de datos Data-SIC.

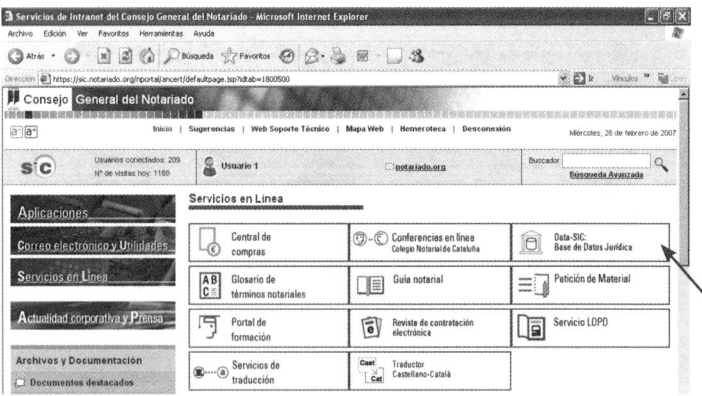

Pulsando de nuevo sobre el icono indicado accederá a su base de datos en línea.